GRAHAM MASTERTON, popularny pisarz angielski,
urodził się w 1946 w Edynburgu. Po ukończeniu studiów
pracował jako redaktor w miesięcznikach, m.in. *Mayfair*
i angielskim oddziale *Penthouse'a*. Jest autorem licznych
horrorów, romansów, powieści obyczajowych, thrillerów,
poradników seksuologicznych. Swój pierwszy utwór z gatunku horroru zatytułowany „Manitou" wydał na początku
lat 70. Łącznie napisał ponad sześćdziesiąt książek o łącz-
nym nakładzie przekraczającym 20 milionów egzempla-
rzy, z czego ponad dwa miliony kupili polscy czytelnicy.
Wielką popularność pisarza w Polsce ugruntował cykl
poradników seksuologicznych – przede wszystkim „Magia
seksu" i „Potęga seksu". Horrory „Tengu" i „Kostnica"
otrzymały wyróżnienia literackie w USA i Europie, zaś
„Manitou" został zekranizowany. Najnowsze bestsellery
to thriller „Teoria chaosu" (2007) oraz powieści grozy
„Krew Manitou" (2005), „Powrót Wojowników Nocy"
(2006) i „Wendigo" (2006). W planach wydawniczych
autora znajdują się kolejne utwory z gatunku horroru:
The 5th Witch, *Fire Spirit*, *Manitou Armaggeddon*
i *Demon's Door*.

graham
MASTERTON

Duch zagłady

Z angielskiego przełożyły
ANNA KRUCZKOWSKA
HANNA REIFF

WARSZAWA 2007

Tytuł oryginału:
BURIAL

Copyright © for the Polish edition
by Wydawnictwo Albatros A. Kuryłowicz 2007

Copyright © for the Polish translation
by Anna Kruczkowska & Agnieszka Reiff-Roessel 2007

Pierwsze polskie wydanie książki: Prima Oficyna Wydawnicza

Redakcja: Helena Klimek
Ilustracja na okładce: Jacek Kopalski
Projekt graficzny okładki: Andrzej Kuryłowicz

ISBN 978-83-7359-354-1

Dystrybucja
Firma Księgarska Jacek Olesiejuk
Poznańska 91, 05-850 Ożarów Maz.
t./f. 022-535-0557, 022-721-3011/7007/7009
www.olesiejuk.pl

Sprzedaż wysyłkowa – księgarnie internetowe
www.merlin.pl
www.empik.com
www.ksiazki.wp.pl

WYDAWNICTWO ALBATROS
ANDRZEJ KURYŁOWICZ
Wiktorii Wiedeńskiej 7/24, 02-954 Warszawa

Wydanie I
Skład: Laguna
Druk: OpolGraf S.A., Opole

Nowy Jork

Naomi przyprawiała rybę w kuchni, gdy z jadalni dobiegł złowieszczy zgrzyt. Odłożyła chochlę, nasłuchując uważnie. To było coś jak przesuwanie krzesła po podłodze. Ale przecież tam nie ma nikogo. Michael i Erwin poszli do synagogi; nie spodziewała się ich w domu wcześniej niż za godzinę.

Czekała dłuższą chwilę. Faszerowana ryba dusiła się na wolnym ogniu; pokrywka na garnku z ziemniakami brzęczała delikatnie. Już nie usłyszała tego dźwięku. Dochodziła do niej jedynie przytłumiona muzyka rockowa z położonego nad nią mieszkania Bensonów i klaksony samochodów. Drzwi wejściowe były potrójnie zabezpieczone: przez łańcuch i dwie zasuwy. Było więc mało prawdopodobne, aby ktoś mógł się wedrzeć do domu niepostrzeżenie.

Pochyliła się lekko do przodu, by móc jednocześnie obserwować jadalnię. Przez uchylone do połowy drzwi mogła zobaczyć tylko ciemny, politurowany kredens z niezliczoną ilością fotografii oprawionych w ramki, kremowy koronkowy bieżnik, róg jadalnego stołu oraz oparcie jednego krzesła. Wirujące i pełgające światło świec zniekształcało cienie. Przez ułamek sekundy zdawało jej się, że dostrzegła jakiś obcy, ciemny, wrogi kształt. Zdrowy rozsądek mówił, że przecież tam nikogo nie ma, że to tylko gra światła i ciemności i przeciąg z otwartego okna.

Wyjęła z lodówki placek z truskawkami i położyła go na blacie, by się rozmroził. Potem zajrzała do piecyka, żeby sprawdzić, czy kurczak ładnie się rumieni. Przez chwilę nic nie widziała — para pokryła szkła jej okularów.

Zamykając piecyk znów usłyszała ten obcy dźwięk. Tym razem było to lekkie skrzypnięcie. Jeszcze raz otworzyła i zamknęła drzwiczki od piecyka, aby sprawdzić, czy to nie zawiasy. Wytarła ręce w fartuch i ostrożnie podeszła do drzwi jadalni. Z lustra zawieszonego nad kredensem spoglądała na nią pulchna kobieta o bardzo białej karnacji. Miała typowo wschodnioeuropejskie rysy twarzy, głęboko osadzone oczy i włosy przewiązane jaskrawoczerwoną wstążką. Dwadzieścia dziewięć lat temu Naomi była uderzająco piękna. Nadal zachowała swoją dziewczęcość, która tak czarowała ich przyjaciół. Tyle że od prac domowych i wieloletniego sprzątania biura miała zaczerwienione ręce, a chociaż nadal miała ładne, pełne piersi — nadmiar kartofli i śmietany zrobił z niej grubaskę. Dlatego nosiła gorset. Prawdopodobnie schudłaby, gdyby stosowała dietę. Jedzenie jednak, oprócz oglądania telewizji i śpiewu (uwielbiała chóry i opery) należało do jej największych przyjemności. Życie jest zbyt krótkie, żeby z nich rezygnować.

Podeszła do drzwi jadalni i pchnęła je lekko. Stanęła nasłuchując.

— Kto tam? — zapytała stanowczym tonem. W tej samej chwili pomyślała, że było to głupie pytanie. Trudno oczekiwać, że włamywacz odpowie: „Proszę się nie denerwować. To tylko ja, włamywacz".

Czekała jeszcze chwilę. Cienie migotały, na półce z książkami cichutko tykał zegar. Nagle poczuła, jakby tkwiła w tych półotwartych drzwiach przez całe wieki, jakby czekało tam na nią jej niewidzialne przeznaczenie. Jaki miałby być ten los — nie wiedziała i chyba nie bardzo chciałaby wiedzieć.

— Przecież wiem, że tam nikogo nie ma! — stwierdziła głośno i otwierając szeroko drzwi weszła do jadalni.

Miała rację. W pokoju nie było nikogo. Stał tylko stół z nakryciem dla trzech osób. Na czerwonym obrusie leżała biała koronkowa serwetka, stały błyszczące kryształowe kieliszki i wypolerowane kółka do serwetek. Na środku stołu kwiaty, starannie ułożone w porcelanowym wazonie przedstawiającym węgierską kwiaciarkę prowadzącą wóz zaprzężony w osła.

Chały były gotowe i przykryte płótnem. Puchar kiduszowy pełen wina. Zapaliła świece szabasowe i odmówiła modlitwę za rodzinę, za ich zdrowie, spokój i honor.

Obeszła stół dokoła dotykając końcami palców kieliszków, sztućców, talerzy — jakby chciała upewnić się, że wszystko jest czyste i uświęcone. Wieczór szabasowy to jeden z tych nielicznych dni, kiedy kobieta zamienia się w kapłankę domowego ogniska, obdarzona mocą błogosławienia tych, których kocha.

Zajrzała również do salonu. Tam też nie było nikogo. Duże brązowe fotele stały puste. Telewizor był wyłączony. W całym pokoju unosił się zapach pasty do czyszczenia politury. Meble, może niezbyt drogie i podniszczone, należały jednak do kobiety dumnej ze swego domu.

A może to znów szczury? Od kiedy zamieszkali przy Siedemnastej Ulicy, plaga szczurów nawiedzała ich parę razy do roku. Za każdym razem po deratyzacji administrator zaklinał się, że niemożliwe, aby pojawiły się ponownie. Ona jednak wiedziała, że wrócą. Urodzona w Bronksie, wiedziała wszystko o szczurach. Potrafiły nawet przegryźć beton, jeżeli tylko miały dosyć czasu.

Wróciła do kuchni. Posypała rybę gałką muszkatołową i uznała, że danie jest już gotowe. Nie czuła jednak głodu. Kurczak wyglądał wspaniale, trzeba było tylko przygotować jeszcze purée z ziemniaków.

Nagle jeszcze raz usłyszała ów dźwięk. Odgłosy szurania. Po chwili hałas wzmógł się — jakby ktoś ciągnął po podłodze krzesło, a potem stół. Dzwonienie kieliszków i zastawy. Otworzyła szufladę i wyjęła największy nóż do chleba. Stała sztywna i przerażona, nasłuchując.

Powinnam zadzwonić pod dziewięćset jedenaście, pomyślała. Ktoś tu jednak musi być. Żaden szczur nie zrobiłby takiego hałasu. Szczury potrafią przegryźć beton, ale nie mogą przecież przesuwać mebli.

Przeszła przez kuchnię, trzymając przed sobą nóż na sztorc i starając się opanować drżenie ręki.

Dotarła do telefonu i zdjęła słuchawkę ze ściany. Nie spuszczając wzroku z drzwi jadalni, lewym kciukiem wycisnęła numer dziewięćset jedenaście i przyłożyła słuchawkę do ucha.

Cisza. Telefon nie działał.

Ponowiła próbę. W dalszym ciągu cisza. Ani odgłosu wybierania numeru, ani sygnału. Spróbowała raz jeszcze, po czym odwiesiła słuchawkę.

— Ktokolwiek tam jest — krzyknęła — niech wie, że mój mąż wraz z pięcioma kolegami zaraz wróci do domu. Na twoim miejscu wyniosłabym się natychmiast.

Żadnej odpowiedzi. Miała głęboką nadzieję, że ten ktoś posłuchał jej. Jeżeli jednak do domu miało przyjść sześciu mężczyzn, to dlaczego stół jest nakryty tylko dla trojga?

— Ostrzegam cię! — zawołała. Czuła, jakby miała oset w gardle. — Masz pięć sekund, by się wynieść. Potem wzywam policję, sąsiadów i niech Bóg ma cię w swojej opiece.

W tej samej chwili mieszkanie wypełniło się ogłuszającym trzaskiem zderzających się ze sobą sprzętów. Łomotały drzwi, pękały kieliszki i przewracały się krzesła. Wielki mahoniowy kredens, niegdyś własność jej babki, nagle z hałasem zaczął znikać jej z oczu, strząsając z siebie fotografie w ramkach, bibeloty i prawie całą jej kolekcję szklanych przycisków do papieru.

Była zbyt przerażona, żeby krzyczeć.

Ze strachu nie mogła wydobyć z siebie głosu. Z trudem łapiąc powietrze, bez tchu słuchała ostatnich dźwięków tłuczonego szkła i przytłumionej muzyki. Co to za intruz, który wchodzi do twojego domu i przestawia meble? W jaki sposób udało mu się ruszyć kredens? Ten kredens waży tonę. Kiedyś Michael i Erwin musieli prosić o pomoc Freddiego Bensona, żeby przesunąć go tylko o metr.

A może to nie żaden intruz? Może to dom osiada? Wszystkie te stare domy w Greenwich Village budowano na ogół w pośpiechu, w czasach kiedy Manhattan z dnia na dzień rozrastał się w dzielnicę willową — ulica za ulicą, plac za placem, jednego tygodnia jeszcze modne i eleganckie, następnego zaś już opuszczone. Rzeczoznawca ostrzegał ich, że cała konstrukcja jest niepewna, „drewno częściowo zmurszałe, a dachówki dziurawe ze starości".

Dom stał jednak na twardej skale, a na ścianach nie było żadnych pęknięć. Poza tym nie czuła, żeby się osuwał. Aby taki ciężar mógł się ześlizgnąć, podłoga musiałaby mieć co najmniej czterdzieści pięć stopni nachylenia.

Ostrożnie skierowała się w stronę jadalni, modląc się, żeby Michael i Erwin wrócili wcześniej do domu.

— Mam nóż — oznajmiła — i wiem, jak się nim posługiwać. Nie była pewna, czy nie popełniła poważnego błędu, informując intruza, że jest uzbrojona. On na pewno też miał nóż, a może

8

nawet broń. Jej przyjaciółkę, Esterę Fishman, napastnik postrzelił w lewy policzek i mimo że od tej pory minęło sześć lat, wciąż miała głęboki uraz psychiczny i brzydkie blizny. Jej mowa była upiorną parodią Kaczora Donalda. Na myśl o Esterze natychmiast chciała rzucić nóż i uciec do drzwi wejściowych. Lepiej wszystko stracić, niż skończyć jak Estera.

To był jednak wieczór szabasowy; to był jej dom, przygotowany na przyjęcie męża i szwagra. Nie była przeciętną kobietą, była przecież eszes chajl — kobietą „obdarzoną dzielnością i godnością".

Otworzyła drzwi do jadalni. To, co zobaczyła, było niewiarygodne. Wszystkie meble zepchnięte pod przeciwległą ścianę. Krzesła, stół, kredens, półki na książki, nawet dywan był zmięty i pomarszczony. Wszystko, co znajdowało się na stole, tworzyło bezładny stos zwalony pod ścianę: serwetki, kieliszki, chały szabasowe, sól selerowa.

Najbardziej niepokojący był widok obrazów. Wisiały na ścianach krzywo, jakby zmienił się kierunek siły przyciągania. Jakaś moc za wszelką cenę chciała przeciągnąć je na sąsiednią ścianę: obraz olejny z Rosji, który dostała w testamencie od ciotki Katii, i ręcznie podbarwione zdjęcie stryjecznych pradziadków, potem jak przybyli do Brooklynu w tysiąc osiemset osiemdziesiątym siódmym roku. A także rysunek wyspy Coney, który podarował jej Henry, gdy miał jedenaście lat. Jedynym obrazkiem, który pozostał na swoim miejscu, była oprawiona w ramki kompozycja z suszonych kwiatów.

Przerażona i oszołomiona zbliżyła się do mebli. Tego nie mógł zrobić żaden włamywacz. Dawno temu słyszała, że w noc przed szabasem diabelskie moce wystawiają czasem ludzi na próbę wiary w Boga, kusząc ich pracą, która jest zakazana. Mogą one na przykład podrzeć ubrania kobiet, aby zmusić je do szycia, lub przemienić chleb w kredę, żeby musiały piec go na nowo. Mogły też spowodować u dzieci choroby, aby rodzice musieli nieść je do lekarza.

W pokoju unosił się kwaśny odór, niczym nieprzypominający żadnego ze znanych jej zapachów. Najpierw pomyślała, że to zapach dymiących świec lub że zapalił się obrus. Menora zgasła jednak widać, gdy stół się przesuwał, i leżała przewrócona na koszyku z chlebem; żadna świeca się nie paliła.

Każdą z nich zapalała z myślą o dzieciach, za ich dusze, za duszę Michaela i Erwina.

— Boże, miej mnie w swojej opiece — wyszeptała. Zupełnie nie wiedziała, co robić. Podeszła do olejnego obrazu, starając się przywrócić mu dawną pozycję, ale gdy go tylko dotknęła, natychmiast powrócił do poprzedniej, horyzontalnej pozycji. Spróbowała jeszcze raz; zjawisko powtórzyło się.

— Kto tu jest? — krzyknęła, a jej głos zabrzmiał piskliwie, jakby ktoś przejechał mokrym palcem po szybie.

Weszła do salonu. Pusty, ciemny pokój byt również przesiąknięty tym ohydnym kwaśnym zapachem.

— Kto tu jest? — zawołała ponownie.

Obiegła całe mieszkanie. Zaczęła od sypialni, gdzie łóżka nakryte były różowymi pikowanymi kapami. Teraz łazienka. Z lustra spojrzała na nią przerażona twarz bez uśmiechu. Następnie zapasowy pokój, w którym trzymała nieużywaną, znienawidzoną maszynę dziewiarską. Wreszcie kryjówka Michaela — pełna książek, proporczyków i kijów golfowych.

— Kto tu jest? — wyszeptała. Przesuwała ręce po ścianach dotykając ich i naciskając, jak gdyby chciała się upewnić, że otacza ją realny, solidny i bezpieczny świat.

Wróciła do jadalni. Meble stały tam gdzie przedtem — stłoczone i zepchnięte pod jedną ścianę. Patrzyła na nie długo, wstrzymując oddech. Potem wzięła jedno z krzeseł i postawiła na środku pokoju. Nie spuszczała z niego wzroku, niepewna, czy znowu jakaś siła nie zepchnie go pod ścianę, lecz ono stało tam, gdzie je postawiła. Wzięła drugie krzesło, przeniosła je na środek pokoju i postawiła koło pierwszego.

— Nikogo tutaj nie ma — powiedziała do siebie. — Tylko ja. To są moje meble i będą stały tam, gdzie ja będę chciała.

To moje mieble. Nie cierpiała swojej wymowy. Pomimo uczęszczania na lekcje dykcji, nie potrafiła się jej pozbyć. Prawdopodobnie przyjaciele w ogóle tego nie zauważali, ale ją zawsze to peszyło. „Bila sobie mała dziewczynka z kręconymi loczkami". Nie, lepiej teraz nic nie mówić. Ktoś może słuchać. Ktoś może się tutaj kryć. Jeżeli będzie głośno mówiła, nie usłyszy tego kogoś, nie usłyszy jego oddechu. Ten ktoś może się skradać za jej plecami, a ona nie będzie go słyszała.

Odwróciła się szybko. Nikogo nie było. Nie pozostawało nic

innego jak tylko przeciągnąć meble z powrotem na miejsce, oczywiście prócz kredensu. Tym będą musieli zająć się Michael i Erwin. Prawdopodobnie trzeba będzie jeszcze prosić o pomoc Freddiego Bensona. Udało się jej przeciągnąć stół i wyprostować dywan. Dwa z jej najlepszych kieliszków miały odłamane nóżki. Osiołek z wazonu miał odtrącone uszko, a najlepszy koronkowy obrus był zalany winem i wodą. Na podłodze leżał cały stos książek, które wypadły przez otwarte, oszklone drzwi biblioteki. Były tam: *Exodus* Leona Urisa, *Ziemia obiecana* Mosesa Rischina oraz *Złota tradycja* Lucy S. Dawidowicz — książka tak bliska sercu Michaela jak Biblia. Uklękła i pozbierała je.

Złota tradycja była otwarta i leżała odwrócona grzbietem do góry. Zamykając ją, zauważyła, że obie stronice, na których była otwarta, są niezadrukowane. Odwróciła następną kartkę, potem jeszcze jedną i jeszcze jedną. Przekartkowała szybko całą książkę. Wszystkie stronice były puste.

Może to jest brulion, pomyślała. Wzięła do ręki *Exodus*. Był to jej własny stary egzemplarz. I w nim także wszystkie stronice były czyste.

Gwałtownie rzuciła się na książki, sprawdzając jedną po drugiej. W żadnej nie znalazła ani jednego słowa. Kartki były czyste, jakby nigdy niezadrukowane. Stała zdrętwiała, pocierając dłonie. Muszę być chora. Coś złego dzieje się ze mną. Albo jestem chora, albo śnię. Może zasnęłam podczas gotowania. Ostatecznie tyle było do zrobienia. Jeżeli pójdę do sypialni i położę się na chwilę, a potem otworzę oczy... może okazać się, że to był tylko sen.

Przekonana była, że to musiał być sen. Tylko we śnie mogła stłuc swoje najlepsze kieliszki. Tak samo nigdy nie odłamałaby uszka osiołkowi i nigdy nie pozwoliłaby też zgasnąć szabasowym świecom.

Postawiła menorę na stole, z kieszeni fartucha wyjęła zapałki i zaczęła po kolei jedną po drugiej zapalać świece. Za każdym razem przymykała oczy, modląc się za Henry'ego, za Anne i za Leo, jak również za Michaela, Erwina i za siebie.

Kiedy zapaliła siódmą świecę, otworzyła oczy. Na ścianie tańczyły cienie. Jeden cień, ten z prawej strony, był nieruchomy — nie tańczył jak inne, nawet nie drżał jak cienie oparć foteli. Był to ciemny garbaty cień, przypominający zarys końskiej głowy lub bardzo zniekształconą postać kozła.

Wpatrywała się weń przez dłuższą chwilę, modląc się, by się poruszył. Inne cienie migotały i wirowały, a ten pozostawał nieruchomy. Tkwił w miejscu ciemny, jakby pochłonięty własnym ponurym bezruchem. Podniosła menorę, aby sprawdzić ruchy cieni. Przesunęła świecznik z jednej strony na drugą, a cienie przetoczyły się z lewa na prawo. Tylko ten pozostał tam, gdzie był; zgarbiony, nieruchomy, odmawiał podporządkowania się zasadom gry światła i cienia.

Postawiła menorę i podeszła do ściany. Położyła płasko dłoń na cieniu, z początku ostrożnie, później z większą śmiałością. To nie była plama na tapecie — to był na pewno cień. Jak to możliwe, że znajduje się zawsze w tym samym miejscu?

W tej chwili przy końcu ściany zauważyła drugi, mniejszy cień. Ten również nie poruszał się; wyglądem bardziej przypominał mężczyznę. Siedział odwrócony plecami, z głową opartą na rękach, zamyślony lub bardzo zmęczony.

Nagle garbaty cień poruszył się. Szybko i nerwowo odskoczyła od niego, wyciągając przed siebie dłoń obronnym gestem. Czy to możliwe, żeby cień oderwał się od ściany? Serce waliło jej w piersiach jak młot, była pewna, że słychać je w całym budynku. Cień poruszył się, jakby przybladł, przesunął się i znowu się poruszył. Wciąż nie mogła sobie uświadomić, co to jest. Miał ogromną głowę, z której luźno zwisały kawały ciała. Widok ten przypomniał jej horror *Człowiek słoń*, do obejrzenia którego zmusił ją kiedyś Michael. („To należy do kultury... Czy chcesz przez całe życie oglądać tylko programy dla gospodyń domowych?").

Nagle garbaty cień gwałtownie rzucił się do przodu i spadł na głowę mniejszego cienia przy końcu ściany. Jak zahipnotyzowana patrzyła na ich walkę. Kilkakrotnie obejrzała się za siebie w poszukiwaniu przedmiotu, którym mogłaby w nie rzucić. Była jednak sama: tylko ona, jej meble i migocząca siedmioramienna menora.

Widok tej walki przypominał jej filmy detektywistyczne z lat pięćdziesiątych — cienie na zasłonach. Z tą jednak różnicą, że tu nie było zasłon, tylko solidny, gruby mur, a przez gruby mur nie można zobaczyć cieni.

Z przerażenia chciała uciec z pokoju, uciec z tego mieszkania, wedrzeć się do synagogi i błagać Michaela, żeby wrócił do domu. Tymczasem zgarbiony cień rozdzierał ten mniejszy na drobne kawałki, rozszarpywał na strzępy. Naomi czuła, że musi obserwować tę walkę do końca.

Nie słyszała krzyku. Nie słyszała nic prócz bicia własnego serca i dźwięków dobiegających z ulicy. W jadalni panowała cisza.

Kiedy zgarbiony cień oderwał to, co przypominało głowę mniejszego cienia, poczuła coś, była pewna, że coś poczuła. Krzyk tak czysty i niemy jak zamarznięte okno — niemniej krzyk.

Garbaty cień zmienił kształt. W pierwszej chwili nie mogła zrozumieć, co się dzieje, bo cień był ciemny i dwuwymiarowy. Dopiero później pojęła, że ów cień obrócił się, ale nie był to taki zwyczajny obrót. Cień zwrócił się ku niej.

Zrobiła dwa, trzy kroki do tyłu. Potem jeszcze jeden. Pora uciekać! Wydawało się jej, że cień się rozrasta i zbliża ku niej. Naomi nie słyszała żadnego dźwięku. Czuła jednak, że coś nadchodzi.

Już prawie dopadła drzwi, kiedy jedno z krzeseł z hałasem przesunęło się po podłodze i podcięło jej nogi. Upadła na bibliotekę. Po chwili następne krzesło przesunęło się, a za nim jeszcze jedno. Stół zakręcił się — jego nogi wydały skrzypiący, rozdzierający uszy dźwięk — i uderzył ją w prawą skroń, niemal pozbawiając przytomności. Za wszelką cenę starała się podnieść, lecz kolejne meble przywalały ją sobą, pchały coraz mocniej i coraz boleśniej przyciskały do ściany.

Usiłowała złapać oddech. Róg stołu wbił się jej w piersi z taką siłą, że czuła trzeszczące kości. Oparcie krzesła wklinowało się w ramię.

— Na pomoc! — zawołała. — Niech ktoś mi pomoże!

Odpowiedzią były dźwięki gitary Freddiego Bensona i niski dudniący bas Bruce'a Springsteena.

Nie mogła oddychać. Czuła żebro coraz mocniej i mocniej uciskające płuco. W klatce piersiowej Naomi coś pękło, jakby ktoś przekłuł balonik. Poczuła gwałtowny ból i krzyknęła, a wraz z krzykiem z jej ust wytrysnęła fontanna krwi.

Czuła, że meble przygniatają ją coraz bardziej, jakby zwaliły się na nią całą siłą ciążenia.

13

Raz i drugi zawołała pomocy. Przypomniała sobie jednak, że sama nieraz słyszała w Village wołania kobiet o pomoc i nigdy nie reagowała na stłumione krzyki bólu i rozpaczy. Cierpienie nieznanych kobiet nic ją nie obchodziło.

Ciężki, kwaśny odór przypominał smród bijący z otwartego szamba. Odwróciła głowę i ku swojemu przerażeniu zobaczyła, jak zgarbiony cień sunie ku niej bezszelestnie; ogromnogłowy, ohydny — żywy koszmar, który mogą wydać z siebie tylko ciemności.

ROZDZIAŁ 1

Nigdy nie mogłem zrozumieć, co takiego jest we mnie, co tak bardzo pociąga starsze panie. Już jako dziecko, a potem dorosły mężczyzna, zawsze byłem przedmiotem zainteresowania starszych pań. Miałem szczęście, że od tego całowania, cmokania i głaskania głowa moja nie zrobiła się płaska jak stół. Dawały mi dziesiątaki na cukierki, a ja je składałem i wydawałem na wyścigi.

Zanim osiągnąłem dziewiąty rok życia, moją drugą naturą stało się przekonanie, że tak jak E równa się mc^2, tak starsza pani równa się pieniądze. Byłem dla nich jak drugi Tomek Sawyer: biegałem na posyłki, strzygłem trawniki, malowałem płoty. W zamian (poza tym, że mi płaciły) nauczyły mnie grać na giełdzie, oszukiwać przy brydżu i naciągać wielkie firmy spożywcze, żeby przysyłały za darmo całe góry towarów. Nie myślcie, że starsze panie to takie niewinne stworzenia. Przez cały dzień tylko siedzą i kombinują, jak by tu zamieszać, i przeważnie im się udaje.

Jednak tylko Adelaide Bright zawdzięczam umiejętność najbardziej intratną ze wszystkich: przepowiadanie przyszłości — z fusów po herbacie, kryształowych kul, że znaków zodiaku, z kart tarota... Doskonale znała wszystkie metody i nauczyła mnie, jak się nimi posługiwać.

Przede wszystkim uświadomiła mi, że wszystkie te kryształowe kule, fusy po herbacie i cała ta astrologia to tylko pewien rytuał, rodzaj sztuczki kuglarskiej, która ma zrobić wrażenie na kliencie. Bez wątpienia była najlepszą wróżką. Nie kryła przy tym, że równie trafnie można przepowiedzieć przyszłość z gwiazd, jak przewidzieć, ile czasu wytrzyma nowa opona. Przepowiadanie przyszłości to nie żadne czary, tylko zdrowy rozsądek. Musisz wnikliwie obserwować klienta, wyciągać logiczne wnioski i kłamać, dużo kłamać. No i dużo liczyć za seans. Im kosztowniejszy wróżbita, tym klienci bardziej mu wierzą. Ostatecznie, płacą przecież sto dolców za jakieś głupoty.

Adelaide nauczyła mnie oceniać ludzi po sposobie siedzenia, mówienia, po odruchach, a nawet po tym, jak się śmieją. Przede wszystkim jednak nauczyła mnie poznawać osobowość klienta po sposobie jego ubierania się. Dwie kobiety mogą nosić ten sam strój z dwóch różnych powodów. Jedna dlatego, że nie stać jej na lepszy, druga zaś dlatego, że jest wygodny i niedrogi.

— Zwracaj uwagę na buty — mawiała Adelaide. — Bardzo wiele można się dowiedzieć, obserwując czyjeś buty. Czy są nowe, czy brudne? A może są stare, lecz starannie zreperowane? Czy to sportowe buty firmy Nike czy oksfordy?

Adelaide była naprawdę przesądna jedynie na punkcie tarota. Jej zdaniem tarot jest sztuką niedocenianą; nie wolno nim igrać. Uważała, że w tarocie kryje się moc potężniejsza, niż ktokolwiek może sobie to wyobrazić. Według niej tarot jest oknem do krainy, którą każdy z nas nosi w sobie, ale nikt nigdy tam nie był, a zwłaszcza nie chciałby być. Zupełnie nie miałem pojęcia, co chciała przez to powiedzieć, więc uśmiechałem się i potakiwałem, słuchając jej wykładu o pracy detektywa.

Bo jeśli chodzi o analizę ludzkich charakterów, Adelaide była prawie jak Sherlock Holmes. Prawie zawsze trafiała też w sedno przewidując, co się komu może zdarzyć. Adelaide przepowiedziała niemal co do miesiąca, że pani Świętochowska zlikwiduje swoje delikatesy przy Ditmas Avenue. Później dowiedziałem się, że siostrzeniec Adelaide, który pracował w wydziale planowania Safeway, dwa lata wcześniej poinformował ją, że jego firma zamierza zbudować ogromny supermarket na wolnej parceli w najbliższym sąsiedztwie delikatesów pani Świętochowskiej. Tak to jest z przepowiadaniem przyszłości. Wszystko polega na obserwacji, logice, pamięci i zdrowym rozsądku. Każdy może sam przepowiedzieć sobie przyszłość, jeśli jest naprawdę uczciwy wobec siebie. Ile jest jednak takich ludzi?

Adelaide też nie była. Wypalała co dzień półtorej paczki papierosów mentolowych Salem. Kiedy była sama, paliła nawet więcej. Twierdziła, że nie są szkodliwe, ponieważ jest w nich mięta. Poza tym uważała, że palenie dobrze robi jej na zatoki. Piętnastego marca tysiąc dziewięćset sześćdziesiątego siódmego roku zaczęła skarżyć się na bóle w piersiach i brak oddechu. Zmarła na raka płuc, jedenastego kwietnia w Kings County Hospital Center. Jedyną osobą uczestniczącą w pogrzebie byłem ja. Co prawda nie padało, ale było gorąco i tak mglisto, że żałowałem, iż nie włożyłem płaszcza przeciwdeszczowego.

Do dzisiaj widzę jej twarz — wyraźnie jak na fotografii: siwe włosy upięte w węzeł, błyszczące zielone oczy, skórę miękką i pomarszczoną jak bibułka. Przypominała mi Katharine Hepburn. Tak jak ona mimo zaawansowanego wieku zachowała dziewczęcość, romantyzm i siłę. Zawsze częstowała mnie słonymi irysami i całowała na pożegnanie.

Gdziekolwiek jesteś, Adelaide — w niebie czy w piekle, czy w królestwie tarota — niech cię Bóg błogosławi.

Był upalny sierpniowy dzień. Wszystkie okna były szeroko otwarte. Co prawda miałem używany klimatyzator, jeszcze z napisem „Wypożyczalnia samochodów Avis", który załatwiła mi moja ostatnia kochanka, zaprzyjaźniona z Murzynem, szefem gangu zwanym Szkarłatnym Rayne'em. Nie miałem nic przeciwko temu, że klimatyzator był kradziony. Gorzej, że rzadko kiedy działał. Jeżeli udało mi się go uruchomić, wydawał dźwięki przypominające orkiestrę meksykańską, która grała „La Cucarachę" w ostatnim pociągu do Brighton Beach.

Tego ranka szczególnie potrzebowałem koncentracji. Wkrótce miała przyjść jedna z moich najhojniejszych klientek — pani Johnowa F. Lavender. Pod względem przepowiedni była osobą bardzo wymagającą, ponieważ romansowała z trzema mężczyznami naraz. Oczywiście za nic nie chciała, żeby jeden dowiedział się o drugim, a przede wszystkim, żeby dowiedział się pan John F. Lavender.

Mój gabinet i mieszkanie znajdowały się na ostatnim piętrze obskurnej i obdrapanej dwupiętrowej kamienicy przy Pięćdziesiątej Trzeciej Wschodniej. Pode mną był klub Molly Maguire, gdzie zbierali się świeżo przybyli do Nowego Jorku Irlandczycy, żeby napić się bimbru, pośpiewać o starym kraju i zatańczyć gigę, a przy okazji wybić sobie nawzajem parę zębów. Cała południowa strona Pięćdziesiątej Trzeciej pomiędzy Lexington a Trzecią Aleją była w opłakanym stanie. Dawno zamknięty okratowany sklep z upominkami na przeprosiny dla skłóconych par, apteka leków przecenionych Cohena, sex-shop pod nazwą „Różowe Futerko" oraz sklep Neda z tanimi alkoholami. Wszystkie te rudery sąsiadowały z nowym, eleganckim placem położonym pod Citicorp Center, stanowiąc jakby przestrogę, że wszystko się starzeje i nawet najwspanialsze sny idą w zapomnienie. Udało mi się wynająć lokal za niecałe sto pięćdziesiąt dolarów tygodniowo, a to dlatego, że ci z Citicorp robili wszystko co w ich mocy, aby wyrzucić mnie i Neda, i Cohena, i „Różowe Futerko", i Molly Maguire i zburzyć te odrapane rudery. Sądzę, że obawiali się, by ich wspaniały plac nie został skażony pewnego rodzaju „trądem architektonicznym".

Mimo tandetności mojego gabinetu udało mi się stworzyć w nim pewną aurę tajemniczości. Mój przyjaciel Manny Goodman z Siódmej Alei sprzedał mi po cenie własnej trzy sztuki ciemnoniebieskiego aksamitu. Obiłem nim ściany i ozdobiłem gwiazdami, wyciętymi z folii do pieczenia indyka. Z poprzedniego gabinetu została mi kryształowa kula i stosy zakurzonych, w skórę oprawnych ksiąg. Wyglądały jak starożytne hieroglify, pod warunkiem że nikt nie przyglądał się zbyt dokładnie tytułom: *Połowy dorsza w rejonie Nowej Fundlandii* czy *Podręcznik gry w lacrosse'a dla dziewcząt*.

Moim najnowszym nabytkiem było frenologiczne popiersie, na którego szczycie umieściłem świecę. Muszę przyznać, że diabelnie pasowało do gabinetu jasnowidza.

Pani Johnowa F. Lavender, z zapałem puszczając kłęby dymu w sufit, spoczywała na tapczanie nakrytym aksamitną narzutą.

— Odebrałam dziś rano okropne ostrzeżenie — powiedziała. Czułam, jak lodowato zimne palce przesuwają się wzdłuż moich pleców.

Robiłem notatki. *Lodowate-palce-wędrujące-wzdłuż-pleców.* Kiedy zaczynałem swoją karierę jasnowidza, miałem zwyczaj noszenia kapelusza i świecących szat maga. Z czasem doszedłem do wniosku, że kobiety wolą, kiedy mam na sobie elegancki garnitur, dobrze wyczyszczone, błyszczące obuwie, goździk w butonierce i zachowuję się profesjonalnie, mniej jak czarodziej, a bardziej jak psychoanalityk. O wiele lepiej mi wtedy płacą.

Zanim opuściła mnie moja ostatnia kochanka, w przypływie dobrego humoru postarała się dla mnie o zaświadczenie z Instytutu Dyplomowanych Wróżbitów w Chewalla, w stanie Tennessee. Stwierdzało ono wyraźnie, że Harold P. Erskine jest wykwalifikowanym wróżbitą, uprawnionym do wykonywania swego zawodu na terenie całych Stanów Zjednoczonych, z wyłączeniem stanu Delaware. Nie wiem dlaczego wyłączono akurat stan Delaware. Może to był jej wymysł, w ten sposób chciała mi dokuczyć, a może stan Delaware po prostu nie miał przyszłości.

— Jestem przekonana, że Mason coś podejrzewa — powiedziała pani Johnowa F. Lavender zaniepokojona.

— Dlaczego tak pani uważa?

— Kiedy w środę po południu wychodziłam z domu Christophera, zauważyłam w przejeżdżającej taksówce Masona. W dziewięćdziesięciu dziewięciu procentach jestem pewna, że to był on. Patrzył w moją stronę i wydaje mi się, że mnie rozpoznał.

Na miejscu Masona (który był kochankiem numer dwa) natychmiast bym ją rozpoznał, bez żadnych wątpliwości. Dzisiaj pani Lavender miała swój „spokojniejszy" dzień. Ubrana była we wzorzystą jedwabną bluzkę, której deseń przypominał schizofreniczne malarstwo papug z Miami, jaskrawoczerwone pumpy i czerwone sandały z rzemyków na obcasach jak sztylety. Jasnoczerwone farbowane włosy były kunsztownie ułożone we fryzurę, która sprawiała wrażenie fajerwerku. Miała pięćdziesiąt dwa lata, trupio białą twarz, szmaragdowe powieki, podwójne, sztuczne rzęsy i usta przypominające truskawkową babeczkę rozjechaną przez ciężarówkę.

— Lepiej przejdźmy do kart — powiedziałem. — Jestem pewien, że nie ma pani powodów do zmartwienia. Wczesny Strzelec znajduje się teraz w bardzo spokojnym okresie... żadnych niekorzystnych drgań. Może zjadła pani coś, co pani nie służy... wygląda mi na tortellini. Poza tym wszystko jest bardzo spokojne. Można by powiedzieć — podróż morska.

Zmiotłem okruszyny z rypsowego obrusa i rozłożyłem karty. Po tym, co się wydarzyło z Karen Tandy, nigdy nie używałem kart tarota. Trzeba było słuchać rad Adelaide. Ale z tarotem jest jak z pęknięciem: dopóki nie sprawdzisz, nie możesz ocenić, na ile jest groźne.

Ostatnio używałem kart panny Lenormand. Był to komplet ładnych trzydziestu sześciu kart, zaprojektowanych przez nią na początku dziewiętnastego wieku. Przepowiedziała z nich wzlot i upadek cesarza Napoleona, tajemnice cesarzowej Józefiny i los wielu ich dworzan. Tak przynajmniej mówią różni naciągacze. A ona tylko wykonywała swój zawód, tak samo jak ja. Opierała się na wnikliwej obserwacji, logice i zdrowym rozsądku. Karty to tylko niezbędny rytuał. Inaczej niż w tarocie na kartach panny Lenormand były wypisane krótkie wierszyki, ułatwiające tłumaczenie znaczenia. Jak większość rekwizytów chiromanty, wierszyki były na tyle wieloznaczne, że bystry wróżbita (jak ja) mógł je interpretować w zależności od przedmiotu i okoliczności.

Pani Johnowa F. Lavender łapczywie paliła papierosy, a ja rozkładałem karty: cztery rzędy po osiem i cztery karty w jednym rzędzie — wszystkie obrazkiem do dołu.

— Nie wiem, co zrobię, jeżeli Mason się dowie. On ma taki temperament! Nie odważę się spojrzeć mu w twarz! Z drugiej strony nie wyobrażam sobie życia bez niego. Ma taką ładną dupkę. Mało który mężczyzna ma ładny tyłek, zwłaszcza w jego wieku. Większość wygląda tak, jakby nosili w gatkach trzy galony galarety.

Kartą pani Johnowej F. Lavender był numer dwudziesty dziewiąty, przedstawiający elegancką kobietę, w długiej zielonej sukni, z bukietem róż. Co do mnie, uważałem, że bardziej odpowiedni byłby numer czternasty, przedstawiający wiedźmę. Nie płacono mi jednak za złośliwości.

— Gotowe — oznajmiłem, kładąc ostatnią kartę. — To jest pani... z różami. A przed panią...

Wypuściła z ust kłąb dymu i usiadła.

— Co jest przede mną? To jest kosa. Co to znaczy?

— No cóż... Prawdę mówiąc to nie jest dobry znak. Karta mówi... *Z kosą groźba skrada się. Strzeż się obcych — skrzywdzą cię.*

— Niebezpieczeństwo? Mam się strzec obcych? — warknęła pani Johnowa F. Lavender przez zaciśnięte zęby. — Zdawało mi się, że mówił pan, że moja wibracja jest spokojna. To wcale nie wygląda spokojnie!

— Chwileczkę — przerwałem jej. — Tu jest także powiedziane, że *gdy sąsiednią kartę przyjazną masz, ze wszystkim sobie radę dasz.*

— Nie podoba mi się to „strzeż się obcych" — zaprotestowała pani Lavender. — Wystarczy mi, że muszę strzec się ludzi, których znam!

— Niech się pani tak nie denerwuje. Po prawej stronie jest

karta z kwiatem koniczyny. A to oznacza, że jeżeli nawet coś złego się przydarzy, wkrótce pani to pokona.

— Ale ja nie chcę niczego pokonywać! Przede wszystkim nie chcę, żeby mi się coś takiego przydarzyło!

— Oczywiście... spójrzmy teraz, co mamy po lewej. List. Leży na koronkowej serwecie. *Pachnący liścik z daleka wędruje... poprawę losu przyjaciel zwiastuje.* Tutaj, proszę spojrzeć. Wszystko wskazuje, że sprawy przybiorą dobry obrót. Karta z kosą jest tylko ostrzeżeniem. Należy wystrzegać się zasadzki.

Nie miałem najmniejszego zamiaru przeczytać jej ostatniego wiersza z karty przedstawiającej list. Tekst był następujący: *Gdy ciemna chmura niebo pokryje, w smutku utoniesz po samą szyję.*

Pani Johnowa F. Lavender, nie wstając z tapczanu, sięgnęła po papierosy. Pochyliłem się i podałem jej ogień. Wypuściła przez nozdrza dwie smugi dymu.

— Co to może być za zasadzka? Jak pan sądzi?

— Albo Mason będzie panią śledził, albo już to zrobił. Tak myślę.

— To szczur! Ale ja go kocham.

— Należy zachować ostrożność. Tyle mówią karty. Proszę spojrzeć. Pod panią otwarta droga. Ale i tu jest ostrzeżenie: Ziemi się strzeż, co ucieka spod nóg. Odwiedzając Christophera musi pani zmienić trasę. Podobnie — odwiedzając Vince'a. Sądzę, że tak należy to rozumieć.

— Vance'a — poprawiła mnie. — Nie Vince, tylko Vance.

— Bardzo przepraszam... Czasami się gubię.

— Bardzo proszę. Ale nie miałam aż tylu mężczyzn w życiu.

— Nie to miałem na myśli. Przyzna pani jednak, że czterech to już jest coś.

Wypuściła kłąb dymu w kierunku jaskrawo pomalowanych paznokci u nóg.

— Czy wie pan, o czym marzę? — powiedziała. — Znaleźć się w łóżku z wszystkimi czterema naraz. Czy może pan sobie wyobrazić, jaka to byłaby przyjemność oddać się czterem mężczyznom jednocześnie?

Przyjrzałem się ponownie kartom.

— Obawiam się, że w najbliższej przyszłości nie należy oczekiwać tego rodzaju rozrywki. Choć nigdy nie wiadomo...

Zadzwonił telefon. Przeprosiłem ją, a gdy go odbierałem, pani Johnowa F. Lavender wypisywała czek za wizytę.

— Należy się jeszcze piętnaście dolarów za karty panny Lenormand. Przykro mi, ale taka jest cena. Wymagają interpretacji metapsychicznej.

— Oczywiście — powiedziała, poprawiając czek. Nagryzmoliła na nim swój podpis i pomachała, żeby wysechł.

— Halo! — usłyszałem zdenerwowany głos w słuchawce.

— Halo! Kto mówi?

— Czy to pan Harry Erskine?

— Tak, to ja. Niesamowity Erskine — chiromancja, wróżenie z kart i z fusów po herbacie, astrologia, frenologia, numerologia, objaśnianie snów i odkrywanie talentów. Jak poleca „New York" i „Psychologia na co dzień".

Pani Lavender mrugnęła w moją stronę podwójnym rzędem puszystych rzęs. Towarzyszył temu szeroki uśmiech, z którego sączył się dym.

— Właśnie czytałam ten kawałek w magazynie „New York" — odezwał się głos w słuchawce. — Pisali, że jest pan *jedynym tak zwanym wróżbitą, który nie robi tajemnic ze swojej szarlatanerii. Albo uważa swoich klientów za tak naiwnych, albo nie ma dość sprytu, żeby ich przekonać o wiarygodności kryształowej kuli.*

— O co pani chodzi? — zapytałem stanowczo. — Jest u mnie... pewna bardzo łaskawa dama, która traktuje moje przepowiednie bardzo poważnie. — Tu skłoniłem się pani Johnowej F. Lavender i posłałem jej całusa. — O co pani chodzi? Czy chce pani zniszczyć moją renomę?

— Muszę się z panem zobaczyć — powiedział głos.

— Bardzo mi przykro, ale do końca tygodnia mam wszystkie dni zajęte.

— To potrwa tylko chwilę, obiecuję.

— Naprawdę to niemożliwe. Proszę złożyć swoje życzenie na piśmie. Proszę dołączyć kosmyk włosów, odciski linii papilarnych prawej dłoni, czek na trzydzieści dolarów oraz zaadresowaną ofrankowaną kopertę zwrotną. Daję pięć lat gwarancji. Jeżeli w ciągu pięciu lat od daty przeczytania moja przepowiednia nie sprawdzi się, wysyłam następną gratis. I żadnych pytań, proszę.

— Bardzo proszę — nalegał głos. — Naprawdę muszę z panem porozmawiać.

— Cały kłopot w tym, że jesteś za bardzo znany, Harry — uśmiechnęła się pani Johnowa F. Lavender.

— Chyba masz rację, Deirdre. — Przyłożyłem słuchawkę i powiedziałem: — No, dobrze. Za kilka minut będę na dole z moją klientką. Proszę tam zaczekać. Ale uprzedzam, że mogę pani poświęcić tylko parę minut.

— Będę czekać.

Odkładając słuchawkę, zmarszczyłem czoło. Miałem dziwne uczucie, że skądś znam ten głos. Było coś znajomego w intonacji i nawet trzaski w słuchawce nie były w stanie tego zatrzeć.

— Czy dobrze się pan czuje, Harry? — zapytała pani Lavender troskliwie.

— Oczywiście... Wszystko w porządku. Odprowadzę panią na dół.

— Jestem pewna, że ma pan rację. Mason na pewno śledził mnie — stwierdziła, idąc w stronę holu i kołysząc biodrami. Kiedy mijaliśmy plakat Aleistera Crowleya na ścianie, pani Lavender spojrzała nań z dezaprobatą.

— Czy to jest pana krewny?

Przecząco potrząsnąłem głową. Zerknęła na mnie i powiedziała:

— Tak też myślałam. Ma takie małe, świńskie oczka. Powinien jeść mniej nabiału.

— On nie żyje — wyjaśniłem.

— No, proszę. To dowód, że mam rację.

Otworzyłem drzwi, a pani Lavender zeszła po schodach, głośno stukając obcasami.

— Prawdę mówiąc, to martwię się Vance'em. Strasznie przytył mu podbródek. Nie lubię mężczyzn z takim wolem. Przypominają mi psy, które obśliniają aksamitną spódnicę.

Schody prowadzące na ulicę były ciemne i krzywe. Pachniały zjełczałym tłuszczem i lizolem. Daremnie usiłowałem namówić właściciela, pana Giotto, żeby chociaż pobielił ściany. Odpryskująca żółta farba źle wpływała na moich klientów.

— Czy dał mi pan przesłanie na ten tydzień? — zapytała pani Johnowa F. Lavender, zatrzymując się na drugim piętrze.

— Przepraszam. Zapomniałem...

— Chciałabym je dostać. Dopiero wtedy mam wrażenie, że panuję nad swoim życiem. Wie pan, co mam na myśli?

— Rozumiem... Przesłanie na ten tydzień brzmi: „Nim wstanie słońce, trzeba oczyścić wiele ryb".

Spojrzała na mnie szeroko otwartymi oczami. Od lat miałem zwyczaj wręczać klientom przesłanie — prawie wszyscy chcieli

23

je mieć. Gdy je wręczałem, zawsze przeżywałem chwilę napięcia, że mogą mi się po prostu roześmiać w twarz.

— „Nim wstanie słońce, trzeba oczyścić wiele ryb" — wyszeptała pani Johnowa F. Lavender z nabożną czcią. — Jakie to piękne. Mogę sobie to wyobrazić.

Ruszyliśmy w dół. Przy każdym kroku obcasy jej wydawały głośny stukot. Prawie zapomniałem, że ktoś na mnie czeka.

— Nie rozumiem, dlaczego życie musi być tak piekielnie skomplikowane — powiedziała pani Johnowa F. Lavender. — Ciągle kłamać, ukrywać, pamiętać, czy nie zostawiłam kolczyka tam, gdzie nie powinnam. Jakie to okropnie męczące. W gruncie rzeczy uwielbiam was wszystkich.

Przez kapiące brudem szyby drzwi frontowych przenikało słońce i odbijało się w bladozielonym linoleum. W tym świetle zobaczyłem ciemną postać. Nie mogłem się jednak zorientować, kto to może być.

Widziałem jedynie, że jest to kobieta, z końskim ogonem sięgającym do ramion. Bardzo szczupła, w prostej, bawełnianej sukience w czerwone maki bez ramiączek.

Kiedy zbliżyłem się do niej, odwróciła się lekko w stronę światła. Od razu ją poznałem. Nie mogłem uwierzyć własnym oczom.

— Dzień dobry, Harry — powiedziała z ledwo dostrzegalnym uśmiechem. — Dawno się nie widzieliśmy.

— Trzeba oczyścić wiele ryb — zamruczała pani Johnowa F. Lavender. Otworzyłem przed nią drzwi frontowe. Wyszła na ulicę. Z wyciem klaksonu przejechał wóz straży pożarnej. Klnąc wulgarnie, jak burza minął nas ogromny mężczyzna. Gorące powietrze aż pulsowało. Pani Johnowa F. Lavender ostentacyjnie posłała w moją stronę dwa pocałunki. — Jest pan wspaniałym człowiekiem. Wspaniałym. Do zobaczenia za tydzień o tej samej porze! — Zwróciła się w stronę mojego gościa, mówiąc: — On jest cudowny, kochanie. Polecam ci go!

Zamknąłem drzwi i w holu nagle zapadła cisza. Na ustach Karen błąkał się leciutki uśmiech. Od naszego ostatniego widzenia minęło dwadzieścia lat. W jej włosach połyskiwały srebrne nitki. Ja byłem też już siwy, a moja łysina przypominała naleśnik. Miałem większy podbródek, choć może nie tak duży jak Aleister Crowley.

Ująłem jej ręce i delikatnie ścisnąłem. To była prawdziwa Karen. To nie było złudzenie.

— Dalej się tym zajmujesz? — zapytała. — Przepowiadasz przyszłość?

— Tak. Próbowałem swoich sił w zarządzaniu motelem w White Plains. Ale nie ma co się nad tym rozwodzić. Mój problem polega na tym, że nie potrafię się kłaniać dwadzieścia cztery godziny na dobę. Potem założyłem firmę pod nazwą „Doświadczony elektryk Erskine". Straciłem na tym ponad dziewięć tysięcy dolarów. Przepowiadanie więc to chyba jedyna praca, do której jestem stworzony.

— Harry — powiedziała. — Stało się coś złego. Nie mnie, ale moim przyjaciołom. Próbowali wszystkiego. Była policja, lekarze i rabini. Nikt nie chciał im wierzyć. Sama nie wiem, czy ja im wierzę.

— Rozumiem. Zwróciłaś się więc do jedynego mężczyzny na świecie, który jest na tyle stuknięty, że we wszystko uwierzy?

— Nie mów tak — upomniała mnie.

— No dobrze. Co powiesz na drinka? — zapytałem.

— Sądziłam, że jesteś bardzo zajęty.

— Zawsze tak mówię. Prawdę mówiąc, mój następny klient przychodzi dopiero... — zerknąłem na rosyjski zegarek — ...we czwartek.

— Nic się nie zmieniłeś, Harry.

Zajrzałem do portfela, by sprawdzić czy mam pieniądze, i otwierając drzwi wejściowe, powiedziałem:

— Zmieniłem się, Karen. Wierz mi. Po pierwsze, niczego nie biorę na wiarę. Po drugie, nigdy nie przypinam kwiatka do kożucha.

— Zanim wyjdziemy — powiedziała — podnieś moje włosy.

— Nie rozumiem.

— Podnieś mi włosy... o tu, z tyłu.

Powoli zbliżyłem się i podniosłem do góry jej wspaniałe włosy. Na karku i pomiędzy łopatkami widoczna była srebrzysta, wąska, co najmniej piętnastocentymetrowa blizna. Przesunąłem po niej palcem, po czym opuściłem włosy.

— To naprawdę się zdarzyło — powiedziała, odwracając się.

— Wiem. — Skinąłem głową. — Usiłowałem sam siebie przekonać, że to był tylko dziwny sen, pijackie majaczenie. Wmawiałem sobie, że to był film lub książka. Dlatego nie odzywałem się do ciebie. Wiedziałem, że jeżeli cię spotkam, nie potrafię udawać, że to się nigdy nie stało.

— To nie było tak straszne jak to, co spotkało moich przyjaciół.

— Nie ma nic gorszego od Misquamacusa. Nic. — Uśmiechnąłem się.

Karen powoli podniosła rękę i dotknęła blizny. W szeroko otwartych oczach czaił się dobrze zapamiętany strach.

— Nigdy przy mnie nie wymawiaj tego imienia. Nigdy.

ROZDZIAŁ 2

Siedzieliśmy w barze u Maude w hotelu Summit. Było głośno i tłoczno, jak to w porze lunchu, ale na szczęście udało nam się znaleźć miejsce. Karen zamówiła koktajl z rumu i soku cytrynowego z lodem, a ja to co zwykle: „Eksplozję Erskine'a". To był jedyny bar, w którym mogłem ją dostać, a przynajmniej jedyny, w którym wiedzieli, jak ją zrobić. Składała się głównie z wódki o nazwie „Cierpiący Bękart" z odrobiną bourbona. Niech tylko wypiję szklaneczkę, a świat od razu wydaje mi się lepszy. Co tam lepszy?! Najlepszy ze światów! Jeżeli wciąż ogląda się inne światy, jak na przykład światy według tarota, światy, w których ze ścian spadają niewidzialne przedmioty, odrobina iluzji pozwala zachować równowagę umysłu.

Zauważyłem obrączkę na palcu lewej dłoni Karen.

— Jesteś mężatką? — zapytałem.

Potrząsnęła głową.

— Byłam. Profesor z college'u w Hartford. Był dla mnie bardzo dobry. Na imię ma Jim.

— Zatem nie nazywasz się Karen Tandy, tylko pani Jimowa...?

— Van Hooven.

— Zmieniłaś więc również narodowość. I co się stało?

— Z Jimem? Nic takiego. W dalszym ciągu uważam, że to wspaniały człowiek. Po prostu któregoś ranka zdałam sobie sprawę, że potrzebuję w życiu czegoś więcej niż samej dobroci.

— A teraz co cię interesuje? Seks, narkotyki czy rock'n roll?

— Sama nie wiem. Próbuję się zorientować.

— *Znałem osobliwe siostry Miłosierdzia* — zacytowałem. —

27

Widziałem, jak całowały chorych, opiekowały się starcami i dawały cukierki obłąkanym!

— Dziwny z ciebie człowiek, Harry.

— Wcale nie. Dziwni ludzie mają dziwne dążenia. A ja tylko, by być normalnym człowiekiem.

— Ci moi przyjaciele... — zaczęła Karen.

— Ci, o których się martwisz?

— Tak. Mieszkają przy Siedemnastej Wschodniej. Nazywają się Michael i Naomi Greenberg. Michaela znam jeszcze ze szkoły. To uroczy ludzie. Naprawdę uroczy.

Łyknąłem trochę mojej „Eksplozji" i wstrząsnął mną dreszcz, jakby mnie śmierć przeskoczyła.

— O co więc chodzi? — spytałem. — Co to za historia, w którą nikt nie chce wierzyć, nawet ty?

Karen była poważna. Mówiąc, wodziła palcem po deseniu obrusa.

— To zdarzyło się w piątek, trzy tygodnie temu. Michael wraz z bratem Erwinem poszli do synagogi. Naomi przygotowała kolację, nakryła stół i czekała na nich. Jakieś pół godziny przed ich powrotem meble w jadalni same zaczęły się przesuwać i tłoczyć pod ścianą. Naomi próbowała je zatrzymać. Zaczęła nawet przenosić je z powrotem na środek pokoju, ale one uparcie wracały pod ścianę. W rezultacie Naomi doznała dosyć ciężkich obrażeń. Jedno żebro złamane, dwa pęknięte, a lewe płuco zgniecione. Na dodatek to straszliwe przeżycie wtrąciło ją w szok.

— Sama przeszłaś gorsze rzeczy — przypomniałem jej.

Wzruszyła ramionami, starając się zlekceważyć przebyte doświadczenie.

— Nie byłam sama jak Naomi. Nie zdawałam sobie sprawy, co się ze mną dzieje. Nie wiem, jak to powiedzieć. Nie byłam sobą.

Odchyliłem się na oparcie krzesła. Siedzący obok mnie młody mężczyzna o wyglądzie biznesmena ryczał ze śmiechu, myślałem, że bębenki mi w uszach popękają.

— W czym problem? Że meble Greenbergów same się przesunęły? Mnóstwo ludzi chciałoby, żeby ich meble same się przesunęły.

— Nie w tym rzecz.

— Zacznijmy od przesunięcia mebli. Musimy rozważyć dwie możliwości. Pierwsza to ta, że Naomi złamała żebro w takich

28

okolicznościach, o których nie chciała powiedzieć Michaelowi. Druga to ta, że ona sama przesunęła meble, a historyjkę wymyśliła, ot tak sobie.

— Ona nigdy by tak nie postąpiła! Na miłość boską, cóż to musiałaby być za sytuacja, żebym nie miała odwagi powiedzieć mężowi, że złamałam żebro?

— Kto wie? Może twoja przyjaciółka ma bardzo gwałtownego kochanka. Może miała gdzieś wypadek samochodowy i nie chciała, żeby mąż dowiedział się, gdzie była.

— Nie, Harry. To niepodobne do Naomi. Mogę dać za nią głowę.

— Za nikogo nie możesz dać głowy. Dobrze o tym wiesz.

— Czy ja dobrze słyszę? Po tym wszystkim, co wydarzyło się w szpitalu Sióstr Jerozolimy, po tej strasznej walce, nie wierzysz, że stało się to za sprawą sił nadprzyrodzonych?

Dopiłem swojego drinka.

— Zastanów się, Karen. To kwestia skali. To, co się wydarzyło w szpitalu Sióstr Jerozolimy, było właściwie wojną ludzi przeciw ludziom. Wyznawcy jednej duchowej wiary przeciwko wyznawcom innej. Jak na razie, to, co zdarzyło się w mieszkaniu twoich przyjaciół, wygląda na niezbyt doniosły akt wiedzy tajemnej. Może Naomi jest jej wyznawczynią. A może to jakieś kołatki, wiesz, złośliwe duchy stukające. Osobiście uważam, że powinnaś szukać wyjaśnienia w zjawiskach naturalnych.

Karen była zmartwiona, a ja za nic w świecie nie chciałem jej zmartwić. Dwadzieścia lat temu w szpitalu Sióstr Jerozolimy Karen urodziła karła potworka, którego wszyscy uważali za Misquamacusa, wcielenie siedemnastowiecznego szamana z plemienia Wampanoagów. To było straszliwe. Wielu ludzi straciło życie. Pojawienie się Misquamacusa daleko wykraczało poza granice mojej wiary i wiarygodności. Byłem w szpitalu Sióstr Jerozolimy. Na własne oczy widziałem to, co się tam zdarzyło. Lecz kiedy dziś myślę o tym, wolę uznać, że ten jedyny w swoim rodzaju stan Karen był epicentrum niezwykłego wybuchu sugestii zbiorowej. Nie mam pojęcia, jak i dlaczego do tego doszło. W każdym razie wolę myśleć o tym w ten sposób. Lepiej uchodzić za wariata, niż być zmuszonym przyznać, że coś takiego jak Misquamacus w ogóle istnieje.

— Pewien profesor z uniwersytetu w Seattle przyjechał, żeby osobiście sprawdzić mieszkanie Greenbergów — powiedziała Karen. — Specjalizuje się w badaniach ludzi poruszających przedmioty siłą swojej woli. Jest również swego rodzaju ekspertem od kołatków. Nigdy w życiu nie stwierdził wśród nich takiego zachowania. Kołatki są bardziej psotne, bardziej złośliwe. U Greenbergów po prostu wszystkie meble zostały przesunięte na jedną stronę pokoju i tam już pozostały.

— Jeżeli to nie była sprawka kołatków, w takim razie czyja? Jaka jest opinia profesora? Co to było?

Karen wzruszyła ramionami.

— On nie umie tego wytłumaczyć. Podobnie jak inni. Była tam policja. Był rabin. Przyszedł psychoanalityk Naomi. Nikt nie potrafi tego wytłumaczyć. Wobec tego doszli do wniosku, że to się w ogóle nie wydarzyło albo — jak ty — że Naomi zmyśla.

Położyłem ręce na jej ramionach.

— Karen, naprawdę bardzo chciałbym jakoś pomóc. Lecz to jest poza zasięgiem mojego doświadczenia. Nigdy nie miałem z czymś takim do czynienia. I nie będę miał. Bardzo mi przykro.

— Walczyłeś z Misquamacusem — przypomniała Karen. Wiedziałem, jak trudno jej przyszło wymówić to imię. — Walczyłeś i pokonałeś go.

— Sam nie wiem. Może to było coś zupełnie innego, niż pamiętamy.

— Posłuchaj, Harry — w oczach Karen zabłysły łzy. — Michael i Naomi są moimi najlepszymi przyjaciółmi. Oni szaleją. Całe to wydarzenie zrujnowało im życie. Dla ciebie to może błahostka, dla nich to jest koniec małżeństwa. Są bliscy utraty zmysłów. Obiecałam im...

Spojrzałem na nią. Uniosłem rękę, dając kelnerowi znak, że chcę zamówić jeszcze dwa drinki. I zastygłem.

— Co im obiecałaś?

— Obiecałam im, że sprowadzę najlepszego znawcę zjawisk metapsychicznych w Nowym Jorku. Prawdę mówiąc, najlepszego znawcę w Ameryce.

Nie wiedziałem, co odpowiedzieć. Podszedł kelner, a ja siedziałem z uniesioną ręką jak uczniak, nie mogąc wykrztusić słowa.

— Co mam podać?

— Rachunek — wybełkotałem. — Proszę o rachunek.

— Harry — zaczęła Karen, ale jej przerwałem.

— Obiecałaś im najlepszego znawcę zjawisk metapsychicznych w Ameryce? Czy miałaś na myśli mnie?

— Nie wiedziałam, co mam robić. Nie wiedziałam, do kogo się zwrócić.

— Karen na miłość boską! Jestem wróżbitą! Wróżę z fusów! Ja to wszystko zmyślam! Taki ze mnie znawca metapsychiki, jak z Pee Wee Hermana! Dlaczego nie poszłaś do niego? To jeszcze większy krętacz niż ja!

Młodzieniec o wyglądzie biznesmena nagle przestał się śmiać i wpatrywał się we mnie ze zdumieniem.

— Chcesz poznać swoją przyszłość, ty przeklęta wyjąca hieno? — wrzasnąłem na niego. — Ożenisz się, a twoja żona ogłuchnie. Twój pies i twoje dzieci też ogłuchną. W końcu ogłuchniesz ty sam. Reszta jest milczeniem!

— Co cię gryzie, o co ci chodzi, kolego — odparł, wycofując się.

— Harry, uspokój się, proszę — błagała Karen.

— Tak, Harry — powtórzył biznesmen — uspokój się, proszę.

— Chcesz dostać w pysk? — spytałem, lecz Karen złapała mnie za rękaw.

— Harry — błagała. — Tylko pójdź i zobacz. Nic więcej nie chcę. Tylko pójdź i zobacz.

— Tak, Harry — powtórzył biznesmen. — Wyświadcz nam tę łaskę. Pójdź i zobacz.

Podpisałem rachunek, odsunąłem stół, żeby Karen mogła wstać, i ruszyliśmy w stronę wyjścia. Otwierając drzwi, odwróciłem się do biznesmena.

— Wierz mi, przyjacielu, z takim śmiechem daleko zajdziesz. Nawet jak dotrzesz do Paterson w New Jersey, jeszcze i tak będzie cię słychać.

Z powodu korka przy Union Square droga do domu Greenbergów zajęła nam dwadzieścia minut. Gruby czarny kierowca w kółko nucił „Message in a Bottle", ale za to działała klimatyzacja. Na zewnątrz temperatura wynosiła około trzydziestu stopni przy wilgotności osiemdziesięciu jeden procent. Powietrze miało kolor spiżu.

Karen opowiedziała mi wszystko, co się wydarzyło przez te dwadzieścia lat, od chwili gdy zamykając drzwi jej sypialni, powiedziałem dobranoc. Aż trudno uwierzyć, że od tej pory upłynęło tyle czasu. Zapamiętałem doskonale jej bladą dziewczęcą buzię o nieskazitelnej cerze, a tymczasem teraz miałem przed sobą dojrzałą kobietę, z pierwszymi zarysami zmarszczek na twarzy. Największym problemem w ich małżeństwie była dobroć Jima. Mąż Karen bardzo pragnął mieć dzieci. Ona jednak, po tym, co się wydarzyło w szpitalu Sióstr Jerozolimy, bała się takiego ryzyka. Jim należał do tych mężczyzn, którzy obsesyjnie pragną syna. On sam był ostatnim męskim potomkiem rodu Hartfordów van Hooven: błagał Karen, aby zechciała dać mu przynajmniej jednego dziedzica, by zachować ciągłość rodu. Ożenił się potem z kobietą profesorem; miała jaskrawe tlenione włosy i ostre rysy twarzy. Nosiła swetry własnej roboty i miała szerokie biodra, dobre do rodzenia dzieci. Karen bardzo śmieszyła myśl, że ona i ta nauczycielska Walkiria noszą to samo nazwisko — van Hooven.

Dotarliśmy wreszcie do Siedemnastej Wschodniej i zesztywniali od siedzenia w aucie stanęliśmy na rozpalonym chodniku. Nie znałem tych okolic zbyt dobrze, chociaż kiedyś miałem tutaj przyjaciółkę. Mieszkała na Piętnastej Ulicy. Była dziennikarką, pisywała do „Voice" i często wpadaliśmy na drinka do baru pod nazwą Dzwony Piekieł. Rozejrzałem się po ulicy. W powietrzu unosił się fetor śmieci i gazów spalinowych oraz nieuchwytny, kwaśny, przyprawiający o mdłości odór. Niewidomy grajek z siwą szczeciniastą brodą, pochylony nad białą laską, grał na straszliwie rozstrojonej harmonijce żałobnego bluesa.

Fronton domu, gdzie mieszkali Greenbergowie, wyłożony był czerwonobrązowym piaskowcem. Po obu stronach drzwi wejściowych rosły pokryte kurzem wawrzyny, przytwierdzone ciężkimi łańcuchami do kamiennej balustrady. Po zachodniej stronie domu stała stara fabryka kopert, zbudowana chyba koło tysiąc dziewięćset czternastego roku z czerwono-białych cegieł, której zakurzone okna były szczelnie zasłonięte. Po wschodniej stronie znajdował się dużo większy budynek, którego fronton również wyłożony był piaskowcem, okna pozbawione proporcji, a ściany łuszczyły się od sadzy. Czerwony neon nad wejściem głosił, że jest to hotel Belford. Był to hotel z rodzaju tych, co to lepiej spędzić noc na ulicy, niż się w nim zatrzymać. W holu piętrzą się stare graty, a od wieczora do rana towarzyszy ci złowieszczy szczęk klamki, którą ktoś usiłuje sforsować twoje drzwi.

Karen nacisnęła przycisk z napisem M. i N. GREENBER-
GOWIE i po chwili przez domofon dał się słyszeć zmęczony
głos:

— Karen? Czy to ty?

— Znalazłam Harry'ego — powiedziała. Drzwi otworzyły
się prawie natychmiast.

Wspięliśmy się po ciemnych schodach. Dobrze, że były
wyłożone chodnikiem, a zapachy dolatujące z kuchni całkiem
apetyczne. U kogoś będzie ryba, chyba się nie mylę. Zapach
duszonej ryby mieszał się z lawendowym zapachem pasty do
czyszczenia mebli.

Stanęliśmy przed drzwiami mieszkania Greenbergów. Karen
zapukała. Błyszczące mahoniowe drzwi otworzyły się. Do środka
wprowadził nas niski, łysiejący mężczyzna, z brodą, w okularach
w czarnej oprawce. Miał na sobie beżowy golf i przykrótkie
dżinsy, odsłaniające białe skarpetki.

— Michael, to jest Harry Erskine.

Michael potrząsnął moją ręką. Dłonie miał wilgotne, ale
przypuszczam, że moje również nie były suche.

— Harry, tak się cieszę, że udało ci się przyjść. Chyba nie
masz nic przeciwko temu, żebym ci mówił po imieniu? Karen
bardzo wiele nam o tobie opowiadała.

— Mam nadzieję, że nie przesadziła.

— Mówiła o tobie w samych superlatywach. Jedyny człowiek
w Stanach Zjednoczonych, który może poradzić sobie z waszym
problemem, to Harry Erskine. Tak powiedziała.

Karen przeszła do salonu. Michael chwycił mnie za rękaw
i przytrzymał chwilę.

— Słuchaj — powiedział — moja żona jest w strasznym
stanie. Nie wiem, co się z nią dzieje. Jest cały czas na lekach. Co
drugi dzień telefonuje psychiatra. Myślę, że wydarzyło się tutaj
coś znacznie gorszego, niż ona chce nam powiedzieć. Proszę
cię, bądź dla niej wyrozumiały.

— Oczywiście — obiecałem. Jeszcze nigdy nie czułem się
takim oszustem jak w tej chwili.

— Nie wiem, co zrobiłeś dla Karen — ciągnął Greenberg.
Nikomu tego nie mówiła. Domyślam się, że to ma jakiś związek
z blizną na jej szyi, ale to jest wszystko, co wiem. Cokolwiek to
było, mogę cię zapewnić, że Karen darzy cię najwyższym
szacunkiem. Naprawdę.

— Bardzo dziękuję — odparłem. — Ja też mam o Karen jak najlepsze zdanie.

Michael Greenberg wskazał ręką drogę.

— Proszę, tędy. — Poprowadził mnie do dusznego, typowo mieszczańskiego salonu pełnego różnego rodzaju bibelotów i ozdób, zdradzających od razu, iż jego mieszkańcy są żydowskiego pochodzenia: srebrna gwiazda Dawida na kominku oraz obraz olejny namalowany przez amatora, przedstawiający dzieci pracujące w kibucu. Meble były duże i ciężkie, a ich tapicerka wymagała renowacji. Znałem człowieka na Pięćdziesiątej Trzeciej Ulicy, który miał odpowiednią tkaninę obiciową, lecz chwila wydała mi się niestosowna, żeby go polecać.

Klimatyzator stojący pod oknem nastawiony był na pełny regulator. Zatrzymałem się chwilę przed nim, rozkoszując się chłodem. Potem stanąłem na środku pokoju, rozglądając się dookoła i wąchając powietrze. Był to tani teatralny chwyt, obliczony na wywołanie wrażenia. Władca umysłu wkraczający do nawiedzonego przez złego ducha pomieszczenia, odkrywający przyczajone zło. Lecz tam naprawdę coś było, natychmiast wyczułem czyjąś obecność. Wrażenie było tak silne, że dopiero teraz zrozumiałem, co czuła pani Johnowa F. Lavender, kiedy mówiła: *Lodowate-palce-wędrujące-wzdłuż-pleców.*

Przycisnąłem palce do czoła.

— Hmm... — powiedziałem jak koneser rozpoznający rocznik wina. Kołatek pochodzenia niemieckiego, chyba z roku tysiąc dziewięćset siedemdziesiątego dziewiątego; kwaśny i bezcielesny, sam w sobie niezbyt niebezpieczny, lecz pewne jego groźne odmiany mogą sprowadzić nie lada przykrości.

— Co się stało? — zapytała Karen. — Czy coś czujesz?

— Zdecydowanie — odpowiedziałem, rozglądając się dookoła. — Zapach, którego nie możesz powąchać, jakby samo powietrze było gęste. Czujesz to?

— Coś w rodzaju napięcia. Nie jestem pewna. Może to ta wilgotność.

Obchodząc salon dookoła, brałem do ręki różne przedmioty: książki, wazy, popielniczki. Oprawna karta pocztowa przedstawiała Górę Oliwną. Pęknięcie na jej szkle układało się w dziwny zygzak.

— Ja też się nad tym zastanawiałem — zauważył Greenberg. To stało się tego samego dnia, co... — skinął głową w stronę jadalni.

Postawiłem kartę na stole.

— No dobrze. Pora zobaczyć epicentrum.

Podobało mi się słowo „epicentrum", brzmiało tak bardzo spirytystycznie i profesjonalnie. Lubiłem też określenia: „paranormalny" i „metempsychoza".

Michael Greenberg zatrzymał mnie.

— Harry, zanim tam wejdziesz...

Uspokajająco podniosłem rękę.

— Panie Greenberg, Michael, mam spore doświadczenie w zakresie zjawisk metapsychicznych. Widziałem rzeczy, których ty nie chciałbyś zobaczyć nawet w koszmarnych snach.

— No dobrze — Michael Greenberg wahał się. — Wierz mi, tam jest nie tylko ten odór.

— Byli tutaj z policji. Co powiedzieli?

— Nie dociekali. Powiedzieli, że skoro nie było przestępstwa ani zakłócenia spokoju, cała sprawa nie należy do nich.

— A co mówią psychoterapeuci?

— Nie wiem — Greenberg wzruszył ramionami. — Używają swojego zawodowego języka: a to psycho-, a to nieprzystosowana. Jeśli mam być szczery, myślę, że sami nie wiedzą, o czym mówią.

Usiadłem na oparciu sofy jak u siebie w domu. Pewność siebie robi na klientach dobre wrażenie. Zwłaszcza kiedy mówi się o sprawach nadprzyrodzonych — zmarli krewni szepczą ci do ucha, złośliwe duchy wydzierają garściami futro z twojego kota. Trzeba stwarzać pozory, że nic nie jest w stanie cię zaskoczyć.

— Nie wydaje ci się, że psychiatrzy dobrze wiedzą, na czym polega uraz Naomi?

— Absolutnie nie. Oni ją obwiniają! Ona jest pacjentką, ona jest ofiarą, a oni zwalają winę na nią! Gówno z tego rozumieją.

— Może tak, a może nie. Musisz zrozumieć, Michael, że ktoś bardzo zdenerwowany — zwłaszcza kobieta — z jakichś tajemniczych powodów jest zdolna uruchomić siły, które mogą spowodować chwilowe fizyczne zakłócenia. Drobne wypadki, przecinanie przedmiotów, wstrząsy, a nawet pożary. Dwa lata temu pewna kobieta z Baltimore po kłótni z mężem wybiła w nocy wszystkie okna w promieniu trzech kilometrów. To zostało dowiedzione; można o tym przeczytać w rejestrach policyjnych. Wytłukła wszystkie cholerne szyby w promieniu trzech kilometrów, nawet nie wychodząc z mieszkania. Pewnie widziałeś film *Carrie*, to nie żadna bujda. My nazywamy takie zjawisko psychokinezą — poruszanie, przemieszczanie lub niszczenie przedmiotów fizycznych za pomocą energii wysyłanej z mózgu.

Michael Greenberg, oddychając ciężko, kiwnął potakująco głową.

— To właśnie jedno z tych słów, których używali psychiatrzy; psychokineza, jeśli nie przekręcam.

Chwyciłem go za ramię, posyłając mu jeden z moich najwspanialszych uśmiechów zawodowego medium.

— Michael, zanim zobaczę, co się tam dzieje, chcę ci coś obiecać. Te zaburzenia są do wyleczenia. Nie istnieje takie zaburzenie psychiki, które przy właściwym postępowaniu nie byłoby podatne na leczenie. Dyscyplina, spokój, rozsądek. To jest tak jak w interesie. Jeżeli nagle coś wyskoczy, na przykład nagły i niespodziewany spadek sprzedaży, wierz mi, zawsze musi być jakiś powód. I zawsze musi być droga naprawy. Podobnie będzie w tym przypadku — ja ci to gwarantuję. Gwarantuję ci — bez względu na to, co się stało. Coś cię straszy? Słyszysz głosy? Już ja je uciszę!

Michael spojrzał w kierunku Karen, jakby chcąc podać w wątpliwość moje umiejętności, lecz Karen się odwróciła.

— Karen twierdziła, że ty jesteś najlepszy — zauważył.

— W tych sprawach ocena jest bardzo trudna. Nie rozmawiamy tutaj o konserwacji samochodu.

— Jesteś dobry, Harry — upierała się Karen. — Sam wiesz, że jesteś dobry.

— Chyba już czas, żebyś sam to zobaczył — zaproponował Michael.

— Chyba tak — odpowiedziałem i podążyłem za nim do drzwi.

Położył rękę na klamce, odwrócił się do mnie i rzekł:

— Jeszcze masz wybór. Błagałem Karen, żeby cię do nas sprowadziła, ale jeśli naprawdę nie chcesz, nie musisz się w to wdawać.

— Michael, ja nie rzucam słów na wiatr — odpowiedziałem. Nie istnieją takie zjawiska metapsychiczne, czy to wywołane przez żywych czy umarłych, z którymi nie można byłoby sobie poradzić. Trzeba tylko wybrać właściwy egzorcyzm dla właściwego zjawiska.

— No dobrze — rzekł Michael i otworzył drzwi.

Zrobiłem krok i znalazłem się w dużej jadalni rodzinnej. Było zimno, nadspodziewanie zimno, zapach zaś, który poczułem już w salonie, był o wiele silniejszy. Dziwny zapach — mieszanina palonych ziół, potu i kurzu. Coś mi przypominał... nie mogłem sobie przypomnieć co... Coś, co nie kojarzyło się z Siedemnastą Wschodnią w parne sierpniowe popołudnie. To był zapach bardzo stary i bardzo odległy.

Pięcioramienny żyrandol ze słabymi żarówkami niewyraźnie oświetlał jadalnię. Wystrój pokoju, podobnie jak w salonie, był bardzo dostojny i staromodny — ściany wyklejone brązową wzorzystą tapetą, gruby brązowy dywan na podłodze. Moją uwagę przyciągnęły przede wszystkim meble. Stłoczone pod lewą ścianą, piętrzyły się jedne na drugich jak w magazynie rzeczy używanych lub na wyprzedaży. Stół, krzesła, kredens, nawet wazony z kwiatami i sztućce — wszystko wymieszane i bezładnie stłoczone.

Nawet obrazy na ścianie były przekrzywione.

Tylko jedno krzesło pozostało na środku pokoju. Na tym krześle siedziała kobieta w brudnym białym szlafroku frotté. Jej szara pergaminowa twarz przypominała ścianki gniazda os, wydawała się tak krucha, że bez trudu można by rozerwać policzek palcem. Szeroko otwarte oczy miały kolor mleka. Źrenice uciekły gdzieś w głąb czaszki. Oddychała jednostajnie, ale szybko i w tym oddechu nie czuło się spokoju, tylko coś groźnego. Splątane włosy wyglądały jak nagie kości.

Zaszokowany, odwróciłem się do Michaela. Sam widok pokoju wystarczał, aby wstrząsnąć człowiekiem do głębi.

— Kto to jest? — wychrypiałem.

Michael zdjął okulary i wierzchem dłoni przetarł oczy.

— To jest Naomi, moja żona.

ROZDZIAŁ 3

Wszedłem do jadalni i uważnie się rozejrzałem dokoła. Od razu wypadłem z roli rozważnego psychologa i przeobraziłem się w śmiertelnie wystraszonego psychologa. W pokoju panował nienormalny ziąb i przygnębiający mrok, a tu wprost przede mną siedziała ta kobieta o białych włosach i kurczowo trzymała się krzesła, jakby była zdecydowana nigdy i za żadną cenę nie dać się od niego oderwać.

Białe, obojętne, przerażające oczy.

Rozciągnięte usta odsłaniały zęby, jakby zamierzała ugryźć każdego, kto zechce się do niej zbliżyć.

Była tak sztywna, że wydało mi się, iż gdybym uderzył ją pogrzebaczem, przełamałaby się na pół. Rozpadłaby się jak pęknięty dzwon.

— Od dawna jest w takim stanie? — zapytałem Michaela, pochylając się, żeby lepiej się jej przyjrzeć. Pomyślałem, że pani Johnowa F. Lavender przez siedem dni w tygodniu to fraszka w porównaniu z tym tu odrażającym koszmarem.

— Już trzy tygodnie minęły od tego zdarzenia. Ona się nie rusza.

— Jak mam to rozumieć?

— Nie wstaje z krzesła. Siedzi przez dwadzieścia cztery godziny na dobę.

— Czy coś je?

— Karmię ją. Przyjmuje pokarm i pije wodę.

— A co z...?

— Masz na myśli zabiegi higieniczne? Staram się utrzymać czystość, najlepiej jak potrafię.

— Jezus Maria!

— Harry, musisz coś zrobić — odezwała się Karen.

— Sam nie wiem... — Cofnąłem się. — Czy psychoterapeuci naprawdę nie mogli nic zrobić? Chryste Panie! Wygląda na katatoniczkę.

Michael był jak oszalały.

— Obandażowali jej żebra — powiedział. — Zbadali dokładnie i chcieli ją zabrać na obserwację, ale jak tylko próbowali ją ruszyć, dostała takiego ataku szału, że zdecydowali, iż lepiej będzie ją zostawić. Wymachiwała rękami, kopała, krztusiła się. Stawiali różne diagnozy, jednak tak naprawdę nie wiedzieli, co się z nią dzieje. Co dwa, trzy dni przychodzi doktor Stein. Jest starszym konsultantem w szpitalu Bellevue. Przebadał ją na wszelkie możliwe sposoby. Za każdym razem mówi co innego. Histeria. Psychogenne dzieciństwo. Zmiana trybu życia. Próbował nawet sugerować, że Naomi jest utajoną alkoholiczką i cierpi na delirium tremens. Wielki Boże, Naomi nigdy w życiu nie wypiła więcej niż pół kieliszka czerwonego wina na bar-micwie swego brata. Taki sam jest doktor Bradley. Był dwa razy i twierdzi, że to jest depresja maniakalna.

— Czy ona mówi? — spytałem.

— Czasami, ale nie zawsze z sensem.

— Jeżeli powiem coś do niej, czy sądzisz, że mi odpowie?

— Spróbuj.

Ostrożnie podszedłem do Naomi Greenberg i pochyliłem się. Oczy wciąż miała wywrócone, lecz jej powieki zaczęły mrugać.

— Naomi — odezwałem się. — Naomi, jestem Harry. Jestem przyjacielem Karen.

Nic nie wskazywało, że Naomi usłyszała mnie, lecz zaczęła silniej mrugać powiekami. Jej oddech stał się szybszy.

— Naomi, przyszedłem ci pomóc.

Nie było odpowiedzi. Nagle poderwałem się. Prawa stopa Naomi przesunęła się po drewnianej podłodze, wydając ostry, piszczący dźwięk.

— Naomi, słyszysz mnie? Muszę zadać ci parę pytań. Muszę się dowiedzieć, co ci się stało.

— Ona nie powie — wtrącił Michael.

Wyciągnąłem rękę do tyłu, chcąc go uciszyć.

— Naomi... muszę wiedzieć, co się tutaj stało. Muszę wiedzieć, co widziałaś.

Nagle Naomi zesztywniała i przewróciła gałkami oczu. Ukazały się źrenice. Były brązowe, zasnute mgiełką i rozbiegane. Patrzyła na mnie jak na przedmiot, nie tyle jakby nie wiedziała, kim jestem, ile jakby nie wiedziała, czym jestem. Może uważała, że jestem meblem. Nie miałem pojęcia, jak głęboki jest szok. Przyjaciółka mojej matki przez całe lata żyła w przeświadczeniu, że stojak na kapelusze jest jej mężem.

— Naomi — powtórzyłem. — Jestem Harry, przyjaciel Karen. To Karen mnie prosiła, żebym przyszedł do ciebie. Ona sądzi, że mógłbym ci pomóc.

— Ty... możesz... pomóc... mnie? — wybełkotała Naomi monotonnie.

— Chcę spróbować. Muszę wiedzieć, co się z tobą stało. Proszę, powiedz mi, jak to było z meblami.

Naomi powoli odwróciła głowę, wpatrując się w stos sprzętów.

— Nie mogłam... powstrzymać... tego. Nie... mogłam.

— Naomi — zagadnąłem, podchodząc bliżej. — Czy przesuwałaś meble?

Przez chwilę zastanawiała się, po czym pokręciła przecząco głową.

— Uprzedzałem cię — powiedział Michael. — W zeszłym tygodniu doktor Bradley krzyczał na nią, każąc jej przyznać się, że działała jak histeryczka. Jakby zrobiła to celowo. Ale jak mogłaby to zrobić? Dlaczego miałaby to robić?

— Daj spokój, Michael — powiedziałem. — Muszę się skoncentrować.

— Przepraszam. Ale przez cały czas tylko słyszę: „Naomi, dlaczego przesunęłaś meble? Naomi, co chcesz sobie zrobić? Naomi, czy wąchałaś jakieś narkotyki?".

Michael zacisnął usta, próbując opanować rozdrażnienie.

— Tego wieczoru poszedłem z Erwinem do synagogi, zostawiając w domu żonę szczęśliwą, uśmiechniętą i spokojną. To wszystko, co wiem. Kiedy trzy godziny później wróciłem, zastałem tu tę dziwną kobietę — zszokowaną, przerażoną, pozbawioną zmysłów. To wszystko, co wiem.

— Czy powiedziała ci, co się wydarzyło?

— Mówiła urywkami. Powiedziała, że słyszała głosy. Widziała cienie. Bez przerwy mówiła o cieniach. W każdym razie nie powiedziała nic, co miałoby jakiś sens.

— Nie było żadnego włamania?

— Nie. Policja jest pewna na sto procent. Okna były zakratowane i zamknięte, wszystkie zamki i łańcuchy założone. To my, Erwin i ja, musieliśmy się włamywać. Wezwaliśmy straż pożarną, która zdjęła drzwi frontowe z zawiasów.

— Czy nie ma żadnych śladów, że Naomi sama dobrowolnie wpuściła kogoś do domu, a teraz nie chce się przyznać?

— Co to ma znaczyć? — warknął Michael. — Zdawało mi się, że przyszedłeś, żeby mi pomóc, a nie urządzać przesłuchanie.

— Michael, czy ty nie rozumiesz, że zanim zacznę myśleć o ingerencji sił nadprzyrodzonych, muszę wykluczyć sytuacje naturalne? Istnieje prawdopodobieństwo, że to, co stało się tutaj, jest jakimś wybrykiem praw fizyki — na przykład zakłócenie napięcia prądu, miejscowe trzęsienie ziemi lub uderzenie pioruna.

— Próbujesz mi wmówić, że w Naomi trafił piorun?

— Wszystko muszę brać pod uwagę. Ona zdradza pewne objawy porażenia prądem. Czyż nie? Zszokowana, zdezorientowana. Wszystkie meble przesunięte. Podobny przypadek miał miejsce w Cedar Rapids, w stanie Iowa, gdzieś w tysiąc dziewięćset siedemdziesiątym siódmym roku. W chłopca uderzył piorun i wszystkie meble z salonu zostały dosłownie zdmuchnięte na podwórze. Kanapę znaleziono na sąsiedniej ulicy wraz z komiksem *Zielona latarnia*. Był otwarty na tej samej stronie, którą chłopiec czytał, kiedy uderzył w niego piorun.

— To nie był piorun, Harry — zapewnił mnie Michael, przesadnie podkreślając swoją cierpliwość.

— Masz rację. Ja też tak uważam.

— To nie było także trzęsienie ziemi.

— Chyba nie — zgodziłem się.

— Zatem, jeżeli to nie był piorun ani trzęsienie ziemi, ani włamywacz, to przyczyną muszą być siły nadprzyrodzone, bez względu na to, czy wierzymy w nie, czy nie.

— Tak. Mogą tu występować pewne elementy zjawisk paranormalnych.

— Co rozumiesz przez „pewne elementy"? Spójrz na moją żonę! Spójrz na meble! Coś ci powiem. Spróbuj przesunąć jedno z tych krzeseł na środek pokoju!

— Posłuchaj, Michael. Twoja żona doznała głębokiego urazu psychicznego. Nie mogę jej leczyć. Ona potrzebuje pomocy jakiegoś wybitnego specjalisty.

Michael odwrócił się gwałtownie do Karen, a potem do mnie.

— Bardzo przepraszam — powiedział. — Karen mówiła, że ty jesteś najlepszym specjalistą.

— Daj spokój, Michael! Jestem jasnowidzem. Przepowiadam ludziom przyszłość. Mam do czynienia ze zjawiskami, o których dobrze nie wiadomo: istnieją czy tylko nam się wydaje, że istnieją. Z wujkiem Fredem, który omijając cmentarz na Wzgórzach Cyprysowych, pragnie nawiązać kontakt z ciotką Eugenią i powiedzieć jej, gdzie zostawił zapasową żarówkę do lodówki. To, co się stało z twoją żoną... to zło, które ją spotkało... nie mogę się tym zająć. To problem medyczny.

— A co z meblami? — drążył Michael. — Czy to też problem medyczny? Spróbuj je poruszyć, zobaczysz, jakie to „medyczne".

Niechętnie podszedłem do stosu mebli i chwyciłem krzesło. Musiałem mocno szarpnąć, żeby je wyrwać spośród pozostałych. Po chwili zorientowałem się, że to nie inne krzesła je trzymają. Jakaś magnetyczna siła ciągnęła je w stronę ściany.

Zdumiony spojrzałem na Michaela.

— Zanieś je na środek pokoju. No, idź. Postaw na podłodze.

Z wielkim trudem zaniosłem mebel na środek pokoju, pod żyrandol, i postawiłem na podłodze.

— Teraz odejdź — powiedział Michael.

Puściłem krzesło. Natychmiast przewróciło się z hałasem i skoczyło na przeciwległą ścianę. Bez żadnych sznurów ani ukrytych mechanizmów. Dosłownie upadło na bok i z łoskotem wróciło na miejsce koło innych mebli.

Stałem i wpatrywałem się w krzesło, zupełnie nie wiedząc, co robić. Chciałem je zabrać z powrotem, lecz Michael powiedział:

— Tak jest za każdym razem.

— Rzeczywiście — przyznałem i kucnąłem chcąc mu się przyjrzeć dokładnie. — To jest problem.

— I na pewno nie jest to problem medyczny. Czyż nie mam racji?

— Masz rację. Muszę się z tobą zgodzić. To nie jest problem medyczny. Z pewnością występują tu elementy zjawisk paranormalnych. Jak na razie nie wiem jednak jakich i w jakim nasileniu.

— Ale ty potrafisz się z tym uporać? — upewniał się Michael. Pięć minut temu dawałeś gwarancję, że sobie z tym poradzisz.

Wszystko zależy od „właściwego postępowania", tak właśnie powiedziałeś.

— Tak. Właśnie tak! Nie można wdrożyć właściwego postępowania bez dokładnego rozpoznania zjawiska, którego to postępowanie dotyczy.

— To ty nie wiesz, co to za zjawisko?

— Jeszcze nie — przyznałem. — Już wspominałem... Możemy mówić o psychokinezie. Może to być również kołatek. Może się też jednak okazać, że chodzi o coś zupełnie innego. Może tu zachodzić transmutacja. A nawet lewitacja. Rodzaj bocznej lewitacji.

Michael potrząsnął głową.

— Rozumiem — powiedział z wyraźnym rozczarowaniem. Nawet Karen wyglądała nieswojo. Nagle poczułem się tak podle i nieprzekonywająco, jak komiwojażer sprzedający mydło. Mimo to zwróciłem się do Naomi:

— Naomi... posłuchaj. Musisz mi powiedzieć, co się tutaj stało. Patrzyła na mnie w milczeniu, a głowa się jej trzęsła, jakby miała chorobę Parkinsona.

— Czy ktoś tutaj był? Czy widziałaś kogoś, kto przesuwał meble?

Potrząsnęła głową przecząco.

— Nikogo... tutaj. Tylko... cienie.

— Jakie cienie?

Bojaźliwie spojrzała w stronę ściany.

— Cienie... na... ścianie... to... go... zagryzło...

— To go zagryzło? Co go zagryzło?

Zapadła długa cisza. Naomi siedziała, wpatrując się w ścianę. Oddychała głęboko i chrapliwie. Nagle, bez żadnego ostrzeżenia zrobiła coś, co sprawiło, że zamarłem. Zakryła twarz rękami, tak że tylko oczy wyglądały. Powoli i groźnie wzrok jej przesuwał się z prawej strony na lewą i z powrotem.

— To... go... zagryzło... — powtarzała; jej palce wiły się i wyginały jak białe węże w gnieździe. — To... go... zagryzło...

Podniosła splątane dłonie i oparła je na czubku niesamowicie białych włosów, tworząc z nich coś na kształt jelenich rogów lub głowy Gorgony.

Nieoczekiwanie Naomi skończyła swą pantomimę. Opuściła ręce i znów mocno uchwyciła poręcze krzesła. Patrzyła przy tym na mnie tak, jakby oczekiwała, że zrozumiałem, co chciała przekazać.

— Czy kiedyś już to robiła? — zapytałem Michaela.

— Nigdy. Wobec nikogo.

— Czy powiedziała do kogoś „to go zagryzło"?

— Chyba tak powiedziała do doktora Steina, ale mnie wtedy nie było w pokoju.

Stałem zasępiony i rozmyślałem. Cienie na ścianie. Naomi widziała cienie na ścianie. Teraz mało było cieni na ścianach, ponieważ całe światło płynęło z góry, ze słabych żarówek żyrandola pod sufitem. Głównymi cieniami były mój i Naomi — małe, bezkształtne kałuże wokół naszych stóp. W jaki sposób Naomi mogła widzieć cienie na ścianach?

— Michael... mógłbyś mi przynieść lampkę na biurko lub coś w tym rodzaju?

— Oczywiście — odpowiedział i poszedł do salonu.

W drzwiach stała Karen z pobladłą twarzą i skrzyżowanymi rękami.

— Chcę cię przeprosić, Harry. Nie zdawałam sobie sprawy, że to będzie takie trudne.

Chrząknąłem.

— Trudne? To nie jest trudne. To po prostu przerasta moje możliwości.

Nie byłem na nią zły. Czułem się tylko niekompetentny i zmartwiony.

Michael wrócił z małą czerwoną emaliowaną lampką na biurko. Postawiłem ją na podłodze i włączyłem do sieci.

Ledwie zdążyłem wstać, kiedy lampa, wyrwawszy kabel z kontaktu, z trzaskiem przeleciała przez pokój i wylądowała na przeciwległej ścianie obok stołu.

— „Pewne elementy zjawisk paranormalnych" — zacytował mnie Michael.

— Nie ma sprawy — odwzajemniłem się. — Mam z tym do czynienia na co dzień.

Była to oczywiście nieprawda. Nie miałem z czymś takim do czynienia nie tylko na co dzień, ale wręcz nigdy w życiu. Nie chciałem dopuścić, by sceptycyzm Michaela wziął nade mną górę. Doskonale rozumiałem gorycz i frustrację tego faceta, lecz prawda jest taka, że nie istnieją ludzie zdolni stawić czoło siłom nadprzyrodzonym. Nie ma żadnych kardynałów de Richelieu ani profesorów Harvardu okultyzmu, bez względu na to, co można przeczytać w powieściach Dennisa Wheatleya czy zobaczyć w filmach Stephena Spielberga. Miałem takie same kwalifikacje jak ten tu obok. Lub raczej brak kwalifikacji. To zależy, jak łaskawy chcesz być dla siebie.

Przeszedłem przez pokój i podniosłem lampę. Musiałem użyć całej swojej siły, aby przenieść ją na drugi koniec pokoju.

— Michael, chcę znów włączyć lampę. Czy możesz ją przytrzymać, żeby nam nie uciekła?

Michael ukłąkł obok lampy, trzymając jej podstawę, tak jak się trzyma żywego koguta przed walką, bo — wierzcie mi — gdyby ją puścił, odjechałaby od niego z głośnym stukotem. Zapalił ją. Jej światło oświetlało przeciwległą ścianę. Stanąłem przed tą ścianą i wykonałem kilka moich sztuczek z cieniami. Króliczek. Gołąbek z trzepoczącymi skrzydłami. Żółw.

— Na miłość boską, co ty wyprawiasz? — dopytywał się Michael. — Cicho. Chcę przyciągnąć uwagę Naomi, ale nie chcę jej zdenerwować. W każdym razie jeszcze nie teraz.

Naomi kątem oka przyglądała się moim obrazkom. Kiedy obrazki zaczęły się poruszać, drgnęła lekko, ale patrzyła dalej.

— Naomi — zapytałem — czy takie cienie widziałaś na ścianie?

Potrząsnęła głową, ale jej nie odwróciła.

Zrobiłem psa, żyrafę i konika Olivera Hardy'ego. Na tym prawie wyczerpał się mój repertuar. Nic dziwnego, że dzieci wygwizdują mnie zawsze, kiedy chcę zabawić je na przyjęciach. Potem spróbowałem naśladować Naomi. Rękami zasłoniłem twarz, tak że tylko oczy wyzierały. Powoli zacząłem zaplatać palce.

Z szeroko otwartymi oczami Naomi wpatrywała się w ścianę. Wciąż splatałem palce, stopniowo podnosząc ręce coraz wyżej, naśladując Naomi. Wreszcie ukształtowałem na głowie coś w rodzaju rogów jelenia.

Krzyk Naomi był tak przenikliwy, że z początku prawie go nie słyszałem. Nie mieścił się w rejestrze ludzkiego słuchu. Był jak skowyt psa. Widząc jej przerażenie, odwróciłem się do ściany, aby zobaczyć, co ją tak przeraziło.

To był mój własny cień. Zgarbiony stwór z ogromną głową, podobny do kozła stojącego na tylnych nogach. Jego głowę wieńczyły wijące się węże. Gdyby taka kreatura stanęła przede mną, uciekałbym, aż by się kurzyło. Gdy krzyk Naomi z niesłyszalnego przeszedł w rozrywający bębenki wrzask, opuściłem ręce. Michael puścił lampę, która z hałasem przesunęła się pod ścianę. Stwór natychmiast odwrócił się ode mnie i zniknął.

Michael objął ramionami Naomi, która wciąż nie przestawała krzyczeć. Kołysała się gwałtownie na krześle i tupała nogami w podłogę. Wyglądało to jak atak epilepsji: oczy wywrócone, z ust leciała ślina i piana.

— Co robisz, ty pieprzony łobuzie?! — wrzasnął Michael.

Naomi krzyczała i biła na oślep rękami. Żadne z nas nie potrafiło jej uspokoić.

— Przepraszam cię! — zwróciłem się do Michaela. — Naprawdę, bardzo mi przykro! Nie zdawałem sobie sprawy!

— Daj spokój! — krzyknął. — Wynoś się stąd! Ty przeklęty komediancie!

— Uważaj, co mówisz. Jakim prawem nazywasz mnie komediantem? — odparowałem, lecz Karen złapała mnie za ramię i powiedziała:

— Przykro mi, Harry. Lepiej chodźmy stąd. Bardzo cię przepraszam.

— Wynoście się! — krzyczał Michael.

Nie wiedziałem, kto robi więcej hałasu: on czy Naomi.

Kiedy cofałem się do wyjścia, zdarzyła się bardzo dziwna rzecz. Chociaż nie paliła się już lampka, przez ścianę przemknął jakiś cień. Trwało to zaledwie ułamek sekundy, nie miałem więc pewności, czy nie było to złudzenie. Ów cień jednak miał wszelkie cechy podobieństwa do stworzonej przeze mnie postaci.

Gdy tylko cień przeszedł przez ścianę, Naomi natychmiast przestała krzyczeć. Kręciła głową w różne strony, jakby czuła jego obecność.

— Naomi? — odezwał się Michael. Z oczami pełnymi łez ściskał ją i tulił. — Naomi, jak się czujesz?

Źrenice Naomi wróciły na miejsce. Pozbawionym wyrazu wzrokiem wpatrywała się w Michaela, jakby widziała go po raz pierwszy.

— Dzięki Bogu — wyszeptała.

— Co? — spytał Michael. — Naomi, co?

Nie zwracała na niego uwagi.

— Ty wiesz, prawda? — zapytała mnie głosem tak cichym, że ledwie ją słyszałem. — Wiesz, co to jest. — Jak przedtem podniosła ręce do twarzy i zakryła ją, tak że tylko oczy wyglądały.

— Naomi, Harry musi już iść — odezwał się Michael. — Nie wydaje mi się...

— Nie! — przerwała mu. — Harry nie może odejść. On jest jedyny, który wie.

— Naomi...

— Nie! Tylko on wie!

Mowa jej wciąż była niewyraźna i monotonna, jak u kogoś, kto przeszedł lekki wylew, głos jednak był bardziej dobitny i stanowczy niż przedtem.

Zapadła długa, kłopotliwa cisza, podczas której Naomi wpatrywała się we mnie, jakbym był Samotnym Jeźdźcem, tancerką w stylu chippendale i Janem Chrzcicielem w jednej osobie.

— Co? — dopytywał się Michael. — Co to jest? Jeżeli Harry wie, to ja chyba tym bardziej powinienem wiedzieć.

— On wie, co to jest — powtórzyła Naomi. Odwróciła się do Michaela, przyciskając delikatnie czoło do jego policzka, aby zamanifestować w ten sposób swoją miłość do niego i przywiązanie. Dla ciebie byłoby znacznie lepiej, gdybyś nigdy się nie dowiedział. Nie chcę cię stracić... nie teraz. Nigdy.

— Harry, czy ty naprawdę wiesz? — zapytała szeptem Karen.

Już chciałem powiedzieć, że nie mam zielonego pojęcia, lecz Michael usłyszał jej słowa i skierował na mnie uważne spojrzenie.

— No, tak — powiedziałem. — Mam pewne podejrzenia. Od początku miałem.

Michael zabrał nas do salonu. Był rozdrażniony i niespokojny. Cóż innego mógł zrobić, skoro Naomi kazała mi zostać?

— Czy powiesz mi wreszcie, co to jest? — zapytał zdejmując okulary. Oczy miał wytrzeszczone, a w spojrzeniu czaiła się groźba.

Posłałem mu najbardziej fałszywy z moich uśmiechów.

— Przykro mi. Słyszałeś, co powiedziała twoja żona. Wolałaby, żebyś pozostał w nieświadomości. Tak będzie bezpieczniej. Bezpieczniej dla ciebie. Dla nas wszystkich. Więcej w tym pierwiastków paranormalnych, niż się na pierwszy rzut oka wydaje.

— Chcesz powiedzieć, że to jest niebezpieczne? Bardzo?

— Może to nie tyle niebezpieczne — zmyślałem — co nieuchwytne.

— Coś ci pokażę, mądralo — rzekł Michael. Wziął z biurka oprawioną w ramki fotografię i podetknął mi ją pod nos. Na zdjęciu była przystojna brunetka stojąca z ogromnym bukietem żonkili na jednej z ulic Nowego Jorku. Miała na sobie niebieski wiosenny płaszcz i biały szal. Wyglądała na szczęśliwą.

— Jak myślisz, kto to jest? — zapytał ochrypłym głosem.

— Sądzę, że Naomi. Inaczej nie pokazywałbyś mi tego zdjęcia.

— Masz rację. To jest Naomi. Jak sądzisz, kiedy to zdjęcie było zrobione?

Spojrzałem w stronę jadalni, gdzie siedziała siwowłosa kobieta, kurczowo trzymając się krzesła.

— Tysiąc dziewięćset osiemdziesiąty piąty? — zaryzykowałem. Może osiemdziesiąty szósty?

— Mylisz się — odparł Michael. — Bardzo się mylisz. Zrobiłem jej to zdjęcie na Delancey w kwietniu tego roku.

Uważnie przyjrzałem się fotografii. Z największym trudem przełknąłem ślinę. Moja krtań była ciasna jak podrzędnego gatunku kukurydziana fajka generała MacArthura. Kimkolwiek był ów cienisty stwór — podobno miałem wiedzieć, kim był — dokonał z Naomi Greenberg rzeczy strasznej i nie uśmiechała mi się perspektywa, że to samo zrobi ze mną. Prawdę mówiąc, nie sądzę, żeby było mi do twarzy w białych włosach. Podałem fotografię Karen, a ona oddała ją Michaelowi. Widziała już przedtem to zdjęcie. Bez zachwytu przyjąłem delikatny, pełen ufności uśmiech, który mi posłała. *Karen*, pomyślałem, *już raz stoczyłem o ciebie walkę z siłami nadprzyrodzonymi lub z czymś, co za siły nadprzyrodzone uważaliśmy. Ale ten raz to dość, a w gruncie rzeczy dwa, bo zmuszony byłem walczyć z tą przerażającą zjawą dwukrotnie. I nigdy więcej. Nigdy. Nie z czymś takim. To nie jest kryształowa kula ani fusy po herbacie, ani karty wróżbity. To jest śmierć, to przeżycie, od którego włos bieleje na głowie. Nie chcę mieć do czynienia ze śmiercią, Karen, ani ze zjawiskami, od których człowiek siwieje.*

Ani teraz, ani nigdy.

Phoenix

Dude S. N. leżał w klimatyzowanej przyczepie na pomarańczowym tapczanie i słuchał zespołu Roxy Music z albumu wydanego w tysiąc dziewięćset siedemdziesiątym pierwszym. Na oczach miał przeciwsłoneczne okulary Reynoldsa. Ubrany był w spłowiałą czarną bawełnianą koszulkę z motywem głowicy silnika Diesla. Na nogach zniszczone, ubrudzone smarami buty i białe, koronkowe majtki przyjaciółki. Wyblakłe dżinsy wisiały na oparciu biurowego krzesła. Było to stare obrotowe krzesło obite brązowym skajem. Siedzenie z gąbki było w połowie wyskubane przez różnych znudzonych osobników, którzy latami z niego korzystali. Dude S. N. był bardzo chudy i mimo iż całe życie spędził w Arizonie, odznaczał się niezwykle białą karnacją. Miał bardzo długie i błyszczące, kręcone włosy koloru mahoniu.

Z tą swoją wąską twarzą wyglądał jak fałszywy święty lub jak trzeźwy Jim Morrison namalowany przez Giotta. Podbródek miał zarośnięty miękką czarną szczeciną. Kiedy śpiewał, jabłko Adama przesuwało mu się pod skórą. Nogi miał równie białe jak twarz — kościste, o wystających kolanach, nigdy niewystawiane na słońce Arizony. Zawsze zakryte nieprzepuszczającymi słońca levisami.

Na parkingu piekło się w trzydziestostopniowym upale trzydzieści siedem samochodów. W większości buicki i oldsmobile, przeważnie dziewięcio- lub dziesięcioletnie, oraz liczne furgonetki. Wielki, ręcznie namalowany szyld informował: PAPAGO JOE. OKAZYJNA SPRZEDAŻ UŻYWANYCH SAMO-

CHODÓW. **Najdroższe — 3300 dolarów**. Po obu stronach reklamy umieszczona była głowa bawołu z doklejonymi frędzlami ze sztucznego tworzywa imitującego bawolą skórę.

Tego dnia Papago Joe musiał udać się do sądu w Phoenix, gdzie starał się uzyskać prawo do opieki nad szesnastoletnią córką Susan White Feather. W zastępstwie zostawił Dude'a S. N., zakazując mu jednak dokonywania jakichkolwiek transakcji na własną rękę.

Dude S. N. nie martwił się specjalnie. Punkt handlu używanymi oldsmobile'ami, mimo że położony przy ruchliwej autostradzie numer 60, pomiędzy Apache Junction i Florence Junction, skąd roztaczał się widok na prastarą Górę Wierzeń, był mało ruchliwy. Bywało, że i przez trzy tygodnie nikt nie zainteresował się żadnym samochodem. Papago Joe zarabiał pieniądze, robiąc przysługi ludziom, którzy o nie prosili. Byli to głównie Indianie o posępnych, gładkich jak wyprawiona skóra twarzach, w błyszczących cadillacach i lustrzanych okularach przeciwsłonecznych. Dude S. N. nigdy nie zadawał żadnych pytań. Tytoń, alkohol i stale zmniejszająca się warstwa ozonowa stanowiły dostateczne wyzwanie dla zdrowia, przynajmniej on tak uważał, żeby narażać się jeszcze na dodatkowe ryzyko, naprzykrzając się Indianom o posępnych, gładkich jak skóra twarzach, w błyszczących cadillacach.

Dude S. N. nie wiedział, czy starczy mu sił, by dobrnąć do baru Słoneczny Diabeł i wlać w siebie parę zimnych piw. Kiedyś mieli lodówkę w przyczepie, ale Papago Joe podarował ją jakiejś rodzinie w rezerwacie Salt River. Był to jeden z tych spontanicznych odruchów serca, do których Papago Joe miał ogromne skłonności. A przecież czasami mógłby coś zrobić również dla siebie. Były to trudne lata dla wszystkich, a zwłaszcza dla Indian. Czasami paląc papierosy, Papago Joe opowiadał Dude'owi S. N. o latach, które nie były ani łatwe, ani trudne, po prostu były.

— Słońce wschodziło, chmury przesuwały się po niebie, tak samo jak teraz. Potem słońce znowu zachodziło.

— To były chyba niezbyt przyjazne czasy — zauważył Dude S. N. Nigdy nie był pewien, co Papago Joe ma na myśli.

— Masz rację — z powagą odpowiadał Papago Joe i kiwał głową. — To były naprawdę niedobre lata.

Dude S. N. zdążył już prawie sobie wyperswadować, że wcale nie musi napić się piwa, kiedy nagle poczuł, że zadrżała pod nim przyczepa. Jak gdyby ktoś delikatnie trącił ją w bok. Usiadł nasłuchując i czekając, czy wstrząs się powtórzy. Z zewnątrz doszły go trzaski i szurania, jakby stojące na parkingu samochody uderzały o siebie.

Zerwał się z tapczanu, nasunął przeciwsłoneczne okulary na nos i otworzył drzwi przyczepy. Oślepiający blask słońca i upał panujący na zewnątrz były nie do zniesienia. Akurat było samo południe. Promienie słońca odbijające się w każdej szybie, bocznym lusterku czy wypolerowanym błotniku dźgały go jak sztyletem. Parking miał kolor zakurzonej bieli. Niebo i autostrada miały ten sam kolor.

Dude S. N. zatrzymał się i pociągnął nosem. Do znajomego zapachu rozgrzanych samochodów i gumy dołączył się jeszcze jeden. Zapach palącego się ogniska... gumowego drzewa, węgla drzewnego i dawno zapomnianych ziół. Ten kwaskowy zapach żywo przypominał mu młodość.

Z rękami wspartymi na biodrach rozejrzał się dookoła i zszedł po gorących aluminiowych stopniach przyczepy. Na autostradzie i na parkingu panowała cisza. Wysoko nad głową, unoszony ciepłym prądem powietrza, krążył leniwie sęp. Czerwono-białe chorągiewki wokół parkingu zwisały żałośnie, jakby za chwilę miały się roztopić.

Nasłuchiwał. Usłyszał niegłośne, ale przeszywające zgrzytanie. Dochodziło gdzieś z tyłu parkingu, gdzie przed długą, białą ścianą z napisem „Warsztat naprawczy i usługowy" stały samochody.

Miał wrażenie, jakby samochody pchały się jeden na drugi, błotnik na błotnik. Widok był przerażający. Zdrapana farba, pogniecione koła, pogięte słupki ogrodzenia, połamany żywopłot. Przesłonił oczy ręką, aby zobaczyć, czy przypadkiem w którejś z zaparkowanych pod ścianą garażu furgonetek nie siedzi kierowca. Wszystkie były puste i w żadnej nie chodził silnik.

Podskoczył parę razy, żeby zobaczyć na dalszą odległość. Jak zdążył stwierdzić, w żadnym z samochodów nie siedział nikt. Na placu był tylko on, samochody i pustynia.

— Kurde — powiedział. — O kurde!

Przestał skakać. Nie był w dobrej kondycji, poza tym miał uczucie, że od tego skakania wyskoczy mu mózg. Z zamkniętymi oczami nasłuchiwał, starając się wyłapać dźwięk kroków, otwieranych drzwi lub gorączkowych szeptów. Papago Joe zawsze mówił mu, że z zamkniętymi oczami dużo lepiej się słyszy. Znowu powtórzył się ten dźwięk przypominający zgrzyt i w ślad za nim wyraźny, głuchy huk spadających tablic rozdzielczych. Otworzył oczy. Przy bramie stał mały, ośmioletni chłopczyk, obserwując go z poważną miną. Wyglądał na mieszańca: Apacza z białym. Na głowie miał baseballową czapkę z żółwiem Ninja Michelangelo, a na sobie brudną białą koszulkę z napisem „Kto wie, jakie zło czai się w ludzkich sercach?".

— Nosisz babskie majtki — powiedział złośliwie chłopiec.

Dude S. N. spojrzał w dół. Parę miesięcy temu spadła z niego ostatnia para kalesonów i od tej pory nosił majtki Cybille. Po prostu nie chciało mu się pójść do marketu i kupić nowe.

— Powiadasz, że noszę damskie majtki? — rzekł zaczepnie. — Co cię to obchodzi? Za to nie noszę czapki z idiotycznym żółwiem Ninja.

— Tylko pedały noszą babskie majtki.

— Co ty możesz wiedzieć o pedałach?

— Wiem, że noszą babskie majtki.

Dude S. N. znał tego chłopca. Widział, jak kopał piłkę na tyłach baru Słoneczny Diabeł. Prawdopodobnie był synkiem tej nowej kelnerki z baru, blondynki z krótko ostrzyżonymi włosami, która jeździ zielonym caprice'em. Dude S. N. nigdy nie był zbyt towarzyski ani nie lubił plotkować, więc chociaż był częstym gościem w barze, nie znał nawet nazwisk ludzi, którzy tam bywali. Zawsze uważał, że ludzie tacy jak on, niemający korzeni, mają prawo do prywatności.

Wszedł do przyczepy i zdjął z krzesła dżinsy. Chłopiec stanął przy schodkach, przyglądając mu się, jak zapinał pasek. Zmrużył jedno oko, ponieważ słońce odbijające się od wypolerowanej blachy oślepiało go.

— Jak się nazywasz? — zapytał chłopiec.

— Dude S. N. — odparł Dude S. N.

— To głupio. Co to za nazwisko?

— Moje. A ty jak się nazywasz?

— Stanley.

— Rodzice mówią na ciebie Stanley?

— Mama tak mnie nazywa, po moim ojcu. Mój ojciec nie żyje.

— Bardzo mi przykro.

— Nie pamiętam go. Mama mówi, że tak musiało się stać.

— Ach tak?

Dude S. N. zdjął okulary i rozejrzał się po terenie. Pomyślał, że trzeba by sprawdzić samochody zaparkowane pod ścianą warsztatu, chociaż na razie było spokojnie. Pomimo odgłosów skrzypienia i zgrzytania samochody wyglądały na nieuszkodzone. Może te dziwne głosy pochodziły ze złomowiska Johnny'ego Manzanery po drugiej stronie autostrady?

Napiłby się piwa. Teraz, kiedy został wyrwany z ulubionej pozycji, jaką było leżenie na pomarańczowym tapczanie, Dude S. N. postanowił pójść na piwo do baru. Powędrował na koniec przyczepy, do kuchenki zawalonej pustymi puszkami po zupie, garnkami z błyskawicznym makaronem i niedojedzonymi szybkimi daniami. Na blacie koło opiekacza stało brudne, usmarowane terrarium. Nieruchoma i wyschnięta, leżała tam jadowita jaszczurka z rzeki Gila.

Dude S. N. podniósł wieko terrarium i wsadził rękę pod kamienie, skąd wyciągnął dwadzieścia dolarów. Jaszczurka oblizała wargi, oczy jej przekręciły się jak migawka kamery, ale poza tym go zignorowała.

— Ta jaszczurka przynosi pecha — odezwał się Stanley.

— Co ty powiesz? Czy ty w ogóle wiesz, co to jest pech?

— Mama twierdzi, że zawsze mamy pecha.

— Naprawdę? To pech zawsze mieć pecha.

— Te jaszczurki więżą w sobie dusze zmarłych i nie pozwalają im odejść.

Dude S. N. wyszedł z przyczepy i zamknął drzwi na klucz. Jeszcze raz rozejrzał się po całym terenie, aby upewnić się, że nikt tam się nie chowa, i zszedł po schodkach.

— Idę na piwo — oznajmił Stanleyowi. — Idziesz?

— Jeżeli postawisz?

Tak mówi dziecko, które za dużo czasu spędza w pobliżu baru, pomyślał Dude S. N.

Zaledwie przeszli parę kroków przez popękany od słońca beton, kiedy Dude S. N. znów usłyszał hałas. Tym razem był o wiele głośniejszy i bardziej przerażający, jakby zgniatarka miażdżyła samochód: odpadła tablica rozdzielcza, pękały przekładnie, rozpryskiwały się szyby. Rozglądał się na wszystkie strony, kiedy stojąca koło niego brązowa delta 88 metalic nagle, bez żadnej widocznej przyczyny, zakołysała się na zawieszeniu i gwałtownie przechyliła się na bok. Nic nie wskazywało, żeby ją ktoś ciągnął. Dudnienie i pisk opon zlały się w jeden piekielny, niezborny kwartet. Po chwili przedni zderzak z hukiem uderzył w sąsiednią limuzynę.

Zdumiony Dude S. N. odwrócił się do Stanleya.

— Widzisz, co się dzieje? Spójrz! Kurde mol, to się samo porusza!

Stanley stał, nie mogąc ruszyć się z miejsca. Oczy miał szeroko otwarte z przerażenia.

Wszystkie wozy na parkingu zaczęły się przechylać i wjeżdżać na siebie. Piski opon stawały się coraz głośniejsze. Dachy samochodów falowały jak grzbiety uciekającego w panice bydła. Dude S. N. podbiegł do brązowej delty 88 próbując otworzyć drzwiczki; w tej chwili samochód gwałtownie ruszył do przodu, zaczepiając przednim zderzakiem o sąsiednie auto. Jakaś niewidzialna siła odciągnęła go z taką mocą, że Dude S. N. o mało nie stracił zaciśniętych na klamce palców.

Coś go pociągnęło — ale co to mogło być?

Wszystkie zgromadzone samochody, najeżdżając na siebie w jakimś ogromnym, niedającym się zatrzymać wyścigu zniszczenia, zaczęły walić w tylną ścianę warsztatu. Dude S. N. był zupełnie bezradny. Stał i patrzył pełen przerażenia i przybity nieszczęściem. Błotniki waliły o błotniki, drzwi wylatywały z zawiasów, kolumny sterownicze wbijały się w siedzenia i wychodziły przez okna. Siła przyciągająca była ogromna, tak że auta zaczęły przetaczać się przez siebie. Regał za dwa tysiące dolarów, jedna z cenniejszych ich ofert, uniósł się nad bagażnikiem delty 88 i przewalił się przez jej dach.

Od tego hałasu pękały bębenki w uszach. Istna kakofonia odrażających dźwięków — mielenia, skrzypienia, rozdzierania metalu i przeraźliwego pisku — jakby ktoś wodził rysikiem po szkle.

Stanley zasłonił uszy rękami.

— Co to jest? — krzyknął. — Co się dzieje?

— Nie mam pojęcia! — wrzasnął Dude S. N. — Nikt nimi nie kieruje. One jadą same.

Dwie limuzyny stanęły dęba jak walczące byki. Przy akompaniamencie ciągłego skrzypienia metalu piły się w górę, aż wreszcie ustawiły się niemal pionowo. Po chwili jedna przewróciła się na bok i przekoziołkowała w dół, w kłębiący się i drgający stos pojazdów.

— Chryste Panie — wyszeptał Dude S. N. z niedowierzaniem. Co ja powiem Papago Joemu?

— Spójrz! — krzyknął Stanley, wskazując palcem. — Spójrz na ścianę!

— Co takiego? — dopytywał się Dude S. N.

— Patrz na ścianę! — powtarzał Stanley.

— Co ma być z tą ścianą?

— Tam są cienie!

Dude S. N. wpatrzył się w ścianę. Zrazu widział jedynie ciężkie, kanciaste cienie kłębiących się samochodów. Nagle z prawej strony zobaczył coś dziwnego, co nie było częścią samochodu, lecz raczej przypominało ludzką postać, tyle że nie było też postacią człowieka. Z ogromną bezkształtną głową, cień biegł przez ścianę, skacząc i schylając się, tak jak nie biegnie żaden człowiek.

— Tam ktoś, kurde, jest! — krzyknął gniewnie Dude S. N. — Człowieku, tam jest ktoś, kto z rozmysłem rozbija samochody!

Znów spojrzał na cień. Wyglądało na to, że winowajca stara się niepostrzeżenie schować za samochody.

— Zaczekaj tu na mnie, dobrze? — polecił Dude S. N. Stanleyowi. Sam skoczył naprzód, aby zobaczyć, dokąd pomknął cień.

Okrążył prawą stronę placu, chcąc wyprzedzić cień. Gdy tylko zbliżył się do muru, zdał sobie sprawę, że nikt nie jest w stanie przedrzeć się przez to pobojowisko porozbijanych i zmiażdżonych aut. Chryste Panie! W jednej chwili można być uwięzionym i zmiażdżonym — pomyślał Dude.

Dude S. N. ostrożnie wspiął się na tył przewróconej do góry kołami furgonetki. Ledwie zdążył złapać równowagę, gdy furgonetka, jak żywa, ruszyła z miejsca. Zeskoczył i odsunął się. Za nic w świecie nie chciał być w nic wplątany. I bez tego sytuacja była rozpaczliwa. Na razie nie widać było ani cienia, ani ewentualnego człowieka, który mógłby rzucać ten cień.

Usłyszał huk spadającego metalu i coś uderzyło go w stopę. Wrzasnął z bólu. Przeskakując z nogi na nogę, zdołał złapać rozsypujące się klucze i śrubokręty turlające się po betonie w kierunku porozbijanych aut.

Narzędzia, puste butelki, pudełka i stare opony — wszystko to ciągnęło na stos rozbitych samochodów pod ścianą warsztatu.

Najpierw jeden segment łańcucha otaczającego plac zaczął drżeć i grzechotać. Za nim poszły następne, aż wreszcie całe ogrodzenie zaczęło dygotać i dzwonić. Czerwono-białe chorągiewki pofrunęły w stronę parkingu, przyczepiając się do rozbitych aut.

Wreszcie — ku przerażeniu Dude'a S. N. — przyczepa Papago Joego zaczęła trzeszczeć i przechylać się na bok.

— Ona się przewróci! — krzyczał Stanley. — Zaraz się przewróci!

W tym momencie kilka samochodów zatrzymało się na autostradzie. Ze Słonecznego Diabła wybiegli ludzie, wśród nich kelnerka o blond włosach, matka Stanleya. Biegła boso przez parking, wołając trwożnym głosem:

— Stanley! Stanley!

Chwyciła go w ramiona, w chwili gdy zawieszenie przyczepy siadło, a cała góra przewróciła się na bok. Dude S. N. usłyszał trzask tłukącego się szkła i rozrywanie aluminiowego poszycia. Zaraz potem zobaczył, jak książki, porcelana, szkło, garnki i patelnie należące do Papago Joego zaczęły z łoskotem przelatywać z jednego końca przyczepy na drugi. Po chwili nastąpił wybuch. Najprawdopodobniej był to telewizor.

Chwilę później zupełnie nieoczekiwanie zaległa martwa cisza. Nastąpił kres niszczenia. Ciszę tego upalnego południa przerywały tylko pojedyncze dźwięki; to odpadł kolejny dekiel lub wywrócony samochód osiadał na dachu. Ale to było wszystko.

Dude S. N. uważnie obejrzał cały teren. Ogarnęło go uczucie bezsilności. Wyglądało na to, że ostał się tylko szyld: PAPAGO JOE. OKAZYJNA SPRZEDAŻ UŻYWANYCH SAMOCHODÓW. Ocalała też głowa byka, chociaż frędzle imitujące bawolą skórę zostały zerwane.

Matka Stanleya z niezadowoloną miną podeszła do Dude'a S. N. Miała drobną figurę, zadarty nosek i wielkie błękitne oczy. Nie wyglądała na więcej niż dwadzieścia cztery, dwadzieścia pięć lat. Musiała być jeszcze podlotkiem, kiedy urodziła Stanleya. Była tylko w obszernej białej bawełnianej koszulce, która wznosiła się na wietrze.

— Dobrze się czujesz? — spytała.

— Oczywiście. Wszystko w porządku.

— Co się stało? W jaki sposób te samochody zostały zniszczone?

— To zrobił cień — wyrwał się Stanley.

— Cień? — powtórzyła matka.

— Kto wie, jakie zło czai się w ludzkich sercach? — mruknął Dude S. N. — To wie tylko cień.

— Co za burdel — stwierdziła matka Stanleya. — Spałam, kiedy obudził mnie hałas rozbijanych samochodów.

— No tak. To musiała być jakaś burza magnetyczna czy coś w tym guście. Nie mam pojęcia. Miałem pilnować tych samochodów. A tu, kurde, masz.

— To sprawka cienia — upierał się Stanley.

— Daj spokój, Stanley. Znowu zaczynasz. Cicho bądź — upominała go matka. — Przy okazji — zwróciła się do Dude'a S. N. — poznajmy się. Nazywam się Linda Welles. Pracuję w Słonecznym Diable. Dziękuję za opiekę nad Stanleyem. Ciągle się gdzieś włóczy. Ma to we krwi.

— Dude S. N. — przedstawił się Dude S. N.

— Dude S. N.? Co to znaczy?

— Nic szczególnego — wzruszył ramionami Dude S. N. Był zbyt zakłopotany, żeby powiedzieć jej prawdę.

Z baru wyszedł Jack Mackie i ruszył w stronę garażu. Słońce padało na jego siwe, tłuste włosy.

— Boże wszechmogący, S. N., Joe cię oskalpuje. Spójrz na te samochody. Spójrz na tę przeklętą przyczepę. Człowieku, przecież to jego dom. Przewróciłeś jego cholerny dom.

— Nie mam pojęcia, jak to się stało — odparł Dude S. N. Podniósł zgiętą kierownicę. Chwilę trzymał ją w ręku, a potem rzucił na ziemię.

— To zrobił cień — upierał się Stanley.

— Z pewnością — powiedział Jack. — Joe pojechał do Phoenix. Stara się o prawo do opieki nad córką, prawda? To mu nie pomoże. Całe jego życie legło w gruzach, a na dodatek nie ma dokąd zabrać dzieciaka.

— Człowieku, to przecież nie moja wina — tłumaczył się Dude S. N. żałośnie. Z oddali dobiegło go wycie syreny. To pewnie Fordyce, zastępca szeryfa.

Jack Mackie przechadzał się po rumowisku, od czasu do czasu męskim zwyczajem, kopiąc w opony.

— Wiesz, S. N., w życiu nie widziałem czegoś takiego. Co ty tu robiłeś?

— Mogę przysiąc na Biblię, że nawet ich nie dotknąłem — protestował Dude S. N. — Nie dotknąłem żadnego.

Stanley wskazał ręką na ścianę warsztatu.

— To był cień. Widziałem, jak uciekł w tamtą stronę.

W tym momencie z piskiem opon, wyjącą syreną i włączonymi światłami sygnalizacyjnymi nadjechał zastępca szeryfa Fordyce. Wysiadł z samochodu i podszedł do nich. Był to wysoki trzydziestoletni mężczyzna, o czerwonej twarzy i kasztanowych włosach. Na głowie miał duży kapelusz, a na szerokim tyłku spodnie zaprasowane w kant.

Zdjął przeciwsłoneczne pomarańczowe okulary marki Ray-Bans, złożył je starannie i wsadził do kieszeni na piersi.

— Ach, to znowu ty, S. N. — stwierdził, gniewnie przyglądając się rumowisku. — Jak widzę, te wszystkie samochody są nieźle porozbijane, nawet jak na normy Papago Joego.

— Właśnie mówiłem Jackowi, że nawet ich nie dotknąłem. Żadnego.

— To zrobił cień — zapiszczał Stanley, ale matka natychmiast go uciszyła.

— Kochanie, bądź cicho. Nie przeszkadzaj.

— To chyba była burza magnetyczna albo coś podobnego — podsunął Dude S. N.

— Burza magnetyczna? — powtórzył z przesadnym zainteresowaniem szeryf Fordyce. — A co to jest burza magnetyczna?

— Nie wiem. Widziałem coś podobnego na filmie *Superman*.

— Doprawdy? No cóż. Widzę, że dużo jeszcze muszę się nauczyć. Ale ty mi to wszystko objaśnisz, prawda?

— Proszę, niech mnie pan wysłucha. Naprawdę nawet nie dotknąłem tych samochodów.

— Masz na to jakichś świadków? Kogoś, kto widział, jak to się stało?

— Stanley, ten mały chłopiec. Był tutaj cały czas.

Szeryf Fordyce przekrzywił kapelusz i spojrzał z góry na Stanleya jak olbrzym na nędzną kruszynę.

— Synu, byłeś tu cały czas? Czy zechcesz mi opowiedzieć, co się tutaj wydarzyło?

— Usłyszałem hałas i zobaczyłem, jak samochody najeżdżają na siebie, więc przybiegłem popatrzeć — oznajmił Stanley. — Potem wyszedł z przyczepy Dude S. N. Miał na sobie babskie majtki.

Szeryf Fordyce obrzucił Dude'a S. N. spojrzeniem, jakie zazwyczaj szeryfowie Arizony rezerwują sobie dla ufoludków.

— O Boże. To były majtki Cybille. Moje szorty są w praniu — wytłumaczył Dude S. N.

— Co było dalej? — zwrócił się szeryf Fordyce do Stanleya.

Stanley oblizał wargi.

— Dude S. N. włożył dżinsy i zaproponował, żebyśmy poszli i obejrzeli samochody, czy któryś czasem nie został uszkodzony. Potem mieliśmy pójść na piwo.

— Chciał ci postawić piwo?

— Ależ proszę pana, ja tylko żartowałem — protestował Dude S. N. — Chciałem z nim porozmawiać jak z dorosłym.

— Co było potem? — zapytał szeryf, manifestując swoją cierpliwość.

— Auta zaczęły najeżdżać na siebie. Dude S. N. nawet ich nie dotknął — powiedział Stanley. — Starał się je powstrzymać, ale nie mógł.

Szeryf Fordyce długo i uważnie przyglądał się rumowisku.

— Więc one same się porozbijały... bez jakiegokolwiek waszego udziału?

Stanley skinął potakująco głową.

— Nie wierzę wam — odparł z uśmiechem szeryf, poprawiając na kolanach swoje nieskazitelnie wyprasowane spodnie. — Dlaczego nie chcecie powiedzieć mi prawdy? Urządziliście sobie zawody, który z was zniszczy więcej samochodów? Czy tak?

— Nie, proszę pana. To zrobił cień.

— Co za cień?

— Na ścianie pokazał się cień. On to zrobił.

— Skąd wiesz?

— Wiem i już — wzruszył ramionami Stanley. — Po prostu wiem.

Szeryf Fordyce wstał i udał się w stronę warsztatu, między porozbijane samochody. W ślad za nim poszli Dude S. N. i Jack Mackie, Linda ze Stanleyem i grupka miejscowych gapiów. Doszedłszy do ściany warsztatu, szeryf zatrzymał się i powiedział:

— Trzeba przyznać, że jest nielichy bałagan.

Wszyscy zgodnie kiwali głowami. Nagle w przewróconej limuzynie otworzyły się drzwi. Wszyscy, nie wyłączając szeryfa Fordyce'a, podskoczyli z wrażenia i spojrzeli po sobie z zakłopotaniem. Za chwilę rozhuśtane drzwi zatrzymały się.

— Gdzie był ten cień? — zapytał szeryf Fordyce.

Stanley pokazał palcem.

— Tu na ścianie. Przebiegł przez ścianę. — Chłopiec zademonstrował niezdarny, zgarbiony ruch.

— Jeżeli przez ścianę przebiegał cień mężczyzny, to musiałeś również widzieć mężczyznę, który ten cień rzucał. Musiał być widoczny. Sądząc z położenia słońca, musiał być gdzieś tu, w tym miejscu. Nie mogłeś go nie zauważyć.

— Nie, proszę pana — odpowiedział Stanley grzecznie. — On nie był po tej stronie muru.

— Nie rozumiem.

Stanley okrążył szeryfa Fordyce'a, aż dotarł do rozklekotanych drewnianych drzwi warsztatu. Przyłożył dłoń do szarej, wyblakłej farby i powiedział:

— On był po tamtej stronie.

Minęła dłuższa chwila, zanim słowa Stanleya dotarły do szeryfa. Roześmiał się nagle i potrząsnął głową.

— Chcesz powiedzieć, że on był tam w środku, że jego cień przeniknął przez cegły, a ty widziałeś go na zewnątrz?

— Tak, proszę pana — z powagą odpowiedział Stanley.

— Daj spokój, Stanley — odezwała się Linda biorąc chłopca za rękę. — Czasami strasznie zmyślasz! Przepraszam, szeryfie. On ma taką bujną wyobraźnię! Nieraz trudno odróżnić, kiedy mówi prawdę, a kiedy zmyśla.

— Z pewnością nie jest w tym odosobniony — odpowiedział szeryf Fordyce, uważnie wpatrując się w Dude'a S. N. — Powiadasz, burza magnetyczna. I widziałeś to na filmie *Superman*. Jezus Maria!

Odwrócił się tyłem do drzwi warsztatu, kiedy Stanley, wyrwawszy się matce, złapał go za spodnie.

— To prawda! — krzyczał. — To prawda! Wiem, że to prawda! On był tam w środku! Był w środku!

— Hej, koleś, uważaj na mundur — zwrócił mu uwagę szeryf. Stanley puścił jego nienagannie wyprasowane spodnie, zostawiając na nich ślady czekolady. — Nie wątpię, że myślisz, iż jest to prawda. Coś ci się jednak musiało pomylić. Czasami upał rzuca się na mózg i sprzyja głupim myślom. — Splunął na palec, próbując zetrzeć plamy po czekoladzie.

Stanley znów podbiegł do drzwi warsztatu i waląc w nie obiema piąstkami wołał:

— *To prawda. Wiem, że to prawda. On był tam w środku!*

Szeryf Fordyce poszedł za nim i wziął do ręki zardzewiałą kłódkę.

— Czy warsztat jest zawsze zamknięty? — zwrócił się do Dude'a S. N.

— Myślę, że chyba z rok nikt go nie otwierał.

— Masz klucz?

— Klucz ma Papago Joe.

— Czy jest jakieś inne wejście?

— Na końcu jest okno. Co prawda dosyć wysoko, ale myślę, że można się przez nie dostać.

Szeryf Fordyce puścił kłódkę.

— S. N., napiszesz mi oświadczenie. Niech ktoś zawiadomi Papago Joego. Psiakrew, nie mam pojęcia, co się tutaj wydarzyło, ale dowiem się.

Skierował się w stronę swojego samochodu. Przy każdym kroku jego biodra falowały, a kabura podjeżdżała w górę i w dół.

— Wszyscy uważają Papago Joego za półświętego, ale ja dobrze znam ludzi, z którymi robi interesy. Dam się zjeść na surowo, jeśli to nie jest jakaś zemsta lub kara.

— Proszę mi wierzyć — zaklinał się Dude S. N. — Nikogo tutaj nie było. Tylko ja i chłopiec.

Szeryf Fordyce zmarszczył brwi, rzucając mu pełen niedowierzania uśmiech.

— Też bym tak mówił, gdyby mafia Apaczów kazała mi zapomnieć o wszystkim, co się tu dziś wydarzyło. Nie wierzę ci, S. N., i nie mówmy już o tym więcej.

W tej samej chwili usłyszeli rozdzierający zgrzyt, jakby ktoś ostrzem noża jeździł po szybie. Odwrócili się i zobaczyli Stanleya, który stał w odległości około metra przed drzwiami warsztatu. Jego twarz była, buraczkowoszara, oczy wywrócone białkami do góry. Stał wyprężony, na lekko ugiętych w kolanach nogach, pięści miał zaciśnięte, a jego ciało trzęsło się i drżało.

— *On był w środku!* — krzyczał. — *Był w środku, widziałem go!*

— Na miłość boską — zawołał szeryf Fordyce.

Linda chwyciła Stanleya i przycisnęła go mocno do siebie, lecz on uwolnił twarz spod jej ramienia i dalej krzyczał:

— *On był w środku, wierzcie mi, on był w środku!*

Oczy miał wywrócone, a z ust ciekła mu ślina. Po raz pierwszy w życiu S. N. zapragnął wziąć dziecko w ramiona, aby je ukoić.

— Cicho, cicho, wszystko w porządku.

Szeryf Fordyce położył rękę na ramieniu Lindy. Z potarganymi blond włosami, z wyzywającym spojrzeniem w oczach Linda spojrzała na niego. Nie musiała nic mówić. Wszystko było jasne.

— Czy on ma skłonności do histerii? — zapytał szeryf.

— A jak pan myśli? — odparowała Linda. — Stracił ojca, kiedy miał cztery lata. Nauczył się dostosowywać do każdej sytuacji.

Szeryf zakręcił się na pięcie i krzyknął:

— Jack, przynieś mi łyżkę do zdejmowania opon.

Jack Mackie kopnął w bagażnik najbliższego samochodu i wyciągnął narzędzia do zdejmowania opon. Podał je szeryfowi z takim wyrazem twarzy, jakby mówił: „Od razu powinieneś to zrobić, ty pijawko". Szeryf bez słowa wziął łyżkę i wsunął żelazo w skobel kłódki. Szarpnął silnie trzy razy i kłódka się otworzyła.

— Niech nikt nie myśli, że będę za nią płacił — powiedział Dude S. N. — Czy jeszcze nie dość zostało tu zniszczone?

— Może byś się uspokoił, dobrze? — rzekł szeryf.

— Ty każesz mi się uspokoić! — wściekł się Dude S. N. — Jakim prawem?

Szeryf Fordyce otworzył drzwi na oścież. Wnętrze było ciemne i pachniało jutowymi workami i olejem. Kiedy siedemnaście lat temu Papago Joe przejął ten interes od Starego Johnsona, sprzedawał nowe pontiaki i chevrolety, a w warsztacie robił jedynie przeglądy i naprawy. Lecz z czasem handel nowymi samochodami przeniósł się do Phoenix i Scottsdale, gdzie warsztaty były elegantsze, a usługi tańsze. Poza tym tamci przyciągali klientów, dodając darmo do transakcji na przykład komplet garnków, a dzieciom gumę balonową.

W warsztacie było bardzo ciemno. Słońce ledwo sączyło się przez jedyne, kapiące od brudu okno, umieszczone wysoko na tylnej ścianie. Po obu stronach pomieszczenia stały półki, ławki i wyciąg do wyjmowania silników. Ciężkie, wysmarowane olejami łańcuchy wyciągu kołysały się na wietrze: czink-czunk, czink-czunk...

Na środku podłogi znajdował się głęboki kanał diagnostyczny około trzech metrów długi i kilkadziesiąt centymetrów szeroki. Szeryf Fordyce podszedł i ostrożnie zajrzał do środka. Przyglądał się długo, a potem wyciągnął rękę za siebie i krzyknął:

— Latarkę!

— Kto? Ja? — zapytał Dude S. N.

— Daj tę pieprzoną latarkę — wrzasnął szeryf, nie oglądając się za siebie.

Dude S. N. wyszedł na słońce.

— O co chodzi? — zapytał Jack Mackie.

— Nie mam pojęcia. Chce, żeby mu dać latarkę.

— Szeryfie, czy potrzebuje pan pomocy? — zawołał Jack Mackie.

— Nie włazić mi tu — warknął szeryf. — Jak będę potrzebował pomocy, to cię poproszę!

Dude S. N. otworzył wóz patrolowy szeryfa i wyjął stamtąd długą służbową latarkę. Samochód pachniał rozgrzanym plastikiem. Z radia ktoś skrzeczał bełkotliwie: *Mamy zezwolenie na produkcję tablic rejestracyjnych stanu Utah.* Dude S. N. wrócił do warsztatu, a Jack Mackie przepuścił go bez słowa.

Szeryf Fordyce wziął latarkę i zapalił. Strumień światła przeskakiwał z jednej strony na drugą. Nagle Dude S. N. zobaczył obnażone ramiona i nogi, zakrwawiony tułów. Ujrzał młodą kobietę z szeroko otwartymi oczami, którymi wpatrywała się w niego z takim przerażeniem, że z początku pomyślał, że jeszcze żyje. Na głowie miała coś, co przypominało czerwony gumowy czepek do kąpieli. Dopiero kiedy szeryf zatrzymał światło latarki na dłużej, zrozumiał, że to wcale nie jest czerwony gumowy czepek kąpielowy. Kobieta była oskalpowana.

— Chryste Panie — wyszeptał Dude S. N., czując, jak kolana uginają się pod nim. Nie był pewien, czy uda mu się je kiedyś wyprostować.

Szeryf Fordyce oświetlił latarką cały dół. Ściany były błyszczące od krwi. Ludzkich członków oraz wyrwanych kawałków ciała było tak dużo, że trudno było policzyć, ilu ludzi znajduje się w tym dole. Dude S. N. dostrzegł mężczyznę w średnim wieku z czołem wciśniętym w róg kanału. Brakowało mu dolnej szczęki, a jego język leżał na betonie. Widok ten przypominał grubego czerwonego węża, usiłującego zwrócić połkniętą ofiarę.

Zobaczył tam też Murzynkę, której jedno oko wybite z oczodołu leżało na policzku.

— Czy poznajesz kogoś? — zapytał szeryf.

Dude S. N. potrząsnął głową. Usta miał pełne żółci.

— A ta? — światło latarki przez chwilę zatrzymało się na twarzy młodej piegowatej kobiety, która miała wyrwane ręce. — Widziałeś ją już kiedyś?

— Nie, proszę pana. Nigdy.

— Czy wiedziałeś, że ci ludzie tu są?

— Nie. Czasem zdarzało się, że nocował tu jakiś włóczęga, ale ostatnio nie, od kiedy Joe zaczął zamykać drzwi.

Szeryf zgasił latarkę, lecz Dude S. N. nie mógł oderwać oczu od mrocznego kanału. Przed oczami migotały mu kości i krew, i ta okropna bladość ciała pozbawionego krwi.

— Chodź, synu — zwrócił się do niego szeryf i wyprowadził go na zewnątrz.

Dude S. N. przysiadł na beczce z olejem i wziął kilka głębokich oddechów. Musiał przyjść do siebie.

— Co się stało, szeryfie? — zapytał Jack Mackie. — Wyglądacie, jakbyście zobaczyli ducha.

Szeryf Fordyce zamknął drzwi warsztatu i wsunął łyżkę w skobel.

— Mamy tu do czynienia ze zjawiskiem śmierci zbiorowej — oświadczył.

— Czy są tam martwi ludzie? Ilu?

— Trudno powiedzieć. Co najmniej pięć osób, może nawet więcej.

— Co się im stało? — dopytywał się Jack Mackie. — Zostali zamordowani czy co?

Szeryf Fordyce powoli ruszył w stronę swego samochodu.

— Wiem na pewno, że to nie był wypadek. Ale nie wiem na pewno, czy to było morderstwo. Jeżeli sprawcą było zwierzę lub zwierzęta, jak na przykład parę bulterierów, to z pewnością były wściekłe.

— A jeżeli sprawcą był człowiek?

Szeryf Fordyce podszedł do samochodu i wziął do ręki radiotelefon.

— Jeżeli to był człowiek, to był nim tylko z nazwy. Jeżeli to był człowiek, najlepiej zaraz zacznijcie się modlić, aby nigdy nie stanął na waszej drodze. Nigdy.

ROZDZIAŁ 4

Czekałem przed salą lekcyjną, aż zadzwoni dzwonek i dzieci wysypią się z klasy. Oparty o ścianę, z założonymi rękami, stałem w tym samym miejscu, obserwując Amelię, jak zbiera książki i sprząta biurko. Z włosami upiętymi w kok, typowy dla nauczycielek, wydała mi się dużo szczuplejsza niż dawniej. Duże okulary zasłaniały jej oczy.

Kiedy widziałem ją ostatni raz, miała na sobie karmazynową jedwabną kamizelkę wyszywaną paciorkami i karmazynową bandankę na włosach. Dzisiaj była w brązowym swetrze, kremowej bluzce i wygodnej układanej spódnicy. Na drzwiach klasy widniała ręcznie napisana wizytówka: PANI WAKEMAN. Na tablicy za Amelią było napisane jej ręką: *Wyrazy podobne: Morze — może. Jeż — jesz. Stóg — stuk.*

Nareszcie skończyła sprzątanie i zamknęła szufladę. Na biurku, w słoiku po dżemie stały narcyzy. Cała klasa była pełna słońca. Podeszła do drzwi, po drodze składając okulary i wkładając je do czerwonego etui. Nie tyle mnie zobaczyła, co wyczuła moją obecność i zatrzymała się.

— Harry?

Stanąłem na baczność.

— Dzień dobry, pani Wakeman.

— Harry, na Boga, co ty tu robisz? Myślałam, że nie żyjesz.

Wziąłem ją za ręce, próbując pocałować, lecz ona się uchyliła.

— Wprost przeciwnie, królowo, nie tylko żyję, ale przeprowadziłem się do śródmieścia.

— Wyglądasz jakoś starzej.

— Nic dziwnego. Przecież jestem starszy. Pozwól, niech ci się przyjrzę. Nic się nie zmieniłaś. Widać, że małżeństwo ci służy.

— To rozwód mi służy.

— Och... Tak mi przykro.

— Nie ma powodu. Był maklerem. Ubierał mnie u Armaniego, ale zanudził mnie na śmierć.

Szliśmy razem korytarzem. Jego ściany ozdobione były jaskrawymi, naiwnymi rysunkami. Jeden przedstawiał zejście na ląd Krzysztofa Kolumba w Indiach Zachodnich, inny — angielskich purytanów w Plymouth Rock, kolejny — spływającą krwią ostatnią redutę generała Custera. Custer miał piętnaście palców u każdej ręki, w jego ciele tkwiło tysiąc strzał. Cały budynek rozbrzmiewał dziecięcym śmiechem i piskiem gumowego obuwia.

— Jak mnie znalazłeś? — zapytała Amelia.

— To nie było trudne. Zapytałem MacArthura.

— Nie widziałam MacArthura od piętnastu lat. Jak wygląda?

— Tłusty i łysy. Jest taksówkarzem. Dobrze zrobiłaś, że dałaś mu kopniaka.

— Tobie też powinnam dać kopniaka — stwierdziła.

— Daj spokój. Puśćmy w niepamięć dawne urazy. Co się stało, to się nie odstanie.

— Nie byłeś wobec mnie zbyt uczciwy, Harry.

Wyjąłem chusteczkę i wytarłem nos.

— Przecież cię przeprosiłem.

— Powiedzmy — uśmiechnęła się pobłażliwie. — Niełatwo ci to przyszło.

— Masz chwilę czasu na kawę? — spytałem.

Spojrzała na zegarek.

— Tylko dziesięć minut. Potem mam następną lekcję.

Opuściliśmy zakurzony, ogrodzony teren szkoły i przeszliśmy na drugą stronę ulicy. Poranek był wilgotny i tak upalny, że z trudem można było oddychać. Całe miasto zasnuwała lekka mgiełka, a powietrze miało kolor spiżu. Wstąpiliśmy do małej włoskiej kawiarenki zwanej U Marco i zajęliśmy stolik pod oknem. Olbrzymia kobieta z niewygolonymi pachami i owłosionym pieprzykiem na brodzie przyjęła od nas zamówienie na dwie podwójne kawy z ekspresu.

Amelia wyjęła papierosy. Wziąłem ze stolika pudełko zapałek i podałem jej ogień.

— Od kiedy palisz? — zapytałem.

— Od rozstania z tobą — odpowiedziała. — Przez jakiś czas nie paliłam, ale po rozwodzie z Humphreyem znów zaczęłam.

— Humphrey? Czy to imię twojego męża? Czy jego matka była wielbicielką Bogarta?

— Hmm... Jego ojciec był przyjacielem Huberta Humphreya.

— Jezus Maria!

Podano nam kawę, lecz nie sądzę, by któreś z nas miało na nią ochotę. Osobiście wolałbym szklaneczkę czegoś mocniejszego. Uśmiechnięta Amelia paliła papierosa, bezwiednie bawiąc się saszetką z cukrem. Wciąż miała ten światowy szyk i urodę, która tak mnie kiedyś urzekła. W tamtych czasach Amelia prowadziła w Village księgarnię Gwiezdny Kot, w której przeważały książki z dziedziny sztuk tajemnych i okultyzmu. Działo się to w czasach, kiedy świat był jeszcze niewinny i pogodny, a czynsze niskie. Przy końcu lat siedemdziesiątych Amelia zbankrutowała, jej związek z MacArthurem rozpadł się i wówczas na horyzoncie pojawiłem się ja. Sam nie wiem, jak nazwać nasz związek. Romans czy koleżeństwo? Byłem wówczas w bardzo złej formie; zacząłem pić, po nocach prześladowały mnie koszmary i ciągle miałem zły nastrój. Amelia nie zasługiwała na to, co przeze mnie wycierpiała.

Z pewnością zasługiwała na znacznie przyjemniejszego partnera. Mnie z kolei potrzebny był ktoś silniejszy od Amelii. W rezultacie zraniłem ją, żeby się od niej uwolnić.

— MacArthur wspominał mi, że uczysz w szkole od prawie sześciu lat.

— Uczę dzieci niedorozwinięte. Biedne maleństwa nie potrafią nawet powiedzieć, jaka jest różnica między „rakiem" a „makiem". Lubię je uczyć. Ta praca daje mi wiele satysfakcji.

— Już nie zajmujesz się okultyzmem i podobnymi sprawami?

— Broń Boże. A ty?

— W dalszym ciągu przepowiadam przyszłość. Czytam z ręki, stawiam karty, zgłębiam tajemnice istnienia.

— Myślałam, że z tym skończyłeś.

— Zarabiam tym na życie. Ludzie chcą wierzyć, że poza rzeczywistym światem istnieje coś jeszcze.

Amelia piła kawę małymi łykami.

— Mam mało czasu — powiedziała. — Czy oprócz wspominania dawnych czasów jest jakiś konkretny powód, dla którego chciałeś ze mną porozmawiać?

— Jest pewna drobna sprawa — powiedziałem ostrożnie. Chciałbym, żebyś mi wyświadczyła przysługę, jak przyjaciel przyjacielowi.

— Prawdopodobnie chodzi o przyjaciółkę.

— Znasz ją. To Karen Tandy. Obecnie Karen van Hooven. Jest rozwiedziona tak jak i ty.

— Mów dalej — powiedziała Amelia, w jej głosie dał się wyczuć ton ostrzeżenia.

— To bardzo trudno wytłumaczyć. Musiałabyś sama to zobaczyć. Karen przyjaźni się z niejakimi Greenbergami. Mieszkają przy Siedemnastej Wschodniej. Nie jest to może oaza zieleni, lecz ich mieszkanie jest zupełnie przyzwoite. Jakieś trzy tygodnie temu pan Greenberg poszedł w piątek do synagogi, a kiedy wrócił, zastał w domu niezwykłą sytuację.

— Harry, jeżeli ma to związek z siłami nadprzyrodzonymi, nie chcę nawet o tym słyszeć.

— Amelio, przecież prócz ciebie nie znam nikogo, do kogo mógłbym zwrócić się o radę!

— Nic mnie to nie obchodzi. Nie chcę mieć z tym nic wspólnego! Czyżby ostatnie wydarzenia nie były dostatecznie okropne? Dobrze wiesz, że przez lata nie mogłam pozbyć się koszmarów. Jeszcze teraz nie potrafię spojrzeć na blat stołu bez strachu, że coś z niego wyjdzie. Jeszcze dzisiaj!

Odchyliłem się na krześle i w geście rezygnacji uniosłem ręce.

— Przepraszam cię. Masz rację. Nie powinienem był tutaj przychodzić.

— Wiesz co, Harry — powiedziała Amelia. — Tobie wydaje się, że możesz ustawiać ludzi jak aktorów w twoim serialu telewizyjnym. Wydaje ci się, że ilekroć poprosisz mnie o przysługę, to natychmiast z radością będę na twoje zawołanie. Nie zważając na to, jak się ze mną obszedłeś, nie zważając na to, że przez piętnaście lat ani nie napisałeś, ani nie zatelefonowałeś, ani nawet nie przysłałeś kartki świątecznej. Nie zważając też na ryzyko. Zwłaszcza nie zważając na ryzyko.

Wpatrywałem się w filiżankę. Starałem się wyglądać możliwie najprzyzwoiciej. Prawdę mówiąc, wiele bym dał, żebym nie musiał zwracać się do Amelii o pomoc. Nie miałem jednak wyboru, ponieważ nikogo poza nią nie znałem. Była jedyną znaną mi osobą, która potrafiła zrobić to, co ja udawałem, że potrafię — nawiązać kontakt z duchami. Była tak wyczulona na świat duchów, że przechodząc przez cmentarz, słyszała szepty. Bo — wierzcie mi — zmarli szepczą do siebie.

— To nieprzyzwoite z twojej strony — podjęła znów Amelia prosić mnie o coś takiego.

— Masz rację — zgodziłem się. — Powinienem był poszukać kogoś innego. Problem polega na tym, że nie wiemy, do kogo się zwrócić.

— Czy mówiłeś Karen że zamierzasz się ze mną spotkać? Potrząsnąłem głową.

— Nie chciałem w niej wzbudzać próżnych nadziei, podobnie jak w Michaelu Greenbergu.

— Jak się czuje Karen? — Widać było, że Amelia krąży wokół tematu, z jednej strony pragnąc poznać więcej szczegółów, z drugiej zaś obawiając się wplątania w tę sprawę.

— U Karen wszystko w porządku. — Dotknąłem ręką karku. Wciąż ma tę bliznę, ale to wszystko. Myślę, że my wszyscy mamy jakąś bliznę.

— Mówiłeś, że się rozwiodła.

— To prawda. Nie mogła znieść myśli, że kiedykolwiek mogłaby mieć dzieci. Uważam, że to zrozumiałe.

— A ci przyjaciele Karen. Na czym polega ten ich dziwny problem? — Dotknąłem jej ręki o długich, bladych paznokciach. Dotykanie kogoś, z kim było się tak blisko, po wielu latach rozłąki wywołuje uczucie niepewności.

— Amelio, wolałbym, żebyś nie wiedziała, jeżeli nie chcesz się angażować.

Amelia spojrzała na mnie uważnie przez oświetloną słońcem wstążkę dymu z papierosa. Na ulicy mały Hiszpan przycisnął buzię do szyby i zrobił zeza.

— Co za miłe sąsiedztwo — zauważyłem; gestem nakazałem chłopcu, żeby się oddalił. On jednak nie uciekł, tylko zaczął robić jeszcze inne śmieszne miny.

Amelia uśmiechnęła się.

— Opowiedz mi, co się tam dzieje. Może będę mogła coś poradzić albo kogoś polecić.

— No dobrze — rzekłem. — Sądzę, że najbliższe prawdy będzie stwierdzenie, że jest to działanie kołatków. Kiedy Michael

69

Greenberg wrócił z synagogi do domu, żona nie otworzyła drzwi. Musiał wezwać straż pożarną, żeby je wyważyć. Znalazł żonę w jadalni; siedziała na krześle, kurczowo się go trzymając, podczas gdy pozostałe meble były zsunięte pod przeciwległą ścianę.

— Jakby się same przesunęły?

— Nie jakby, one się naprawdę przesunęły.

— Skąd ta pewność? Może ona sama je przesunęła, nie?

— Amelio, widziałem to na własne oczy. Wszystkie meble zwalone są pod ścianą, a ilekroć ktoś spróbuje któryś odstawić, natychmiast znajduje się tam z powrotem. Sam z siebie.

Amelia spojrzała na mnie z dezaprobatą.

— Nic nie rozumiem. Chcesz powiedzieć, że one wciąż są pod tą ścianą?

— Właśnie. Nikomu nie udało się ich przesunąć. Naomi Greenberg siedzi pośrodku pokoju na krześle, unieruchamiając je własnym ciężarem. Za nic nie chce wstać. Już prawie trzy tygodnie siedzi na tym przeklętym krześle. Je na nim, śpi — nie chce go opuścić.

— Czy nie mogą jej przenieść?

— Naomi odwiedza regularnie dwóch psychiatrów. Obaj są zdania, że wszelkie próby przeniesienia jej mogą spowodować katatonię.

— Co, u Boga, ja mogłabym tu pomóc? Jestem spirytystką, nie egzorcystką.

— Naomi mówi, że widziała cienie na ścianie... rodzaj postaci.

— I co?

— Wydaje mi się, że ja też je widziałem.

Amelia znów bawiła się torebkami z cukrem.

— Muszę ci powiedzieć, Harry, że to wcale nie wygląda na robotę kołatków. Kołatki nie potrafią tak przyciągać i trzymać przedmiotów. Są bardzo kapryśne i gwałtowne. Są duchowym wyrazem czyjegoś gniewu. Nikt nie potrafi gniewać się przez trzy tygodnie. Chyba że mamy do czynienia z bardzo nierównym charakterem.

Nie chciałem powiedzieć Amelii o tym, jak Naomi zakrywa twarz rękami. Byłoby to zbyt dotkliwym przypomnieniem wydarzeń, które miały miejsce w szpitalu Sióstr Jerozolimy. Zwłaszcza że Naomi, powtarzając parokrotnie te gesty, dawała mi do zrozumienia, że ja jednak wiem, co one oznaczają. Sama myśl, że istnieje związek pomiędzy tymi wydarzeniami, napawała mnie obłędnym przerażeniem. W gruncie rzeczy nie wierzyłem, że jest taki związek. Za nic nie chciałem przestraszyć Amelii, a tym bardziej samego siebie. To, co zobaczyłem w mieszkaniu Greenbergów, było dostatecznie przerażające.

— Czy masz jakiś pomysł? — zapytałem Amelii.

— Raczej nie. Nigdy o czymś takim nie słyszałam.

— Może to nie ma nic wspólnego z duchami. Może to jakaś wada instalacji elektrycznej.

— Wada instalacji? — powtórzyła Amelia takim tonem, jakby zwracała się do jednego ze swoich podopiecznych, chcąc mu wyjaśnić różnicę między postaciami z kreskówek a prawdziwym życiem. Pamiętam, że jako dziecko miałem w szkole kolegę, który z uporem twierdził, że pan Magoo mieszka u niego w domu, ale to była zupełnie inna historia.

— Chciałem się upewnić, że to, co się stało w mieszkaniu Greenbergów, nie jest sprawą duchów — powiedziałem. — Dlatego odsunąłem na bok dobre wychowanie, przezorność i zwykłą ludzką uczciwość i odważyłem się poprosić cię o radę.

Amelia wyjęła pióro i wyprostowała papierową serwetkę.

— Posłuchaj — rzekła. — Jest człowiek, który mieszka w Central Park West. Nazywa się Martin Vaizey. Jest niezwykle wyczulony na świat duchów i ma zdolność nawiązywania kontaktów nawet z najbardziej kapryśnymi. Sądzę, że on więcej może ci pomóc niż ja.

Nie czytając, wsadziłem serwetkę do kieszeni.

— Wiedziałem, że mogę na ciebie liczyć.

— Nie wolno ci nie doceniać Martina. Jest bardzo dobry. Parokrotnie rozmawiał z Johnem Lennonem. Byli sąsiadami.

— Naprawdę rozmawiał z Lennonem? Chcesz powiedzieć, że rozmawiał z nim po tym, jak go zastrzelono?

Skinęła głową.

— Czy poprosił go o autograf? — zażartowałem.

— Harry, nie lekceważ Martina. Proszę. Jest trochę ekscentryczny, ale to genialny człowiek. O wiele lepszy niż ja. Potrafi jakby sterować własnym nastrojem. To fantastyczne.

— Dobrze — zgodziłem się. — Dam mu szansę.

— Nie bądź taki zawiedziony.

— Robię, co mogę.

Spojrzała na zegarek.

— Muszę wracać do szkoły. Cieszę się z naszego spotkania. Przykro mi, że nie mogę ci sama pomóc.

— Mnie również. Może kiedyś zjedlibyśmy razem kolację? Właśnie otworzyli nową, wspaniałą restaurację koreańską przy Pięćdziesiątej Drugiej Ulicy. Niedaleko ode mnie. Jadłaś kiedyś ojingu chim?

Spojrzała na mnie uważnie.

— Nie wiem dlaczego, ale coś mi mówi, że ojingu chim to prawdziwe obrzydlistwo.

— Daj spokój, Amelio. Cóż może być niedobrego w ośmiornicach nadziewanych kiszoną kapustą i siekanych kalmarach?

Wstała i podeszła do drzwi, uśmiechnięta, ręką zasłaniając oczy przed słońcem. Zapłaciłem rachunek i wyszedłem za nią na ulicę.

— Wciąż jeszcze mi ciebie brakuje — powiedziała, całując mnie delikatnie w policzek. — Ale już nie tak bardzo!

Zanim nawiązałem kontakt z Martinem Vaizeyem, poszedłem do mieszkania Greenbergów. Drzwi otworzył mi Michael. Żółty i spocony wyglądał jak człowiek chory na malarię. Karen siedziała przy oknie, popijając mrożoną herbatę.

— Udało się? — zapytał Michael.

— Jeszcze nie wiem. Amelia odmówiła, twierdząc, że od lat nie zajmuje się spirytyzmem. Podała mi nazwisko człowieka, który mieszka w Central Park West. Podobno godny najwyższego polecenia. Tak przynajmniej mówi Amelia. — Zwróciłem głowę w stronę jadalni. — A co tam się dzieje?

— Okropnie... zimno, strasznie. W kółko śpiewa tę samą pieśń. Psychiatrzy orzekli, że jeżeli pod koniec tygodnia nie nastąpi poprawa, zabiorą ją stamtąd siłą, czy dostanie ataku, czy nie.

Podeszła Karen. Ubrana była w luźną, jedwabną koszulę koloru szafranu i jedwabne spodnie od piżamy. Włosy miała spięte żółtą plastikową zapinką.

— Napijesz się mrożonej herbaty? — zapytała. Dobrze wiedziała, że na nic nie mam ochoty. Chciała tylko pokazać, że się o mnie troszczy.

— Na pewno znajdę kogoś, kto pomoże. Nie martw się, powiedziałem Michaelowi, kładąc mu rękę na ramieniu. — Gwarantuję ci, że tak czy inaczej oczyszczę twoje mieszkanie. Jestem tego zupełnie pewien.

Już miałem wychodzić, kiedy z sąsiedniego pokoju dobiegł mnie przeszywający śpiew Naomi. Zawodziła i rozciągała każdą strofę bez końca. Każda wydawała się inna. Podszedłem do wpółotwartych drzwi jadalni. Uważnie wsłuchiwałem się w jej śpiew, nie mogłem jednak zrozumieć ani jednego słowa.

— Czy to jest po hebrajsku? — spytałem Michaela.

Potrząsnął głową.

— Nigdy w życiu nie słyszałem takiego języka.

— A ty, Karen?

— Ja też nie — odpowiedziała Karen.

Przejmujący i uporczywy śpiew rozbrzmiewał nadal, aż Michael podszedł do drzwi i zamknął je.

— Przez całą noc tak śpiewa — wyjaśnił. — Nie mogę już tego znieść.

— Czy możesz coś dla mnie zrobić? — zapytałem. — Czy mógłbyś nagrać jej śpiew? Masz chyba magnetofon?

— Sądzisz, że to może się na coś przydać?

— Nie wiem. Może. Cóż to szkodzi? To nie boli.

Musnąłem policzek Karen uścisnąłem spoconą dłoń Michaela Greenberga i wyszedłem. Wsiadłem do taksówki. Taksówkarz był świeżym przybyszem z Soweto lub czegoś takiego i prawie piętnaście minut woził mnie po śródmieściu, zanim zrozumiałem, że zamiast Central Park West szuka Sanitary Parts Waste. Kazałem mu zatrzymać się na rogu, przy Radio City, wysiadłem i dosadnie wytłumaczyłem mu, gdzie może sobie wsadzić swoje żądanie napiwku. Resztę drogi przeszedłem pieszo. Zanim dotarłem do Montmorency Building, koszula przykleiła mi się do pleców, a moje spodenki przypominały przepaskę zapaśnika. Ciężki, gorący, pachnący kwasem smog pokrywał wszystko. Park wokół miał kolor spiżu. Nade mną wznosił się ponury masyw Montmorency Building, ubogi krewny Dakoty, cały z czerwonej cegły, ozdobiony kopułami, chimerami i mansardowymi dachami. Tablica wmontowana w ścianę informowała, że to jest pierwszy dom w Nowym Jorku, w którym zainstalowano światło elektryczne.

Za mahoniowymi drzwiami obrotowymi powitał mnie półmrok i przejmujący chłód. Na środku holu na podłodze z mozaiki stał duży okrągły stół. Na nim artystycznie ułożony bukiet z białych lilii. Poczułem się jak w holu zakładu pogrzebowego, a nie jak w domu mieszkalnym. W głębi pomieszczenia była mała wnęka w ścianie, wyłożona boazerią, w której siedział mężczyzna o ziemistej cerze i ogromnych uszach. Palił zielone cygaro i czytał wiadomości sportowe. Podszedłem do wnęki i zastukałem w ścianę.

— Czy może mi pan pomóc? Szukam pana Vaizeya.

Mężczyzna przesadnym gestem wyjął cygaro z ust.

— Czy jest pan umówiony?

— Nie, nie jestem umówiony. Ale jeśli pan zadzwoni i powie, że jestem przyjacielem Amelii Wakeman, to nie sądzę, żeby były jakieś kłopoty.

— Pan Vaizey nie przyjmuje nikogo bez umówienia. Mam wyraźne polecenie.

— W takim razie proszę do niego zadzwonić.

— Nie bardzo mogę. Nie jest zachwycony, jak mu się przeszkadza.

Oparłem się o ścianę.

— Liczysz na jakiś zasrany napiwek o czwartej po południu?

Dozorca zmrużył oczy i wypuścił dym przez nozdrza.

— Kim pan jest? — chciał wiedzieć.

— Jestem Harry Erskine. Niesamowity Erskine — chiromancja, wróżenie z kart i z fusów po herbacie, astrologia, frenologia, numerologia, objaśnianie snów i odkrywanie talentów.

Dozorca wzniósł oczy do sufitu, gdzieś tam znajdowało się pewnie mieszkanie Martina Vaizeya.

— Jest pan jeszcze jednym z tych jasnowidzących typków? Czy tam jest jakieś doroczne spotkanie wróżbitów?

— Czeka pan na ten napiwek czy jak?

Dozorca nie odpowiedział, ale nacisnął guziki na tarczy. Odczekał chwilę, po czym powiedział:

— Bardzo przepraszam, panie Vaizey, że przeszkadzam, ale jest tutaj na dole ktoś o nazwisku Bearskin i chce z panem rozmawiać.

— Erskine! — syknąłem teatralnym szeptem. — Przyjaciel Amelii Wakeman!

Dozorca przekazał poprawioną wersję, odczekał chwilę i kiwnął głową.

— Przyjmie pana — powiedział. — Apartament 717.

Podszedłem do windy i nacisnąłem siódemkę. Dozorca wysunął głowę z wnęki i zawołał:

— Hej! A co z moim napiwkiem?

— Niech pan nie stawia na Faworyta.

— Nie mam najmniejszego zamiaru. Wszyscy wiedzą, że ten koń jest na wykończeniu. Chciałbym tylko wiedzieć, kto wygra, a kto przegra.

— Wszyscy chcielibyśmy to wiedzieć, mój przyjacielu. — Z uśmiechem otworzyłem drzwi windy. — Wszyscy chcielibyśmy to wiedzieć.

Ku mojemu zaskoczeniu Martin Vaizey czekał na mnie w korytarzu. Wyobrażałem sobie, że będzie to otyły mężczyzna z lekką astmą, z przylizanymi włosami, w czerwonym jedwabnym szlafroku, przypominający Zero Mostela z filmu *The Producers*. Tymczasem powitał mnie bardzo wysoki, mocno zbudowany mężczyzna o siwych, falujących włosach i otwartej twarzy. Miał na sobie zieloną kraciastą koszulę z krótkimi rękawami, zielone spodnie i lekkie, przewiewne sandały.

— Pan Erskine? Proszę wejść.

Wprowadził mnie do ogromnego, przestronnego apartamentu, którego urządzenie wyglądało jak wnętrze z „Przeglądu Architektonicznego”. Wiecie, co mam na myśli — stoły ze szklanymi blatami, marmurowe piramidy, drogie książki o artystach, o których istnieniu nawet nie słyszeliście. Pastelowe aksamitne zasłony z fantazyjnymi draperiami i wiązaniami, wymyślne dekoracje kwiatowe oraz parę niezrozumiałych abstrakcyjnych płócien, które przywodzą na myśl reakcję systemu trawiennego na podwójną porcję szczypców rakowych w sosie z czarnej fasoli.

— Bardzo przyjemne mieszkanie — stwierdziłem.

— Miałem szczęście. Kiedyś należało do moich rodziców. Drinka? Wygląda pan nieszczególnie.

— Czy w tym dzbanku, który stoi przede mną, jest margarita? — spytałem, patrząc na wytworny szwedzki kryształ stojący na bardzo wytwornej srebrnej, szwedzkiej tacy.

— Niestety, nie. To jest sok z passiflory. Nie piję alkoholu. Osłabia moją wrażliwość.

— Myślę, że na wszystkich tak działa. Chyba właśnie po to jest.

Martin Vaizey usiadł na białej kanapie naprzeciw mnie i założył nogę na nogę.

— Prawdę mówiąc, panie Erskine, Amelia zadzwoniła do mnie ze szkoły i uprzedziła o pańskiej wizycie. Zorientowała mnie również, co pana do mnie sprowadza.

— Czy powiedziała, jak poważna jest to sprawa?

— Z pewnością jest zbyt trudna, żeby pan sam mógł sobie z nią poradzić.

— Panie Vaizey, jestem wróżbitą z powołania. Mam wiele umiejętności, takie jak umiejętność przedstawiania się w jak najlepszym świetle, zmysł obserwacji, cierpliwe ucho i zdolność mówienia kobietom w okresie menopauzy tego, co chcą usłyszeć.

Martin Vaizey spokojnie pokiwał głową.

— To nie są błahe umiejętności.

— Nie mówiłem, że są. Ale nie mam zdolności metapsychicznych. Zdaję sobie sprawę, że jesteśmy otoczeni przez różne duchy, które tylko marzą o tym, żeby wejść z nami w kontakt, ale cokolwiek do tego trzeba, ja tego nie mam. Jestem jak matka Aleksandra Grahama Bella. Jak mam zadzwonić do niego i spytać, czy już wynalazł telefon? Po prostu nie dysponuję środkami.

Martin Vaizey zasłonił twarz palcami i spojrzał na mnie przez nie uważnie. *Zakrył twarz, tak że jeno Oczy jego wyglądały.*

— Przynajmniej jest pan uczciwy — zauważył — a przecież w mojej specjalności to rzadkość.

Nie wiedziałem, czy mam się obrazić za tę uwagę, czy też nie. Prawdopodobnie należało się obrazić. W tej chwili ważniejsza od zawodowej dumy była pomoc Martina Vaizeya, zdecydowałem więc, że nic nie odpowiem. W zamian posłałem mu mój słynny uśmiech i chłodno pokiwałem głową.

— Czy wie pan, dlaczego Amelia nie chce się angażować w tę sprawę? — zapytał Martin Vaizey.

— Powiedziała, że zaprzestała tych praktyk. No, wie pan, kontaktów z duchami i takich tam. Poza tym Amelia i ja mieliśmy kiedyś ciężkie doświadczenie. Było to dawno temu i nie skończyło się zbyt szczęśliwie. Sądzę, że nie chciałaby znów ryzykować.

Martin Vaizey skinął głową, jakby Amelia już mu powiedziała, że jej odmowa była częściowo podyktowana względami osobistymi.

— Nadmieniła również, że sprawa, w którą chciał ją pan zaangażować, wygląda niebezpiecznie.

Zdziwiony uniosłem brwi.

— Niebezpiecznie? Czy tak się wyraziła?

— Panie Erskine... każde nawiązanie kontaktu z duchami jest mniej lub bardziej niebezpieczne. Nawet pan powinien to wiedzieć.

— W przypadku Naomi Greenberg niewątpliwie istnieje pewne niebezpieczeństwo. Ale jak sam pan powiedział, przy nawiązywaniu kontaktów z duchami zawsze jest ryzyko. Chcę powiedzieć, że nie wszystkie duchy są wesołe i pogodne. Prawda?

Martin Vaizey odetchnął głęboko i ze spokojem powiedział:

— Panie Erskine, nie jestem amatorem. Rozmawiałem i widziałem takie duchy, o jakich panu się nawet nie śniło. Od ponad czterdziestu lat widzę duchy i rozmawiam z nimi.

Nalał sobie szklankę nalewki z passiflory. Mnie nie zaproponował — bo też i nie chciałem. To dowodziło, że odznacza się wyjątkową wrażliwością metapsychiczną.

— Chciałbym teraz powiedzieć panu parę słów o sobie. Już w wieku pięciu lat odkryłem moją nieprawdopodobną wrażliwość. Mój starszy, dziesięcioletni brat Samuel zmarł na zapalenie płuc na dzień przed moimi piątymi urodzinami. Po pogrzebie wciąż widywałem go w swoim pokoju i rozmawiałem z nim.

Nasze stosunki trwały wiele lat i za każdym widzeniem jego twarz stawała się coraz wyraźniejsza, aż trudno było uwierzyć, że nie rozmawiam z prawdziwym, żywym chłopcem. Jedynie lekkie światło z nocnej lampki przeświecające przez jego ciało, wskazywało, że był duchem.

Przez Samuela poznałem bardzo wiele innych duchów. Niektóre z nich były bardzo wyraźne, niektóre ledwo widoczne — inne zaś były tak stare, że w ogóle nie było ich widać, tylko skrzeczący głos dochodził z ciemności. To Samuel ukazał mi świat istniejący po śmierci — coś w rodzaju krajobrazu nieśmiertelności. Czasami jest bardzo samotny i niegościnny, bywa jednak piękny — jak piękna pocztówka. Prawdopodobnie młode nawiedzone katoliczki tak sobie wyobrażają niebo. To jest zawsze niezwykłe.

Na ogół nie bałem się, chociaż niektóre bardzo stare głosy brzmiały złowieszczo. Oczywiście nigdy nie bałem się mojego dziesięcioletniego brata, który odwiedzał mnie prawie codziennie. Pewnego dnia ojciec przyłapał mnie na rozmowie z nim w moim pokoju. Samuel zniknął, lecz przez mgnienie oka ojciec doświadczył jego obecności. Z początku o mało nie oszalał, kiedy mu jednak wszystko wytłumaczyłem, uspokoił się. Podejrzewam, że mój ojciec również miał podobne zdolności i że ja je po nim odziedziczyłem. Nigdy więcej nie mówił na ten temat ani też nie prosił mnie, żebym nawiązał kontakt z bratem w jego imieniu. Kupował mi książki z dziedziny metapsychologii i zjawisk parapsychicznych i w ten sposób bez słów zachęcał mnie do rozwijania moich zdolności, przekształcania ich w umiejętności, w jak największą sprawność. Ojciec uważał, że wszelkie wrodzone zdolności, zwłaszcza ich tajniki, trzeba wciąż rozwijać, by osiągnąć doskonałość.

Odchyliłem się na krześle. Sam nie wiedziałem, czy mam w to wierzyć, czy nie. Krajobraz nieśmiertelności? Skrzeczące głosy w ciemnościach?

— Jest pan sceptyczny — stwierdził Martin Vaizey.

— Dziwi to pana? Ma pan w sobie więcej ze mnie niż ja sam.

— Może. Jeśli jednak chce pan się dowiedzieć, co trapi panią Greenberg, jestem pewien, że mogę panu pomóc. Identyfikowanie i demaskowanie duchów nękających ludzi to moja mocna strona. Zazwyczaj ludzie nie są świadomi, że duchy szukają kontaktu z nimi. Odczuwają może irytację, niezadowolenie, ale nie zdają sobie sprawy, że to duch w świecie duchów robi wszystko, by zwrócić na siebie ich uwagę. Pan, na przykład, też ma ducha, który pana dręczy.

— Ja? — spytałem z niedowierzaniem. Teraz byłem pewny, że to szarlatan. Jedyne, co mnie dręczyło, to permanentny brak zimnej wytrawnej wódki lub szklaneczki tequili z dużą ilością cytryny.

— Od razu go zauważyłem, gdy pan szedł korytarzem — powiedział z uśmiechem Martin Vaizey. — Pana duch przechadza się w okolicy pańskiego prawego ramienia. Przebywa tam cały czas, i to bardzo blisko. Stara się pana osłaniać, ale jednocześnie chce zwrócić na siebie pańską uwagę. O ile się nie mylę, chce pana przed czymś ostrzec.

Gwałtownie odwróciłem głowę. Zobaczyłem bezgłowy i beznogi tors z brązu, nagi, z dwoma pokaźnych rozmiarów syfonami, w których tkwiła wyszukana kompozycja z niebieskich irysów.

Mruknąłem rozbawiony, polizałem palec i zrobiłem znak w powietrzu.

— Doskonale. Punkt dla pana. Zmusił mnie pan, żebym się obejrzał.

— Tak jest, zmusiłem pana. Nie wierzy pan, że tam ktoś jest? Już miałem odpowiedzieć, że oczywiście nie wierzę ani za grosz, kiedy coś mnie powstrzymało. Nie była to wcale jakaś naturalna asekuracja. Spojrzałem w oczy Martina Vaizeya i zobaczyłem w nich taką jasność, ostrość i niezachwianą pewność siebie, iż prawie uwierzyłem, że mógł widzieć kogoś, kto szedł za mną, że może nawet w tej chwili widzi.

— Nie chciałby pan wiedzieć, kto to jest? — zapytał Martin.

— A pan nie może mi powiedzieć?

— Oczywiście, że nie — odparł z uśmiechem. — Skąd miałbym to wiedzieć?

— Nie może pan spytać tego kogoś? Lub to coś? Cokolwiek to jest.

— Znam lepszy sposób.

Dopił drinka i przesunął się na kanapie, tak że mógł dosięgnąć książek ułożonych na szklanym blacie stolika do kawy. Na wierzchu leżał album malarstwa Velázqueza, na którego okładce była reprodukcja portretu Filipa IV w mundurze marszałka polnego.

— Proszę położyć prawą rękę na książce — powiedział Martin Vaizey. — Doskonale. Teraz ja położę moją rękę na pańskiej.

Przycisnąłem rękę do błyszczącej okładki książki. Byłem zgrzany i spocony. Czułem, jak moje palce lepią się do okładki. Martin Vaizey położył płasko swoją rękę na mojej. Jego palce były zimne i suche.

— Po co to robimy? — spytałem.

Wciąż patrzył na moje prawe ramię, co mnie trochę denerwowało.

— Jakikolwiek duch by panu towarzyszył... zmuszę go, by ukazał panu swoją twarz. Musimy współpracować, wszyscy trzej. Nie mam pojęcia, jak będzie wyglądała ta twarz, pan nie ma mocy odtworzenia jej w świecie rzeczywistym, sam duch zaś nie może się ukazać bez naszej pomocy. To przypomina formowanie masek z plastiku na święto Halloween. Pańska ręka jest formą, moja — pompą wtryskową, a duch jest plastikiem.

— Nie wiem dlaczego mi się wydaje, że już kiedyś użył pan tej analogii — stwierdziłem.

Oczy mu błysnęły.

— To prawda. Używałem jej wiele razy. Bo to bardzo trafna analogia.

I tak siedzieliśmy twarzą w twarz, jego ręka na mojej ręce. Nie trwało to dłużej niż trzy, cztery minuty, ale mnie się zdawało, że siedzimy tak przynajmniej kwadrans. Plecy mi zesztywniały, zrobiło mi się niewygodnie i czułem, że moja spocona ręka niszczy okładkę tej kosztownej książki. Spojrzałem na Martina Vaizeya, lecz on wcale na mnie nie patrzył. Spoglądałem na obraz wiszący na ścianie za Martinem, przedstawiający kraba z ogromnymi szczypcami. Słyszałem szum klimatyzatora i odgłosy ruchu ulicznego. Winda zajęczała — zatrzymała się — i znowu zajęczała.

Nagle Martin Vaizey wykrzyknął:

— Duchu!

— Co takiego? — podskoczyłem.

— Wzywam ducha, nie ciebie — warknął.

— Bardzo przepraszam. Nie pomyślałem.

— Duchu — ciągnął — weź mnie za rękę, pozwól mi wyprowadzić cię z bezkształtu. Nie bój się, duchu. Będziemy cię ochraniać i prowadzić. Ukaż się nam, duchu, żebyśmy mogli cię poznać.

Upłynęła następna długa chwila. Chociaż byłem nastawiony sceptycznie, wydało mi się, że ktoś za mną stoi. Może dlatego, że Martin Vaizey w szczególny sposób wpatrywał się w przestrzeń ponad moim ramieniem. Jeżeli ktoś wpatruje się tak długo i uporczywie, w końcu zaczynasz wierzyć, że naprawdę ktoś tam stoi. Podobnie gdy wpatrujesz się w buty ludzi przechodzących ulicą, prawie zawsze zaczynają podnosić nogi, aby sprawdzić, czy nie wdepnęli w coś brzydkiego.

— Duchu, wiemy, że próbujesz do nas przemówić. Ukaż się, duchu, weź mnie za rękę. Będziemy cię strzec i prowadzić. Nie obawiaj się.

Może chmury przesłoniły słońce, a może to był smog. Nagle całe mieszkanie wydało się trochę ciemniejsze, pojawił się inny zapach, świeży, jakby przesycony ozonem. Głębokie drgania dźwięku, które poczułem, nie były głośniejsze niż zamierające drgania kamertonu, niemniej były to drgania. Miałem uczucie, jakby przesunął się czas i zmienił się pokój. Niewątpliwie ktoś tu jeszcze z nami był.

— Duchu, ukaż się — szeptał Martin Vaizey. — Jesteśmy twoimi przyjaciółmi i obrońcami. Nie mamy złych zamiarów. Czekaliśmy. W mieszkaniu robiło się coraz ciemniej. Mały zegar z holu wybił godzinę czwartą. Dzyń, dzyń, dzyń, dzyń. Ze wzrastającą niecierpliwością spojrzałem na Martina Vaizeya. *Właśnie wtedy poczułem na moim ramieniu upiornie zimną rękę. Przez ułamek sekundy ręka ta ścisnęła moje ramię, jakby zmarły stojący za mną chciał zwrócić na siebie uwagę.*

Odwróciłem się błyskawicznie, tak że omal nie zwichnąłem sobie kręgów szyjnych. Nie było nikogo. Tylko tors z brązu i irysy. *Lodowate-palce-wędrujące-wzdłuż-pleców.*

Zwróciłem się do Martina i powiedziałem:

— Co...

Lecz Martin, podnosząc palec do ust, szepnął:

— Cicho, poczekaj! Teraz. To zaraz nastąpi!

Paraliżujące uczucie zimna przebiegło wzdłuż całej mojej prawej ręki, od ramienia po nadgarstek, jak gdyby wszystkie żyły powoli napełniały się płynnym tlenem. I tak już miałem kłopoty z łokciem tenisisty (nie od gry, tylko od malowania wałkiem sufitu w moim gabinecie). Kiedy ten niesamowity chłód dotarł do przedramienia, jęknąłem głośno.

— Nie bój się — odezwał się Martin Vaizey. — Duchy zawsze są zimne. Przecież ciepło ciała jest im zupełnie niepotrzebne.

Skrzywiłem się, za wszelką cenę starając się zachować spokój, chociaż właśnie w tej chwili duch, któremu zbędne jest ciepło ciała, przeniknął mi do ramienia, zamieniając moje spracowane ścięgna w lodowato zimny supeł bólu.

Miałem zmarznięte palce. I nagle stało się coś, co zaparło mi dech w piersiach i zjeżyło włosy na głowie. Okładka książki zaczęła jakby rosnąć pod moją dłonią, wypełniając ją konturami i wypukłościami. Przybierała kształty — kształt owalu, nosa, podbródka, ust.

Moja ręka już nie przyciskała płaskiej okładki książki. *Przyciskała twarz mężczyzny.*

ROZDZIAŁ 5

Próbowałem oderwać rękę, ale Martin Vaizey powstrzymał mnie. I jeszcze mocniej przycisnął moją dłoń do okładki. Pozostawało mi tylko czekać, aż wybrzuszenia na okładce staną się bardziej wypukłe. Zimna, miękka ludzka twarz z każdą sekundą stawała się wyraźniejsza.

Starałem się uwolnić rękę, lecz Martin Vaizey trzymał ją mocno.

— Nie! Jeszcze nie teraz! Możesz go uszkodzić!

Byłem zupełnie bezradny. Z jednej strony za nic nie chciałem uszkodzić twarzy, która powstała w mojej dłoni, z drugiej zaś Martin Vaizey, jako cięższy i dużo silniejszy niż ja, uniemożliwiał mi uwolnienie się.

W końcu proces kształtowania się twarzy jakby się zatrzymał. Wciąż czułem tę zimną, żywą twarz w mojej dłoni. Co gorsza, czułem rzęsy łaskoczące moją skórę. Ponadto czułem oddech — słaby, lecz miarowy.

— W porządku — szepnął Martin Vaizey. — Możesz zabrać rękę. Już się uformował. Zabierz rękę.

Ostrożnie podniosłem rękę znad okładki.

— Jest — stwierdził triumfalnie Martin Vaizey.

— Chryste Panie! — wyszeptałem.

Okładka przybrała kształt ludzkiej twarzy. Była to twarz mężczyzny o krótkim, prostym nosie, wydatnych ustach i surowym czole. Trudno było stwierdzić, jakiej był rasy, ponieważ rysy jego mieszały się z rysami Filipa IV. Przez jego policzki przebijał pomarańczowy jedwab i koronki munduru marszałka polnego, podbródek przesłonięty czarnym, trójkątnym kapeluszem Filipa sprawiał wrażenie brody, prawe oko zaś zasłaniała twarz Filipa, blada i bezbarwna typowa twarz Habsburgów. Niewiarygodność tej zjawy potęgował fakt, że ona oddychała, miała otwarte oczy i poruszała ustami.

— Duchu, czy mnie słyszysz? — zapytał Martin Vaizey, pochylając się nad nią.

Usłyszałem dźwięk przypominający uderzenie wiatru w mikrofon, szelest bukowych liści czy przesypywanie piasku wśród wydmowych traw. Nagle usłyszeliśmy głos, słaby i niewyraźny męski głos, jakby z zaświatów.

— *...nie mogą cię odrzucić... oni nie mogą...*

— Co on mówi? — spytałem Martina Vaizeya z nieukrywanym przerażeniem. — Do diabła. Kto to jest?

— Sądziłem, że pan mi to powie. Nigdy w życiu go nie widziałem.

— Przecież to jest tylko książka! — prawie wrzasnąłem na niego. — Na miłość boską, przecież on nie może mówić! To tylko książka!

— Panie Erskine, sądziłem, że już to panu wytłumaczyłem. To, na co pan patrzy, to jest po prostu pośmiertna maska. Przyznaję, że nie jest podobna do zwyczajnych pośmiertnych masek, ponieważ bardziej przypomina nieśmiertelnego ducha tego mężczyzny niż jego zmarłe ciało i dlatego może poruszać się, oddychać i mówić. Użyłem do tego celu książki, ponieważ tak było najwygodniej. To wszystko. Z równą łatwością moglibyśmy odtworzyć jego twarz na ścianie, na stole lub na podłodze.

— A zatem to nie jest jego prawdziwa twarz, tylko odbicie?

— I tak, i nie. Zazwyczaj duch znajduje się wszędzie i nigdzie. Tak się stało, że udało nam się na tej książce uzyskać duchowy zarys twarzy.

Szszszsz...

— *...trochę za późno... nie zrozumieliście, że nie można użyć duchów do walki przeciwko istotom nieposiadającym duszy... teraz oni... wszędzie gdzie... nawet ślad... nic nie pozostanie... dopóki nie odzyskają wszystkiego... wszystkiego... jak było dawniej...*

Szszszsz...

Byłem zdenerwowany i nie bardzo zdawałem sobie sprawę

z niebezpieczeństwa, jakie ta pośmiertna maska mogła przedstawiać. Ostrożnie pochyliłem się nad nią. Najbardziej denerwujące było patrzyć, jak wraz z oddechem i mową maski jedwabny pomarańczowy mundur Filipa IV faluje niczym prawdziwy materiał, jak miniaturowa jego twarz wznosi się i opada przy każdym drgnięciu powieki.

— Jest pan pewien, że go pan nie zna? — dopytywał się Martin. — Musiał go pan kiedyś spotkać, zapamiętać jego twarz, w przeciwnym razie nie udałoby się nam wywołać jego wizerunku.

— Sam nie wiem... te plamy rozsiane po twarzy... doprawdy trudno powiedzieć.

Szszszsz...

— ...ostrzegałem was... ostrzegałem was... teraz oni wytępią całą... wciągną was wszystkich w otchłań... wszystko...

Szszszsz...

— Jest bardzo nieszczęśliwy, nie sądzi pan? — zauważył Martin Vaizey. — Wygląda na to, że chce pana przestrzec przed czyjąś zemstą. Straszliwą zemstą! „Nic nie pozostanie... wciągną was wszystkich... nawet ślad...". Według mnie to jakaś straszna zemsta.

— Czy mogę dotknąć książki? — zapytałem.

— Oczywiście. Może pan robić z nią wszystko. Nawet ją czytać.

— Czy mogę ją odwrócić?

— Śmiało. Proszę robić, co pan chce.

Wziąłem książkę i końcami palców dotknąłem jej grzbietu. Sam nie wiem, co chciałem przez to osiągnąć. Może pomyślałem, że twarz nagle odwróci się i ugryzie mnie w palce. Tymczasem poczułem tylko miękki, elektryzujący chłód.

Ostrożnie odwróciłem książkę, by przyjrzeć się twarzy z różnych stron. Przez cały czas twarz coś szeptała, lecz głos był tak nikły, że nic nie mogłem zrozumieć.

— Czy ma pan jakichś wrogów? — spytał Martin Vaizey poważnie. — Kogoś, kto chciałby pana skrzywdzić?

Potrząsnąłem głową.

— Może paru mężów, którzy wyobrażają sobie, że moje sesje nie polegają tylko na czytaniu z ręki. Chciałbym być takim szczęśliwcem. Moja najładniejsza klientka wygląda jak bliźniaczy brat Bette Midler.

84

— To jest o wiele poważniejsza sprawa — stwierdził Martin Vaizey. — Ten duch jest autentycznie zaniepokojony. Nie przypominam sobie, żebym w ciągu ostatnich dwudziestu lat widział równie zmartwionego ducha.

Szeptanie nie ustawało.

— *...cokolwiek byś zrobił... pamiętaj, co ci zapowiedział... pamiętaj, co ci zapowiedział... nawet w otchłani...*

— Czy ktoś panu czymś groził? — dopytywał się Martin Vaizey.

— Nie wiem. Mój gospodarz zapowiedział, że mnie wyrzuci, jeżeli nie zapłacę czynszu. Nic innego nie przychodzi mi do głowy.

Nagle szepczący głos powiedział:

— *...nie na tym świecie... nie na tym świecie... skala, nie pamiętasz?... czy dobrze to ukryłeś?... zagrzebane w glinie... jąca skala... czy ty...*

Z przerażeniem i niedowierzaniem wpatrywałem się w tę twarz. Pomyślałem: Nie, tylko nie to. Nigdy więcej. Nie zniósłbym już tego. Raz to było aż nadto. Za drugim razem omal nie oszalałem. Boże, nigdy więcej. Nie dopuść, bym jeszcze raz wplątał się w tę kabałę. Martin Vaizey obserwował mnie cały czas uważnie.

— Pan wie, kim on jest, prawda? Już pan sobie przypomniał? Czyż nie tak?

Wstałem wycierając spocone dłonie o spodnie.

— Niech pan posłucha, panie Vaizey. Myślę, że cały ten eksperyment to była pomyłka. Czy mógłby pan pozbyć się tej twarzy?

— Przyszedł pan prosić mnie o pomoc — rzekł Martin Vaizey.

— To prawda. Lecz chodziło mi o panią Greenberg i jej meble. To nie ma nic wspólnego z tym, co się tu dzieje.

— Czy jest pan tego pewny?

— Tak. Ta twarz ma związek z moją przeszłością. Z czymś, w co zostałem wplątany wiele lat temu. To jest mój duch, a nie Naomi Greenberg. Zupełnie nie rozumiem, dlaczego on wciąż wokół mnie krąży.

— Panie Erskine, ten duch wciąż panu towarzyszy, gdyż jest pan uwikłany w pewien rodzaj metapsychicznej walki. On nie chce pana przestrzec przed zazdrosnymi mężami lub nękającymi pana o czynsz gospodarzami. Chce pana przestrzec przed czymś zupełnie innym. „Nie na tym świecie" — tak powiedział. „Nie na tym świecie". Mówił też o otchłani. Otchłań, to powszechnie używane określenie królestwa duchów.

Z całą stanowczością podniosłem rękę do góry.

— Panie Vaizey, proszę mi wierzyć, że ta sprawa nie ma nic wspólnego z panią Greenberg.

— Czy oprócz pani Greenberg ma pan do czynienia z innymi zjawiskami metapsychicznymi?

— Owszem, jeden lub dwa przypadki.

— Jakiego rodzaju? — dopytywał się Martin Vaizey.

— Właściwie to chodzi o jeden. Pewna pani z Osiemdziesiątej Szóstej Wschodniej.

— Jaki jest charakter tego zjawiska?

Spojrzałem na twarz z albumu Veláza. Szeptała coś, w dalszym ciągu otwierając i zamykając oczy.

— Jej fortepian sam gra. Przynajmniej tak jej się wydaje.

Martin Vaizey milczał chwilę, dalej mnie obserwując. Zerknąłem na niego raz i drugi bez powodzenia, starając się uśmiechnąć.

— Chce mi pan powiedzieć, kim jest nasz przyjaciel duch — sugerował Martin Vaizey.

— Czy mógłby pan zdjąć obwolutę książki? Chciałbym się upewnić.

Martin Vaizey ostrożnie wziął książkę do ręki, trzymając ją na poziomie moich oczu. Zdjął obwolutę, pozwalając jej opaść na podłogę. Miałem przed sobą tę samą żyjącą pośmiertną maskę. Tym razem jednak patrzyła mi prosto w twarz, tak jak żywy człowiek. Jego skóra miała kolor kremowego marmuru, jak oprawa książki. Złoty nadruk: „Velázquez" opasywał jego czoło jak przepaska. Oczy mrugały na mnie, a usta wciąż szeptały.

Nie miałem cienia wątpliwości. Owładnęło mną bez reszty uczucie powstałe z połączenia żalu i tchórzostwa.

Pierwszy raz ujrzałem tę twarz pewnego wiosennego dnia prawie dwadzieścia lat temu na lotnisku La Guardia, gdzie przybyłem, by oczekiwać samolotu z Sioux Falls w Dakocie Południowej.

Gdy ujrzałem ją po raz pierwszy, nie mogłem przewidzieć masakry, jakiej miałem stać się świadkiem; to było jak otwarcie puszki Pandory.

Kiedy ujrzałem ją po raz pierwszy, nie miałem pojęcia o magii, o życiu po śmierci, o wszystkich tych przerażających potwornościach.

To był Śpiewająca Skała, właściciel firmy ubezpieczeniowej i szaman w jednej osobie, nieżyjący, i to od bardzo dawna. Śpiewająca Skała szeptał nieustannie:

— ...*uwolnić ziemię od morza do... aby było jak dawniej... żadnego wyobrażenia*...

— Chce mi więc pan powiedzieć, kto to jest? — nalegał delikatnie Martin. Zdałem sobie sprawę, że mam łzy w oczach. Z trudem przełknąłem ślinę.

— To jest mój przyjaciel. Właściwie mój znajomy. Nie mogę powiedzieć, że byliśmy przyjaciółmi. Nazywa się Śpiewająca Skała.

— Sądząc po imieniu, to jakiś tubylec.

— Tak.

— Czy domyśla się pan, przed czym chciałby pana ostrzec?

— Chyba tak, choć wolałbym nie.

— Czy nie zechciałby pan nazwać go po imieniu? Może otrzymamy wyraźniejszą odpowiedź.

Zawahałem się, lecz Martin zachęcał mnie ruchem głowy, więc zbliżyłem się do twarzy, która patrzyła na mnie z książki. Spojrzałem w niewidzące oczy koloru bladego marmuru i ze ściśniętym gardłem zapytałem:

— Jak się masz, Śpiewająca Skało?

Otworzył oczy, potem zamknął.

— ...*Harry... czy mnie słyszysz*...

— Słyszę cię, ale bardzo słabo. Skąd mówisz?

Na twarzy zjawiło się coś na kształt uśmiechu.

— ...*którą wy nazywalibyście Terenem Szczęśliwych Łowów... a ja nazywam Wielką Otchłanią*...

— Rozumiem. Nie mamy zbyt dobrego połączenia...

— ...*a ja... nigdy nie miałem dobrego połączenia*...

— Coś cię trapi, Śpiewająca Skało. Śpiewająca Skało, słyszysz mnie? Mówię, że coś cię gnębi. Coś cię denerwuje. Owszem, słyszę niektóre słowa, ale ich nie rozumiem. Nie rozumiem, co złego się dzieje.

— ...*najmniejszy ślad... oczyszczają święte ziemie, by nie pozostał najmniejszy ślad*...

— Co chcesz przez to powiedzieć? Nie rozumiem cię.

— ...*bardzo mało czasu... wierz mi*...

Jego głos zupełnie zaniknął i słyszałem tylko fale głośnych zakłóceń w atmosferze.

— Śpiewająca Skało? — wołałem. — Śpiewająca Skało!

Oczy Śpiewającej Skały były zamknięte, tylko oddech stał się szybszy.

— Tracimy go — powiedział Martin Vaizey. — Coś się stało. Czuję to! Coś się wokół niego dzieje. Wyczuwam koło niego czyjąś obecność.

— Co takiego? Co to znaczy? Czyją obecność?

— Coś go otacza. Coś ciemnego. Czarnego.

— Jezus Maria! Czy coś mu się stało?

Nagle twarz na książce otworzyła oczy, szeroko rozwarła usta i wrzasnęła do mnie. Z przerażenia poczułem, że za chwilę poleci mi po nogach. Martin Vaizey krzyknął — Aaaaach! — i cisnął książkę w powietrze.

Gdy książka dotknęła podłogi, jakaś siła zdarła z niej okładkę i zaczęła rzucać nią po pokoju. Wrzask nie ustawał. Strona tytułowa uniosła się ku twarzy Śpiewającej Skały i również krzyczała. Wyrwała się i rzuciła w ślad za okładką. Pod nią była strona z podziękowaniem i ona też miała twarz Śpiewającej Skały i też krzyczała. Porwał ją jakiś niewyczuwalny wiatr.

Kartki z książki odrywały się jedna po drugiej, a każda z nich miała na sobie wizerunek pośmiertnej maski Śpiewającej Skały, a każda maska wydawała z siebie ten sam wrzask. Kartki wirowały po pokoju — pięćdziesiąt twarzy, siedemdziesiąt twarzy, sto twarzy, dwieście twarzy. Z każdą twarzą wyrzuconą w powietrze wrzask potęgował się. W końcu w mieszkaniu Martina Vaizeya rozbrzmiewał chór ponad trzystu rozdzierających głosów.

— Duchu! Odejdź! — ryknął Martin Vaizey.

W pokoju nadal szalała jednak zamieć wrzeszczących kartek. Równocześnie ktoś zaczął walić i dzwonić do drzwi.

Zasłaniając uszy rękami, torowałem sobie drogę wśród fruwających kartek. Martin Vaizey stał w wirującym gąszczu krzycząc:

— Odejdź! Słyszysz mnie? Rozkazuję ci odejść.

Złapałem egzemplarz „The New Yorker" ze stojaka na gazety, zwinąłem luźno i przytrzymałem między kolanami. Krzyk wzmagał się z każdą chwilą. Był tak głośny i ostry, że omal nie straciłem słuchu. Zapaliłem zapałkę i zrobiłem z gazety coś w rodzaju pochodni.

— Panie Erskine, nie! — krzyknął Martin Vaizey. Ale ja stałem wymachując płonącą gazetą i Vaizey nie mógł mnie powstrzymać. Dobrze wiedziałem, z kim walczymy. On nie wiedział. Jeszcze nie wiedział. A może nigdy się nie dowie, jeżeli nie uda nam się pozbyć tych rozwrzeszczanych twarzy.

Przeszedłem przez salon, machając na wszystkie strony moją pochodnią. Za każdym ruchem płomienie wydawały głuchy grzmot. Złapałem parę wirujących kartek masek i podpaliłem je. Spłonęły natychmiast krzycząc dziko. Zacząłem chwytać następne kartki — twarz po twarzy, aż w końcu całe mieszkanie pełne było płonących, tańczących, przeraźliwie wrzeszczących pośmiertnych masek Śpiewającej Skały.

Walenie do drzwi stawało się coraz bardziej gwałtowne. Słychać było czyjś ryk:

— Dość tego! Dość! Skończcie z tym przeklętym hałasem, bo zawołam gliny!

Odwróciłem się i znów przeszedłem przez pokój dotykając każdej maski, która przefruwała koło mnie. Migotały i kruszyły się w powietrzu, wirując i dymiąc. Spadały na białą kanapę Martina Vaizeya i na dywan w kolorze zimnego błękitu. Opadały na szklany blat stolika i na niedopity napój z passiflory. Powietrze przesycone było dymem i sadzą.

Stałem pośrodku ognia i krzyczących twarzy. Żar unosił płonące kartki; podfruwały w górę i znów opadały na podłogę. Gdziekolwiek się obróciłem, wszędzie widziałem twarz Śpiewającej Skały. Śpiewająca Skała z płonącym nosem. Śpiewająca Skała z płonącymi włosami. Śpiewająca Skała z ustami otwartymi do krzyku.

To były tylko maski, odbitki ludzkiej duszy. Niemniej były to twarze człowieka, który bronił mnie i ochraniał, który poświęcił swoje życie, aby jego naród i nasz naród mogły zapomnieć o przeszłości.

— Mój Boże — powiedział Martin Vaizey. — Co pan zrobił z moim mieszkaniem?

Nie zwracając uwagi na jego słowa i wymachując resztką płonącej gazety, szukałem niedopalonych kartek. Zdawało mi się, że złapałem wszystkie, a te, których nie podpaliłem, same zapalały się od innych. Martin Vaizey z założonymi rękami stał i obserwował mnie, jakby pozował do obrazu zatytułowanego „Jak opanować gniew".

— Bardzo przepraszam — powiedziałem. Przyciągnąłem szklaną popielnicę i niedbale zdusiłem niedopalony koniec gazety. Żaden inny pomysł nie przyszedł mi do głowy. Strzepnął popiół z kanapy.

— Myślę, że w tych okolicznościach słusznie pan postąpił.

— Znam dobry zakład, który czyści obicia — powiedziałem. Za pomocą długiej srebrnej łyżki koktajlowej wyłowił popiół ze szklanki. Przez chwilę spoglądał na napój, chcąc się upewnić, czy nadaje się do picia. Po krótkim namyśle odstawił szklankę.

— Nie sądzę, aby teraz naszym głównym zmartwieniem było czyszczenie tapicerki — stwierdził. — Wydaje mi się, że pan i pańska pani Greenberg jesteście poważnie zagrożeni.

— Ile powagi jest w pańskim słowie: „poważnie"?

— Grozi wam niebezpieczeństwo ze strony sił nadprzyrodzonych. Oto i cała powaga. — Spojrzał na zegarek, Rolex z tysiąc dziewięćset trzydziestego roku. Taki zegarek wystarczyłby mi na czynsz za dwa lata. Potrzebuję piętnastu minut, żeby wziąć prysznic i przebrać się. A pan w tym czasie może trochę posprząta. Proszę nie wcierać popiołu w obicia.

— Słucham?

— O co chodzi? — spytał, kierując się do łazienki.

— Czy mam rozumieć, że zgadza się pan pomóc mi w sprawie pani Greenberg?

Twarz miał ponurą. Mięsień w prawym policzku drgał mu bez przerwy, jakby zaciskał zęby, co też prawdopodobnie czynił.

— Panie Erskine, to, czego świadkami byliśmy przed chwilą, jest najbardziej spektakularnym przejawem interwencji sił nadprzyrodzonych, jaki kiedykolwiek widziałem. I jak już wcześniej powiedziałem, uważam, że jest pan poważnie zagrożony.

Kolorado

Słysząc krzyki małego braciszka, Wanda przerwała łuskanie grochu i wyszła na werandę. Podnosił się wiatr; szklane drzwi zatrzasnęły się za nią z takim hukiem, że aż podskoczyła. Joey siedział na huśtawce i bujając się z całych sił, krzyczał:

— Patrz, patrz, patrz! Patrz na niebo!

Wanda wspięła się na poręcz werandy i popatrzyła na chmury. Były tak nisko, że prawie opierały się o dach domu, jak ciężka, ogromna kołdra. Między chmurami widać było złowieszczy wir, podobny do tego, jaki powstaje w czasie cyklonu. Pogoda jak z *Czarnoksiężnika Oza*. Niesamowity był kolor chmur. Ciemnocynobrowe, prawie krwiste. Wanda w życiu jeszcze nie widziała takich chmur, nawet po zachodzie słońca.

Dokoła szumiały srebrzyste trawy. W powietrzu unosił się nastrój wyczekiwania. Drzwi kurnika kołysały się i trzaskały, a po podwórku tańczyły diabełki kurzu. Stadko kuropatw wystawiło skrzydła na wiatr, w kierunku południowego zachodu.

— Joey! — zawołała Wanda. — Lepiej chodź do domu!

— Przecież to tylko niebo! — protestował Joey.

— Masz wejść do domu. Mama kazała mi cię pilnować, koniec dyskusji.

— Przecież nic się nie dzieje. To tylko niebo!

— Może przyjść trąba powietrzna i co wtedy? Wessałoby cię w powietrze. Pamiętasz owcę pana Begleya? Znaleziono ją po sześciu dniach z przetrąconym karkiem w okręgu Bent.

Joey bujał się uparcie: w przód i w tył, w przód i w tył. Trawy kołysały się jak morze i wirujący pył zaprószył oczy Wandy.

— Joey McIntosh, w tej chwili wejdź do domu!

Joey nie przestawał się kołysać, od czasu do czasu spoglądając na siostrę.

Wanda zbiegła po schodkach werandy i przeszła przez podwórze. Ta drobna, niepozorna dziewczynka o chudych nogach miała około piętnastu lat. Ubrana była w dżinsy i biało-czarną koszulę w kratę. Mama powierzyła jej opiece brata i dom, a ona chciała dobrze wywiązać się z tego zadania, więc na nic nie zdadzą się wszelkie protesty.

Znów spojrzała na chmury. Nigdy w życiu nie widziała, żeby chmury tak wirowały i kłębiły się. I były tak bardzo nisko! Wprost nie mogła uwierzyć, że to prawdziwe chmury.

Właśnie zbliżyła się do Joeya, kiedy górne okno obsunęło się i pękło z hukiem.

— Chodź, Joey, nadchodzi cyklon. Najlepiej będzie, jak pójdziemy do piwnicy.

Joey, jasnowłosy z szelmowskim spojrzeniem, w brudnej niebieskiej koszulce i jeszcze brudniejszych szortach, kurczowo trzymał się siedzenia.

— To nie jest cyklon. Nie czujesz tego?

— Co mam czuć? — spytała Wanda.

— To na pewno nie jest cyklon! — powtarzał triumfalnie Joey, podczas gdy chmury kłębiły się nad jego głową.

— Joey! — warknęła Wanda. — Masz wejść do domu!

W tej chwili zauważyła, że warzywnik, tak troskliwie pielęgnowany przez matkę, cały pokrył się piaskiem. Piasek leżał na liściach sałaty, na pomidorach, nawet na fasoli. Wanda uklękła pomiędzy rzędami cebuli, starając się rękoma usunąć piasek. Wszystko na próżno. Im szybciej odgarniała, tym silniejszy wiał wiatr i tym szybciej strumyczki piasku sypały się między zagony.

Joey, pochylony na huśtawce, przez chwilę nie zwracał uwagi na siostrę. Śpiewał na cały głos:

To nie jest cyklon, na pewno nie! Tra-la, la, la!
To stary zbójnik zbliża się. Tra-la, la, la!

Wreszcie przestał śpiewać i bujać się. Zeskoczył i podszedł do siostry, przyglądając się, jak odkopuje rośliny.

— Zdążysz je oczyścić i znowu jest pełno piasku — zauważył. Spojrzała na niego.

— Mógłbyś mi pomóc.

— Jeżeli nadejdzie cyklon, to nic nie pomoże. Wszystko zdmuchnie.

Wanda jednak nie przerywała usuwania piasku. Miała nadzieję, że matka po powrocie doceni jej wysiłki.

Znowu trzasnęły szklane drzwi i Wanda poderwała się. I tym razem to był wiatr.

Po zachodniej stronie horyzontu, w okolicach Kim, w samym sercu Parku Narodowego Komanczów, i trochę dalej, gdzie wznoszą się góry Sangre de Cristo — mroczne, tajemnicze i wyniosłe — trzy, cztery tysiące metrów nad poziomem morza, niebo rozdzierały błyskawice. Nie były to zwyczajne błyskawice. Były piękne i wyglądały jak rozwiane włosy. Leciały przez prerię jak płonące bierwiona, trzask-huk-trzask, lub jak palące się organdynowe halki na ciele chórzystki samobójczyni. Te błyskawice były żywym ogniem. Był to Armagedon — nadszedł już dziś, zamiast jutro.

Wanda schwyciła Joeya za rękę.

— Chodź, Joey. Musimy zejść do piwnicy.

— Co będzie z mamą? — dopytywał się Joey, szurając obcasami.

— Bóg da, że mamie nic nie będzie. Na pewno schroniła się w Springfield.

Wzięła Joeya za rękę i mimo jego protestów pociągnęła go w stronę domu. Wiatr wył i świszczał. Usłyszała, jak na górze pękła kolejna szyba. Dzwoniła uprząż, chociaż od dawna nie mieli konia.

— Mam nadzieję, że mama nie powie, że te okna to nasza sprawka! — rzekł Joey.

— Na pewno nie. Przecież wie, jaki dzisiaj silny wiatr.

Z trudem dotarli do domu. Drzwi z hukiem zatrzasnęły się za nimi. Od razu zeszli do piwnicy, ale ku zmartwieniu Wandy drzwi były zamknięte i nigdzie nie było klucza. Kilka razy poruszyła klamką, lecz to nic nie pomogło. Joey raz i drugi kopnął w drzwi z takim samym skutkiem. Gdzie może być klucz? Pobiegła do holu sprawdzić, czy nie ma go na stole. Tam też go nie było, cały stół był zawalony wizytówkami i rachunkami. Wspięła się na palce i przesunęła ręką po listwie nad drzwiami. Nigdzie nie było klucza.

— Co my teraz zrobimy? — spytał Joey. Już nie był taki pewny siebie. Dom trzeszczał, trząsł się i drżał w posadach.

Gdyby nie przekonanie, że zbliża się cyklon, nie wiedzieliby, co o tym myśleć.

Wanda zobaczyła przez okno, jak na podwórzu podskakuje wyrwany z ziemi płot. Po nim przyszła kolej na kurnik. Zewsząd leciały pióra, kurczaki oraz kawałki papy.

— Co my teraz zrobimy? — powtórzył przerażony Joey. — A jak cyklon nas wessie? To co wtedy?

— Skąd mam wiedzieć? — odpowiedziała Wanda wystraszona i poirytowana. — Jeszcze nigdy nie byłam wessana przez cyklon.

Wzięła Joeya za rękę i tak stali oboje samotnie pośrodku salonu, w krwawych, wciąż ciemniejących cieniach. Wiatr wył przeraźliwie. Z dachu sypały się dachówki. Okna przesycone były purpurowym światłem, ciemnym i lepkim, jak krew ściekająca po szybach.

— Wanda, co się dzieje? — zapytał Joey głosikiem cichym i pełnym napięcia. — Wszystko robi się czerwone.

— To tylko kurz — uspokajała go Wanda. — Burze mają swoje kolory. Są burze brązowe i szare, i zielone, i czarne. Wszystko zależy, skąd nadchodzą, jaki piasek niosą. Uczyliśmy się tego na lekcjach przyrody.

— Jest czerwony — wyszeptał Joey zdumiony. Jego oczy też świeciły czerwonym blaskiem jak oczy wampira u Stephena Kinga. Jeszcze nigdy nie widziałem czerwonej burzy.

Duży zegar ścienny w holu wybijał godzinę dwunastą, zanim jednak skończył bić, cały dom przechylił się. Zabrzmiało jeszcze jedno uderzenie zegara — płaskie i niewyraźne — po czym zegar upadł bokiem na podłogę. Obrazy poleciały w dół, z okien pospadały karnisze. Duży telewizor Zenith obrócił się wokół swojej osi i uderzył w kominek z czerwonej cegły.

— Ja chcę do mamy — zduszonym głosem wołał Joey. — Wanda, ja chcę do mamy!

— Nie bój się. Mama na pewno się gdzieś schowała. Wróci, jak tylko minie burza.

Wanda nie była pewna, czy może wierzyć, że mama jest bezpieczna. Widziała już burze elektromagnetyczne i huragany, a nawet parę trąb powietrznych, ale czegoś podobnego nie widziała nigdy w życiu. Miała uczucie, jakby cały świat przechylił się na bok — jakby stała na dywanie, który ktoś wyciągnął jej spod nóg.

— Spójrz! — krzyknął Joey, ściskając ją za rękę. — Furgonetka pana MacHenry'ego!

Jak w złym śnie zobaczyli stare, niebieskie chevy pana MacHenry'ego, sunące przez podwórze. W środku nie było kierowcy, wóz przemieszczał się bokiem, a jego koła żłobiły głębokie bruzdy w piasku. Za samochodem powoli podążały taczki, łopaty, żelastwo, narzędzia rolnicze i zardzewiały silnik na chodzie. Nawet wściekle wyjący wiatr nie zagłuszał dźwięku silnika. Przeciągły brzęk, stuk, walenie i kołatanie dziwnie kojarzyły się Wandzie z ceremoniałem pogrzebowym. Wszystko to napawało ją przerażeniem, jakiego nie zaznała jeszcze nigdy w życiu — powoli wzmagający się chłód przenikał każdy nerw jej ciała.

Gdy tak stoję w moim oknie
W ten pochmurny, zimny dzień,
Słyszę koła karawanu
Uwożące matkę w cień.

Dlaczego właśnie teraz przypomniała sobie tę pieśń? Dlaczego te wszystkie dźwięki, brzęczenia, spadania przywodzą jej na myśl pogrzeb? Z prochu powstałeś i w proch się obrócisz, czarne torebki, czarne welony i smutne, kredowobiałe twarze przesuwające się w półmroku.

Właśnie wtedy coś uderzyło w róg ich domu. Coś ogromnego i ciężkiego, co rozłupało werandę i złamało futrynę drzwi kuchennych. Słychać było, jak w całym domu przewracają się meble. Na górze wielka mahoniowa komoda matki upadła na podłogę. Pękały okna, rozbijała się porcelana, rzędy książek miękko spadały na podłogę. Wanda i Joey stracili równowagę i runęli na dywan. Krzesła, stoły i porcelana przesunęły się przez pokój i utworzyły pod ścianą jeden wielki stos.

— Wanda! — krzyknął Joey, wstając i starając się utrzymać równowagę jak tancerz na linie. — Dom się wali! Dom się wali!

Wandzie udało się stanąć na czworakach, po czym z trudem i niepewnie wstała.

— Uciekajmy! — krzyknęła do Joeya. — Spróbuj dostać się do drzwi!

Powoli posuwali się do wyjścia. Wanda nie mogła uwierzyć, że chodzenie może być tak trudne. Chociaż podłoga była zupełnie równa, miała wrażenie, że jest stroma i przechylona o czterdzieści

95

pięć stopni. Meble z całego domu przesuwały się w kierunku zachodniej ściany. Drzwi salonu były zablokowane kuchennymi krzesłami i stołkami, wysuniętymi z kredensu szufladami. Z góry dobiegał łoskot przewracających się łóżek.

Joey chciał odsunąć krzesło od drzwi, ilekroć jednak próbował odstawić je na bok, zaraz wracało na poprzednie miejsce.

— Musimy po nich przejść! Szybko! — krzyczała Wanda.

Udało im się niezdarnie wdrapać na krzesła i zejść na drugą stronę, do holu. Przez otwarte drzwi wejściowe zobaczyli podwórze, a dalej szosę. Z tego miejsca powinni również widzieć dom MacHenry'ego — lecz domu nie było.

Trzymając się ścian, dotarli do drzwi. Siła burzy potęgowała się z każdą sekundą. Gdy dobrnęli do drzwi wyjściowych i przywarli do ich framugi, zdawało im się, że zwisają z dachu, zaczepieni o jego brzeg palcami. Mimo że podłoga była równa jak zawsze, Wanda była przekonana, że jeżeli puści się futryny, to spadnie.

Wyglądając uważnie przez drzwi ze zmrużonymi oczami z powodu wiatru i tumanów piasku, zrozumieli, dlaczego zdawało się im, że dom pana MacHenry'ego zniknął. Dom jego został wyrwany z fundamentów, przesunął się przez podwórze i zderzył z ich domem. Wyglądało to jak gigantyczny wypadek drogowy: piec wbity w kredens, połamane okna i zawalone dachy.

Czuli, jak cały dom trzęsie się w posadach. Cała jego konstrukcja, łączenia i czopy ledwo się trzymały, pozbawione gwoździ, które jakaś niewidzialna siła wyciągała z nich jak zęby mądrości z dziąseł.

— Wanda, my chyba nie umrzemy? — pytał Joey. Wszelkie objawy histerii zniknęły z jego głosu. Jego słowa brzmiały czysto i wyraźnie jak krystaliczna woda.

Wanda trzymając się kurczowo futryny, nie wiedziała, co odpowiedzieć. To nie była burza. To było prawdziwe piekło na ziemi.

Hałas był olbrzymi i przytłaczający, niepodobny do tych, które dzieci dotąd słyszały. Prócz brzmiącego pogrzebowo dzwonienia i brzęczenia, zawodzenia i świstu wiatru słychać było głęboki, nierówny hałas rozwalania. Ten dźwięk wydawały toczące się samochody i ciężarówki. Wolniej niż przy prawdziwym wypadku wszystko to — dach, zderzak, bagażnik, koła — trzęsło się na rozklekotanym zawieszeniu, jakby wzburzony tłum unosił je i rzucał na stos. Tylko że nie było wzburzonego tłumu. Nie było niczego prócz wiatru, piasku i krwawych kłębiących się chmur na niebie. Samochody i ciężarówki toczyły się bez niczyjego udziału.

W ślad za nimi posuwała się roztańczona i łoskocząca fala wszelkiego rodzaju śmieci i odpadków. Wanda zobaczyła na wpół zmiażdżoną budkę telefoniczną, wygięty automat do coca-coli i rozwalone puszki. Stoisko z gazetami wydawało klaszczące dźwięki, jak publiczność w teatrze. Były tam też lodówki i lady wystawowe, półki i gazety, mrożonki i buty, okulary przeciwsłoneczne, połamane motocykle i pojemniki z jedzeniem dla psów.

Wreszcie zobaczyła ludzi. Ciemnoniebieski ford kombi sunął złowieszczo, opony piszczały jak fałszujący chór wielkanocny, zaś okna samochodu miały szyby ciemne od krwi. Kilka minut później pokazała się pani Hemming, właścicielka wielkiego magazynu wielobranżowego. Jechała na plecach wzdłuż szosy, martwa lub prawie martwa, otwartymi oczami wpatrując się w niebo. Kasztanowa peruka była pozlepiana krwią, a duży, białawy guz z kawałków mózgu wyglądał na niej jak wpięty we włosy kalafior. Różowa kwiaciasta suknia była cała w strzępach, tak że widać było nasiąknięty krwią gorset i pokaleczone, spuchnięte udo.

Wkrótce po niej Wanda zobaczyła wysokiego, chudego mężczyznę w drelichowym kombinezonie. Szorował po szosie twarzą do ziemi. Wyglądał jak połamana lalka. Tylko wyrwane ze stawów ręce i nogi mogły uzasadniać podobną pozycję. Wanda rozpoznała w nim jednego z robotników pani Hardesty z terenu Parku Narodowego. Zostawała za nim na drodze szeroka, błyszcząca smuga krwi, którą szybko przykryły gazety, papierki od gumy do żucia i skrzynki po kurczakach ze smażalni.

Pomiędzy śmieciami Wanda wypatrzyła dzieci — na pewno już nie żyły. Zobaczyła też połamane wózki dziecięce i martwe psy. Rozpoznała Leroya Williamsa, woźnego ze szkoły podstawowej w Pritchard. Leżał na boku, twarz miał jaskrawoczerwoną jak maska na święto Halloween.

Nagle Joey zaczął krzyczeć. Był to przeraźliwy, wysoki pisk skrajnego przerażenia.

— Joey! — Wanda złapała go za rękę. — Joey, wszystko będzie dobrze, uspokój się!

— Ale tam jest mama! Patrz, to mama!

— Już ci mówiłam, że mama jest w Springfield.

— Nieprawda, nieprawda! To mama!

Szeroko otwartymi oczami Wanda spojrzała na Joeya.

— Patrz! — powiedział. Lecz ona nie mogła już patrzeć. Ten wiatr i hałas, i krew, i ten obezwładniający chaos — to było ponad jej siły.

Nie mogła znieść myśli, że może straciła matkę.

— To nie jest mama — szepnęła. — Mama jest w Springfield.

Wtem piękna, włochata błyskawica wystrzeliła z chmur; trzasnęła jak rozdzierany celofan, jak płonące włosy.

Wyładowanie było tak silne, że Wanda poczuła, jak bluzka przywiera jej do ciała, a koniuszki palców zaczynają iskrzyć. Błyskawica trzasnęła jeszcze raz, śmiecie zawirowały i wózki na zakupy podskoczyły i spadły. Zabłąkane stronice gazet nagle się zapaliły.

W ciemności, która nastała po błyskawicy, Wanda spojrzała w stronę szosy. Na rzece odpadków, papierów i pogniecionych warzyw unosiła się jej matka. Blada, martwa — jak Ofelia.

Piękne jasne włosy rozrzucone wokół głowy. Oczy miała szeroko otwarte, a w zaciśniętych kurczowo dłoniach trzymała pęczki papierowych i plastikowych toreb. Co może wziąć człowiek, który odchodzi? Kiedy się idzie do nieba, nawet najskromniejsze plastikowe torebki będą niepotrzebnym ziemskim luksusem.

Z rozpaczą i uczuciem osamotnienia Wanda patrzyła na przesuwającą się matkę. Co teraz zrobi? Będzie musiała wychować Joeya; sama troszczyć się o siebie. Kto da im jeść? Co będzie ze szkołą? Kto będzie ich ubierał? Kto zapłaci za czynsz? Nie mogła znieść tych myśli. Nie mogła w to uwierzyć.

— Mamo! Mamo! — zawołała. — To ja, Wanda!

Lecz nieznana siła odciągnęła matkę w dal. Jedna ręka zwisała bezwładnie, jeden policzek zmasakrowany był przez asfalt. Dżinsy podarte na kolanach, a żółta kraciasta koszula poplamiona brązową, zeschniętą krwią.

Ona nie mogła umrzeć. Nie mogła. Przecież to moja matka.

Wanda krzyknęła do Joeya:

— Czekaj tu! Trzymaj się mocno!

— Dokąd idziesz? — wrzeszczał Joey. — Nie możesz mnie zostawić! Nie możesz mnie zostawić!

— Czekaj tam na mnie! — nalegała Wanda.

Oderwała się od drzwi i niepewnie przeszła przez werandę.

Dopiero wówczas zdała sobie sprawę, że wszystko z Pritchard przemieszczało się na zachód. Udało się jej złapać balustrady, lecz z trudem mogła stanąć prosto. Ze wszystkich stron niebo wypluwało błyskawice. Wiatr rozwiewał śmieci i gazety. Odwróciła się do Joeya i krzyknęła:

— Nie ruszaj się! Idę ratować mamę!

— Nie możesz! — wrzeszczał Joey. — Nie możesz jej uratować!

— Nie ruszaj się stamtąd! — rozkazała Wanda.

Wyprostowała się jak tylko mogła. Ciało jej matki powoli, lecz nieustannie oddalało się. Gdyby ta nieznana siła mogła pociągnąć również ją, wówczas mogłaby złapać mamę i znaleźć jakieś miejsce zaczepienia; jakiś dom lub szopę, a nawet zwyczajny płot. Byle dotrwać do końca burzy.

— Mamo! — krzyczała. — Mamo! To ja, Wanda. Idę ci na ratunek!

W powodzi śmieci ciało matki wznosiło się i opadało. Na chwilę Wanda straciła matkę z oczu. Kolejna błyskawica oświetliła żółtą kratę jej zakrwawionej koszuli. Matka była już daleko, przy sklepie spożywczym u zbiegu Main i Komanczów.

— Nie zostawiaj mnie samego! — wrzeszczał Joey.

— Muszę, Joey! Ktoś musi to zrobić!

— *Nie zostawiaj mnie samego! Nie zostawiaj!*

— Joey!

— *Nieee!*

W tej chwili dał się słyszeć ostry dźwięk i gwoździe wyrwane z balustrady werandy pomknęły na zachód. Balustrada oderwała się i Wanda poleciała głową w dół na zakurzone podwórze. Przekoziołkowała raz, potem drugi, myśląc: to nie jest takie straszne. Nie mogła jednak się zatrzymać. Uderzyła w słupek ogrodzenia i przewróciła się w piasek i dachówki, znowu się przewróciła, uderzając w palik do przywiązywania koni, pchnięta wiatrem, zderzyła się z pudłami, szpulami kabla i puszkami farby.

Trzymając się palika, stanęła na nogi. Wzięła głęboki oddech i ruszyła w kierunku matki.

Zrobiła parę niepewnych kroków i już nie mogła się zatrzymać. Mimo że teren był równy, musiała biec. Jakby znosiło ją ze stromej góry, coraz szybciej i szybciej, aż nogi jej wpadły w taki wir, że przestało działać przyciąganie ziemskie. Potknęła się i upadła zaledwie jakieś piętnaście metrów od matki. Była cała wytarzana w śmieciach, puszkach, papierach i potłuczonych butelkach. Skaleczone kolana piekły ją jak ogień. Prawie tonęła w śmieciach. Obok niej, zręcznie jak akrobata, skoczył kot. Chociaż jego żółte oczy były otwarte — nogi miał sztywne; był martwy. Krzyknęła bezradnie, pokaleczonymi rękoma czepiając się asfaltu, walczyła, by nie dać się zepchnąć głębiej.

— Mamo! — wołała. — Mamo!

Stanęła na czworakach, lecz zaraz upadła. Znów wstała. Spróbowała jeszcze i znów padła. Wokół niej trzaskały błyskawice. Puszki i papiery razem z piaskiem tańczyły swoje piruety. Chciała krzyknąć, lecz z jej ust wydobyły się elektryczne iskry. Prawie dotarła do matki, lecz znowu upadła.

— Mamo! — Odpadki obsypały ją jak wzbierająca fala. Wózek z supermarketu uderzył ją w bok głowy. — *Mamo, to ja! Proszę, to ja, mamo!*

W końcu ta dziwna siła rzuciła ją w ramiona matki. Lecz w jej rękach nie było życia; były bezwładne i sflaczałe.

Pośród zamieci lekkich jednorazowych kubeczków i wyrwanych kartek z magazynu „Time" Wanda stwierdziła bez żadnej wątpliwości, że matka nie żyje. Uśmiechała się, lecz była martwa; wszystko, co z niej zostało, to było ciało odziane w żółtą kraciastą koszulę; uśmiechnięta, ślepa i szczęśliwie nieświadoma przerażenia Wandy. To już nie była matka, to była imitacja człowieka stworzona z martwego ciała; straszliwie zeszpecona; straszliwie obojętna. Znowu krzyknęła i zaczęła bić matkę po ręce, lecz ona zniknęła pod kolejną fontanną śmieci, po czym ukazała się ponownie jakieś cztery metry dalej, wciąż uśmiechnięta jak szczęśliwa kobieta w oceanie zapomnienia, uwolniona od wszelkiej odpowiedzialności.

— Mamo! Mamo! — krzyknęła jeszcze Wanda, lecz już wiedziała, że matka opuściła ją na zawsze.

Ta uśmiechnięta kobieta w żółtej kraciastej koszuli była nędzną kopią jej matki. Prawdziwa mama była w niebie lub w jakimś innym miejscu, gdzie Wanda nigdy nie będzie mogła jej spotkać. Była pozostawiona sama sobie.

Podniosła się i znowu upadła. Wokół niej domy poruszały się jak statki wlokące kotwice. Kominy przechylały się, balkony bujały. Przewróciła się nawet stacja benzynowa Exxon, a jej dach, jak czarna trójkątna płetwa orki, sunął na zachód. Spojrzała w górę i zobaczyła, że na zachód od Pritchard niebo jest czarne jak noc, czarne jak grzech i że nawet chmury zmierzają w tamtym kierunku.

Z piekielnym zgrzytem mijał ją dom w kolorze musztardowym. Rozpoznała dom Allisonów, który stał prawie kilometr dalej na wschód. Z trudem wstała i zaczęła biec. Co chwila padała i wstawała. Wreszcie udało się jej wdrapać na ganek. Czuła pod stopami, jak dom się porusza i obraca, lecz przynajmniej ciało jej nie wlokło się po szosie.

Trzymając się kurczowo werandy, okrążyła dom Allisonów. Dwupiętrowy, szalowany drewnem, był to dom typowy dla miasta Pritchard. Niektórzy mieszkańcy, wyprowadzając się stąd, rozbierali domy i zabierali je ze sobą na wielkich platformach. Prawie wszystkie okna na dole były powybijane, a drzwi wypadły z zawiasów. W drodze do holu zawadziła ręką o złamany zawias. Wyssała krew i chustką przewiązała ranę. Przytulając się do ściany wołała:

— Halo! Czy jest ktoś w domu? Halo!

Odpowiedziała jej cisza. Tylko wiatr gwizdał i rozlegało się echo trzaskających drzwi. Tapety w holu były żółtobrązowe, jak francuska i amerykańska musztarda razem zmieszane. Większość obrazów spadła ze ścian i wszystkie meble przesunęły się do salonu, tak że hol wydawał się dziwnie pusty — jak na dom w Pritchard, którego mieszkańcy mieli zwyczaj przeładowywania mieszkań meblami. W Pritchard meble były symbolem zamożności i pod tym względem nic się nie zmieniło od roku tysiąc osiemset sześćdziesiątego piątego, kiedy powstało to miasto. Duży kolorowy telewizor, liczne stoliki do kawy, kanapy i serwantki pełne kryształów i porcelany — wszystko to znamionowało solidność, pozycję i sukces.

Wanda stanęła na potłuczonej szybie obrazu.

— Halo! — zawołała znowu. — Jest tu ktoś?

Już miała ruszyć w stronę kuchni, kiedy z góry dobiegło ją słabe, niewyraźne wołanie. Zamarła i z trudem przełknęła ślinę. Za chwilę wołanie powtórzyło się.

— *Aaaaauaachchchch* — od tego dźwięku wiało lodowatym chłodem. Nie była w stanie rozstrzygnąć, czy to głos ludzki czy zwierzęcy.

— Jest tam ktoś? — powtórzyła głosem piskliwym i pełnym napięcia. — Halo? Czy jest tam ktoś na górze?

Znów usłyszała wołanie, tym razem wyraźnie słychać było:

— *Pomocy!*

Zawahała się przez chwilę, wsłuchując się w wiatr i dźwięki zderzających się samochodów, po czym zaczęła się wspinać na górę. Musiała mocno trzymać się balustrady, by nie dać się oderwać i unieść. Było to raczej wdzieranie się po bardzo stromej drabinie niż wchodzenie po schodach. Posuwając się w górę, jęczała z żalu i ze strachu. Rozpaczliwie pragnęła znaleźć kogoś żyjącego, kto mógłby jej pomóc lub przynajmniej poradzić.

— *Aaauaaaachchchch* — usłyszała krzyk niższy, ale bardziej przerażający.

Otworzyła drzwi sypialni. Ogromne łóżko z baldachimem na czterech kolumienkach przesunęło się na jedną stronę pokoju wraz z nocnym stolikiem, toaletką i kupą ubrań. Wspierając się o ścianę, stał tam również manekin, sztywny, brudny i bez głowy. Wisiała na nim niedokończona letnia sukienka w jaskrawe maki. Ta sukienka nigdy nie zostanie dokończona.

— *Aaaaaaaaachchchch* — znów zajęczał głos.

— Tutaj jestem, już idę! Gdzie jesteś? — zawołała Wanda.

— *...zieeence* — odpowiedział głos.

— Gdzie?

— *Łaaazieeeenkaaa. Jestem w łaaazieeeenceee.*

Roztrzęsiona, zszokowana Wanda z trudem torowała sobie drogę w stronę ostatnich drzwi, jedynych, które były zamknięte. Na podeście panował straszny bałagan, połamane obrazy, gięte krzesło, półokrągły stolik i roztrzaskana szklana lampa. Jeden z obrazów, niewątpliwie namalowany przez amatora, przedstawiał osadę Pritchard z czasów pionierskich, kiedy w miasteczku były tylko poczta, skład kolonialny i kilka bezładnie rozrzuconych farm.

— *O Boże, proszę cię, pomóż mi* — błagał głos dochodzący zza ściany.

Wanda przekręciła gałkę i otworzyła drzwi. Natychmiast całe rumowisko zebrane pod drzwiami wdarło się do łazienki i zatrzymało na wannie.

Okno od łazienki wpadło do środka i wiatr podarł kwieciste zasłony. Niebo było tak krwiste i ciemne, że pomimo braku szyby w oknie Wanda nie mogła się zorientować, co się dzieje. Udało jej się tylko odróżnić dużą białą wannę, sedes z korkową deską przewrócony na bok i stos tłuczonego szkła. Na pierwszy rzut oka łazienka wyglądała na pustą.

— Gdzie jesteś? — spytała niepewnie. — Słyszę cię, ale nie widzę.

— *W wannie* — zadudnił głos. — *Proszę, pomóż mi.*

Na wpół ślizgając się, na wpół pełznąc, Wanda niezdarnie dotarła do ściany wysokiej, staromodnej wanny. Była lodowato zimna i kiedy Wanda w nią uderzyła, wydała głuchy, dudniący odgłos.

— *O Boże, pomóż mi, proszę* — powtarzał głos.

Wanda wdrapała się na brzeg i zobaczyła, że cała wanna zalana jest krwią. Wewnątrz leżała naga dziewczyna około szesnastu lub siedemnastu lat. Jej skóra była tak biała, że wyglądała jak mydło koloru kości słoniowej; jedna ręka zaciśnięta na uchwycie, druga mocno przyciśnięta do kafelków. Wanda nie była w stanie rozpoznać koloru jej włosów, tak były przesiąknięte krwią. Strugi świeżej i zakrzepłej krwi pokrywały jej piersi i ramiona. Krwawe odciski palców poznaczyły glazurę jak testy Rorschacha — koszmary w barwnych kolorach.

— Maggie, czy to ty? Maggie? — spytała Wanda.

Z trudem udało się jej rozpoznać w tej zbroczonej krwią rusałce młodszą córkę Allisonów, która często ją pilnowała, kiedy Wanda była mała. Ostatni raz widziała Maggie Allison, jak siedziała bokiem na siodełku motocykla Ricka Merricka, roześmiana, z głową odrzuconą do tyłu, a wiatr rozwiewał jej miękkie jasne włosy.

— Maggie, co się stało? Cała jesteś we krwi — stwierdziła Wanda.

Maggie podniosła twarz i Wanda zobaczyła, że jest umazana, jakby miała uczestniczyć w obrządku inicjacji rytualnej. Oczy jej świeciły w ciemności, zakrwawiona woda oblepiła boki wanny i wydawała bulgoczące dźwięki.

— Okno... pękło okno. Szkło wpadło do wanny. Próbowałam wyjść, ale pokaleczyłam sobie nogi i przecięłam kostkę. Nie mogę się ruszyć i nie potrafię zatamować krwawienia, tu jest tyle krwi. Och, Wando, boję się, że umrę, że wykrwawię się na śmierć.

— Czy jest tutaj twoja mama? — spytała Wanda. Co tu robić? Jeżeli nawet uda jej się wyciągnąć Maggie z wanny, to w jaki sposób zatamuje krwawienie?

— Wołam i wołam, ale nikt nie przychodzi — narzekała Maggie. Kiedy zaczęła się burza, mama była na podwórzu... Od tamtej pory nie słyszałam jej.

— To nie jest burza — stwierdziła Wanda. — To jest coś zupełnie innego.

— Pomóż mi wydostać się stąd — prosiła Maggie.

Wanda zastanowiła się przez chwilę, po czym pociągnęła za łańcuszek. Odpowiedzią był krótki pusty dźwięk.

— Czy ona się nie opróżnia? — spytała Wanda.

Maggie zakaszlała i z ust jej wydobyły się krwawe bańki.

— Łańcuszek jest urwany... wyciągaliśmy korek ręką. Ale nie rób tego. Tu jest pełno szkła. Pokaleczysz sobie palce.

— Może ciebie uda mi się wyciągnąć — zaproponowała Wanda.

— Spróbuj, tylko nie ciągnij mnie. W moim boku tkwi kawał szkła.

Z rozpaczą rozejrzała się po łazience. Przez cały czas Maggie ani na chwilę nie puściła z ręki uchwytu, oddech miała słaby i nierówny, zakrzepła krew na włosach tworzyła ohydną i straszną perukę. Cały dom dygotał jak w febrze; usłyszały nad głową lawinę gontów spadających z dachu. Belka stropowa zajęczała, dachówki dzwoniły jak kastaniety, z podłogi wychodziły gwoździe. Dom się obrócił, a krwistoczerwone światło wpadające przez okno omiotło łazienkę.

— Wiem, co zrobię — odezwała się Wanda. — Wyłożę wannę ręcznikami i podsunę je pod ciebie. W ten sposób będę mogła wyciągnąć cię, nie narażając na dalsze skaleczenia.

Maggie milczała i kaszlała bez przerwy.

Wanda ruszyła przed siebie, zmagając się z brakiem siły ciążenia, który uniósł jej matkę i groził uniesieniem wszystkiego — ludzi, samochodów, domów, a nawet samego nieba. Rękami torowała sobie drogę do bieliźniarki, otworzyła zamek i od razu dostała w głowę drzwiczkami szafki, skąd wysypała się na nią lawina ręczników kąpielowych.

Kaszląc, z najwyższym wysiłkiem przemieszczała się tyłem w stronę wanny, ciągnąc za sobą ręczniki, jak się okazało, zupełnie niepotrzebnie. Cała zawartość bieliźniarki sama, kłębiąc się, sunęła po podłodze i zatrzymała się przed wanną.

— Wanda, tak mi zimno — szeptała Maggie. — Ratuj mnie. Tak mi strasznie zimno.

Wanda wzięła ręcznik i zanurzyła go głęboko w czerwoną wodę. W pierwszej chwili spęczniał od powietrza, po czym zatonął. Usłyszała skrzypienie szkła na dnie wanny.

— Ostrożnie, ostrożnie! — krzyknęła Maggie.

Przy próbie przeciągnięcia ręcznika głębiej po dnie wanny

poczuła ostry ból. Wyszarpnęła rękę z wody i zobaczyła jasno-czerwone strumyczki, które na kształt piórek płynęły z jej nadgarstka.

Rozwinęła drugi ręcznik i mocno przycisnęła go do ręki. Rana była czysta, ale nierówna i dość głęboka. Przykładała ręczniki do rany, krew płynęła coraz obficiej.

Maggie zapiszczała. Wanda zawiązała rękę chusteczką do nosa i zębami zaciągnęła węzeł. Potem zaczęła wkładać do wanny ręczniki jeden po drugim.

— Maggie, czy mnie słyszysz? — dopytywała się.

Maggie pokiwała głową.

— Strasznie mi zimno — wyszeptała.

Leżała w wodzie tak głęboko, że mówiła, bulgocząc.

— Maggie, przykryłam szkło wokół ciebie ręcznikami. Musisz teraz przewrócić się na ręczniki, a ja spróbuję cię wyciągnąć.

Dom wydał z siebie prawie ludzki jęk. Część sufitu w łazience odpadła, obsypując dziewczynki grubą warstwą tynku. Usłyszały pękanie szyb okiennych i głuchy huk, jakby zapadał się dach werandy. Krwistoczerwone światło na przemian zmniejszało się i przybierało na sile, lecz wiatr nie ustawał.

— Musisz spróbować, Maggie!

Maggie odwróciła głowę i spojrzała na Wandę z żałosną rozpaczą.

— *Czuję się... cała krew wypłynęła z mojego ciała... nic nie zostało.*

— Musisz, Maggie. Chyba nie chcesz tutaj umrzeć!

Wanda pochyliła się nad wanną i zaczęła odrywać palce Maggie od uchwytu, jeden po drugim. Nie było to trudne. Maggie była słaba i prawie nieprzytomna. Nie ponaglając jej, Wanda ostrożnie zanurzyła ręce w wodzie. Zawahała się, przełykając żółć, która napłynęła jej do ust. Czuła pod dotknięciem plecy Maggie, jak tuszę świeżo zarżniętej świni — opaloną, wypatroszoną i powieszoną do wystygnięcia. Wanda chwyciła zimne, ustępujące pod dotknięciem ciało i starała się przewrócić je na ręczniki.

— Postaraj się, Maggie, musisz mi pomóc — namawiała. Postaraj się podciągnąć na jedną stronę wanny... sama nie dam rady cię wyciągnąć.

Maggie wpatrywała się w nią. Białe oczy, zakrwawiona twarz.

— *Nie, Wando. Musisz mnie tu zostawić.*

— Nie mogę! Nie zostawię cię!

— *Będziesz musiała. Jestem już prawie martwa.*

— Nie! — krzyknęła na nią Wanda.

Przez ciało Maggie przebiegł dreszcz i zamknęła oczy.

— *Nie!* — wrzasnęła Wanda. — *Nie!*

Znów włożyła ręce do zakrwawionej wody, próbując podciągnąć Maggie po śliskiej ścianie wanny. Wytężyła wszystkie siły, stękając i jęcząc z wysiłku.

Siadła na podłodze koło wanny i podciągała Maggie coraz wyżej. Kiedy była już pewna, że nigdy się jej to nie uda, Maggie nagle stała się bardzo lekka. Wkrótce Wandzie udało się posadzić ją na brzegu wanny. Jedna ręka Maggie, cała zalana krwią, kołysała się bezwładnie. Jeszcze jeden wysiłek i mokra, zakrwawiona i lodowato zimna Maggie spadła wprost na Wandę.

— Wytrę cię... zabandażuję ci rany — mówiła Wanda, dysząc ciężko. Uklękła obok wanny, starając się uspokoić. — Gdzieś tutaj musi być lekarz... ktoś musi wezwać pomoc.

W tej chwili zdała sobie sprawę, dlaczego Maggie, kiedy wyciągała ją na brzeg wanny, tak nagle zrobiła się lżejsza. Lewa strona brzucha była otwarta. Ogromny trójkątny kawał szkła przeciął skórę, tkankę tłuszczową, przeponę i mięśnie na przestrzeni od klatki piersiowej aż po wzgórek Wenery. Dopóki Maggie leżała z podciągniętymi kolanami, przyciśnięta do ściany wanny, rana była jakby zamknięta. Jak tylko Wanda wyciągnęła ją na brzeg, rana rozwarła się szeroko.

Wanna pełna była odłamków szkła, ostrych jak noże, zimnej, zakrwawionej wody oraz wnętrzności, które wypłynęły z otwartej rany Maggie. Nad tym wszystkim unosił się cierpki zapach krwi zmieszany z kwasem treści żołądkowej i wszechobecnym odorem ludzkich ekskrementów.

Wanda przymknęła oczy. Doskonale zdawała sobie sprawę, że ona również może dzisiaj umrzeć. Nie chciała oderwać się od wanny. Nie miała siły na dalszą walkę z tą nieustępliwą i gwałtowną siłą. Dom Allisonów zadrżał, przesunął się, wreszcie się zawalił. Zrobiło się tak ciemno, iż pomyślała, że to nadszedł koniec świata. Woda w wannie zachlupotała, rozlała się i cichutko zachrzęściło połamane okno. Przez okno w łazience dojrzała kłębiące się, olbrzymiejące chmury, bardziej przypominające film puszczony w przyśpieszonym tempie niż prawdziwe niebo. Zakryła twarz rękami i zaczęła się modlić.

— Proszę cię, dobry Boże na wysokościach, napełnij serce moje Twoją bezgraniczną świętą miłością. Proszę Cię, aby Twoja miłość uchroniła mnie przed grzechem i zachowała mnie w czystości. Mam nadzieję, że dzięki Twej słodkiej i potężnej Opatrzności moja dusza odmieni się ku Twojej chwale.

Nie wiedziała, jak długo klęczała w łazience z mocno zaciśniętymi oczami, gdy nagle uzmysłowiła sobie czyjąś obecność obok siebie. Raczej kogoś wyczuła, niż usłyszała. Odjęła ręce od twarzy i z rosnącym lękiem rozejrzała się po łazience.

— Czy jest tu kto? — zawołała. W czerwonej poświacie głos jej brzmiał płasko i niewyraźnie.

Z początku nie było odpowiedzi. Po chwili z cienia drzwi wyłoniła się wysoka, ciemna postać, jak czarna Amelia rozszczepiona na pół. To był Murzyn — chudy jak szkielet, we fraku i w sztuczkowych spodniach, z wysoko postawionym kołnierzem i zegarkiem na dewizce.

Jego wygląd wydawałby się niedorzecznie elegancki, gdyby nie to, że gruba warstwa kurzu pokrywała jego ramiona, a koszula była zupełnie pozbawiona jakiegokolwiek koloru. Kołnierzyk koszuli, brudny, tłusty, był prawie pomarańczowy. Oczy świeciły w mroku, jakby dwa błyszczące czarne karaluchy siedziały na jego powiekach. Rozciągnięte wargi odsłaniały pożółkłe zęby.

Podszedł bliżej. Wanda, chwytając się zimnej wanny, niezdarnie stanęła na nogi.

— Boisz się mnie, dziecko? — zapytał Murzyn. Jego głos, suchy i ochrypły, przypominał przesypywanie ziarna kukurydzy przez palce.

— Kim jesteś? — spytała. — Co tu robisz? To nie jest twój dom.

— Wiem — zgodził się Murzyn. — To jest dom twojej przyjaciółki. Widzę, że jest martwa. Przykro mi. To bardzo smutny widok.

— Czego chcesz? — zapytała Wanda.

— Właściwie niczego. — Potrząsnął głową. — Przechodziłem i usłyszałem twoją modlitwę. Wzruszyłem się i słuchałem chwilę. W dzisiejszych czasach ludzie rzadko modlą się tak żarliwie. — Milczał chwilę, potem powiedział: — Gdyby wiara ludzi w rzeczy niewidzialne, których nie można zamknąć w banku, była większa, może nigdy by się to nie zdarzyło.

— Właściwie co to jest? Czy to nadszedł koniec świata?

Mężczyzna pomyślał i skinął głową.

— Tak. Można by tak powiedzieć. W każdym razie dla większości twojego narodu. Z pewnymi wyjątkami. Na przykład ty. Prawdę mówiąc, bardzo wysoko oceniam twoją wiarę i mówię alleluja.

Sięgnął do kieszeni kamizelki i wyjął mały srebrny wisiorek na cienkim srebrnym łańcuszku. Podał go jej, lecz Wanda wzbraniała się go dotknąć.

— Weź go — namawiał ją. — Noś go, a będziesz bezpieczna, nawet przemierzając dolinę cieni śmierci. Wiesz, skąd go mam? Dał mi go sam Toussaint L'Ouverture, przywódca czarnych niewolników.

Wanda niechętnie wyciągnęła rękę. Mężczyzna ujął ją za nadgarstek i położył wisiorek na jej otwartej dłoni. Była to figurka małego srebrnego kogucika ze skręconą szyją i szeroko rozpostartymi skrzydełkami.

— Noś go — zachęcał ją Murzyn. — Jeżeli ktoś zapyta cię, skąd go masz, powiedz, że od samego Toussainta L'Ouverture'a, który dał go w prezencie Jonaszowi DuPaul, a Jonasz z kolei dał tobie i powiedział alleluja.

Nie wiedziała, co odpowiedzieć, lecz Murzyn nie przestawał nalegać.

— Załóż go, moje dziecko. Załóż go. Z nim nikt cię nie skrzywdzi. W tym naszyjniku zaklęte są duchy voodoo. Każdemu, kto go nosi, przekazują wszystkie swoje właściwości i całą swoją moc. Każda kolejna osoba, która go otrzymuje, przejmuje cechy poprzedników. Gdy włożysz ten wisiorek, zyskujesz moją ochronę przed złymi duchami, które chodzą po tej ziemi, oraz tymi złymi duchami, które chodzą pod ziemią. Wraz z nim otrzymujesz, moje dziecko, całą moją mądrość i moją czarodziejską moc.

Z wahaniem i wielką ostrożnością Wanda przełożyła łańcuszek przez głowę. Murzyn, ukazując w uśmiechu pożółkłe zęby, bacznie ją obserwował. Skinął głową i rzekł:

— Alleluja. Dobrze, moje dziecko. Alleluja.

ROZDZIAŁ 6

Drzwi otworzyła nam Karen. Ostatnie promienie słońca wykradały się przez okno jak zniecierpliwiony gość, który zbyt długo czekając w przedpokoju, wreszcie zdecydował się odejść. Michael Greenberg w luźnym ciemnozielonym golfie stał z boku. Oczy miał spuchnięte ze zmęczenia; cała jego postawa wyrażała głęboką rezerwę i rezygnację. Gdy przedstawiłem mu Martina Vaizeya, zdawkowo skinął głową.

— Miło mi pana poznać.

Nie miałem mu tego za złe. Musiał znosić dwóch psychiatrów, tuziny krewnych, którzy nie wierzyli w całą tę historię, wróżbitę eleganta i Karen, która zawsze była trochę szalona. A teraz jeszcze ten wysoki mężczyzna o wyglądzie harcerza, w lnianym garniturze i panamie, z aktówką za trzysta pięćdziesiąt dolarów z firmy Abercrombie i Fitch. Martin wszedł do mieszkania i pociągnął nosem.

— Dziwne — stwierdził.

Michael otworzył butelkę wódki Absolut.

— Czy ktoś ma ochotę na drinka?

— Nie, dziękuję bardzo — odpowiedział Martin, podnosząc rękę do ucha, jakby słyszał coś, czego myśmy nie mogli usłyszeć.

— Alkohol osłabia wrażliwość metapsychiczną — wyjaśniłem.

Michael wzruszył ramionami.

— Czy nie będziecie mieć nic przeciwko temu, że się napiję?

— Oczywiście, że nie — odparłem. — Sam się też chętnie napiję.

Michael nalał dwie duże wódki z lodem i spytał:

— A co z twoją wrażliwością metapsychiczną?

— Moja wrażliwość jest bardzo szczególna. Najlepiej rozwija się pod wpływem alkoholu. *Na zdrowje.*

Martin krążył wolno po pokoju, to wchodząc, to wychodząc z cienia. Zdaje się, że działał Karen na nerwy, bo podeszła do mnie i wzięła mnie za rękę.

— Dziwne. Bardzo dziwne — oznajmił Martin. — Jeszcze nigdy nie miałem z czymś takim do czynienia.

— Doprawdy? — spytałem.

Mrużąc oczy, twierdząco skinął głową.

— Wibracja transkomunikacyjna jest zupełnie odmienna.

— Rozumiem — odparłem, przełykając łyk wódki. — Czym się różni, jeżeli można wiedzieć?

Martin zatrzymał się i spojrzał na mnie niewidzącym wzrokiem.

— Co proszę?

Zakrztusiłem się. Absolut to mocny trunek.

— Pytałem, czym szczególnym się różni.

— Co się różni?

— Czym szczególnym różni się trans...? No dobrze, spytam inaczej. Na czym polega odmienność tej wibracji?

Martin wpatrywał się we mnie przez dłuższy czas, aż poczułem się nieswojo. Gdy się odezwał, mówił powoli i cierpliwie, jakby tłumaczył sześcioletniemu chłopcu zasadę działania długopisu.

— Duch ma bardzo wyraźną wibrację transkomunikacyjną i własny sposób nawiązywania kontaktów ze światem. To jest rodzaj metapsychicznego zapisu głosu, jeśli miałbym szukać porównania. W tym przypadku wibracja transkomunikacyjna, którą odbieram, jest bardzo silna i prawdopodobnie, choć nie na pewno, pochodzi od człowieka. Istnieją duchy, które z dużym powodzeniem naśladują ludzi. Wyczuwam człowieka, lecz sposób porozumiewania się jest odmienny niż ten, jakiego zwykłem oczekiwać od ducha człowieka. Rozumiesz, o co mi chodzi?

— Oczywiście, że rozumiem — odparłem nieco zbyt obcesowo. Zwróciłem się do Karen i Michaela, a moje spojrzenie mówiło: Czy go rozumiem? On chyba żarty sobie ze mnie stroi.

Martin kontynuował w spokoju swoje nieziemskie polowanie.

— Większość duchów — z wyjątkiem morderców i samobójców — uwielbia kontakt z żywymi. Każda próba dotarcia do nich natychmiast spotyka się z odzewem. To tak jakby zanurzyć się w stawie, natychmiast dziesiątki chętnych rąk będą chciały cię wyciągnąć. Zmarli kochają nas. Kochają świat, który zostawili za sobą. Choć często nie mają powodów, zważywszy na to, ile wycierpieli, zanim umarli. A jednak tęsknią do nas i cenią sobie każdą próbę nawiązania z nami kontaktu. To sprawia, że moje życie jako medium jest takie przyjemne. Można mieć sceptyczny stosunek do tych, którzy rozmawiają z duchami — wyłączając, rzecz jasna, tu obecnych, lecz w mniejszym lub większym stopniu prawie każdy może to zrobić, ponieważ one garną się do rozmowy z nami. Chcą przekazać swoim ukochanym wiadomość, że istnieje jakieś życie po śmierci. Koniecznie chcą im powiedzieć, że cierpliwie, aczkolwiek ze smutkiem, czekają na dzień, kiedy znów będą razem spacerowali. Duchy mówią nam o nadziei, szczęściu i wyzwoleniu z cierpienia.

Rany boskie, pomyślałem, ten facet powinien być poetą.

— Zdawało mi się, że powiedziałeś, że ten duch jest inny — przerwałem mu.

Miałem nadzieję, że mój ostry ton nie zostanie odczytany przez Michaela jako brak wiary w umiejętności Martina. Zniecierpliwiły mnie tylko te frazesy o nadziei, szczęściu i uwolnieniu się od cierpienia, których tak wiele już słyszałem, głównie od siebie samego.

Jeżeli o mnie chodzi, to Martin wcale nie potrzebował reklamy. Nie znałem nikogo, kto miałby taką wiedzę i umiejętności spirytystyczne, nie dorównywała mu nawet Amelia. Na własne oczy widziałem przecież, jak wywołał na okładce książki twarz mojego współtowarzysza, Śpiewającej Skały. Widziałem to, dotykałem, słyszałem, jak mówi, i fakt ten w zupełności wystarczy mi za jego rekomendację.

— Spodziewałem się już teraz usłyszeć duchy, jak mówią, a nawet wołają. Lecz wszystko, co czuję do tej pory — przymknął oczy, jakby starając się usłyszeć odległy gwizd lokomotywy — to ciemność.

— Ciemność? — zdziwił się Michael.

Zawahał się z odpowiedzią.

— Tak, ciemność. Niezwykła ciemność. I ruchy tych, którzy żyją w ciemności. Ruchy tych, którzy są ciemnością.

Karen ścisnęła moje ramię.

— Chyba to nie powinno być bardzo niebezpieczne, prawda?

— Och, nie, niespecjalnie — uspokoił ją Martin. — Chyba że ktoś boi się ciemności, że serce zamiera mu w piersiach na widok własnego cienia. — Uśmiechnął się. — Nie mówię o Księciu Ciemności.

— Najwyższy czas, żebyś poznał Naomi — wtrąciłem. — Im szybciej dowiemy się, co się z nią dzieje, tym szybciej ten pan będzie mógł wrócić do normalnego życia.

— Oczywiście — zgodził się Martin, z wielką pewnością siebie zacierając ręce.

Michael otworzył drzwi do jadalni, sam jednak cofnął się parę kroków, pozostawiając drzwi otwarte.

— To tutaj? — spytał Martin, wchodząc ostrożnie do pokoju.

Jadalnia była jeszcze ciemniejsza i zimniejsza, a kwaśny odór wyraźnie się nasilił. Na środku — jak przedtem — siedziała Naomi, kurczowo trzymając się jedynego krzesła, a wszystkie meble były zsunięte pod przeciwległą ścianę. Owinięta była w ciemny, kraciasty pled. Włosy miała w nieładzie, a powieki zaczerwienione z wyczerpania i napięcia. Prawdę mówiąc, strasznie śmierdziała.

Martin podszedł do Naomi i przykucnął, tak by jego twarz znalazła się na poziomie jej oczu. Z początku widać było tylko białka, oczy miała schowane gdzieś w głębi czaszki, lecz Martin czekał cierpliwie i po chwili powieki zamrugały i ukazały się źrenice. Ze zdumieniem wpatrywała się w Martina, później spojrzała na mnie.

— Jak się masz, Naomi — spytał tonem starego przyjaciela, którego nie widziało się od lat. — Jak się czujesz?

— Jestem zmartwiona — ochrypłym głosem odpowiedziała Naomi.

— Zmartwiona? — powtórzył Martin. — Czym się martwisz?

Zasmucony Michael powiedział:

— Z nim rozmawia, z tobą rozmawia, dlaczego nie rozmawia ze mną?

— Cicho — uspokajała go Karen. Ja też go uciszyłem.

Tonem zdenerwowanej małej dziewczynki Naomi wyjaśniła:

— Martwię się, co się stanie, kiedy...

Martin nie przerywał jej, dając jej czas na znalezienie odpowiednich słów.

— Martwię się tym, co się stanie, kiedy umrę. — Naomi

szybko się rozejrzała, jakby chciała się upewnić, że nikt niepowołany nie słyszy. — Przypuśćmy, że umrę w nocy i spadnę z tego krzesła. Martin zastanawiał się chwilę, po czym powiedział:

— No dobrze, załóżmy, że tak się stanie.

— Wówczas oni wszystko zabiorą. Wtedy pokażą, jacy są silni.

— Kto to są oni, Naomi?

Naomi pokazała głową w kierunku ściany.

— Czy to są sąsiedzi? — spytał Martin.

Zaprzeczyła ruchem głowy.

— On wie — powiedziała, wskazując na mnie. — I ona wie — wskazała na Karen. Przypominała kurczaka, który dziobie ziarno na podwórzu.

— Pan Erskine i panna Tandy wiedzą, kto to jest? — nalegał Martin.

Naomi zakryła twarz rękami, tak że wyglądały tylko oczy. Martin, zafascynowany, wpatrywał się w nią, ale widać było, że sam jest poważnie zaniepokojony.

— Teraz zaczynam rozumieć, przed czym usiłował cię przestrzec twój przyjaciel Śpiewająca Skała — oznajmił Martin.

— Widziałeś już kiedyś ten znak? — zapytałem. — Wiesz, co to znaczy?

Wstał, dotknął ramienia Naomi, chcąc okazać, że docenia i dziękuje jej za pomoc.

— Może to oznaczać kilka różnych rzeczy. Ma to swoje znaczenie w psychiatrii, w obrzędach ludowych i w spirytyzmie.

— Jej psychiatra uważa — wtrącił się Michael — że ona cierpi na rozdwojenie jaźni, łagodną schizofrenię.

— Ma rację — zgodził się Martin. — Psychotycy, którzy zakrywają twarze, czyli improwizują maski, usiłują dać do zrozumienia, że są kimś innym.

— Uważa pan, że na tym polega choroba Naomi? — dopytywał się Michael.

— Powiedzmy sobie prawdę. — Martin uśmiechnął się kwaśno. — Naomi wykazuje kilka typowych objawów schizofrenii. Stopniowe pogrążanie się w urojonym świecie. Słyszy głosy z pogróżkami i widzi postacie. To są halucynacje. Ma nieprzepartą skłonność do pozostawania w tym samym miejscu.

113

Doskonale rozumiem, dlaczego jej psychoanalityk uważa, że cierpi na schizofrenię.

— Tak pan sądzi? — dopytywał się Michael.

— Proszę jednak spojrzeć dookoła — uśmiechnął się Martin. — Jak jej analityk tłumaczy sprawę mebli? Tych obrazów? Spróbował poprawić jeden, który wisiał bokiem, lecz jak tylko go puścił, ten natychmiast powrócił do poprzedniej pozycji. — W tym pokoju aż nadto jest śladów działania sił nadnaturalnych. I jest to siła nieustępliwa. Jeszcze nigdy nie spotkałem się z taką determinacją. Złośliwe duchy zazwyczaj prędko nudzą się grą, jaką prowadzą, i przenoszą się w inne miejsce. A ten jest zdecydowany. On jest jak rozszalały byk w czasie walki, już ma złamany kark, a jeszcze weźmie cię na rogi. Czy lekarze Naomi mieli jakieś pomysły, jak wytłumaczyć te zjawiska? — zwrócił się do Michaela.

Michael przecząco potrząsnął głową.

— Doktor Stein, jak się zdaje, uważa, że ona sama to robi, nie wiem dlaczego — złośliwość, klimakterium. Nie mówi, jak ona to robi. Nigdy nie spotkałem się z czymś takim, żeby zmiany zachodzące w człowieku mogły spowodować, że pięćsetkilogramowy kredens sam przesuwa się przez pokój. Plecie bzdury o oddziaływaniach psychokinetycznych i władzy umysłu nad materią. Nie wiem, czy on sam w to wierzy, ale nie zaproponował innego wyjaśnienia. Doktor Bradley zaś w ogóle nie zwraca na to uwagi.

Martin rozejrzał się po mrocznym, wypełnionym zapachem stęchlizny pokoju. Było tak zimno, że oddech zamieniał się w parę.

— Nie zwraca uwagi? Jak można nie zwracać uwagi na coś takiego?

Zrobiłem jeszcze jedną próbę wyprostowania obrazu. Przez chwilę utrzymywał się w pionie, po czym wrócił do pozycji poziomej.

— To tak jak my nie zwracamy uwagi na różnych łobuzów, narkomanów i facetów śpiących na ulicach w kartonach. To się nazywa samorozgrzeszanie, prawda? Jeżeli nie zwracasz na coś uwagi, nie możesz się tym martwić. Doktorzy są w tym dobrzy.

Martin dotykał ścian, dotykał mebli.

— No tak... — odezwał się w końcu. — Cokolwiek by myślał

o tym doktor Bradley, jest tutaj jednak coś dziwnego. Postarajmy się dowiedzieć, co to jest.

— Jak ma pan zamiar to zrobić? — spytał Michael.

— Mam zamiar nawiązać łączność z tym czymś.

— Chcesz wejść w kontakt z tym czymś? — spytałem. — Chcesz zrobić seans?

Karen wyglądała na przestraszoną. Ostatnio gdy uczestniczyliśmy w takim seansie, Karen stanęła oko w oko z duchem, który o mało jej nie zabił.

— Harry... — szepnęła. — To nie dla mnie. Proszę.

— Niech się pani nie obawia — uspokajał ją Martin. — Nie mam zamiaru organizować typowego seansu. Wszyscy trzymają się za ręce, stukanie-pukanie. Duchu, czy jesteś tam? Taki seans nic nie daje. Im więcej ludzi bierze w nim udział, tym większy opór psychiczny się wytwarza. Jeżeli chce się uzyskać jednoznaczny przekaz, musi to być spotkanie sam na sam.

— Czy mogę pomóc? — zapytałem.

Martin rozejrzał się po pokoju. Przesłaniając usta ręką w geście głębokiego namysłu, szybkim uważnym spojrzeniem wyszukiwał ewentualne przeszkody.

— O tak. Możesz mi pomóc. Mam zamiar wprowadzić się w stan transplantacji. W poszukiwaniu ducha, który jest sprawcą tych wydarzeń, być może będę musiał posunąć się bardzo daleko. Jest mało komunikatywny i może ukrywać się na różne sposoby. Może na przykład przybrać postać innego ducha albo rozproszyć się. Mimo twojego niskiego mniemania o sobie, jesteś człowiekiem o doskonałym wyczuciu. Chciałbym, żebyś spełniał wobec mnie rolę kotwicy; kogoś, kto mnie powstrzyma.

— Co przez to rozumiesz?

— To znaczy, że jeżeli wyczujesz, że sprawy przybierają zły obrót, przywrócisz mnie do rzeczywistości. Nie słuchaj moich próśb i argumentów, bez względu na to, co będę mówił, masz przywrócić mnie do rzeczywistości.

— Skąd będę wiedział, że sprawy przybierają zły obrót?

— Będziesz wiedział, wierz mi.

— Co mam zrobić, żebyś powrócił?

— Wystarczy, jak mną potrząśniesz i obudzisz mnie. Wydałem policzki.

— Mam nadzieję, że wiesz, co robisz.

Martin skwitował moją uwagę uśmiechem.

— Korzystanie z mojej wrażliwości metapsychicznej to moja największa radość, Harry. Za każdym razem jest inaczej. Nigdy nie wiesz, jak to będzie.

Zdjął płaszcz i rzucił go nonszalanckim gestem, lecz płaszcz zamiast opaść na podłogę, wymknął się bokiem i owinął wokół nogi stołu Greenbergów. Byłem pod wrażeniem. Ten facet ma styl. To tak jakby Norman Schwarzkopf przypalał cygaro od płonącego szybu naftowego w Kuwejcie.

Odpiął srebrne spinki i zawinął rękawy koszuli.

— Zanim zacznę, chciałbym wyjaśnić pewną sprawę. Naomi powiedziała, że ty i panna Tandy „wiecie". Co chciała przez to powiedzieć?

Spojrzałem na Karen, lecz ona odwróciła twarz.

— Karen i ja byliśmy kiedyś uwikłani w poważne doświadczenie natury metapsychicznej. To wszystko — wyjaśniłem niechętnie.

— Kiedy to było?

— Jakieś dwadzieścia lat temu.

— Czy to było niedaleko stąd?

— I tak, i nie. To było w szpitalu Sióstr Jerozolimy na Park Avenue.

— Czy sądzisz, że może istnieć jakiś związek między tymi wydarzeniami? Nawet bardzo odległy?

— Kto to może wiedzie? Niezgłębiony jest sposób poruszania się duchów. Dobrze o tym wiesz.

— Daj spokój, Harry. Jak często przeciętny człowiek z ulicy może doświadczyć działania sił metapsychicznych? Raz w życiu? Mówisz, jakbyś nie wiedział, że duchy nie spacerują po mieście.

— Chcesz wiedzieć, co myślę naprawdę? — odparłem, już trochę zły. — Długo się nad tym zastanawiałem i nie widzę żadnego związku między zjawiskami metapsychicznymi, które występują w domu Greenbergów, a moimi własnymi przeżyciami. Zgadzam się, że Śpiewająca Skała chciał mnie przed czymś ostrzec, lecz nie rozumiem, dlaczego miałby mnie ostrzegać na tę okoliczność.

Podnosząc ręce w geście przeproszenia, Martin powiedział:

— Przykro mi. Nie chciałem cię zdenerwować.

— Nie zdenerwowałeś mnie — odpowiedziałem, ochłonąwszy. — Chodzi o to, że to było takie piekielnie niszczące. Dużo czasu minęło, nim pozbyłem się skutków. Może powinienem był skorzystać z pomocy terapeutów jak Karen. Nawet teraz, po tylu latach, nie lubi o tym mówić. Rozumiesz więc, że nie cieszy nas perspektywa powtórki.

— Rozumiem — przyznał Martin. — Jeżeli jednak ten związek istnieje, uprzedzam was, że dowiemy się o tym bardzo prędko. Co więcej, to bardzo ważne, żeby dowiedzieć się o tym szybko. Lepiej więc, żebyście byli przygotowani. Im więcej wiem, tym szybciej znajdę ducha. Im więcej wiem, tym jestem silniejszy.

Nie mogłem oderwać oczu od Karen. Jedną ręką przysłoniła oczy, drugą trzymała na karku. Podszedłem do niej, chcąc ją uspokoić.

— Wszystko będzie dobrze, zobaczysz. Daję słowo.

— Tak samo jak dałeś słowo, że pomożesz Naomi? — wtrącił Michael.

Starałem się zapanować nad sobą.

— Robię, co mogę, kapujesz? Nie ma nikogo lepszego niż Martin.

— Pozwoli pan, panie Greenberg — zwrócił się Martin do Michaela. — O wiele łatwiej będzie mi stawić czoło tym niepokojom, jeżeli państwo, pan i panna Tandy, opuszczą to pomieszczenie. To nie jest pana wina, ale widać, że jest pan zmęczony i wrogo nastawiony. Z kolei panna Tandy wyraźnie się boi. Takie reakcje nie sprzyjają bezpiecznemu przebiegowi seansu transplantacyjnego.

— Co będzie z Naomi? — spytał zaniepokojony Michael.

— Nic się jej nie stanie. Będę nad nią czuwał. Po to tu jestem.

— Dobrze — zgodził się Michael. — Czy potrzebuje pan czegoś?

— Tak, bardzo proszę. Potrzebna mi będzie miska z wodą. Wystarczy zwyczajna kuchenna miska.

Michael poszedł po wodę. Ostrożnie podał ją Martinowi, który postawił ją na podłodze. Ku mojemu zdziwieniu miska nie przesunęła się, tylko stała tam, gdzie Martin ją postawił.

— Duchy nie mają wpływu na wodę. Dziwię się, że o tym nie wiedziałeś.

— A co z miską?

— Nie mogą przesunąć miski, ponieważ jest w niej woda. Jest bardzo interesujący rozdział na temat związków między duchami a wodą w książce *Doświadczenia metapsychiczne* Danemana.

— Widzę, że jesteś prawdziwym ekspertem.

— Daję z siebie wszystko — odpowiedział bez zbytniej skromności. — A teraz, gdyby państwo mogli zostawić nas samych...?

Z widocznym ociąganiem Michael i Karen wyszli z jadalni. Karen rzuciła mi spojrzenie pełne trwogi i posłała ulotny pocałunek, po czym zamknęła za sobą drzwi.

— Martwię się... — szeptała Naomi. — Martwię się, że umrę we śnie... boję się, że odbiorą mi krzesło...

Martin dotknął ręką jej policzka.

— Nie denerwuj się, Naomi... Nie umrzesz we śnie. Zanim się zorientujesz, już będzie po wszystkim. Będziesz mogła postawić swoje krzesło, gdzie tylko będziesz chciała.

— Naprawdę? — z niedowierzaniem w głosie spytała Naomi.

— Naprawdę — uśmiechnął się Martin. Odwracając się do mnie, powiedział: — Najpierw spróbuję nawiązać kontakt ze Śpiewającą Skałą, twoim duchem opiekuńczym. Muszę się dokładnie dowiedzieć, przed czym chce cię ostrzec... i czy to ma związek z Naomi i Greenbergiem, i co się tu dzieje.

— Zgoda. Jeżeli musisz. — Wcale mi się to nie podobało. Zimny dreszcz przebiegł mi po grzbiecie, uczucie, którego nie doznałem przez ostatnich dwadzieścia lat i miałem nadzieję, że nie doznam nigdy.

— Harry — rzekł Martin. — Gdyby było jakieś inne wyjście...

— Rozumiem — odrzekłem.

— Duchy nie ostrzegają bez powodu. Nie wywołują fałszywych alarmów.

— Już dobrze. Przecież się zgodziłem.

— W takim razie, doskonale. — Rozglądając się dookoła, Martin pociągnął nosem. — Czujesz ten zapach?

— Nie wiem. Mam zapalenie zatok.

— Czujesz zapach ziół lub dymu?

Głośno pociągnąłem nosem.

— Tak, czuję coś takiego.

— Byłeś kiedyś na prerii?

— Chodzi ci o jakąś konkretną prerię?

— Taką, na której rośnie bylica. Ten zapach mi ją przypomina. Bylica i korzenie balsaminy, i ogniska na polanach.

— Co ty powiesz? Nasz duch piecze na grillu.

Martin pominął milczeniem moją uwagę. Widać znał mnie już na tyle, by wiedzieć, że moją pierwszą reakcją na strach jest śmiech. Nieraz na filmie z gatunku horroru słychać, jak ludzie się śmieją. To nie dlatego, że akcja filmu jest zabawna. Śmiech jest obroną człowieka przed strachem.

— Jak już mówiłeś, Śpiewająca Skała to tubylec, prawda? upewniał się Martin.

— Tak. Był Indianinem z plemienia Siuksów Oglala. Prowadził firmę ubezpieczeniową, ale był też szamanem.

Martin jeszcze raz wciągnął powietrze nosem i zamknął oczy w zamyśleniu, ale nic nie powiedział.

— Zobaczymy go jeszcze raz? — spytałem. — Czy to będzie coś takiego jak z książką?

Martin otworzył oczy.

— Nie. Teraz mamy wodę.

— Ach tak. Zupełnie zapomniałem o wodzie.

Martin podszedł do ściany, gdzie były zwalone wszystkie sprzęty, i odstawił na bok dwa krzesła, tak aby były w zasięgu ręki. Długo im się przyglądał. Nie ruszałem się ze swojego miejsca, od czasu do czasu uśmiechałem się do Naomi i od czasu do czasu spoglądałem na miskę z wodą. Nic się nie działo poza tym, że powierzchnia wody zaczęła lekko falować. Mógł to sprawić przeciąg lub kroki Martina, który nie przestawał krążyć po pokoju. Prawdę mówiąc, ta woda odbierała mi pewność siebie. Nigdy przedtem nie słyszałem o związkach między duchem i wodą i nie miałem pojęcia, czego mogę się spodziewać. Wobec Martina bardziej niż wobec Karen czułem się szarlatanem. Karen tak bardzo wierzyła w moje zdolności metapsychiczne, umiała tak gorąco prosić o pomoc, że prawie jej za to nienawidziłem. Któż jednak mógłby nienawidzić takiej dziewczyny jak Karen. Na pewno nie ja. Była tak dziecięco ufna i tak cholernie bezbronna.

Martin podniósł ręce do góry i płasko przyłożył je do ściany. To widać bardzo wzburzyło Naomi, bo zaczęła podskakiwać i bujać się na swoim krześle, choć jasne było, że za żadną cenę nie chce go opuścić. Wlepiła we mnie wzrok, błagając:

— Co on robi? Każ mu przestać!

Położyłem rękę na jej ramieniu.

— Szszsz... Nie martw się, Naomi. Martin wie, co robi. Martin to mistrz spirytyzmu.

— Każ mu przestać — powtórzyła Naomi głosem ostrym jak brzytwa.

— Naomi, najdroższa, chcemy ci pomóc. Chcemy znaleźć siłę, która przesunęła twoje meble, i unicestwić ją. Daj spokój. Nie ma się czego bać. Nie przejmuj się. Zobaczysz, że wszystko będzie dobrze.

— Ale te cienie — denerwowała się Naomi. — Co z nimi będzie?

— Nie wiem. Co ma być z tymi cieniami?

— One go zagryzły. Zagryzły go!

— Zagryzły go? Kogo?

Naomi gwałtownym ruchem pokazała na ścianę.

— On tam był, a one go zagryzły!

— Cienie go zagryzły? — spytałem. — Jak cień może kogokolwiek ugryźć?

— One... — zaczęła Naomi, lecz Martin odwrócił się i poprosił o ciszę.

— Stan transplantacji jest zawsze trudny do osiągnięcia, a co dopiero kiedy ciągle rozmawiacie.

— Przepraszam — powiedziałem. — Przepraszam. — I kiedy Naomi znów chciała mi powiedzieć, że cień kogoś ugryzł, uciszyłem ją: — Ciii... opowiesz mi później.

— Ale ja muszę ci to powiedzieć teraz — zasyczała. — Zanim będzie za późno.

— Proszę was — rzekł Martin.

Przyłożyłem palec do ust, pokazując Naomi, żeby była cicho.

— On przeprowadza bardzo trudne doświadczenie — wyszeptałem. To wymaga pełnej koncentracji. On wchodzi w szczególny trans, którego przerwanie może być niebezpieczne. Połowa duszy może pozostać w świecie duchów, a druga połowa...

Powstrzymując widoczny gniew, Martin krzyknął:

— Harry, czy możesz się zamknąć?

— Oczywiście — zasalutowałem uprzejmie, w stylu porucznika Columbo. — Wszystko, czego sobie życzysz. Właśnie mówiłem Naomi... Nieważne. Rób swoje i nie zwracaj na mnie uwagi. Jestem twoim pomocnikiem.

— Czyżby? Czy to już będzie koniec rozmów?

Skinąłem głową i znów zasalutowałem. Fakt, że inni ludzie potrzebują takiej koncentracji, zawsze mnie zdumiewał. Przez całe tygodnie nie musiałem się skupiać choćby jeden raz. Martin odwrócił się, obie ręce płasko przyciskając do ściany.

— Wzywam ducha Śpiewającej Skały... ducha z Dakoty Południowej, czarownika z plemienia Siuksów. Chcę czuć jego obecność, chcę dotknąć jego ręki. Wzywam go na pomoc, aby przeprowadził mnie przez kolejne progi. Proszę cię, ukaż się i pomóż mi odszukać ducha, który nawiedził ten pokój.

Chociaż upłynęło zaledwie cztery czy pięć minut, nam zdawało się, że minęło cztery czy pięć lat. W pokoju było zimno i panowała cisza, jeżeli nie liczyć dźwięków dochodzących z ulicy i rockandrollowej muzyki docierającej z mieszkania Bensonów.

Naomi zaczęła nucić. Z początku cichutko, potem coraz głośniej śpiewała znaną mi już pieśń. Martin, z głową pochyloną, z rękoma przyciśniętymi do ściany, stał w miejscu. Nie wiedziałem, czy jest znudzony, czy wściekły, czy po prostu czeka, aż Naomi i ja uciszymy się.

— Wzywam ducha Śpiewającej Skały — powtórzył. — Proszę Śpiewającą Skałę o pomoc.

I tym razem nie było odpowiedzi. Naomi w dalszym ciągu zawodziła swoją pieśń.

Zastanawiałem się, czy Michael nagrał te dźwięki, i już miałem wychylić głowę z jadalni, żeby go spytać, kiedy nagle usłyszałem głos Martina:

— Słyszę cię. Widzę cię.

— Słucham? — spytałem.

— Chcę rozmawiać ze Śpiewającą Skałą — ponowił wezwanie Martin. Nadal był odwrócony plecami. — Z Indianinem z plemienia Siuksów o imieniu Śpiewająca Skała. Harry, kiedy zmarł Śpiewająca Skała?

— Co takiego? — spytałem zaskoczony.

— W którym roku zmarł Śpiewająca Skała?

— Chyba w siedemdziesiątym dziewiątym. Taa... w lecie siedemdziesiątego dziewiątego. Nad jeziorem Berryessa w Kalifornii.

Martin powtarzał tę informację, jakby przekazywał ją komuś przez telefon. Patrzyłem na niego zdumiony. Czyżby on naprawdę rozmawiał ze światem duchów? Z umarłymi? To jest tak niewiarygodnie proste? Po co więc ten cały hałas z umieraniem, jeżeli tak łatwo można porozumieć się z żywymi? Jeszcze trochę, i okaże się, że zmarli mogą wysyłać do nas faksy. „Bawię się świetnie, szkoda, że cię tu nie ma. Wujek Chesney".

— Słyszę cię i widzę, ale niezbyt wyraźnie — powtórzył Martin.

Nie spuszczając oka z Martina, powoli przysunąłem się do Naomi. W dalszym ciągu zawodziła monotonnie:

— *Eji-eji-eji-eseju-suk!* — A potem: — *Eji-eji-eji-neju!*

— Szszsz — upomniałem ją.

Lecz ona, nie przejmując się mną, dalej kołysała się na swoim cennym krześle, nie przerywając śpiewu. W końcu postanowiłem nie zwracać na nią uwagi. O wiele bardziej interesowało mnie to, co robił Martin. Chociaż jego twarz była niewidoczna, odniosłem wrażenie, że rozmawia z kimś, swobodnie i przekonująco.

— Chcę, żebyś przyprowadził do mnie Śpiewającą Skałę. Tak. On mnie zna. Widział mnie razem z Harrym Erskine'em. Powiedz mu, że Harry Erskine chce się z nim widzieć.

Wpatrywałem się w Martina jak urzeczony. I wtedy na gładko wytynkowanej ścianie zobaczyłem cienie. Jeden tańczył i podskakiwał, drugi, wyższy i chudszy, zachowywał więcej rezerwy. Trzeci miał ogromną głowę i był nieruchomy.

Naomi, kiwając się w przód i w tył, krzyczała:

— *Eji! Pokunnouou! Eji! Wajuk! Eji! Nisz! Eji! Najp!*

— Martin — przestrzegłem go. — Uważaj na siebie.

Kiedy jednak zbliżyłem się do niego, stało się dla mnie jasne, że już go ze mną nie ma. Ręce przyciskał do ściany tak mocno, aż mu zbielały kostki, mięśnie twarzy miał napięte, zęby mocno zaciśnięte. Oczy miał otwarte, ale nie patrzył na ścianę. Jego spojrzenie koncentrowało się na czymś, co znajdowało się poza ścianą. Ani na chwilę nie przerwał rozmowy i na szczęście wciąż oddychał. Kiedy jednak zajrzałem mu w twarz, zobaczyłem innego człowieka. Nie był to ten mężczyzna, którego przyprowadziłem do mieszkania Greenbergów; uśmiechnięty, tryskający radością życia. Jego twarz była jak maska pośmiertna, ulepiona z żółtobrązowego wosku, oślizła, nierzeczywista. Całą jego postać otaczała delikatna aura; mglisty woal jasnobłękitnego światła. Fosforyzowała, jak gdyby już nie żył i rozkładał się. O psujących się śledziach mówią, że świecą w ciemności.

— Martinie — zacząłem niepewnie.

— Chcę mówić ze Śpiewającą Skałą — powiedział z całą pewnością nie do mnie.

— Martin, odezwij się do mnie! Czy dobrze się czujesz?

Odwrócił się i spojrzał na mnie, lecz jego oczy nie mnie widziały.

— Teraz widzę cię wyraźnie. Widziałem cię już wcześniej, w książce. Muszę wiedzieć, czego chcesz.

— Martinie, to przestaje być zabawne. Jak ci mam pomóc, jeżeli nie wiem, o co tu chodzi?

Martin kiwnął głową na znak zrozumienia. Zaraz jednak zapytał:

— Dlaczego?

— Dlaczego? Co, u diabła, ma znaczyć to pytanie? Co dlaczego?

— Ja się nie boję. Ostatecznie on jest tylko duchem, tak jak i ty. Nie istnieje duch stworzony przez Boga, który mógłby mnie skrzywdzić.

— Martin — błagałem go. — Z kim ty rozmawiasz? Tam nikogo nie ma!

— Muszę poznać jego imię. Muszę dowiedzieć się, gdzie mam go szukać.

Chciałem jeszcze coś powiedzieć, lecz byłem pewien, że Martin ani mnie nie widzi, ani nie słyszy. Był w transie. Rozmawiał z duchami i zmarłymi.

Może trudno to zrozumieć, ale zazdrościłem mu. Zazdrościłem mu wyrafinowania, doświadczenia, wrażliwości metapsychicznej. On potrafił robić to, co ja udawałem, że potrafię. A już najbardziej zazdrościłem mu, że mógł rozmawiać ze zmarłymi, tak wyraźnie i swobodnie, jakby stali przed nim; z ludźmi, którzy walczyli z generałem Grantem, z Lindberghiem, z tymi, którzy mieszkali w drewnianych chatach, w czasach kiedy zimy były ostre, a po prerii pędziły wataby Indian.

Oni jednak gdzieś istnieją. Zmarli żyją. Ich prochy wzbogacają ziemię, a duchy powietrze. Są wciąż z nami, otaczają nas, ale trzeba rzadkich umiejętności, aby móc z nimi rozmawiać. Martin Vaizey miał te umiejętności. Muszę przyznać, że byłem zazdrosny jak wszyscy diabli.

Mogłem tylko stać z boku i przyglądać się, jak wędruje po krainach, których nigdy nie widziałem i nie zobaczę.

A przecież ku własnemu zdumieniu wyraźnie czułem czyjąś obecność w pokoju, chociaż moje postrzeganie było niewyraźne, jakbym oglądał sylwetki ludzi przez zamarzniętą szybę. Instynktownie wyczuwałem ich ruchy. Nawet słyszałem ich — nie były to głosy, raczej ciche szmery i szelesty.

Odwróciłem się do Naomi. Na przemian kiwając się i chowając głowę, trzymała się kurczowo krzesła. Na razie przestała śpiewać.

— Chcę z nim rozmawiać — nalegał Martin. — Mamy wiele do omówienia.

— Martin, czy ty się dobrze czujesz? — Nie spodziewałem się, że mnie usłyszy czy że mi odpowie. Ponieważ jednak miałem spełniać rolę kotwicy, uważałem, że muszę przynajmniej dać mu znać, że tu jestem i że czuwam.

— Słyszę cię, kolego. — Tym razem stała się rzecz bardzo dziwna. Martin mówił jak brzuchomówca, nie poruszając wargami. Słyszałem wyraźnie jego głos, lecz przysięgam na Boga, że usta miał zamknięte.

— Martinie — dopytywałem się. — Czy panujesz nad sytuacją?

W tej chwili usłyszałem hałas, jakby ktoś powoli wysypał worek kamieni na podłogę. Na ścianie przed Martinem rosły i kołysały się cienie. Ogromnogłowy cień zbliżył się do Martina i nałożył swoje ręce na jego dłonie, stając się w ten sposób cieniem samego Martina. Martin zaczął drżeć.

— Czy to ty? — wyszeptał.

— To znaczy kto? — spytałem.

— To ty? — powtórzył Martin. W jego głosie brzmiały strach i groza.

Odwrócił się powoli i spojrzał na mnie. Zrobił krok do tyłu i płasko przycisnął plecy dokładnie w tym miejscu, gdzie był cień. Spowiła go ciemność, jakby ktoś zarzucił mu na głowę czarny welon. Zamknął oczy. Skóra na czole i na policzkach ściągnęła się do tyłu, przez co zarys jego czaszki stał się niesłychanie wyraźny i ostry. Skóra wokół ust, również ściągnięta do tyłu, ukazywała zęby w ohydnym grymasie. Gdybym nie wiedział, że właśnie teraz Martin przemieszcza się z jednej duchowej sfery do innej i znajduje się gdzie indziej w czasie i w rzeczywistości, niż potrafiłbym sobie wyobrazić, powiedziałbym, że on umiera.

Z minuty na minutę jego postać stawała się coraz ciemniejsza. Nie tyle jego skóra zmieniała kolor, ile zmieniała się cała aura.

Było wokół niego coś okrutnie starego; nastrój ciemności i nocy pełnych goryczy, przeżytych na długo przed naszym narodzeniem; nastrój nieszczęścia i trwogi. Czułem zapach nie tylko bylicy, lecz krwi.

Znowu dał się słyszeć śpiew Naomi, tak cichy, że nic nie mogłem usłyszeć, co nie znaczy, że gdybym usłyszał, tobym zrozumiał. Może kiedyś, gdy odtworzymy nagranie Michaela, znajdzie się ktoś, kto zdoła rozszyfrować te dźwięki, nawet jeśli Naomi recytowała książkę telefoniczną od tyłu.

Martin wyciągnął ręce i wskazał miskę z wodą stojącą na podłodze.

— Jak zwykle próbujesz mnie oszukać — stwierdził. Miał zmieniony głos, bardzo niski i rezonujący tak silnie, że bardziej go słyszałem przez szczęki niż przez uszy. — Chcesz znieważyć te wszystkie duchy, na których zbudowana jest wasza cywilizacja?

Nie wiedziałem, że zwraca się do mnie, więc nie zareagowałem. Nagle otworzył oczy i ryknął na mnie:

— Przyniosłeś wodę do mojego wigwamu? Chcesz mnie znieważyć'?

— Wcale nie mam takich intencji — odparłem. — A potem zagadnąłem go dyplomatycznie: — Przepraszam, że pytam, ale czy ty wciąż jesteś Martinem?

Wyraz oczu Martina był tak osobliwy, że całe moje ciało przeszył dreszcz. Jego oczy wyglądały jak wycięte z czarno--białej fotografii i naklejone na powieki. Inaczej mówiąc, były prawdziwe, miały źrenice, ale zarazem były zupełnie nierzeczywiste. Były jak wspomnienie czyichś oczu; kogoś bardzo dawno zmarłego.

Tak że jeno Oczy jego wyglądały.

— Zabierz stąd tę wodę — rozkazał Martin.

— Czy to ty? — dopytywałem się. — Najpierw chciałeś wodę, teraz nie chcesz wody?

— Woda nie ma swojego ducha.

— Ach, to dlatego. Może dolać do niej trochę whisky?

— Ona nie ma ducha — upierał się Martin. — To woda białego człowieka. Martwa woda.

Zbliżyłem się o krok do Martina. Wszystkie te gadki o wigwamach i wodzie białego człowieka mogły znaczyć tylko jedno: Martin nawiązał kontakt ze Śpiewającą Skałą — szamanem i moim starym kumplem. Właściwie nie jest to odpowiednie słowo. Tego rodzaju więzy między białym człowiekiem a Indianinem są prawie niemożliwe. A co dopiero między białym człowiekiem a indiańskim szamanem. Jak można mieć za kumpla kogoś, kto na każdym wzgórzu i na każdym drzewie i w każdym podmuchu wiatru widzi duchy swoich przodków? Zwłaszcza kiedy ty i tobie podobni jesteście odpowiedzialni za wytrzebienie tych lasów, za puszczenie przez te wzgórza ośmiopasmowej autostrady, za przesycenie wiatru dwutlenkiem siarki.

Opowiem o moich związkach ze Śpiewającą Skałą. Zaprowadziłem go kiedyś na grób moich dziadków w Newark, a on zapytał mnie bardzo grzecznie, czy może się na niego wysikać. „Przecież wy, biali, odkąd tu przybyliście, bez przerwy sikacie na groby moich przodków".

W pierwszej chwili wpadłem w złość. Co tam złość! Uważałem, że zwariował i powiedziałem mu to. „Jesteś zwariowanym Siuksem" tak właśnie mu powiedziałem. Powiedziałem, że jest pełen goryczy i pała żądzą zemsty, że traktuje historię zbyt osobiście. Czy to, co się stało z Indianami, to wina moich dziadków? A może moja?

Czasami trzeba się rozzłościć, żeby zrozumieć. Śpiewająca Skała spokojnym, beznamiętnym głosem opowiedział mi, co przydarzyło się jego prapraprababce. Pochodziła z plemienia północnych Czejenów. Kiedy miała dwadzieścia jeden lat, została zabita w Sand Creek, koło Denver, w lecie tysiąc osiemset sześćdziesiątego czwartego roku. Zgwałcono ją, oskalpowano, zmasakrowano. Czyż to nie napawa goryczą i żądzą zemsty?

A jeśli chodzi o zbyt osobiste podejście do historii, to prawdą jest, że nie zabiła jej historia, lecz kapitan Silas S. Soule, z Kompanii D Pierwszego Pułku Kawalerii z Kolorado.

Śpiewająca Skała dodał jeszcze, że nie można poznać historii Indian w bibliotekach, nie można jej poznać z filmów Johna Wayne'a ani nawet Kevina Costnera. Należy jej szukać w cieniach plemion, wśród których nie ma już prawdziwych Indian do obsadzenia ich ról.

Nie byłem pewien, czy zgadzam się ze Śpiewającą Skałą. Nie byłem nawet pewien, czy mu współczuję. Większość z tego, co mówił, była dla mnie zrozumiała i szanowałem jego punkt widzenia. Ale czyż to wystarczało, abym mógł o nim powiedzieć, że jest moim kumplem?

Krążąc wokół Martina, pytałem:

— Śpiewająca Skało, czy to ty?

Wodził za mną nieruchomymi, wyciętymi z fotografii oczyma.

— Znam cię, głupcze — warknął. — Znam twoje imię.

Jego głos stał się bardziej ochrypły. Jedno było pewne, że ktokolwiek mówił przez usta Martina, z całą pewnością nie był Martinem. Musiał to być duch, którego Martin spotkał w czasie swoich metapsychicznych poszukiwań. Teraz posługiwał się nim, by ze mną rozmawiać. Cofnąłem się. Mógł sobie nazywać mnie głupcem, lecz ja swoje wiedziałem, nie urodziłem się wczoraj. W życiu nie spotkałem tak doskonałego medium jak Martin, fakt zaś, że wciąż żył, dowodził, że był silniejszy od zmarłych. Kimkolwiek był ten duch, musi być potężny jak jasna cholera. I jak się wydaje, nie darzy mnie nadmierną sympatią.

— Czy to ty, Śpiewająca Skało? — spytałem jeszcze raz. To mógł być Śpiewająca Skała. Zawsze był skromny i nie chwalił się swoją czarodziejską mocą, chociaż był w tym dobry jak żaden szaman.

Niespodziewanie Martin zaśmiał się ochrypłym, nieprzyjemnym śmiechem.

— Śpiewająca Skała już nigdy się do ciebie nie odezwie. Został ukarany tak, że to przekracza twoje najśmielsze wyobrażenia. Został poddany torturze duszy. Żaden człowiek, żywy czy umarły, poddany torturze duszy nie jest już w stanie przemówić.

Śpiew Naomi nasilił się.

— *Nisz-najp-nisz-najp... Nepouz-chad...*

Naomi coraz gwałtowniej bujała się na krześle, którego nogi nierówno stukały o podłogę. Bałem się, że spadnie.

— Zabierz wodę! — wrzeszczał Martin ze źle skrywaną wściekłością. — Zabierz wodę albo pozabijam was wszystkich!

— Nie ma mowy, koleś. Woda zostanie.

Martin wprost gotował się ze złości, lecz nie odsunął się od ściany.

— Ostrzegam cię — wycharczał. — To dopiero początek... Pochłoniemy was wszystkich... i wszystko, ciebie i twoich ziomków! Od morza do morza i przez Równiny nasza ziemia znowu będzie wolna i nikt już nigdy nie usłyszy o białym człowieku!

Nagle odwrócił głowę i spojrzał na kiwającą się i śpiewającą Naomi.

— Do mnie — rozkazał i krzesło z Naomi natychmiast z hałasem przejechało przez pokój. Naomi omal nie zderzyła się z jego nogą; złapał ją za włosy i zręcznie okręcił nią. Krzyknęła i mocno zacisnęła palce.

— *Moje krzesło! Tylko nie moje krzesło!*

W paru susach dopadłem krzesła, starając się je przysunąć do siebie, lecz ono było jak przyśrubowane. Martin z wściekłością spojrzał mi w twarz i wrzasnął:

— Ty głupcze! Miałbyś odwagę?

Pociągnąłem krzesło, lecz udało mi się zaledwie nieznacznie je przesunąć. Naomi nie przestawała krzyczeć i bujać się.

— Naomi — powiedziałem ostro. — Naomi, natychmiast wstań z krzesła!

— Ona nie może — odpowiedział Martin potężnym, ochrypłym głosem. Z jego ust wydobył się zimny, kwaśno-słodki oddech, jakby ktoś otworzył drzwi lodówki, w której od miesiąca przechowywał melona.

— Puść ją! — ryknąłem.

— Żywą czy martwą? Jak wolisz?

— Powiedziałem, puść ją!

— Głupi i słaby, jak zawsze.

Dalej trzymałem krzesło, usiłując je odciągnąć, jednocześnie uważnie śledząc wyraz twarzy Martina w poszukiwaniu jakiejś wskazówki co do rodzaju siły, która go opętała. Czułem, że mógłbym mówić z nią, lecz nie widziałem jej wyraźnie. Równie dobrze mogła to być kobieta jak mężczyzna, lub też coś nienależącego do rodzaju ludzkiego. Podobno w tysiąc dziewięćset dwudziestym roku w Immokalee na Florydzie żył pewien traper, w którego co pewien czas wcielał się ogromny krokodyl. Zanim policja stanowa i szaman Miccosukee znaleźli go i zabili, zdążył rozerwać swymi ogromnymi zębiskami żonę i troje dzieci.

Ale to zupełnie inna bajka. Ta, w której uczestniczyłem, była wystarczająco przeraźliwa i niestety prawdziwa.

— Kim jesteś? — zapytałem Martina.

Przerażające, martwe oczy zamknęły się i otworzyły.

— Nie poznajesz mnie? Jestem tym, kto najlepiej cię zna.

— O czym ty, do cholery, mówisz?

— Daj spokój, Harry... Znam cię lepiej, niż ty znasz siebie. Pamiętam rzeczy, o których ty już zapomniałeś.

Zaczynało mi się to wszystko nie podobać. W pokoju robiło

128

się coraz ciemniej i zimniej. Martin wtopił się w ciemność, głębszą niż cienie, które przed chwilą tańczyły na ścianie. To była ciemność trójwymiarowa — zimna i namacalna. Miałem wrażenie, że słońce zaszło na zawsze, a ziemia rozpoczęła długą i ostateczną podróż w bezkresną noc.

Szybko i mocno szarpnąłem krzesło Naomi, mając nadzieję zaskoczyć Martina.

— O co ci chodzi, do wszystkich diabłów? — krzyknąłem. — Czy to ty przesunąłeś te wszystkie meble? Po co, do jasnej cholery?

Chyba przewidział mój ruch, bo trzymał krzesło mocno jak przedtem.

— No i co, durniu? Znaj swoje miejsce.

— Puść ją — nalegałem.

Powoli pokręcił głową i rzucił mi wymuszony, niewróżący niczego dobrego uśmiech, jak ktoś, kto obiera ze skórki nieznany suszony owoc, chcąc sprawdzić, co jest w środku.

— Teraz nasza kolej. Nie pozwolę jej odejść, nie pozwolę odejść żadnemu z was, dopóki nie zmieciemy was z powierzchni ziemi i nie zniknie po was najmniejszy ślad. Uwięzimy was w krainie cieni, do której wy zesłaliście kiedyś tylu z nas.

— O czym ty mówisz? Kim jesteś?

— Jestem tym, który zna cię najlepiej.

— Puść tę kobietę. O nic więcej nie proszę. Ona ci nic nie zrobiła. Nigdy nawet muchy nie skrzywdziła.

— Dlaczego miałbym ją puścić? Dlaczego miałbym uwolnić jedną z was, skoro i tak wszyscy macie umrzeć?

— Na miłość boską, Martin! Kimkolwiek jesteś, ktokolwiek jest w tobie, proszę cię, puść ją!

W odpowiedzi Martin podniósł prawą rękę i wściekle szarpnął za rękaw koszuli, rozrywając mankiet. Szybkimi ruchami zawinął rękaw i podniósł gołą rękę do góry, obracając nią na wszystkie strony. Lewą dłonią brutalnie schwycił Naomi za włosy, odciągając jej głowę do tyłu.

Z gardła Naomi wydobył się zduszony skowyt. Zaczęła walić obcasami o podłogę. W tej chwili do jadalni wpadł Michael. Spojrzał na Martina, potem na mnie.

— Co się tu dzieje? Coście jej zrobili?

— Michael, wszystko w porządku — uspokajałem go. — Proszę cię, wyjdź.

— Usłyszałem krzyk Naomi. Słuchaj, co ty wyrabiasz? Puść jej włosy. Słyszysz, co mówię? Natychmiast puść jej włosy!

— Wynoś się! — rozkazał Martin.

Michael sztywnym krokiem podszedł do Naomi, usiłując ją uwolnić.

— Posłuchaj mnie, kolego, zgodziłem się na seans, a nie na...

W drzwiach stanęła Karen.

— Harry, czy wszystko w porządku?

Michael urwał w pół słowa. Wpatrywał się w Martina, a jego ciało drżało, jakby ktoś nim potrząsał.

— Tylko nie to — powiedział ochrypłym głosem. — Nie możesz tego zrobić jeszcze raz!

— Mogę zrobić, co zechcę — odpowiedział Martin, jeszcze mocniej skręcając włosy Naomi. — Znam cię przecież najlepiej. Wiem o tobie wszystko. Wszystko.

Michael powoli opadł na kolana. Przycisnął oczy rękami. Po drganiach jego ramion domyślałem się, że płacze.

— Co mu, do cholery, zrobiłeś? — spytałem wściekły.

— Nic — rzekł Martin, odwracając się od Michaela, jakby był pewny, że on nie sprawi mu już więcej kłopotów. — Pokazałem mu tylko jego wnętrze. Tylko tyle. To samo mogę zrobić z tobą.

Pomogłem Michaelowi wstać. Twarz miał zalaną łzami.

— Nikt nie mógł o tym wiedzieć — żalił się. — Nikt.

— Chodź, Michael. Lepiej będzie, jak stąd wyjdziesz.

— Co będzie z Naomi? Co on jej robi?

— Wszystko w porządku — zapewniłem go, chociaż wcale nie było w porządku. Byłem przygotowany na spotkanie jakiejś zjawy. Spodziewałem się usłyszeć głosy. Ujrzeć świecącą ektoplazmę, a nawet twarze wyłaniające się z podłogi. Nie spodziewałem się jednak, że Martin zostanie tak całkowicie opętany. Poczułem się bezsilny. Jeżeli Martinowi nie udało się opanować ducha, który zawładnął jego ciałem, to cóż ja mogłem zrobić?

— Nikt nie mógł o tym wiedzieć — mówił Michael bardziej do siebie niż do mnie. — Nikt.

— Lepiej wyjdź stąd. — Położyłem mu rękę na ramieniu. Zbliża się krytyczny moment.

— Miałem zaledwie siedem lat, kiedy to się wydarzyło — szlochał. — Skąd ktoś mógł o tym wiedzieć?

— Proszę cię, Michael — nalegałem. — Zrób to dla mnie i zajmij się Karen.

130

Rozmazywał łzy palcami i pociągał nosem.

— Tak mi przykro. Bardzo przepraszam. To było dla mnie wielkim zaskoczeniem.

Podprowadziłem go do drzwi, chcąc go przekazać w ręce Karen. W tej chwili Martin zawołał:

— Zaczekaj! Dlaczego nie miałby tego zobaczyć?

Odwróciliśmy się. Postać Martina była przerażająco czarna. Wydawał się większy niż przedtem. Cień jego głowy był ciężki i niezdarny jak głowa potężnego bawołu. Miał szeroko otwarte oczy, skóra na policzkach była jeszcze bardziej naciągnięta i zęby wyszczerzone w złośliwym grymasie.

Zanim któreś z nas zdążyło się poruszyć, wsadził prawą rękę w usta Naomi i zaczepił palcami o dolne zęby. Gwałtownym ruchem szeroko rozwarł jej usta, wybijając szczękę ze stawu. Naomi zakrztusiła się, zacharczała i jęknęła słabo. Lecz Martin trzymał ją za włosy, tak że nie mogła się poruszyć.

Jednym skokiem dopadłem Martina i rzuciłem go na ścianę. Mój niezdarny cios dosięgnął go, lecz natychmiast jego prawa ręka zdzieliła mnie w skroń z taką siłą, że upadłem. W głowie mi huczało i przez sekundę nie miałem pojęcia, gdzie jestem i co tu robię. Ogłuszony, zataczając się, ponownie zbliżyłem się do niego. Dostałem następny cios, tym razem w szczękę.

Upadłem do tyłu. Zobaczyłem wszystkie gwiazdy, potem już nic nie widziałem — tylko ciemność.

— Trzymaj się z daleka! — wrzasnął Martin. — Wyście zmienili bieg naszej historii; nadeszła pora zmienić bieg waszej!

Bez chwili wahania wepchnął rękę w usta Naomi i złapał ją za język. Walczyła z nim, kopała, piszcząc jak królik. Siła Martina czy ducha, który go opętał — była niewiarygodna. Nieraz w życiu brałem udział w różnych bójkach — wiadomo, jak to jest: zazdrośni mężowie, spory polityczne po zbyt wielu kieliszkach martini, szamotanina na parkingach, kto pierwszy zajmie miejsce, i tym podobne. Nikt jeszcze nie znokautował mnie dwoma prostymi. A podejrzewam, że nie były to jeszcze jego najmocniejsze ciosy.

— Martin! — krzyknąłem. Ale duch opanował go już całkowicie, a duch nie reagował na jego imię.

— Śpiewająca Skało — szepnąłem. — W imię wszystkiego, co dla ciebie najświętsze, zaklinam cię, pomóż mi!

Stojąca w drzwiach Karen krzyczała ze strachu.

131

— Nie! — zawył Michael.

Gwałtownym ruchem Martin złapał język Naomi, który natychmiast sczerniał i spuchł, przypominając ogromnego, sinego ślimaka bez skorupy. Mocnymi, uporczywymi szarpnięciami usiłował wyrwać jej język. Za każdym pociągnięciem słyszałem rozdzieranie ust, pękanie skóry i ścięgien.

Michael, niepomny strachu, z rękami rozpostartymi jak wiatraki rzucił się naprzód, lecz tam już czekał na niego Martin. Puścił włosy Naomi i uderzył go lewą pięścią, tak że głowa Michaela odskoczyła i padł na podłogę jak przeszyty czterdziestką piątką.

— Harry, powstrzymaj go! — wrzeszczała Karen. Ale ja wiedziałem, że nic nie mogę zrobić. Duch był zbyt silny i zbyt okrutny.

— Zadzwoń pod dziewięćset jedenaście! — poleciłem.

— Co takiego?

— Nic nie mogę zrobić. Na miłość boską, dzwoń pod dziewięćset jedenaście, zanim ją zabije!

Znowu schwycił Naomi za włosy i jeszcze raz wściekle szarpnął za język. Ociekający krwią język rzucił na podłogę. Upadł z głośnym plaśnięciem, którego nie zapomnę, póki żyję.

— Teraz kolej na ciebie — warknął Martin. — Uważałeś się za wszechpotężnego. Za kogoś lepszego! Uważałeś, że wasze prawa są sprawiedliwsze, a bogowie potężniejsi, że wasz los został zapisany płomiennymi zgłoskami! Powinniście byli zabić nas wszystkich, zetrzeć nas z powierzchni ziemi, kiedy mieliście okazję. Przynajmniej odeszlibyśmy w chwale. Lecz wy uczyniliście nas więźniami na naszej ziemi; poniżyliście nas i doprowadziliście do upadku. I to był wasz największy błąd. Więzień, mój przyjacielu, zawsze marzy o wolności, poniżeni marzą o odzyskaniu godności, a doprowadzeni do upadku myślą tylko o zemście.

Patrzył na mnie długo i prowokująco, jakby czekając, aż wymówię jego imię. Podejrzewałem, kim może być. Już w myślach wymawiałem jego imię. Wciąż jednak żywiłem bezsensowną nadzieję — tę samą, która rokrocznie kazała mi obstawiać New York Yankees — że się mylę. Że to niemożliwe.

Już kiedy zobaczyłem twarz Śpiewającej Skały na okładce książki, zdałem sobie sprawę, kto mi zagraża. Nawet jeszcze wcześniej — jak tylko Karen weszła do mojego domu.

To nie był zbieg okoliczności. Nie wierzyłem w czary, wróżenie z fusów ani w to, że znalazłem się w tym mieszkaniu przez przypadek. Spotkałem się z tym duchem już wcześniej. Teraz domagał się konfrontacji i chciał pokazać mi, kto silniejszy.

— Nie powtórzymy waszego błędu — powiedział Martin. — Nie zamienimy was w żyjące trupy, jak wy zrobiliście z nami. Nie będziemy udawać, że chronimy i czcimy waszą kulturę, traktując naród jak plugastwo. Kiedy skończymy nasze dzieło, przestaniecie istnieć na zawsze. Nie pozostanie po was najmniejszy ślad, nie pozostanie nawet odcisk waszej stopy. Nigdzie.

Dotknąłem spuchniętego policzka. Czułem się, jakby uderzył mnie młotem.

— O czym ty mówisz? — spytałem głosem Marlona Brando w *Ojcu chrzestnym*. — O czym ty, u diabła, mówisz?

— O tym mówię, idioto — odparł Martin z uśmiechem. O wypatroszeniu waszego świata i wywróceniu go flakami do wierzchu.

Mówiąc to, wepchnął pięść w gardło Naomi. Dusiła się, oczy wyszły jej na wierzch i zwymiotowała. Bezlitośnie wpychał swoją rękę coraz głębiej, aż schowała się po łokieć. Krew przelewała się przez usta Naomi jak zupa z przepełnionego talerza. Ciemna krew z arterii, rozlewając się, plamiła jej ubranie. Bezwzględna ręka Martina obrzydliwie rozdęła jej gardło. Naomi wyglądała, jakby miała wole.

— Chcesz wiedzieć, co czuję? — spytał obracając rękę. — Czuję jej płuca i ciepły brzuch, jak brzuch rozpłatanego bawołu.

Ogłuszony Michael usiłował uklęknąć. Spojrzał na mnie, potem na Naomi.

— Co?... Co?... — wymamrotał. Po silnym ciosie Martina niewiele widział i niewiele rozumiał. Siedział na podłodze z twarzą ukrytą w dłoniach, gdy dwa kroki dalej umierała Naomi.

Z trudem podniosłem się i stanąłem przed Martinem. Miałem zawroty głowy. Cały pokój kołysał się jak łódź na morzu. Postać Martina to zbliżała się, to oddalała.

— Śpiewająca Skało — szeptałem. — Wzywam cię na pomoc.

Martin jeszcze głębiej wepchnął rękę w usta Naomi. Z braku tlenu miała szare policzki, jej oczy oczy o mało nie wyskoczyły z orbit. Jedna ręka trzepotała jeszcze słabo, próbując powstrzymać ten potworny gwałt zadany jej ciału. Po raz pierwszy w życiu byłem świadkiem tak unicestwiającego gwałtu na ludzkiej istocie. Krwawe bąbelki pokazały się w kącikach ust, kiedy usiłowała wciągnąć odrobinę powietrza do płuc.

— Czuję ostatni szaleńczy skurcz serca — beznamiętnie rzekł Martin. — Dotykam wątroby, śliskiej i ciemnej. Jej macica jest jak najdelikatniejszy owoc.

— Woda! — usłyszałem głos Śpiewającej Skały.

Z trudem łapiąc równowagę, ogłuszony jak zwierzę przeznaczone na rzeź, odwróciłem się. W drzwiach stał Śpiewająca Skała z rękoma opuszczonymi wzdłuż ciała, w nieodłącznych rogowych okularach, w wytwornym garniturze biznesmena. Jego twarz, jak zawsze, przypominała twarz jastrzębia.

— Woda — powtórzył głosem zamierającego kamertonu. *Duchy nie mają władzy nad wodą, dlatego twój przyjaciel ją tutaj przyniósł.*

Obłędnie przerażony spojrzałem na Martina i Naomi. Ręka Martina aż po biceps tkwiła w ustach Naomi, która wyglądała jak wąż połykający owcę. Jego dłoń dotarła do jelit i grzebała w nich. Nawet przez suknię było widać, jak jej brzuch wznosi się i kotłuje.

— Śpiewająca Skało — zawołałem cicho. A potem głośno: Śpiewająca Skało! — Kiedy jednak odwróciłem się, by go poszukać wzrokiem, jego już nie było. Zniknął w otwartych drzwiach, bezgłośnie jak gaszone światło. Chwiejnym krokiem ruszyłem, by go dogonić. — Śpiewająca Skało, pomóż mi!

Uderzyłem ramieniem w futrynę, obtarłem sobie rękę o klamkę.

Salon to był inny, jasno oświetlony świat. Karen właśnie odkładała słuchawkę.

— Zaraz przyjadą — powiedziała blada jak płótno.

— Widziałaś go?

— Kogo? O czym ty mówisz?

— Był tutaj Śpiewająca Skała. Przed chwilą wyszedł tymi drzwiami.

— Ależ, Harry, nikogo tutaj nie było.

— Widziałem go na własne oczy! Był tutaj!

Gdzieś za plecami usłyszałem ostry dźwięk rozdzierania płótna. Obejrzałem się i zobaczyłem, że Martin lewą ręką rozerwał kwiaciastą suknię Naomi. Karen podbiegła, lecz zatrzymałem ją.

— Zostań. Czekaj na policję.

— Ależ Harry...

— Na miłość boską, zostań! — krzyknąłem. I tak już za dużo widziała. Nie chciałem, żeby zobaczyła więcej. Zataczając się, wróciłem do jadalni i zatrzasnąłem za sobą drzwi.

— Flakami do wierzchu — powiedział Martin. Jego oddech przywodził na myśl najniższe tony organów. Ściągnął majtki Naomi do połowy ud, odsłaniając białą skórę, przebijające błękitem nabrzmiałe żyły i gąszcz czarnych włosów łonowych. Z uśmiechem dzikiego triumfu krzyknął: — Patrz!

W pierwszej chwili nie wiedziałem, do czego zmierza. Stałem, mrugając powiekami i chwiejąc się na nogach. Nagle zobaczyłem wydęty brzuch Naomi, tuż nad wzgórkiem Wenery. Ze sromu, pomiędzy rozchylonymi udami, płynęła krew. Rozwarte wargi sromowe przypominały otwór gębowy świeżo ogłuszonej ryby. Wśród tego wszystkiego ukazały się błyszczące od krwi palce Martina z przyklejonymi do paznokci cząstkami wnętrzności.

Martin pchnął rękę jeszcze głębiej, aż weszła po samą pachę. Obficie lejąca się krew poplamiła mu koszulę.

Z szeroko rozciągniętej pochwy wynurzyła się cała ręka. Ten surrealistyczny widok zaparł mi dech w piersiach i odebrał władzę w nogach. Czułem, jak wzbiera we mnie histeria, jakby moje płuca wypełniły się lodowatą wodą.

— Flakami do wierzchu — zadudnił głos Martina. Raczej wyczułem go, niż usłyszałem.

Palce wczepiły się w pulchne, owłosione ciało. Szarpnęły z całej siły. Usłyszałem ohydny, ssący dźwięk, trzask łamanych żeber i po chwili Martin zaczął wywlekać przez usta Naomi żołądek, płuca, wątrobę i niekończące się metry jelit. Piętrzyły się i ślizgały po całej podłodze. Myślałem, że to się nigdy nie skończy. Odór krwi, żółci i na wpół strawionego jedzenia był nie do zniesienia.

Wreszcie Martin wyciągnął pięść z zakrwawionych, rozwartych ust Naomi. W palcach miał strzępy owłosionego ciała z jej organów płciowych, które przeciągnął przez całą długość brzucha i klatki piersiowej. Triumfalnym gestem podniósł dłoń do góry mówiąc:

— Który wojownik zdobył kiedykolwiek taki skalp?!

Uwolnione od ręki Martina, bezwładne ciało Naomi spadło z krzesła na jej własne wnętrzności; jej niewidome oko ze zdumieniem wpatrywało się w jej własny pęcherz.

135

Michael oderwał ręce od twarzy. Był zamroczony i miałem nadzieję, że nic nie widzi. Modliłem się, żeby tak było. Na czworakach dotarł do ciała Naomi i dotknął go. Musiał poczuć jego zapach, musiał dotknąć jego śluzu.

— Co się stało? — zapytał. — Naomi?

— Już nie ma Naomi — odpowiedział mu Martin, opuszczając rękaw koszuli na zakrwawioną rękę. — Koniec z tobą i z takimi jak ty.

— Naomi — powtarzał Michael oślepiony wstrząsem. — Naomi? — Czołgał się wśród jej śliskich szczątków, ciągnąc za sobą jelita i płuca. — Naomi?

Martin kątem oka spojrzał na niego z pogardą. Spokojnie zapiął mankiet. Kantem otwartej dłoni uderzył go w kark, tak szybko i mocno, że prawie nie zauważyłem. Głowa Michaela opadła pod dziwnym kątem, a ciało potoczyło się w stronę ud Naomi. Przez chwilę jeszcze drgało, po czym znieruchomiało.

— Jego też zabiłeś — wycharczałem. — Jezu Chryste, Martinie, ty go zabiłeś!

— I wszystkich was zabiję! Ty będziesz następny.

Podniósł do góry ręce zaciśnięte w pięści, odrzucił głowę do tyłu i wydał z siebie mrożący krew w żyłach krzyk. W tym krzyku była radość, żądza krwi i triumf. Ten krzyk nie przynależał do tej epoki; ani do tego miasta, ani do tego domu. Jego miejsce było na wyrzeźbionych wiatrem preriach, w ośnieżonych górach, nad brzegami tajemniczych, zamglonych rzek, w wigwamach ludzi okrutnych, dumnych i wojowniczych. Raz w życiu słyszałem już ten krzyk. Nie przypuszczałem, że usłyszę go jeszcze raz.

Spocony, budziłem się po nocach i modliłem się, żeby go już nigdy nie usłyszeć.

ROZDZIAŁ 7

Gdy okrzyk wojenny zamarł na ustach Martina, dał się słyszeć kolejny sygnał wojenny. Dobiegał z ulicy i odbijał się echem wśród domów. Było to wycie policyjnych syren — odpowiedź na telefon Karen.

Martin podniósł głowę. Po raz pierwszy od chwili, gdy duch go opętał, wyglądał niepewnie.

— Słyszysz, ty sukinsynu? — prowokowałem go. — To gliny. Spojrzał na mnie krzywo.

— Obiecałem ci śmierć, głupcze. Zawsze dotrzymuję obietnic. Zachwiałem się. Miałem w Bogu nadzieję, że mój zmysł równowagi nie został trwale zakłócony.

— Boże, tylko ten jeden raz, pomóż mi. Będę twoim dłużnikiem. Martin odsunął nogą krwawe szczątki Naomi i oderwał się od ściany. Jej twarz z otwartymi ustami wciąż patrzyła na mnie. Nie mogłem tego znieść.

— Obiecuję ci ból, ty głupcze. Torturę duszy. Będziesz całował moje nogi i błagał, żebym cię przewrócił flakami do wierzchu, jak tę kobietę. W porównaniu z tym, co cię czeka, jej śmierć wyda ci się przyjemnością.

Cofając się, obcasem trąciłem miskę z wodą, tak że o mało jej nie przewróciłem. Martin był coraz bliżej. Ciągnął nogi po podłodze, jakby się wspinał na szczyt stromej góry.

— Będziesz skamlał i błagał o śmierć powolniejszą niż jej, jeżeli dam ci pewność, że w ogóle umrzesz.

Z ulicy słychać było pisk opon. Otwieranie drzwi. Dźwięki

137

kroków biegnących na górę i głosy mężczyzn wydających rozkazy. Usłyszałem dzwonek i walenie pięścią w drzwi.

— Słyszysz, Martin? Przegrałeś. To policja. Niech tylko włos spadnie mi z głowy, a nie dadzą ci czasu, byś mógł wyrzec zaklęcie.

Martin wciąż zbliżał się do mnie, jednak już o wiele wolniej. Im bardziej oddalał się od ściany, tym więcej potrzebował energii. Szedł bardzo powoli i uważnie; zrobił jakieś pięć kroków i jego twarz pokryła się potem.

— Zniszczę cię — dudniące głucho dźwięki przypominały odległe odgłosy ruchu ulicznego. — Zerwę ci włosy z głowy i zawieszę u pasa twój skalp na wieczną rzeczy pamiątkę.

Teraz miałem już pewność, kim jest. Wiedziałem już, dlaczego to właśnie Śpiewająca Skała przestrzegał mnie przed nim. *Woda* — powiedział Śpiewająca Skała. — *Duchy nie mają władzy nad wodą.*

Wziąłem miskę z wodą i postawiłem ją na dłoni. Martin zerknął na nią niepewnie.

— Ostrzegam cię — głos trząsł mi się ze strachu. — Jeszcze jeden krok i...

— Jeszcze jeden krok i co? Co zrobisz? Oblejesz mnie? Utopisz? Zawsze byłeś głupi. Nawet nie wiesz, co masz robić.

Oczywiście miał rację. Nie wiedziałem, co robić. Cofnąłem się parę kroków, a Martin zrobił parę kroków przed siebie.

Rozległo się głośne stukanie do drzwi.

— Pan Erskine? Policja! Co z panem?

Ostrożnie spojrzałem na Martina, a on obrzucił mnie pogardliwym wzrokiem.

— Powiedz im — uśmiechał się. — Powiedz im, co z tobą. Powiedz im, że mam zamiar zrobić z tobą coś strasznego. Powiedz, że zamierzam przewrócić cię flakami do wierzchu.

— Panie Erskine? — powtórzył policjant.

— Wszystko dobrze. Proszę się nie martwić.

— Jak wygląda sytuacja? Czy może pan mówić?

— Nie bardzo.

Martin wciąż się uśmiechał, choć pot zalewał mu twarz, a powieki bez przerwy mrugały.

— Powiedz... — zaczął. — Nie...

Zacisnął zęby i potrząsał głową jak pies znęcający się nad

szczurem. Ciemność zaczęła wyciekać z jego postaci jak życie z ciała umierającego.

— Powiedz im! *Nie! Nic im nie mów!*

— Panie Erskine — krzyczeli policjanci. — Liczymy do trzech i wchodzimy!

— Powiedz im! Powiedz! *Nie! Niech to szlag! Woda! Mamy władzę nad wodą!*

— Wstrzymajcie się — zawołałem do policjantów. Zdałem sobie sprawę, co się stało. W miarę jak Martin oddalał się od ściany, od cieni, duch, który opanował jego ciało, tracił moc. Teraz Martin już sam walczył o swoje wyzwolenie.

— *Woda!* — wydyszał. Trząsł się cały, jakby miotał nim jakiś siłacz. — *Pomyśl o czymś... Pomyśl o czymś... O czymś, co może go przestraszyć... Nie!*

— Co może go przestraszyć? — chciałem się dowiedzieć, lecz duch znów go opanował, usiłując zniszczyć jego umysł i wolę.

— Panie Erskine, wchodzimy! — szczeknął do mnie policjant z drugiej strony drzwi.

— Jeszcze nie! — krzyczałem. — Na miłość boską, jeszcze nie wchodźcie!

Po raz pierwszy w życiu doznałem takiego olśnienia. Przypomniałem sobie kolorową książeczkę z czasów dzieciństwa. Przedstawiała ona szamana z plemienia Czejenów, który cofa się przed grzechotnikiem. Szeroko otwarte oczy, cienie kłębiące się z tyłu. Widziałem zarys głowy przypominającej głowę bawołu i złośliwy cień grzechotnika w kształcie litery S.

Trzęsącymi się rękoma trzymałem miskę z wodą, chlapiąc nią obficie, a w myślach powtarzałem: grzechotnik, grzechotnik.

Zmagając się z duchem, który go opętał, Martin jęczał i mruczał. Żyły na jego skroniach i na szyi nabrzmiały jak sztucznie pędzone korzenie rośliny. Rzucał głową w przód i w tył, jakby chciał sobie złamać kark. Przerażony tym widowiskiem, nie zauważyłem, że poziom wody w misce zaczął się podnosić. Spojrzałem na nią dopiero wówczas, gdy poczułem, że porusza się w moich rękach. W panice rzuciłem ją na podłogę.

Miska upadła i przewróciła się do góry dnem. Natychmiast wypełznął z niej długi, lśniący wąż. Miał szeroko rozwarte szczęki, ohydnie zakrzywione jadowite zęby i śliskie, tłuste ciało. Był to okaz dojrzałego grzechotnika. Przezroczysty, świecący jak szkło. Powstał z wody, z niczego więcej. Woda białego człowieka — martwa woda, jak nazwał ją duch — nagle ożyła. Wąż wydał ostry grzechot i wpił się w nogę Martina, a on ryknął: „Nie!" jakby uderzył grom. Ustąpiły dreszcze. Martin stał z opuszczoną głową jak człowiek, który wygrał największą z bitew, lecz stracił wszystko, co było dla niego najdroższe. Spojrzałem w dół. Na podłodze nie było śladu grzechotnika, tylko mała kałuża wody w miejscu, gdzie przewróciła się miska.

— Wchodzimy — wrzasnął policjant i kopnął drzwi, które otworzyły się na oścież. Z bronią gotową do strzału do jadalni wpadło dwóch oficerów: czarny i biały. — Policja! Ręce do góry!

Nie wziąłem tego do siebie, uważając się za przypadkowego świadka. Martin z kolei nie usłyszał rozkazu, tak że żaden z nas nie podniósł rąk.

— Podnieś ręce do góry! — wrzasnął na mnie czarny policjant. Drugi szybko zrewidował Martina.

— Jezus Maria! Co się tutaj stało? — spytał, patrząc na krwawe szczątki, które kiedyś były Michaelem i Naomi Greenbergami.

— To nie byłem ja — odezwał się Martin.

Murzyn wpatrywał się w jego zakrwawioną rękę.

— Cały jesteś we krwi i to nie byłeś ty?

— Moje ciało to zrobiło. Moja ręka. Nie byłem sobą.

Policjant odpiął kajdanki i rozkazał:

— Ręce do tyłu. Aresztuję cię pod zarzutem morderstwa. Masz prawo milczeć. Wszystko, co powiesz, może być...

— Sierżancie — wtrąciłem się. — Wiem, że to brzmi niewiarygodnie, ale on mówi prawdę. To nie on to zrobił. Daję słowo.

Sierżant patrzył na mnie, nie mrugnąwszy nawet okiem.

— Może pan sobie dawać słowo, a ja pana również oskarżam o morderstwo.

Następnego dnia, kwadrans po szóstej rano, po przesłuchaniu Karen i stwierdzeniu lekarza, że Martin sam zabił Naomi i Michaela, zwolniono mnie z aresztu śledczego.

Martina oskarżono o dwa zabójstwa kwalifikowane i odmówiono zwolnienia go za kaucją. Kiedy Karen przyjechała po mnie, areszt śledczy pełen był dziennikarzy telewizyjnych, reporterów i kamer ENG. „Czarna magia morduje — pisano. »Zły duch kazał mi to zrobić« — broni się domniemany zabójca".

Karen zawiozła mnie czerwoną jettą do mieszkania ciotki przy Osiemdziesiątej Drugiej Wschodniej. Ciotka miała prawie dziewięćdziesiąt lat i spędzała lato u rodziców Karen w Nowej Anglii. Nie znosiła upałów i zanieczyszczonego powietrza. Karen otworzyła drzwi i wszedłem do środka. Od czasu jak Amelia, MacArthur i ja zorganizowaliśmy tu pierwszy seans spirytystyczny, niewiele się zmieniło. Był to ogromny apartament, umeblowany bogato, lecz pozbawiony indywidualnego charakteru; ogromne wyścielane fotele i kanapy, czerwone aksamitne zasłony, antyczne stoliki i obrazy.

Kiedyś było tu ciepło i przytulnie. Teraz czuło się pustkę i zaniedbanie. Brokatowa tkanina na oparciach foteli była zniszczona, a dywan w wielu miejscach poprzecierany.

Podszedłem do okna i spojrzałem w dół, na drzewa i chodniki Osiemdziesiątej Drugiej.

— Zjesz śniadanie?

— Nie, wystarczy mi kawa.

Karen miała na sobie białą płócienną bluzkę z kieszeniami i krótką spódnicę z diagonalu. Przetłuszczone włosy związała w koński ogon. Wyglądała jak zawsze pięknie i delikatnie, mimo przekrwionych, podkrążonych oczu. Karen była zamożną dziewczyną. Miała dwa domy, najnowszy model bmw, konto bankowe u Saksa na Piątej Alei i ponad milion dolarów, co dla mnie było astronomiczną sumą. Wielka słodycz i naturalność emanowały z tej dziewczyny, co sprawiało, że istniejące między nami różnice społeczne i majątkowe nie miały znaczenia.

Poszedłem za nią do kuchni, utrzymanej w kolorze delikatnej zieleni. W latach pięćdziesiątych prawdopodobnie był to ostatni krzyk mody. Teraz jednak wystrój kuchni przypominał fragment ze starego filmu *Kocham Lucy*. Stała tam nawet lodówka Westinghouse z nadstawką w kształcie kopuły.

— Z ekspresu? — spytała Karen.

Oparłem się o blat koło Karen. Powoli obracał się wiatrak w wyciągu nad okapem. Przypomniał mi się film *Anielskie serce*. Rzadko chodziłem na tego rodzaju filmy, ponieważ mało kto tak jak ja wiedział, ile jest w nich prawdy. Po śmierci Śpiewającej Skały napisałem książkę o magii Indian, w której pokazałem prawdę o manitu, duchach wiatrów i diabelskich lalkach. Jednak moja agentka literacka stwierdziła, że mój punkt widzenia jest z gruntu fałszywy. Nie mając namacalnych dowodów, nie mogłem jej przekonać, że magia Indian ma moc sprawczą. Szkoda, że jej nie było ze mną w mieszkaniu Greenbergów. Wówczas mogłaby mnie pytać o te przeklęte dowody.

— Czy już się lepiej czujesz? — z troską w głosie zapytała Karen.

— Jestem trochę zmęczony i zszokowany. A jak ty?

— Jak by to powiedzieć? Nie mogę uwierzyć, że to naprawdę się stało.

— A jednak tak. Jakaś nieznana siła opętała ciało i duszę Martina. Jakaś potężna gwardia duchów zła i przemocy.

Zaniosłem do salonu dzbanek z kawą. Wpadające przez okno promienie słońca układały się na wytartym dywanie w pozłacane romby.

Usiedliśmy obok siebie na jednej kanapie, opierając wygodnie nogi na stoliku do kawy. Tuż koło mojej nogi stała figurka z lat dwudziestych, przedstawiająca tancerkę w stylu Izadory Duncan. Karcącym ruchem wskazywała na ogromną dziurę w mojej skarpetce.

— Wspomniałeś, że widziałeś Śpiewającą Skałę — powiedziała Karen, nie patrząc na mnie.

— Tak. Przedtem widziałem go w mieszkaniu Martina. Okazało się, że towarzyszył mi cały czas. Martin od razu to wyczuł. Wywołał ducha Śpiewającej Skały, myślę, że można tak to nazwać. Sprawił, że ukazała się jego twarz, a nawet zmusił go do mówienia.

— Co powiedział? — W dalszym ciągu nie patrzyła na mnie.

— To było coś w rodzaju ostrzeżenia. Nie wszystko zrozumiałem. Mówił o wielkiej otchłani, o uwolnieniu świętych ziem. Coś podobnego słyszałem od Martina ubiegłej nocy. To znaczy nie od Martina, tylko od ducha, który go opętał. Wciąż powtarzał, że chcą zetrzeć wszelki ślad po nas. Nie mam pojęcia po kim.

W milczeniu popijałem kawę. Była tak gorąca, że sparzyłem sobie górną wargę.

— Ponieważ Greenbergowie byli Żydami, początkowo myślałem, że to duch nazisty. Bardzo wielu hitlerowców babrało się w podróżach transcendentalnych i reinkarnacji. Miałem głęboką nadzieję, że to będzie duch hitlerowca.

Nareszcie Karen spojrzała na mnie.

— Ale tak nie jest, prawda?

Potrząsnąłem głową.

— Nie ma najmniejszej wątpliwości, że to duch Indian.

— To on? — odruchowo podniosła rękę i dotknęła blizny na karku.

— Tak myślę. Dopóki nie porozmawiam z Martinem, nie mam pewności.

— Kiedy to nastąpi?

— Musimy jeszcze trochę poczekać. Najpierw musi z nim porozmawiać jego adwokat.

— Ogromnie mi przykro, że cię w to wszystko wciągnęłam. Gdybym przypuszczała...

Wziąłem ją za rękę.

— I tak bylibyśmy w to wplątani. Już przedtem byliśmy wplątani, wiemy to oboje. Tym łatwiej może nami manipulować. Mam wrażenie, że on szuka zemsty w starym stylu.

Nieoczekiwanie Karen pochyliła się i pocałowała mnie w usta.

— A to za co?

— Za odwagę.

— Odwagę? Zasługuję jedynie na medal ojca Karrasa Za Bezprzykładną Głupotę w Obliczu Sił Nadprzyrodzonych.

— Nie bądź taki skromny. Kto by się na to zdobył? Kto miałby odwagę przeciwstawić się temu, co mnie spotkało? Poza tym, uświadomiłam sobie, że cię lubię. Zawsze cię lubiłam.

Nie wiem, czy Karen rzeczywiście żywiła dla mnie jakieś uczucie, czy też trzymała się mnie jako jedynej osoby, która wiedziała, co stało się z Greenbergami. Pewnie po trosze jedno, po trosze drugie, ze sporą domieszką zmęczenia i lęku. Moim codziennym kontaktom z ludźmi rzadko towarzyszy myśl o miłości. Miłość siedzi w nogach mojego łóżka, aż któregoś dnia, znudzona, wychodzi, nie zamykając nawet za sobą drzwi.

Wypiłem kawę i poszedłem do pustej sypialni na parogodzinną drzemkę. Nie chciałem wracać do siebie na Pięćdziesiątą Trzecią. Oczyma duszy widziałem te tłumy reporterów czyhających na mnie pod drzwiami. Na razie chciałem zapomnieć o Greenbergach. Choć wciąż widziałem zakrwawioną pięść Martina, w której ściskał owłosione ciało Naomi. Boję się, że ten widok pozostanie ze mną na zawsze.

Sypialnia była mała, lecz bardzo przytulna. Ściany pokrywała tapeta, której złocone kwiaty lekko już przypłowiały. Spojrzałem w lustro na toaletce. Lewą stronę twarzy miałem mocno spuchniętą i oko prawie zamknięte, jak na rysunkach karykaturzysty. Nie miałem pojęcia, że to aż tak wygląda. Rozebrałem się powoli i położyłem do łóżka, przytulając policzek do zimnej, pachnącej stęchlizną poduszki. Na ścianie koło mnie wisiał sztych w złoconych ramach. Dziewiętnastowieczna dama w ogromnym kapeluszu przybranym strusimi piórami obserwowała przez lornetkę czerwonoskórego w wojennym pióropuszu na głowie. Napis umieszczony pod spodem brzmiał: „Nasi pierzaści przyjaciele". Uśmiechnąłem się na tę naiwność. Indianie nigdy nie byli i nie będą naszymi przyjaciółmi. Tak samo jak my nigdy nie będziemy ich przyjaciółmi.

Ledwie zamknąłem oczy, natychmiast zasnąłem.

Po jakiejś półgodzinie zacząłem śnić. Biegłem po schodach do mieszkania Greenbergów. Drzwi wejściowe otwarte na oścież. Wydobywało się z nich zimne, niebieskawe światło, jak z włączonego telewizora w nieznanym pokoju jakiegoś motelu. Słyszałem stłumione głosy ludzkie, ktoś bez przerwy powtarzał:

— Neeejm... nejm... Nepouz-chad...

Nagle zorientowałem się, że ktoś za mną stoi, tak blisko, że czułem jego zimny oddech na moim karku. Chciałem się odwrócić, ale nie mogłem. Czyjaś ręka schwyciła mnie za włosy i wyrywała je z korzeniami. Strach był większy niż ból. Wiedziałem, że mój napastnik rani mnie dotkliwie, że może nawet zniekształcić mnie na całe życie.

Potem poczułem, jak coś odciągnęło mi głowę do tyłu. Ktoś próbował wepchnąć mi palce do ust. Krztusiłem się, walczyłem, starając się wyrwać głowę z uchwytu. Krzyczałem:

— Puszczaj! Puszczaj! Nie mogę oddychać! Dusisz mnie!

Zdawało mi się, że krzyczałem: „Puszczaj!". Tymczasem z gardła wydobywały mi się jakieś nieartykułowane dźwięki: Gruggl-uggl-gruggl! Otworzyłem oczy i zobaczyłem Karen; leżała koło mnie i głaskała moje czoło.

— Ciiicho! Śnił ci się jakiś koszmar. Krzyczałeś i jęczałeś głośno.

Przytuliłem się do poduszki i spojrzałem na nią. Na wpół rozbudzony, zauważyłem, że jest naga. Całe jej ubranie stanowił cienki łańcuszek ze złotym wisiorkiem w kształcie litery S. Podarował go jej Śpiewająca Skała, po tym jak uratował jej życie. Był to prehistoryczny hieroglif Algonkinów oznaczający „tajemny znak", który według Śpiewającej Skały odstraszał złe duchy Indian, jak krzyż wampiry.

Karen pocałowała mnie w czoło i pogłaskała po włosach.

— Chyba nie jestem na to przygotowany — odezwałem się.

— Dlaczego nie? — uśmiechnęła się. — Polubiłam cię od pierwszej chwili, gdy cię spotkałam...

— Nie masz wobec mnie żadnych zobowiązań, Karen. Chyba wiesz. Poza tym... ja i ty... Nie przyniósł nas ten sam bocian. Ja jestem chłopcem z Bronksu i zawsze nim pozostanę. Śmierdzące przedmieście Bronx, z koronkowymi zasłonami w oknach, ale jednak Bronx. A ty? Pochodzisz z Nowej Anglii i mieszkasz w dzielnicy willowej East Side. Prywatne szkoły, szmatki szyte na miarę.

Sięgnęła do nocnego stolika i wyjęła małą kwadratową kopertę.

— Pozwoliłam sobie — powiedziała. — Czy chcesz, żebym ci założyła?

— Karen... — broniłem się. — Pomyśl o różnicy wieku. Gdybym ożenił się z twoją matką mając piętnaście lat, mógłbym być twoim ojcem.

— Moja matka nie lubiła młodszych mężczyzn — odpowiedziała, otwierając torebkę z prezerwatywą.

— Nie mówię o twojej matce, tylko o tobie. Nawet nie wiem, co ja do ciebie czuję.

Schwyciła ręką mój penis i pobudziła go energicznie raz i drugi.

— Wygląda na to, że jednak wiesz.

Rozciągnęła gumę na mojej nabrzmiałej żołędzi i ostrożnie odwinęła ją do dołu. Kiedy skończyła, z zażenowaniem spostrzegłem, że mój członek ma kolor szmaragdowy.

— Robią je w różnych kolorach — wyjaśniła. — Niestety, został mi tylko zielony.

Wspięła się na mnie i pocałowała. Jej małe piersi ocierały się o moje; sutki stwardniały. Sterczały bladoróżowe, z lekkim odcieniem brązu, jak zamierające płatki róży.

Pocałunek był długi i głęboki. Spojrzałem jej prosto w oczy, pieszczotliwie targając jej włosy. Była tak blisko, że widziałem każdy promień na tęczówkach, każdą plamkę światła.

— Nigdy nie myślałem o tobie w ten sposób — powiedziałem, usprawiedliwiając się.

W odpowiedzi uśmiechnęła się.

— Nigdy nie myślałam o tobie inaczej. Poza tym, czy mamy jakiś wybór?

— Nie rozumiem.

— Po tym, co przeszliśmy, czy któreś z nas mogłoby zbliżyć się do innego partnera? Tylko my to wiemy, tylko my to widzieliśmy. Kiedy stałam z Jimem przed ołtarzem, przysięgając mu miłość w obliczu Boga, na szyi miałam ten wisiorek, aby chronił mnie przed duchami, w których istnienie naprawdę wierzyłam.

— Karen...

Pocałowała mnie w powieki i w czubek nosa.

— Posłuchaj, Harry. Nie jestem już Karen Tandy. Nie jestem tą młodą niewinną dziewczyną, która po raz pierwszy przyszła prosić cię o pomoc. Jestem dorosłą kobietą, byłam mężatką i wiem, jak to jest. Jestem Karen von Hooven, która ma ochotę na twoje ciało, choćby ten jeden raz.

Położyła się na mnie, wzięła do ręki mój penis i delikatnie włożyła sobie między nogi. Byłem podniecony, ona również. Szczupła i krucha, miała w sobie coś z dziecka. Pieściłem jej piersi, delikatnie pocierając palcami sutki. Całowałem brodę, szyję i wszystkie miejsca, do których mogłem dotrzeć.

Kiedy tak siedziała na mnie, czułem, jaka jest ciepła, wilgotna i ciasna. Zamknęła oczy, odrzuciła głowę do tyłu i poruszała się rytmicznie, jakby jechała przez prerie na wiernym rumaku. Nie wolno ci tego robić... ona wierzy w ciebie: Powinieneś się nią opiekować, a nie kłaść się z nią do łóżka. Co pomyśli jej ciotka? — przelatywało mi przez głowę.

Zerknąłem w dół i zobaczyłem szczupłe biodra wznoszące się i opadające na moje biodra, mały trójkątny krzaczek włosów łonowych i mój szmaragdowozielony członek, pojawiający się i znikający między nabrzmiałymi, różowymi wargami. Muszę przyznać, że ten widok ogromnie mnie podniecił.

Podniosłem się i przewróciłem ją na plecy. Jak oszalały całowałem i pieściłem jej szyję. Ściskałem piersi i palcami ciągnąłem sutki. Wszedłem w nią głęboko, coraz głębiej, aż uniosła nogi w powietrze i dysząc krzyczała, i gruchała jak niespokojna gołębica. Nakryła ręką moje jądra, które, czułem to, były gotowe do strzału. Wolałbym, aby nie było prezerwatyw, a raczej aby choroby zakaźne nie zmuszały nas do ich używania. To była ostatnia myśl, jaka mnie nawiedziła, zanim wypełniłem prezerwatywę trzema wytryskami. Karen trzymała mnie kurczowo, wpijając paznokcie w moje plecy.

Opadłem na łóżko i pocałowałem Karen. Byłem tak spocony, że włosy pozlepiały mi się na czole i wyglądałem jak Juliusz Cezar. Brakowało tylko wieńca laurowego.

— Przepraszam cię — powiedziałem.

Oddała mi pocałunek i zlizała trochę mojego potu.

— Za co?

— Powinienem dłużej wytrzymać. Pistolet za wcześnie wypalił.

— Co ty mówisz? Przeżyłam szczyt.

— Tak?

— Nie wierzysz mi, bo nie ochrypłam od krzyku i nie rzucałam się.

— Naprawdę miałaś rozkosz?

— Oczywiście. Nie potrafiłabym udawać.

Wpatrywałem się w nią z niedowierzaniem. Kobiety, z którymi do tej pory się zadawałem, w tym kulminacyjnym momencie odstawiały widowisko muzyczno-taneczne, którego nie powstydziłby się sam Leo Karibian, ten od *West Side Story*. Może udawały, a może chciały udowodnić, że są warte moich pieniędzy.

A Karen, uśmiechając się, pocałowała mnie raz jeszcze i powiedziała:

— Naprawdę miałam rozkosz. Jak tylko wszedłeś we mnie.

Westchnąłem z uczuciem radości.

— Było cudownie — stwierdziła i ułożyła się pod moją pachą.

Oboje drzemaliśmy blisko godzinę. Parę razy śniły mi się różne sceny z mieszkania Greenbergów. Widziałem nawet przezroczystego węża sunącego pod łóżkiem i zdawało mi się, że słyszę słaby dźwięk grzechotki. Otworzyłem oczy. Słońce przebijało przez zasłony i świergotał telefon.

— Chcesz, żebym odebrała? — zapytała Karen jeszcze niezupełnie rozbudzona.

— Nie, sam odbiorę. Leż sobie.

Dzwonił sierżant Friendly z trzynastego komisariatu. W jego głosie czuło się zmęczenie.

— Prosił pan o telefon po rozmowie pańskiego przyjaciela z adwokatem.

— Dziękuję. Jestem bardzo wdzięczny.

Karen siedziała na łóżku z odsłoniętymi piersiami. Miałem wielką ochotę zerknąć na nią, nie byłem jednak pewien, czy nasza znajomość upoważnia mnie do tego. Niektóre kobiety nawet w bardzo zaawansowanej fazie nie lubią, żeby gapić się na ich cycki. Co prawda piersi Karen to nie cycki, były raczej jak dwie małe bezy z wisienkami na czubkach.

— Kto to był? — spytała.

Pośpiesznie wciągałem spodnie.

— Policja. Mogę już porozmawiać z Martinem.

— Która godzina?

— Dziesięć po jedenastej.

— Chcesz, żebym z tobą poszła?

Zastanowiłem się.

— Chyba nie. Nie chcę cię znów w to mieszać.

— Czy nadal jesteś przekonany, że to był on?

— Niestety. Wszystko na to wskazuje. Najgorsze, że nie wiem, co mam teraz zrobić. Dlatego chcę porozmawiać z Martinem.

— Dobrze — powiedziała zdecydowanym tonem, a jej małe piersi poruszyły się.

Martin już czekał na mnie w pokoju widzeń. Wszystkie okna były zasłonięte wyszczerbioną stalową siatką. Przez okna widać było dachy, magazyny, wieżę ciśnień i cienką warstwę leniwych chmur. Widok na wschodnią stronę nie wiem dlaczego przypominał mi wiersz *Przed pagodą starą w Moulmein, tam gdzie morza senny brzeg**. Pierwszy raz natknąłem się na ten wiersz w starej książce z serii Pogo. Dopiero po piętnastu latach dowiedziałem się, że napisał go Rudyard Kipling, a nie Walt Kelly. To mówi samo za siebie. Ma się tę klasę, tyle że bez wykształcenia.

Znudzony policjant, prawdopodobnie Hiszpan, z bokobrodami à la Elvis Presley (był to okres Las Vegas), stał oparty o zieloną ścianę, usiłując zdobyć światowy rekord w strzelaniu z gumy do żucia. Martin siedział przy wyblakłym od słońca stole. Miał poszarzałą twarz i wydawał się mniejszy. Ubrany był w czystą drelichową koszulę i dżinsy. Był ogolony, ale jego twarz, z której wyzierały strach i jakaś obcość, przypominała na wpół złożoną układankę.

---

* Przekład Macieja Słomczyńskiego.

Odsunąłem krzesło. Martin podniósł głowę.

— To ty, Harry? — powiedział.

— Jak się czujesz?

Wzruszył ramionami.

— Tak, jak się można czuć w mojej sytuacji. Adwokat poczynił już przygotowania do wystąpienia o uznanie mojej niepoczytalności. Zna naszą rodzinę od lat, był jeszcze adwokatem mojego ojca. Okropnie na mnie wrzeszczał. Przeciągnąłeś jej organy płciowe przez usta i o co chcesz prosić? Co?

Bębniłem palcami po stole w rytm wiersza *Przed pagodą starą w Moulmein*.

— Jak masz zamiar uzasadnić swój wniosek?

— Dobrze wiesz jak. Ty jeden wiesz, co się stało. Zostałem opętany. Całkowicie.

To nie była odpowiednia pora na żarty.

— Wiem, że tak było. Gdyby tylko istniała możliwość udowodnienia tego, zwolniliby cię stąd w trzy minuty i sprawa załatwiona.

— Jeszcze nigdy nie zdarzyło mi się nic takiego. Zazwyczaj panuję nad duchami z różnych epok... im starszy, tym lepiej. Przeważnie są delikatne i życzliwe. A ten, o Boże! Nie możesz sobie wyobrazić, co to było. Uderzył mnie jak lokomotywa. Był ogromny, ciemny i potężny. Przede wszystkim był mściwy. Nigdy jeszcze nie spotkałem takiego ducha. Chciał wyrwać mi serce. Najchętniej wszystkim wydarłby serca.

— W jaki sposób do niego dotarłeś? — spytałem. — Czy pomógł ci w tym Śpiewająca Skała?

— O tak — pokiwał głową. — Czułem jego obecność... Śpiewająca Skała przemknął koło mnie jak wiatr. Chciał mnie powstrzymać. Nie chciał, żebym dalej w to wchodził. Lecz ja oczywiście wiedziałem lepiej. Żywi zawsze lepiej wiedzą niż zmarli, prawda?

— Co zrobiłeś dalej?

Martin wierzchem dłoni otarł pot z czoła. Oczy latały mu na wszystkie strony, jakby obawiał się podsłuchu.

— Nic nie musiałem robić, i to jest niezwykłe. To duch zbliżył się do mnie. Podszedł do mnie mężczyzna w błękitnym mundurze kawalerii. Jego głowa to była naga czaszka pokryta strupami, jakby został oskalpowany. Był zły; opanowany, lecz zły. Z brody ściekała mu krew. Nie patrzył mi w twarz, co też było niezwykłe. Powiedział, że powinienem trzymać się z dala od tego, lecz skoro postąpiłem inaczej, on wskaże mi przyczynę wszystkich kłopotów.

Zmrużyłem oczy.

— W jakim stanie wówczas się znajdowałeś? Czy byłeś w transie, czy to był sen?

Martin zawahał się.

— Bardzo trudno jest wytłumaczyć komuś, kto nigdy tego nie doświadczył. Ja to nazywam stadium ducha. Dzieje się tak wówczas, kiedy ciało moje jest na miejscu, lecz duch znajduje się gdzie indziej. Doskonale zdawałem sobie sprawę, że znajduję się w pokoju, byłem świadom twojej obecności... Jednocześnie otaczała mnie całkowita ciemność i przeogromna pustka, z której duchy wychodziły jak ludzie z samolotu.

— Bałeś się?

— A co? Myślałeś, że on się bał?

Odchyliłem się do tyłu na moim składanym krześle. *Przed pagodą starą w Moulmein, tam gdzie morza senny brzeg.* Za niecałe dwadzieścia minut miałem wróżyć z fusów pani Herbertowej Bugliosi. Jak to się stało, że zostałem w to wplątany? Co się stało z moją spokojną egzystencją? Gdzie się podziały te żarciki, te flirciki, uwodzicielskie trzepotania rzęsami, pieniądze, leniwe, rozkoszne popołudnia? Dzisiaj pani Bugliosi. Jutro klientka, którą nazywam Akweduktem. Przynajmniej taki był plan.

— Czy możesz opisać jego wygląd? — spytałem Martina cichym głosem.

Twarz mu się wydłużyła.

— Nie bardzo pamiętam. Było ciemno, bardzo ciemno. Pamiętam tylko cień, magnes i martwe ciało. Wiesz, było zimno. Ciemno i zimno. Jednak w tym wszystkim czuło się życie. Tak jak żywy jest prąd. Ogromne, śmiercionośne napięcie; dużo iskier, lecz brak duszy.

— Widziałeś go?

— Czy go widziałem? — Wbił we mnie wzrok. — Przecież to byłem ja! Opętał mnie całego.

— Czy udało ci się zachować świadomość? Czy zdawałeś sobie sprawę, co on z tobą wyprawia?

— Dobrze wiedziałem, co on ze mną wyprawia. Jeżeli chcesz wiedzieć, taki był jego zamiar. Zabić — owszem, to miała być straszliwa nauczka, potwierdzenie, że nie powinniśmy byli się do tego mieszać. Ale nie tylko duch chciał nam pokazać, że nasze życie nic dla niego nie znaczy. Bez wahania może przewrócić nas flakami do wierzchu. Rozerwać, splamić, zniszczyć, Geronimo.

— Czy to był duch Indianina?

— Nie wiem... nie wydaje mi się. Zresztą za mało wiem o Indianach. Nigdy żadnego nie spotkałem. Mam na myśli fizyczne spotkanie. Indian widziałem chyba tylko na filmach Jeffa Chandlera.

— Przed chwilą powiedziałeś: „Geronimo".

Obciągnął rękaw i nerwowo zaplatał i rozplatał nogi.

— Samobójca, skacząc z dwudziestego trzeciego piętra, woła: „Geronimo". To taki okrzyk, figura retoryczna.

— Więc jak on wyglądał?

— Już ci mówiłem... był ciemny i zimny. Widziałem tylko cień. Ale go czułem... we wnętrzu mojego ciała, jeśli chcesz znać całą absurdalną prawdę.

— I nie miałeś wrażenia, że to mógł być Indianin?

— Nie — pokręcił głową. — Co wcale nie oznacza, że nie był. Zazwyczaj nie krzyczymy przecież: „Jesteśmy biali". Prawda?

— Słusznie — zgodziłem się. Odchyliłem się do tyłu i spojrzałem na niego. Byłem przekonany, że Martin nie jest ze mną szczery. Nie mogłem zrozumieć dlaczego. Miał być oskarżony o zabójstwo pierwszego stopnia i każdy choćby najmniej wiarygodny dowód jego niewinności powinien być dla niego cenny.

— Mój adwokat nie jest przesadnym optymistą — oznajmił z krzywym, sarkastycznym uśmiechem. — Udowodnić dwunastu prostym ludziom, że zostałem opętany przez złe duchy, i przekonać ich to będzie bardzo trudne zadanie, wierz mi.

— Masz zamiar zastosować taką linię obrony?

— A co mogę zrobić? Przewróciłem tę biedną kobietę flakami do wierzchu. Z zimną krwią zamordowałem jej męża. Jeżeli będę dowodził swojej niepoczytalności, zamkną mnie w najlepiej strzeżonym zakładzie dla obłąkanych i wyrzucą klucz do rzeki.

Nie wiedziałem, co powiedzieć. Czułem się odpowiedzialny za kłopoty, w jakie popadł Martin. Oczywiście byłem gotów zeznawać w jego obronie. Powiedziałbym w sądzie, że on nie może odpowiadać za swoje czyny, ponieważ opętał go mściwy, oszalały duch. Co bym przez to osiągnął? Prawdopodobnie i mnie wysłaliby do wariatkowa.

Wstałem.

— Chyba już pójdę. Jeżeli coś sobie przypomnisz, cokolwiek, proszę cię, daj mi znać. Wiem, że ty nie zabiłeś Greenbergów. Karen też to wie. Musimy znaleźć sposób, by to udowodnić.

— Posłuchaj — odezwał się Martin, nie patrząc na mnie. — W żadnym razie nie próbuj organizować drugiego seansu. Ten duch jest naprawdę bardzo niebezpieczny. To, co wydarzyło się ubiegłej nocy, to jest czubek czarnej góry lodowej.

— Słucham dalej — powiedziałem.

Odetchnął głęboko.

— Coś się szykuje, Harry. Coś poważnego. Jeszcze nigdy nie czułem takiego niepokoju wśród duchów. Nawet teraz to czuję. Ten przeklęty świat duchów kłębi się, jakby znalazł się w jakimś ogromnym wirze. Kiedy jest trzęsienie ziemi, ludzie w panice uciekają w różne strony. Tak samo jest teraz w świecie duchów.

— A to, co się wydarzyło wczoraj? Czy to jest część tego, co się w tym świecie dzieje?

Nie odpowiedział. Patrzyłem na niego z góry, lecz on ani nie podniósł oczu, ani się nie odezwał. Dałem znak głową gliniarzowi z bokobrodami à la Elvis Presley, a on otworzył mi drzwi.

— Harry — odezwał się Martin, kiedy już miałem wychodzić. Dziękuję za odwiedziny. Nie winię cię za to, co się stało. Zawsze byłem świadom ryzyka.

— Wyciągniemy cię z tego — zapewniłem go. — Gwarantuję ci.

Uśmiechnął się.

— W naszym interesie, Harry, nikt nie może niczego gwarantować.

Opuściłem areszt śledczy. Byłem zdezorientowany, zmartwiony i spocony. Zwłaszcza martwiło mnie to, co Martin powiedział o niepokoju w świecie duchów. Już raz to przeżyłem i wiem, jak może to wpłynąć na świat żywych.

Zdrowi umierają na ulicach. Umarli chodzą po ulicach. Niesłychanie cienka linia dzieli życie od śmierci. Nieraz zastanawiam się, co sprawia, że jestem kiepskim jasnowidzem, mój poczciwy staroświecki sceptycyzm, czy strach przed przekroczeniem tej linii i wmieszaniem się w sprawy, które do tej pory nie obchodziły mnie, jak śmierć, cienie, kobiety przewrócone flakami do wierzchu.

Złapałem taksówkę na Broadwayu i kazałem się zawieźć do

dzielnicy willowej. Żar lał się z nieba, a taksówkarz w swojej koszulce z krótkimi rękawami nieznośnie cuchnął potem. Po drodze zdążył mi opowiedzieć, że jego syn gra na basie w zespole heavy metal. Rozdrażniony, siedziałem z tyłu na lepkim siedzeniu, bez przerwy wycierając czoło chusteczką z ligniny i dla podtrzymania rozmowy wtrącając co chwila: — Oczywiście. Doprawdy? Ach tak!

Patrząc przez okno samochodu, miałem wrażenie, że przechodnie przyglądają mi się. Sprzedawcy pączków, gliny i obładowani zakupami klienci. Czułem się, jakbym był obserwowany. Było to bardzo denerwujące, chociaż wiedziałem, że to tylko sprawa mojej wyobraźni. Czułem się nawet obserwowany przez taksówkarza, którego bezmyślne oczy utkwione były we wstecznym lusterku. *Przed pagodą starą w Moulmein.*

Fakt, że Martin powiedział „w naszym interesie", a nie „w moim interesie", stanowiło dla mnie powód do dumy i pewności siebie. W ten sposób co najmniej potwierdził, że uznaje mnie za medium, wspólnika w tym zwariowanym zawodzie. Pokazał, że wierzy we mnie.

Ja też chciałbym wierzyć w siebie, choć w połowie tak jak on we mnie.

Amelia słuchała mnie z powagą. Klasa tonęła w słonecznej, szarawej poświacie. Mały chłopiec o szklanych oczach i nastroszonych włosach rysował bombowce niszczące miasto. Oglądany z boku, rysunek był lepszy niż *Guernica* Picassa.

— Nie mogę, Harry. Ja już to zarzuciłam — broniła się Amelia.

— Wiem. Wiem, że już się tym nie zajmujesz. Ale do kogo mam się zwrócić? O ile będzie miał szczęście, do końca życia będzie gnić w domu wariatów. Przecież to go zabije.

— Słyszałam o tym w porannych wiadomościach — powiedziała Amelia.

Oczy miała blade jak agaty. Jej włosy, oświetlone przez słońce, wyglądały jak złote włókienka. Z takich złotych włókienek Rumpelstiltskin snuł swoje opowiadania, zanim poznano jego imię. A kiedy imię jego stało się znane, tupnął nogą i na zawsze wpadł przez podłogę, wprost do świata cieni. O czym to ja mówiłem? Ta nasza planeta ma cienką skórę.

— Gdybym potrafił w połowie to co ty, Amelio, pomógłbym mu na pewno.

Spojrzała na mnie uważnie.

— Gdyby prawda wyszła na jaw, Harry, może okazałoby się, że potrafisz więcej niż ja.

— Amelio... proszę cię.

Chłopczyk nieśmiało wysunął się do przodu, pokazując swój rysunek. Amelia obejrzała go uważnie.

— Świetnie, Douglas. Nie wydaje ci się jednak, że jest w tym dużo przemocy?

Douglas potrząsnął głową.

— To nie jest miasto, w którym są ludzie czy coś takiego.

— Ach, tak? Ale narysowałeś domy. Kto mieszka w tych domach?

— Poborcy podatkowi.

— Poborcy podatkowi?

Douglas pokiwał głową.

— Tata mówi, że ktoś powinien spuścić na nich bombę. Dlatego to narysowałem.

— Rozumiem — powiedziała Amelia. — Pewnie chcesz wziąć rysunek do domu, żeby pokazać tatusiowi?

Patrzyła za nim, jak odchodził, po czym zamknęła drzwi klasy.

— Bystry chłopiec — zauważyłem. — Jak dorośnie, może zostanie grubą rybą w jakiejś spółce.

Uśmiechnęła się.

— On ma poważne zaburzenia. Kiedy miał pięć lat, matka zostawiła go i odeszła. W tym czasie jego ojciec pracował na Alasce w firmie Exxon. Przez prawie dwa tygodnie sam musiał opiekować się dwuletnią siostrzyczką. Gotował, kąpał ją, opowiadał bajki, a nawet robił zakupy. Nikt o tym nie wiedział, dopóki nie rozpłakał się na środku klasy.

— Zasrane życie — stwierdziłem.

— O tak — uśmiechnęła się Amelia. — Zasrane. Nie jesteśmy jednak w stanie wszystkim pomóc, choćbyśmy nie wiem jak chcieli i starali się.

— Chcesz powiedzieć, że nie pomożesz mi w tym przypadku?

— Nie wiem, co powiedzieć, Harry. Ta sprawa wygląda poważnie. To może być bardzo duży kłopot.

Przetarłem twarz rękoma.

154

— W porządku, Amelio. Rozumiem cię. Ostatecznie to twoje życie. Dochodzę do wniosku, że nie miałem prawa cię o to prosić.

— Harry...

— Zapomnijmy o tym. Nie chcę, żebyś cokolwiek robiła przez wzgląd na dawne dobre czasy. Trudno o gorsze uzasadnienie. Znajdę kogoś. W książce telefonicznej są dziesiątki spirytystów.

— Przypuszczasz, że to jest Misquamacus? — jej słowa przenikały miękko przez zasłonę popołudniowego słońca.

— Tak — powiedziałem. — Któż inny mógłby to być?

— Mówiłeś mi, że Misquamacus poprzysiągł, że cię zabije.

— Tak powiedział. Bez żadnych wątpliwości.

— Harry, proszę cię, zostaw to wszystko. Zapomnij o Martinie, zapomnij o Greenbergach, zapomnij o całej tej przeklętej sprawie. Cokolwiek zrobisz, możesz tylko pogorszyć sytuację.

— Martin mówił, że w świecie duchów coś się szykuje. Coś bardzo poważnego. Twierdził, że duchy są rozdrażnione i kręcą się jak muchy nad padliną.

— Myślisz, że to ma coś wspólnego z tobą? Na miłość boską, przestań brać odpowiedzialność za cały ten parszywy świat! Wróć do domu. Przepowiadaj przyszłość, flirtuj ze starszymi paniami. A o tym zapomnij.

— Ale Martin...

— Martin dobrze wiedział, na co się naraża. Sam ci to powiedział. Każdy, kto jest medium, zdaje sobie sprawę z ryzyka. Nic nie możesz tu zrobić.

Milczałem chwilę, po czym uniosłem ręce w geście rezygnacji.

— W porządku... Skoro tak uważasz.

— Przykro mi, Harry, ale naprawdę tak uważam. Nie mam zamiaru wystawiać na szwank wszystkiego: mojego życia, tych dzieci, po to tylko, aby uspokoić twoje sumienie.

— Słusznie — przyznałem. — Rozumiem twój punkt widzenia. Oboje z Karen będziemy więc musieli zrobić, co możliwe.

— Chyba nie masz zamiaru narażać Karen? — powiedziała Amelia ostro.

— Daj spokój, Amelio. Nie chciałbym ryzykować nawet jednego włosa z jej głowy. Karen i ja, wiesz, Karen i ja... jesteśmy sobie bardzo bliscy.

Zapadła długa cisza. Z korytarza dobiegał dziecięcy śpiew.

Kręć się, kręć, różyczko, dzwoneczku kwiatowy,
Pies pobiegł do Charleston, przyniesie ci nowy.

— Bliscy — powtórzyła Amelia, jakby nie rozumiała, co to znaczy.

Milczałem. Ale czułem, że myśl o mnie i o Karen wędruje w umyśle Amelii jak kamienna kulka w pewnej dziecięcej grze, w której wypada ona z pojemnika i toczy się w dół po pochylni, potem jak szalona wiruje w korkociągu, przez chwilę zawisa w nieruchomej równowadze na huśtawce i kończy swą drogę w dół na zjeżdżalni.

Wzruszyłem ramionami.

— Zaprzyjaźniliśmy się, rozumiesz. Dlaczego by nie? Przez wzgląd na dawne dobre czasy.

— Nie powinieneś robić niczego przez wzgląd na dawne dobre czasy — odcięła się Amelia. — Trudno o gorsze uzasadnienie.

— Punkt dla ciebie — odpowiedziałem.

Pozbierała z biurka zeszyty do ćwiczeń i złożyła je równo.

— Wpadnę tam i zobaczę. Niczego nie obiecuję. Nie daję żadnych gwarancji, ale wpadnę.

Pochyliłem się i pocałowałem ją.

— Właśnie to miałem nadzieję usłyszeć.

Kolorado

Turbulencja była tak silna, że Deke dotknął ramienia Willarda, mówiąc:

— Zawracamy. Jutro poszukamy pozostałych sztuk.

Willard ociągał się z odpowiedzią.

— Chyba masz rację. Te chmury na horyzoncie nie wróżą nic dobrego.

— Nigdy nie widziałem czegoś takiego — wyznał Deke. — A poza tym ta błyskawica... jak byś określił taką błyskawicę? Nie jest ani rozwidlona, ani płaska. Prawie jak deszcz.

Willard przesunął obrotomierz jetrangera w prawo i helikopter podskoczył, wykonując szeroki obrót. Lecieli nad porosłym bylicą terenem, na wysokości nie mniejszej niż sto pięćdziesiąt metrów. Willard nigdy przedtem nie zetknął się z taką pogodą. Niezwykle gwałtowne i nagłe podmuchy wiatru uderzały w nich z całej siły przez ponad dwadzieścia minut. A przecież nieobce mu były burze z piorunami, które dziesiątkowały stada bydła, a gdy służył w armii w Sajgonie, lądował i sterował na hueysach w czasie takich tropikalnych nawałnic, o jakich nikomu się nie śniło.

Wraz z Deke'em poszukiwali pięćdziesięciu zaginionych sztuk bydła. Zwierzęta przedostały się przez dziurę w ogrodzeniu na ranczu Petersona i rozproszyły się po całej dolinie rzeki Yampa. Zazwyczaj zagubione sztuki lubią trzymać się razem, lecz widocznie wiatr i błyskawice tak je przeraziły, że rozbiegły się w różne strony. Jak dotąd, udało im się odszukać zaledwie dwadzieścia trzy sztuki. Reszta zniknęła bez śladu gdzieś na równinie.

Deke opiekował się bydłem Petersona od ponad dwudziestu pięciu lat. Był to szczupły, żylasty mężczyzna o rzadkich włosach, których w miarę możności starał się nie obcinać. Zaczesywał je starannie po obu stronach pokrytej licznymi piegami głowy. Miał na sobie wypłowiałe dżinsy, zwiotczałe od długiego noszenia, i te same przeciwsłoneczne okulary o pomarańczowych szkłach, które otrzymał jako część swego żołnierskiego ekwipunku w tysiąc dziewięćset sześćdziesiątym siódmym roku. Był człowiekiem z długoletnią praktyką i doświadczeniem, o mnisim sposobie bycia, pozbawionym nawet krztyny poczucia humoru. Stać go było jedynie na surowy, kostyczny dowcip, charakterystyczny dla poganiaczy bydła, którzy prawie całe swoje życie spędzają w szałasach.

Willard był urodzonym pilotem. Deke zrobił kiedyś uwagę, że musiał chyba przyjść na świat z drążkiem sterowniczym zamiast penisa. Był to największy komplement dla umiejętności zawodowych Willarda, na jaki potrafił się zdobyć Deke. Willard był tylko dwa lata młodszy od Deke'a, ale wyglądał o połowę młodziej — chłopięcy i pulchny, z kruczoczarnym zalotnym kosmykiem. Nikt w całym okręgu Moffat nie mógł poszczycić się równie bujnym i równie przylizanym loczkiem. Nosił koszulę koloru khaki ze sztucznego włókna i identyczne spodnie. Kieszenie miał zawsze wyplamione atramentem, wyciekającym z różnokolorowych długopisów, które w nich trzymał.

Zdołał już prawie obrócić helikopter o sto osiemdziesiąt stopni na wschód, kiedy Deke znów dotknął jego ramienia.

— Popatrz, Willard, widzisz? Tam w dole coś się rusza.

Willard nadal trzymał nogę na lewym pedale, tak aby helikopter mógł kontynuować swój obrót.

— To tam — wskazał Deke.

Starając się utrzymać jetrangera w stabilnej pozycji, Willard leciał nad równiną, opadającą lekko w stronę rzeki. Coś tam ruszało się w dole i na pewno nie był to wiatr buszujący zazwyczaj pośród traw. Coś zwalistego i szerokiego przedzierało się wolno przez krzewy, zostawiając za sobą ślad zdeptanej roślinności. Deke zdjął okulary i stwierdził, że czymkolwiek to coś mogło być, musiało już przebyć dobre parę kilometrów, a może nawet i więcej, ponieważ spoza niskiego łańcucha pagórków nie było widać początku koleiny.

Nagle z północno-zachodniej strony nadciągnęła ulewa. Spadła tak gwałtownie, jakby ktoś niespodziewanie zatrzasnął gigantyczne drzwi, równocześnie otwierając szeroko drugie. Sztorm, który w nich uderzył, przyszedł z zachodu. Helikopter podskoczył, dał nura w dół i okręcił się wokół swego środka ciężkości.

— Jezu Chryste! — wykrzyknął Deke, łapiąc się za rączkę uchwytu.

Willard żonglował lewarkami i pedałami, usiłując ponownie ustawić swego jetrangera w poziomej pozycji. Silnik zgrzytał, charczał i śpiewał nierówno.

— Panujesz nad tym pieprzonym silnikiem czy nie? — zapytał ostro Deke.

Willard prychnął i odkaszlnął.

— Jak dotąd, tak — odparł, obserwując w napięciu przyrządy.

Helikopter huśtał się z boku na bok jak wahadło. Willard sterował w stronę rzeki. Musiał bez przerwy korygować wirnik w ogonie, aby dostosować maszynę do nieoczekiwanych zmian kierunku wiatru i uderzeń sztormowej nawałnicy. Chwilami pojawiały się nagłe silne przeciągi, w ślad za którymi szły, z tyłu i od spodu, ostre podmuchy wiatru. Wprost nie sposób było się im przeciwstawić. Willard nigdy dotąd nie był w takiej sytuacji.

Chmury w górze ponad ich głowami miały kolor żywego mięsa, ciemne i krwawe, mroczniejące z każdą minutą. Przypominały Deke'owi czas, gdy gasili zapaloną trawę w ten sposób, że zabijali byka, obdzierali go ze skóry, a potem przeciągali jego krwawiące ścierwo tam i z powrotem przez buchające płomienie. Deszcz zaczął stukać o szybę jetrangera. Willard włączył wycieraczki.

— Otóż i autostrada — zauważył Deke, wskazując rysującą się za rzeką szarą linię autostrady 40. — Jeśli tylko się da, wylądujemy w Maybelline. Możemy tam nawet poczekać, aż się skończy sztorm.

Helikopter podskakiwał, wył i jęczał jak kopnięty koń. Deke'a rzuciło z jednego krańca siedzenia na drugi. Słuchawką, którą miał na uszach, uderzył o framugę okna.

— Cóż ty, do diabła, wyczyniasz? — wrzasnął. — Podobno panujesz nad tą maszyną.

— Wszystko w porządku, wszystko w porządku, poradzę sobie zapewniał go Willard.

— Pamiętaj, włożyłem rano czyste gatki i nie mam ochoty ich zapaskudzić — powiedział ostrzegawczo Deke.

— Nie martw się — odparł Willard. — Latam na tych sukinsynach od sześćdziesiątego szóstego, od kiedy opuściły halę fabryczną, i jak dotąd tylko jeden z moich pasażerów zrobił w majtki, ale ten miał zaledwie trzy miesiące.

Dolatywali już prawie do rzeki Yampa. Jak zwykle o tej porze roku była całkowicie wyschnięta, a w tym miejscu, w pobliżu Maybelline, płynęła szerokimi, leniwymi zakolami, wypełnionymi brunatnym błotem i porośniętymi rzadką ostrą trawą. Deke widział płytkie wody mielizn, połyskujące, podobnie jak niebo, krwawą czernią. Zmienne wiatry pokrywały ich powierzchnię drobnymi falami.

Na prawo, w dole, przez rozpryskujące się strugi deszczu dostrzegał nadal poruszający się tajemniczy obiekt, który torował sobie drogę przez krzewy. Ślad, który wlókł się za nim, miał chyba szerokość dziesięciu, dwunastu metrów, a może nawet więcej. Tak więc to coś, co zostawiało ten szlak, musiało być olbrzymie, szersze niż kombajn zbożowy. Przed oczami Deke'a mignęło coś brązowego i białego, lecz chociaż Willard pokrążył nad tym przez jakiś czas, nadal nie potrafił tego zidentyfikować.

Deke nie był w stanie pojąć, co to takiego może być. Była to plątanina kształtów i przedmiotów, składanka barw i materii. Widział coś, co ślizgało się po ziemi, i coś innego, co kołysało się z boku na bok. Widział w dole punkty, które migotały, i punkty, które świeciły. Widział sierść, kości i mięso oraz bardzo dużo krwi.

— Co jest, do cholery? — pytał sam siebie.

Było to zwierzę, miało włosy i skórę oraz nogi i oczy, ale trudno było odgadnąć jego gatunek. Nie istniało zwierzę, które posiadałoby tak szerokie ciało. Nie było zwierzęcia, które wlokłoby się po ziemi, zostawiając za sobą ślad wśród krzewów szerokości dwunastu metrów. Był w stanie odróżnić głowę, lecz nie była ona większa od czaszki krowy. Widział kilkanaście nóg, ale wszystkie sterczały w różnych kierunkach, a niektóre wyglądały na złamane.

— Jezu Chryste! — wyszeptał Willard.

Willard latał w Wietnamie na hueysach. Widział chłopców o popielatych twarzach, w plastikowych workach; widział ciała żołnierzy piechoty morskiej rozerwane na strzępy przez ukryte miny. Willard widział, jak wyglądały kobiety i dzieci, potem gdy trafiły je pociski z vulcana. To nieprawdopodobne, co sześć tysięcy obrotów na minutę potrafi zrobić z ludzkim ciałem. Willard wiedział, co to znaczy, gdy kilku żywych ludzi zostanie gwałtownie rozerwanych na kawałki. Widział powstałą w wyniku tego intrygującą zagadkę anatomiczną. Głowy w jednym miejscu, nogi w drugim, a jelita jeszcze gdzie indziej. I pełne kubły tego, co lekarze wojskowi zwykli nazywać „sosem". „Sos" przypominał bladoróżową kaszę mannę, która wyglądała prawie apetycznie, lecz w rzeczywistości była to miękka ludzka tkanka przemieniona na skutek wybuchu w gęstą zawiesinę.

To, co w ten sztormowy dzień zobaczył w dole, to wprawdzie nie byli ludzie, niemniej widok był równie przerażający. Były to rzędy martwego bydła — wszystkie dwadzieścia siedem zaginionych sztuk. Zostały co do jednego ohydnie zmasakrowane i przemieszane, lecz mimo to nadal sunęły naprzód, torując sobie drogę przez zarośla.

— To jakiś koszmar — wyszeptał Deke. — To jakiś pieprzony koszmar.

Willard zrobił koło, usiłując utrzymać stabilność jetrangera. Podmuchy wiatru nad bydłem stały się jeszcze gwałtowniejsze, a jedno zawirowanie od dołu było tak silne, iż Willardowi zdawało się, że jakaś gigantyczna ręka celowo stara się przyciągnąć helikopter do ziemi.

— Deke, będziemy musieli wezwać pomoc! — wykrzyknął. Inaczej wiatr ściągnie nas w dół i będzie katastrofa.

Deke spoglądał na niego oczami, w których malował się śmiertelny strach.

— One poruszają się. Są martwe, poćwiartowane, ale idą przed siebie. Na miłość boską, jakim cudem one mogą się poruszać?

— Może to rezultat tej zwariowanej pogody, kto to może wiedzieć? — odparł Willard. — A może dno rzeki się zapada?

Deke przycisnął hełm do szyby okiennej, spoglądając na straszliwe pstrokate jatki, które sunęły na zachód.

— To koszmar — powtórzył.

Willard ponownie zatoczył koło nad stadem. Zmasakrowane ciała zwierząt wyłoniły się z zarośli i przesuwały się teraz wzdłuż rzeki po płaskim, błotnistym brzegu. Za nimi wlókł się odrażający szlak krwi, nóg, wymion i kawałków porozrywanej skóry.

Odwracając głowę, Deke powiedział:

— Lećmy w kierunku Maybelline. W tej sytuacji możemy dogonić je nawet na piechotę.

— Ty tu rozkazujesz — odparł Willard posłusznie. Przechylił helikopter na prawą burtę, starając się stawić opór nagłemu uderzeniu wiatru z prawej. Chmury wyglądały jeszcze posępniej, a trzaskające błyskawice tworzyły wokół maszyny zdobne, płomieniste zasłony.

— Dobrze się czujesz? — zapytał Deke Willarda. — Słuchaj, jeśli chcesz lądować i porzucić ten pojazd, możesz to zrobić w każdej chwili. Będę twoim świadkiem. Nie ma na ziemi helikoptera, który wart byłby twojego życia.

— Wszystko w porządku, wszystko w porządku — uspokajał go Willard. Leciał teraz nisko nad rzeką Yampa, zręcznie sterując maszyną.

— Sądzę, że zaczynam rozumieć metodę działania tych cholernych sztormów. Skaczą z jednego końca kompasu na drugi, potem w górę i wreszcie w dół.

Mimo to ledwo skończył mówić, jetranger, w chwili gdy przelatywali na drugą stronę rzeki, dał nura i zatańczył gwałtownie. Deke był prawie pewien, że zaraz spadną na ziemię. Przez głowę przemknęły mu zdjęcia wszystkich katastrof helikopterów, jakie oglądał w telewizji. Nie był w stanie myśleć o niczym innym, tylko o ciałach, które w dalszym ciągu tkwiły w swych siedzeniach, i szkielecie poskręcanych bezużytecznie metalowych szczątków.

— Jeszcze tylko niecałe dwa kilometry — poinformował go Willard. — Tuż za tą granią jest Maybelline.

Maszyna musnęła zarośla na wysokości jakichś piętnastu metrów. Błyskawice raz za razem przecinały niebo wokół helikoptera. Wirniki iskrzyły. Wzdłuż całego horyzontu widać było płonące trawy. Wnętrze maszyny wypełnił aromatyczny zapach zwęglonego korzenia balsaminy, przedostający się przez urządzenia wentylacyjne.

— Nigdy w życiu nie widziałem takiej burzy — odezwał się Deke.

W tym momencie Willard pochylił się do przodu i spojrzał uważnie w mrok.

— Czy widzisz to co i ja? — zapytał.

Deke również wpatrzył się w ciemność, ale potem potrząsnął głową.

— W tej kucznej pozycji i w tym deszczu nie jestem w stanie nic zobaczyć.

— Maybelline zniknęło — powiedział Willard.

— Co? Co chcesz przez to powiedzieć?

— Zobacz sam. Nie ma Maybelline. Miasto powinno być tam, prawda? O tam, w tym miejscu, na tej krzywiźnie. Miejscowość Maybelline w okręgu Moffat, licząca czterystu dziewiętnastu mieszkańców. Gdzie ona się podziała?

— Przegapiliśmy ją, musieliśmy ją minąć.

— Co ty, do diabła, wygadujesz? Minąć? Autostrada jest tu, rzeka jest tu, a Maybelline powinno być tu. — Willard dźgnął palcem powietrze.

— Jezusie! — powiedział przejęty zgrozą Deke. Spoglądał w górę na chmury, jakby spodziewał się ujrzeć tam wirujące ponad ich głowami domy i stodoły Maybelline. — Nie sądzisz chyba, że...? Nie całe miasteczko!

— Nie ma go — odparł Willard. — Nie ma ani stacji benzynowej Franka, ani stajni Charliego Butchera, ani kościoła. Nie ma niczego. W tym miejscu stały domy. Cztery czy pięć.

Kiedy podlecieli bliżej, oczom ich ukazały się pierwsze ślady kataklizmu. Autostrada zarzucona była naniesionym przez wiatr gruzem, częściami rozbitych samochodów, krzesłami, kanapami, ladami, oponami i dziecięcymi wózkami.

Zobaczyli martwego konia i dwa nieżywe psy; potem pierwsze ofiary w ludziach. Kobietę leżącą twarzą do ziemi w kwiaciastej sukni, nieskromnie poddartej do góry. Mężczyznę bez głowy, z szyją, z której jak z rury spustowej lała się krew.

Nawet mimo burzy mogli stwierdzić, że całe to rumowisko było w ruchu; w takim samym powolnym, lecz nieustannym ruchu jak stado nieżywego bydła.

Błyskawica rozświetliła niebo i zaraz potem helikopter odmówił posłuszeństwa i zboczył z kursu. Iskry posypały się po szybie i spłynęły w dół po płozach maszyny. Jeden z przyrządów zaczął się nagle topić, a do zapachu korzeni balsaminy doszła ostra woń palącego się plastiku.

— Spróbuję wylądować — krzyknął Willard. Maszyna jęknęła, a w ślad za tym rozległ się piskliwy dźwięk, przypominający przeraźliwy zgrzyt mechanicznej piły.

Deke chciał coś odpowiedzieć, ale nie był w stanie. Trzymał się tak kurczowo uchwytu, że ten aż wygiął się pod jego ręką.

Jetranger dławił się i podskakiwał, kierując się w stronę centrum Maybelline. Leciał ponad autostradą, na wysokości około dziewięciu metrów. Skwerek miejski był lasem wolno pełzających mebli, porzuconych samochodów, potrzaskanych lodówek oraz fruwających dookoła papierów.

Willard miotał się rozpaczliwie, zmieniając bezustannie pozycję helikoptera. Bez skutku naciskał główny drążek sterowniczy, usiłując wznieść go chociaż o parę metrów wyżej.

— Znajdź jakieś miejsce do lądowania — krzyknął.

Deke wpił się wzrokiem w ciemność. Wymiękła płachta gazety waliła w szybę za jego plecami i przez moment nie był w stanie zobaczyć czegokolwiek. W końcu jednak wiatr oderwał gazetę i poniósł ją dalej.

— Tam — wskazał. — Tam.

W odległości trzydziestu metrów przed nimi pojawiła się niewielka otwarta przestrzeń. Była pokryta papierami i rozbitym szkłem, lecz nie było na niej poprzewracanych samochodów ani mebli. Willard poprowadził wierzgającą maszynę w jej kierunku, usiłując z całej siły nie tylko kontrolować kierunek, ale również dobyć z niej więcej mocy. Silnik na przemian to krztusił się, to znów podrywał do lotu. Za chwilę znów zaczynał się krztusić. Willard czuł się zupełnie bezradny.

Już prawie docierali do miejsca lądowania, gdy Deke złapał go za ramię.

— Spójrz — powiedział. — Na miłość boską, spójrz.

Nie więcej niż dziesięć metrów przed nimi, na skraju tego, co kiedyś było małym parkiem miasteczka Maybelline, rozpościerała się czarna jak atrament ściana powietrza. Odnosiło się wrażenie, że ziemia rozstąpiła się nagle, ponieważ ciemność pochłaniała wszystko, co sunęło drogą — płoty, szopy, ciężarówki, znaki drogowe — wszystko znikało jak obierki w gardzieli gigantycznej maszyny do mielenia odpadków.

Nurkując nad lądowiskiem, Deke i Willard zobaczyli sunący drogą dom jednorodzinny. W pewnym momencie budynek zniknął im z oczu, zapadając się w ziemię. Rozległ się trzask walących się ścian, pękających szyb i rumor sypiących się na dach cegieł komina. W blasku błyskawicy ujrzeli, jak budynek znika w ziemi. W ślad za nim ruszyła kaskada połamanych balustrad, puszek, butelek i skrzynek, a także zmiażdżony winnebago chieftain.

Deke dostrzegł także jakieś ciała. Trojga dzieci, psa oraz mężczyzny w starszym wieku. Przez ułamek sekundy wydawało mu się, że widzi uniesione w górę dziecinne ramię. Domyślił się — ku swemu bezsilnemu przerażeniu — iż jedno z dzieci jest jeszcze żywe. Nie odważył się jednak nawet myśleć o tym, jaki los czeka je tam, w podziemnej czeluści.

— Na miłość boską, Willard! — krzyknął. — Nie możemy tutaj lądować! Wessie nas w ziemię wraz z całym tym pozostałym gównem.

Silnik jetrangera znów dostał zadyszki, a ostry gryzący dym zaczął wypełniać kabinę pilota. Willardowi tylko z najwyższym trudem udało się powstrzymywać helikopter, by nie okręcił się w kółko i nie runął na ziemię.

— Nie jestem w stanie go dłużej utrzymać! — wrzasnął. — Musimy wyważyć drzwi i uciekać, ile sił w nogach.

Unosili się teraz nad lądowiskiem, przechylając się i kołysząc, nie wyżej niż trzy metry nad zarzuconą odpadkami ziemią. Willard zamierzał właśnie pchnąć główny drążek sterowniczy, gdy Deke zawył:

— Nie! Stój! Pod nami jest dziecko!

— Co? — zaskowyczał Willard.

— Dziecko! Pod spodem jest dziecko.

Willard odciągnął drążek do tyłu, podczas gdy helikopter zebrał resztki energii i jeszcze raz dał susa do góry. Na mgnienie oka przez pokrytą deszczem szybę Willard ujrzał w środku lądowiska młodą dziewczynę o bladej twarzy. Stała z rękoma opuszczonymi wzdłuż ciała i przypatrywała im się uważnie.

Był zbyt wstrząśnięty, aby zastanawiać się, dlaczego tam stała lub dlaczego nie została wessana przez ciemność wraz z innymi. Do jego uszu dochodził tylko stukot i warkot silnika jetrangera oraz szum deszczu i wiatru bijącego o kadłub maszyny. Wtedy usłyszał jęk Deke'a, jęk człowieka, który wie, że za chwilę umrze. Śmigła helikoptera zawirowały i maszyna ruszyła niezdarnie naprzód. Przeleciała lądowisko i uderzyła wprost w atramentową ścianę na skraju parku.

Willardowi nieraz zdarzało się mieć wypadki. Podczas pobytu w Sajgonie złamał obie nogi, a później, ledwo zaczął pracować dla pana Petersona — był to dopiero drugi lot dla niego —

uderzył w przewód elektryczny i rozwalił sobie głowę. To jednak, czego doświadczył teraz, było czymś więcej niż zwykłym wypadkiem. Swoją gwałtownością i hukiem przechodziło wszelkie wyobrażenie. Helikopter roztrzaskał się o ciemną ścianę jak elektryczna żarówka o brzeg wypełnionej smołą miski. Willard usłyszał trzask — to pękła przednia szyba, a za nią środkowe przegrody. Zaraz potem cały helikopter zaczął rozpadać się na kawałki. Odpadły framugi drzwi, tablica rozdzielcza, pedały, drążki, dźwignie, podłoga — nawet jego fotel — a on sam doznał dziwnego uczucia, że ciało jego uczyniło gwałtowny obrót i zawisło głową w dół, zaczepione nogami u sufitu.

— Deke! — wykrzyknął. — Deke, co z tobą?

Wyciągnął rękę usiłując odnaleźć w ciemnościach jakiś przedmiot, który pozwoliłby mu zorientować się w sytuacji. Przypominało to posuwanie się po omacku wzdłuż podestu nieznanego, pogrążonego w mroku domu, w poszukiwaniu kontaktu elektrycznego. Oczy miał otwarte, ale wszędzie dookoła widział tylko ciemność. Miał uczucie, że wlewa mu się ona do głowy i płuc, że wypełnia i zalewa go całego.

— Deke, gdzie jesteś?

Do jego uszu dobiegły odgłosy darcia, miażdżenia, rozbijania i padania. Usiłował zrobić parę kroków, lecz uczucie, że wisi do góry nogami i że za chwilę może spaść w dół, powstrzymało go od tego. Stał na swoim miejscu, starając się utrzymać równowagę, z rękoma wyciągniętymi przed siebie i niewidzącymi oczami. Wówczas zobaczył, jak coś bladego kieruje się w jego stronę pośród ciemności. Coś bladego i bardzo wysokiego.

On chyba nie żyje. Nie ma wątpliwości. Nie żyje na pewno.

Blade widmo było coraz bliżej. W miarę jak przybliżało się, Willard zorientował się, że to ktoś na koniu. Ktoś lub coś jadące na koniu, ponieważ było przygarbione — i z monstrualnie dużą głową.

Gdyby to był mężczyzna na koniu, toby znaczyło, że Willard jest oddalony od niego o pareset metrów, pareset metrów pośród zupełnych ciemności i z głową w dół.

Zjawisko było tak niesamowite, że Willard zaczął trząść się ze strachu. Usiłował zamknąć oczy, lecz nie był w stanie, ponieważ powieki odmówiły mu posłuszeństwa. Zbyt mocno przesiąkły ciemnością. Pozostawało mu tylko stać i czekać, aż blada zjawa jeźdźca, jakby wyjęta z mglistego kadru pierwszych filmów rodzącego się kina, zabłyśnie przed jego oczami.

Wśród odgłosów darcia i łomotów usłyszał odległy i niewyraźny, twardy rytm końskich kopyt.

Willardowi wydawało się, że jeździec nigdy nie zdoła do niego dotrzeć. Przestał już nawoływać Deke'a. Gdyby Deke przeżył wypadek, sam by się już odezwał do tej pory.

Zastanów się — myślał Willard — *istnieją dwie możliwości: jedna, że Deke przeżył katastrofę, i druga, że nie przeżył, oraz że miejsce, w którym teraz się znajdujesz, jest czymś w rodzaju czyśćca, do którego trafiłeś, kiedy chciałeś wylądować na swym jetrangerze z uszkodzonym silnikiem i zorientowałeś się, że na twojej drodze stoi dziewczyna.*

Stukot kopyt stawał się coraz głośniejszy, coraz bardziej wyraźny. Ale wsłuchiwanie się w ich odgłos przypominało nasłuchiwanie tupotu nóg zbiegających po schodach trzydziestopiętrowego hotelu. Trudno uwierzyć, że kiedykolwiek pokonają niekończące się rzędy stopni.

Wreszcie jednak zjawa zamigotała tuż obok. Biały, jak na kliszy negatywu, obraz. Widmo na czarnym tle wydawało się człowiekiem, ale jeśli nim było, to musiał on mieć na głowie monstrualny, przypominający skrzynię hełm lub potwornie zdeformowaną czaszkę. Siedział na swym koniu — biała sylwetka z celuloidu — trzymając lejce w obu rękach. Spoglądał na Willarda cienistymi plamami, które miały uchodzić za oczy.

Koń szarpał się i krążył dookoła. Wydawało się również, że zmienia swój kształt.

— Kim jesteś? — zapytał ostro Willard. — Żyję czy też umarłem?

Białawe widmo obeszło go dookoła. Willard odwrócił głowę, podążając za nim wzrokiem. Nie odważył się unieść stóp, w obawie że straci grunt pod nogami i wpadnie w czarną czeluść.

— Wydaje mi się, że umarłem — odezwał się ponownie Willard. Nie wiem na pewno, ale mam wrażenie, że jestem martwy lub że straciłem przytomność czy też coś w tym rodzaju.

Zjawa podeszła tak blisko, że Willard poczuł jej zimną elektryzującą aurę.

— Potrafisz mówić? — zapytał. — Rozumiesz moje słowa?

Spoglądał na białą zdeformowaną głowę, nie mając żadnej pewności czy zwraca się do ludzkiej istoty, a cóż dopiero mówić o nadziei, że odpowie mu ona po angielsku.

Gdzieś w ciemnościach dały się słyszeć jeszcze silniejsze trzaski, piski i huki. Willard rzekł:

— Chodzi o to, że nie rozumiem, co się dzieje. Nie rozumiem, gdzie się znajduję.

Zjawa pochyliła się do przodu. Willard zmrużył oczy przed bijącą od niej światłością. Doleciał go dziwny zapach, jak gdyby pożaru i palącego się tłuszczu, zapach, który natrętnie przypominał mu co? Nie bardzo wiedział. Cofnął się ostrożnie. Lecz gdy to czynił, poczuł, że coś pochwyciło go za prawe ramię i wykręciło je tak gwałtownie, jak wykręca się śmigło samolotu. Miał wrażenie, że jego ramię rozerwane zostało na kawałki. Usłyszał, jak pęka na nim koszula. I nie tylko koszula, ale także skóra, ciało i arterie. Był tak zaskoczony, że nawet nie wydał z siebie jęku. Zataczał się jak pijany w ciemnościach, z niewidzącymi oczami, wijąc się z bólu i nie wiedząc, w którą stronę się zwrócić — nie rozumiejąc nawet, co go spotkało.

— Do pioruna, coś ty zrobił? Co, do cholery, zrobiłeś z moją ręką?

Usiłował zgiąć ramię, ale bez skutku. Zataczał się w dalszym ciągu, tracąc z każdą chwilą równowagę. Czuł, jak mokre ciepło zalewa mu koszulę. Wyciągnął lewą rękę, aby sprawdzić, czy przypadkiem zjawa nie wywichnęła mu ramienia. Pod palcami wyczuł jedynie zwisające pasma skóry i śliskie robaki ścięgien, a także płynącą strumieniem krew.

Biały jeździec z negatywowej kliszy oberwał mu ramię. Willard zaczął się dusić. Usta miał pełne obrzydliwych wymiocin. Upadł na kolana w przytłaczających wszystko ciemnościach. Trząsł się i dygotał, i tylko do tego był zdolny.

— To być nie może. To nie może być prawda.

Ale przez cały czas przed jego oczami przesuwały się obrazy okaleczonych i zakrwawionych ciał młodych żołnierzy piechoty morskiej, tych chłopców bez rąk i nóg, tych chłopców bez twarzy.

Jak postępowano, gdy żołnierz postradał rękę? Zakładano turnikiet? Jak? W jaki sposób tamowano wyciekającą z żył i wsiąkającą w ciemność krew? W ciemność i wiekuiste zapomnienie.

Lecz nie dane mu było myśleć o tym zbyt długo. Biała, migocąca zjawa zsiadła ze swego białego i migocącego konia i zaczęła zbliżać się do niego ze straszliwą szybkością.

— Pomóż mi — poprosił Willard.

Lecz zjawa bez chwili namysłu zamachnęła się i zdzieliła go w głowę czymś ciężkim, przypominającym maczugę, a jednocześnie miękkim.

Willard przewrócił się na ziemię. Dostał kolejny cios, a potem jeszcze jeden. Usiłował zasłonić się lewym ramieniem, lecz zjawa biła go jak oszalała. Czuł, jak krew tryska na wszystkie strony, jego własna krew. Czuł, jak żebra, trzy jego żebra — pękają z trzaskiem; a potem jak szczęka wyskakuje mu ze stawów. Swego straszliwego cierpienia nie był już w stanie wyrazić inaczej, jak tylko niewyraźnym gulgotem.

Zjawa biła go na śmierć jego własną ręką. Biła go w mściwym zapamiętaniu, lecz już bez uprzedniej wściekłości. Okładała go tak, jak katuje się psa, który zagryzł ci dziecko.

W pewnym momencie Willard przestał już rozróżniać jasność od ciemności, górę od dołu, ból od przyjemności. Wydawało mu się, że słyszy, jak zjawa śpiewa; być może jednak było to tylko bicie jego własnego serca, posłusznie wtłaczającego krew z rozerwanej arterii w ciemną czeluść.

O Boże, nasze zbawienie w minionych wiekach, pomyślał. Potem nie wiadomo dlaczego przypomniał mu się niezbyt przyzwoity dziecięcy wierszyk, który recytował po raz ostatni trzydzieści pięć lat temu:

Tatuś kochał mamę,
Mama dziateczki kochała.
Dwoje małych dziateczek,
Co z tatką zmajstrowała.

Lecz to nie był jeszcze koniec jego męki. Właśnie gdy zauważył, że bicie ustało, poczuł szarpnięcie za włosy, które uniosło jego głowę do góry. Otoczyła go aureola białego, przymglonego światła. W tej jasnej koronie wydał się sobie prawie jak święty, jak beatyfikowany. Lecz wówczas płomienny nóż przeciął po linii włosów skórę na jego czaszce. Centymetr po centymetrze, przy odgłosie dartego płótna, zdejmowano mu skalp z głowy — korzonki włosów trzaskały lekko, oddzielając skórę od kości.

Odniósł wrażenie, że płomień dotknął jego włosów, obejmując z wolna całą głowę. Ból był tak straszliwy, że wydało mu się niemożliwe, iż znalazł w sobie dość siły, aby znieść podobnie okrutne cierpienie. Musiał chyba krzyczeć wniebogłosy, ale po prostu nie zdawał sobie z tego sprawy.

ROZDZIAŁ 8

Było jeszcze jasno, gdy Amelia przybyła do domu Greenbergów. Czekaliśmy na nią wraz z Karen na zewnątrz, na werandzie. Powietrze było ciężkie i upalne; w ustach czuło się jego metaliczny posmak.

Wysiadła z uginającego się czerwonego cadillaca, pomachała ręką kierowcy i wstąpiła na schodki... Była w tej samej pomarańczowej sukience z indyjskiej bawełny co parę godzin temu. Miała słomkową torebkę i słomkowy kapelusz, a na oczach starannie wypolerowane przeciwsłoneczne okulary.

— Amelio! — zawołała Karen, ściskając ją radośnie. — Tak się cieszę, że cię widzę.

Amelia weszła na szczyt schodów i stanęła obok mnie. Z daleka dolatywało czyjeś nawoływanie:

— Manny! Manny! Wracaj natychmiast.

— Obiecałam, że przyjdę — odparła Amelia.

Uśmiechnąłem się z przymusem.

— Wiedziałem, że możemy na ciebie liczyć.

Ledwo wypowiedziałem to zdanie, natychmiast pożałowałem formy „my". Przecież nie tak odległy był czas, kiedy to właśnie ja i Amelia byliśmy — my.

Karen jednak była tak szczęśliwa, że ją widzi, iż moja niezręczność jakoś się zatarła.

— Nie zmieniłaś się ani trochę. Owszem, zmieniłaś się, ale na lepsze. Harry mówił, że jesteś nauczycielką.

— To prawda. Uczę dzieci opóźnione w rozwoju i niedorozwinięte.

— To musi być bardzo wdzięczna praca.

Amelia patrzyła bardziej na mnie niż na Karen.

— Rzeczywiście — odparła. — Ale może też być bardzo frustrująca.

— Harry wspominał ci już o Greenbergach?

— Tak. Ogromnie mi przykro. To straszna tragedia.

— Myślisz, że możesz nam pomóc?

Amelia zdjęła przeciwsłoneczne okulary i spojrzała na wyłożoną czerwonobrązowym piaskowcem fasadę budynku.

— Nie wiem. Zależy, z czym mamy do czynienia. Jeśli to rzeczywiście jest Misquamacus, możemy znaleźć się w niebezpieczeństwie.

Karen wyglądała na trochę zmęczoną.

— Myślałam, że Misquamacus nie żyje.

— O nie. — Amelia znów włożyła okulary. — Misquamacus nigdy nie umarł. Kiedy spotkaliśmy go po raz pierwszy, też nie był martwy. Ale również nie był żywy w takim sensie, jak my to rozumiemy. Porusza się w tej otchłani, którą my określamy jako czyściec, a którą Indianie nazywają Księżycowym Wigwamem.

— Masz ochotę zobaczyć? — Karen też zerknęła w stronę mieszkania. Ująłem Amelię za przegub ręki.

— Nie mam zamiaru cię przymuszać, Amelio. Możesz odwrócić się i odejść. Nie będę ci miał tego za złe.

Amelia spojrzała na mnie w ten charakterystyczny dla niej nieco staroświecki sposób.

— A ja nie będę ci miała za dobre.

Karen otworzyła frontowe drzwi i to załatwiło sprawę. Weszliśmy wspólnie po schodach do apartamentu Greenbergów. Aż do obiadu drzwi pilnował policjant. Teraz jednak mieszkania strzegła tylko taśma z napisem: „Obiekt pod nadzorem policji. Wstęp wzbroniony".

Wyjąłem swój szwajcarski scyzoryk wojskowy i przeciąłem taśmę.

— Mam nadzieję, że zdajesz sobie sprawę z tego, że to, co robimy, jest nielegalne — powiedziała Amelia.

— Zaufaj mi — odparłem. — A poza tym nie ma innego wyjścia.

Otworzyłem drzwi i weszliśmy do środka. W mieszkaniu było ciepło, ale posępnie; unosił się w nim nieokreślony zapach śmierci. Amelia musiała wyczuć go również, ponieważ zadrżała i wyciągnęła prawą rękę, aby oprzeć się o futrynę.

— Mój Boże — odezwała się. — Nigdy w życiu nie byłam w mieszkaniu, w którym przed chwilą zagościła śmierć. To zupełnie jak na polu bitwy.

W salonie panował porządek. Amelia mówiąc o polu bitwy miała na myśli walkę duchów; wojnę w tym innym, bliskim wymiarze, kiedy mężczyźni uganiają się jak psy, a kobiety, mordowane, ciągle stanowią przedmiot pożądania. Karen wzięła mnie za rękę i nikt mi nie powie, że Amelia tego nie zauważyła. Nie pokazała jednak niczego po sobie. Wiele rzeczy można było zarzucić Amelii Crusoe, tylko nie to, że jest drobiazgowa, złośliwa lub pamiętliwa.

Wyciągnęła lewą rękę w kierunku drzwi do jadalni.

— Wejdźmy — zaproponowała, kładąc kres wszelkim pytaniom.

— Dobrze — odparłem. — Chcesz się rozejrzeć?

Prychnęła rozbawiona.

— Pragnę stwierdzić z przykrością, że muszę się rozejrzeć.

Spokojnie otworzyła drzwi do jadalni. Na przeciwległej ścianie piętrzyły się stosy mebli, między innymi również zakrwawione krzesło, którego Naomi tak się kurczowo trzymała. W salonie było ciepło, a w jadalni prawie o piętnaście stopni zimniej. Rozjaśniał ją dziwny, niebieskawozielony blask, jaki widywałem często w swoich snach. Poświata śmierci, poświata rozkładu. Jadalnia była w ogóle specyficznym miejscem przez który duchy wkroczyły do świata żywych; i gdzie w okrutny sposób okaleczono i zamordowano jego mieszkańców.

Amelia zrobiła kilka ostrożnych kroków w głąb pokoju. Potem stanęła nieruchomo i nie odzywając się słowem, rozejrzała się dookoła. Stanąłem tuż za nią. Pachniała szkołą i perfumami firmy Joy, które należały do jej ulubionych. Zastanowiłem się przez moment, jakim sposobem było ją stać na taki luksus przy jej nauczycielskiej pensji, ale przypomniało mi się, że MacArthur miał zawsze zwyczaj wysyłać Amelii ogromny flakon tych pachnideł w dniu jej urodzin, szóstego lipca. Musiał to prawdopodobnie robić w dalszym ciągu. Fakt, że miłość wygasła, nie usprawiedliwia zapominania o urodzinach byłej ukochanej. „Ja tak kochałem tę kobietę — wyznał mi kiedyś MacArthur — że gotów byłbym raczej dać sobie oczy wydłubać, niż widzieć ją w towarzystwie innego mężczyzny".

Czasy się jednak zmieniają. Ja zaś z własnego doświadczenia wiem, że Amelia nie należy do osób łatwych w obcowaniu. Ludzie, którzy są dobrzy dla dzieci, mają trudności w kontaktach z dorosłymi. MacArthur był człowiekiem o łagodnej i nieco dziecinnej naturze i może dlatego miłość ich trwała tak długo. Nasza miłość z kolei była krucha i prawie nierzeczywista, jak filmy Ingmara Bergmana oglądane od niewłaściwej strony. Albo raczej właśnie od tej właściwej.

— Opowiedz mi, co się stało — odezwała się Amelia.

Zdałem jej dokładną relację oszczędzając krwawych szczegółów, co nie miało większego znaczenia. Pojęła, o co chodzi.

— Na ścianie widać było cień?

— Tak jest. To znaczy coś jak cień, ale przecież nie było nikogo, kto stałby naprzeciwko ściany i rzucał na nią swój cień.

— A co było potem? Martin podszedł do ściany i ten cień wszedł w niego?

— Tylko w taki sposób można to wytłumaczyć. Wyglądało to tak, jakby Martin i ten cień stały się jedną osobą. Martin pociemniał, jego skóra przybrała dziwny odcień, oczy nabrały niesamowitego wyrazu. Przypominały raczej fotografię czyichś oczu niż prawdziwe oczy.

Amelia spojrzała na mnie.

— Boisz się powiedzieć czyich?

— Nie rozumiem.

— Chodzi mi o to, czyje to mogły być oczy. Czy to były oczy Martina, czy też wyglądały na oczy kogoś innego?

Myślałem intensywnie.

— Nie wiem, ja...

Zasłoniła twarz dłońmi, tak że *jeno Oczy wyglądały*.

— Pomyśl, Harry. Przypomnij sobie Śpiewającą Skałę. Czy to nie były jego oczy?

— Nie... Nie wydaje mi się.

— A może oczy Misquamacusa?

— Misquamacusa nie widziałem od lat.

— Nie powiesz, że zapomniałeś, jak wygląda.

— Robiłem co mogłem, żeby zapomnieć.

— Dobrze — powiedziała Amelia. — Lepiej weźmy się do rzeczy. Sądzę, że będzie bezpieczniej, jeśli uformujemy zwykły krąg i weźmiemy się wszyscy za ręce. Wolę to, niż naśladować metodę Martina. Martin lubi wkraczać w świat duchów jak grotołaz. Obawiam się, że mnie nie wystarczy na to odwagi. Wolę przyzywać duchy i czekać, aż one same do mnie przyjdą. — Życzę powodzenia — odparłem. — A co ze stołem? — Będziemy musieli obyć się bez niego. Duch i tak pociągnie go z powrotem na ścianę i dołączy do stosu pozostałych mebli.

Stanęliśmy wszyscy naprzeciw siebie, ująwszy się za ręce. Prawie natychmiast gdy Amelia zamknęła krąg, poczułem mrowienie w całym ciele. Amelia zawsze miała świadomość istnienia wokół siebie duchów. Niekiedy rozświetlały one komórki jej mózgu, jak wtyczki na tablicy połączeń centrali telefonicznej. Mnie osobiście tak wielka wrażliwość bardzo by przeszkadzała. Słuchanie cudzych walkmanów dostatecznie działało mi na nerwy, a co dopiero mówić o cudzych duszach. Co do mnie, raczej kazałbym im wszystkim położyć się i odpocząć, ale Amelia powiedziała mi kiedyś, że bardzo wiele zmarłych osób początkowo nie zdaje sobie sprawy z tego, że już nie żyje. Krążą po czyśćcu, lub jak tam się to miejsce nazywa, zastanawiając się, czy przypadkiem nie pora na lunch lub czy nie należy zdjąć już z siebie tych pidżam.

Amelia zamknęła oczy. Mrugnąłem do Karen, aby jej dodać odwagi, i też zamknąłem oczy. Nie bardzo wiem, dlaczego tak mi zależało, aby ją podnieść na duchu. Przebywałem w tym samym pokoju niecałe dwadzieścia cztery godziny temu i widziałem kobietę, z której została potworna parodia gumowej rękawiczki. Czułem suchość w gardle, a serce galopowało jak jednoroczny źrebak. Bum-bum, bum-bum, bum-bum, bum-bum. Podobno drugie bum jest echem pierwszego, odbijającym się wewnątrz twojej czaszki. Powiadają też, że odpowiednio wysuszone i spreparowane jelita człowieka służą jako struny do rakiet, którymi posługują się zawodnicy podczas turnieju tenisowego na kortach Wimbledonu; a chcę wam powiedzieć, że takich rakiet sprzedaje się co roku dosłownie setki.

Starałem się przypomnieć sobie jeszcze inne fakty z rodzaju chcecie-to-wierzcie, po prostu aby nie rozmyślać o złośliwych duchach, kiedy nagle usłyszałem głos Amelii:

— George Hope i Andrew Danetree, pokój dwieście dwanaście.

— Co? — zapytałem. — Kto?

Otworzyłem oczy. Karen też; ale oczy Amelii nadal były

zamknięte. Była blada jak płótno, jak gdyby wszystka krew odpłynęła jej z policzków.

— Chcą się ze mną spotkać — powiedziała bardzo wyraźnie Amelia.

— Kto chce się z tobą spotkać? — przynaglałem ją.

— George Hope i Andrew Danetree. Pokój dwieście dwanaście. Piątek, godzina szósta.

— Kim są ci ludzie, Amelio? George Hope i Andrew Danetree? Kim oni są?

Amelia jednak, chociaż sama mówiła, mnie jakby nie słyszała.

— Nie znałam twego ojca. Myślałam, że ty znasz mojego.

Chciałem się znowu wtrącić, ale Amelia spojrzała na mnie przez wpółprzymknięte powieki.

— Harry — wyszeptała. — Nadchodzą.

— Ale...

— Cicho bądź, Harry, nadchodzą. Są bardzo zdenerwowane.

Znów zamknęła oczy. Zerknąłem na Karen, lecz ona również, w ślad za Amelią, przymknęła powieki. Co do mnie, wolałem mieć oczy otwarte. Z natury nie jestem tchórzliwy. Może raczej ostrożny. I przezorny. Ujrzałem, jak na ścianie zaczynają się poruszać jakieś cienie. Czułem wdzierającą się zewsząd lodowatą ciemność. Jeśli Amelia, tak jak Martin, miała zostać opętana przez duchy, nie chciałem stać biernie z zamkniętymi oczami i krzyczeć ze strachu. Miałem różne pragnienia, nadzieje i ambicje. Ale nie pragnąłem bynajmniej zostać wywróconym flakami do wierzchu przez rozwścieczonego ducha.

Temperatura w pokoju spadła jeszcze bardziej. Widziałem, jak para bucha z nozdrzy Amelii. Ręce jej stały się lodowato zimne i tak silnie ściskała moją dłoń, że wydawało mi się niemożliwe, aby ją oswobodzić.

— *Wzywam duchy, które błądzą po tym miejscu* — przemówiła Amelia. — *Nakazuję im, aby się ukazały.*

Usłyszałem słaby dźwięk, coś jakby koci wrzask. Wydawało się, że powietrze naładowane jest energią elektrostatyczną. Z włosów Amelii sypały się z trzaskiem jasne, stalowe iskry. Fryzura Karen zaczęła również się wznosić, jak wtedy, kiedy włosy szczotkuje się zbyt długo. Zęby zaczęły mi dzwonić niczym budzik elektryczny, a w przegubach dłoni poczułem ukłucia tysięcy igieł.

Nagle — zupełnie nie wiadomo dlaczego — ogarnęło mnie

niekłamane przerażenie. Nie była to obawa czy mglisty niepokój. Był to wszechogarniający strach i świadomość, że tuż obok czai się śmierć. Było to uczucie, jakiego doznajesz, gdy brodząc po płytkiej mieliźnie stwierdzasz nagle, że dno zniknęło ci spod nóg. Zaskoczony i przerażony nie jesteś w stanie złapać tchu. Wydało mi się, że powietrze przed moimi oczami wykrzywiło się i wygięło. Znów usłyszałem ten koci wrzask. *Jarrrooouuu.*

— Amelio? — odezwałem się.

Ona jednak nie reagowała. Powieki nadal miała mocno zaciśnięte, a z włosów jej sypały się iskry niczym mieniące się kryształowe krople deszczu.

— Amelio? — powtórzyłem. Tym razem mój głos zabrzmiał długo i niewyraźnie: — *Ahhhmmmeeelllioooouuu...* — Ona jednak nadal nie otwierała oczu. Ściskała moją rękę silnie jak przedtem, jeśli nawet nie mocniej, a ja zrozumiałem, że nic nie dociera do jej świadomości. Była w ścisłym kontakcie z duchami i nawet jeśli przerwanie transu niczym jej nie groziło, to było bardzo trudne. Duchy wymagały wiele uwagi. Smutne i odstręczające, były gorsze niż dzieci. Żądały wszystkiego, i to od razu. Jakby zapominając, że mają przed sobą całą wieczność.

Jak już wspomniałem, nie jestem szczególnie wrażliwy. Mam na myśli wrażliwość metapsychiczną, bo na przykład niech no tylko zobaczę film o dzieciach, natychmiast zatyka mnie ze wzruszenia, zanim jeszcze zdołam usłyszeć tytuł: „Chłopięce miasteczko". Tymczasem Amelia wywoływała istoty, których nadejście czułem wszystkimi włóknami nerwów. Czułem, że nadchodzą. Były dziwnie umęczone, zziębnięte i cierpiące. Cierpiały bardzo. Przedzierały się przez ciemność wijąc się, jak robak nadepnięty przypadkiem na betonowym chodniku. Raczej nawet trzęsły się, niż wiły, tak że mimo wstrętu i przerażenia, jakie we mnie wzbudzały, odczuwałem dla nich również coś na kształt współczucia.

To był mężczyzna. Nie, to byli mężczyźni — dwóch mężczyzn, pokiereszowanych, strasznych, pozbawionych oczu. Odróżniałem zaledwie ich kontury, przypominające zniekształcony obraz w uszkodzonym telewizorze. Widziałem krew i kości oraz powiewający kikut ramienia. I te oczy bez oczu, błagające o dar wzroku, bądź też o dar niewidzenia. Ale potem obraz zakołysał się i rozpadł i jedyne, co jeszcze zobaczyłem, to mglisty, trzęsący się kontur oraz obrzydliwe wycie. Do moich uszu dobiegły

177

udręczone głosy: — *Jaaauuuu, jarrrooouuu* — rozbrzmiewające taką męką, że niepodobna było uwierzyć, by wydobyły się z gardła człowieka.

Latem tysiąc dziewięćset pięćdziesiątego siódmego roku w Sawmill River Parkway widziałem płonący samochód kombi. W środku znajdowała się rodzina — ojciec, matka i troje dzieci. Wzywali pomocy, lecz ogień był tak gwałtowny, że nikt nie odważył się podejść bliżej. Pozostawało jedynie przyglądać się bezsilnie pokrywającym się grubą sadzą oknom i coraz szerszym i gęstszym kłębom dymu. Z utęsknieniem czekano, aż krzyki wreszcie ustaną. Mój ojciec zatrzymał samochód, spuścił szybę i przez chwilę spoglądał na płonący wóz. Gdy po krótkiej chwili odjeżdżał w stronę Katonah, gdzie mieszkała moja ciotka, w oczach błyszczały mu łzy.

To był ten sam krzyk. To krzyczały żywe istoty cierpiące niewyobrażalne dla człowieka męki. W gazetach często pisze się o bólu i cierpieniu, ale dopiero wtedy, gdy zetkniemy się z nimi oko w oko, potrafimy je należycie zrozumieć.

Amelia zadrżała. Karen jeszcze mocniej ścisnęła moją rękę. Amelia odezwała się nie swoim głosem:

— *Kim jesteście? Co wam się stało?*

W tym momencie rozległ się ścinający krew w żyłach wrzask. Na ułamek sekundy ujrzeliśmy przed sobą unoszącą się w powietrzu jasną, lekko zamgloną twarz. Była to twarz mężczyzny, usiłującego najwyraźniej coś nam przekazać. Wyglądał na jakieś czterdzieści lat. Miał szerokie czoło, głęboko osadzone oczy, i o ile dobrze zapamiętałem, wąsy — chociaż to mogła być tylko plama cienia.

— *Mordują nas* — wybuchnął. — *Mordują nas.* — A potem: — *Nie wiedzieliśmy... Hope i Danetree... Nic nie wiedzieliśmy...*

Potem głowa zaczęła się kurczyć, zmniejszać z sekundy na sekundę, aż w końcu stała się maleńka jak głowa lalki. Mimo to ani przez chwilę nie przestawała krzyczeć, błagać o litość. Wreszcie skurczyła się do tego stopnia, że stała się nie większa niż świetlny punkt.

Nastąpił moment brzemiennej oczekiwaniem ciszy. Przez palce ściskające moją rękę czułem, że każde włókienko ciała Amelii jest napięte do granic wytrzymałości, jak turnikiet na kończynie. Nagle Amelia wrzasnęła: — *Aaaaaaachchchch* — a świetlny punkt przed nami eksplodował, opryskując nas strumieniami ciepłej, na poły zakrzepłej krwi.

Przemoczeni i przejęci obrzydzeniem rozerwaliśmy krąg. Amelia, ocierając twarz, rzekła:

— Szybko. Wychodźcie stąd. Proszę.

— To jest krew — zauważyła z niedowierzaniem Karen, spoglądając na swoją pokrytą ciemnymi plamami bluzkę. — Amelio, to jest krew.

Amelia zamknęła za nami drzwi jadalni, kreśląc w powietrzu ręką tajemniczy znak.

— Co robisz? — zapytałem ją.

— Klidomancja — odparła przez zaciśnięte zęby.

— Klidomancja? A cóż to, u diabła, znaczy?

— Boże, to ohydne — rzekła dotykając spryskanego krwią policzka.

Poszła do kuchni i przyniosła parę ścierek do otarcia twarzy.

Wytarłem grudki ściętej krwi ręcznikiem z widokiem wodospadu Niagara. Karen, żółtozielona na twarzy, stała obok mnie w milczeniu.

Amelia skończyła wycierać się, odłożyła ręcznik i znów udała się do jadalni. Energicznie pociągnęła za klamkę. Drzwi były zamknięte.

— Klidomancja to magiczny klucz. Moja matka nauczyła mnie to robić. Zamykać i otwierać. To bardzo proste. Nieraz widzi się na filmach ludzi, którzy nie mogą wydostać się z domu, bo w tajemniczy sposób drzwi zatrzasnęły się za nimi nagle... To jest właśnie to, klidomancja. Niestety, niewielu jest reżyserów, którzy mieliby o tym jakieś pojęcie. Klucze są z żelaza, a żelazo jest metalem bogów. Żelazo broni cię przed demonami. Żelazo zabezpiecza też przed chorobą. A jeśli włożysz klucz między stronice Biblii na Psalmie pięćdziesiątym, a potem zamkniesz ją, obwiążesz włosem z głowy dziewicy i powiesisz na haczyku, Biblia będzie obracać się i okręcać, zawsze gdy wymienisz imię osoby, która cię skrzywdziła lub okradła.

— Nie powiesz mi, że w to wierzysz — odparłem.

Spojrzała na mnie, nie mrugnąwszy nawet okiem.

— Chcesz spróbować otworzyć te drzwi? — zapytała prowokacyjnie.

Zawahałem się.

— Nie, raczej nie — odparłem.

Karen starannie wycierała ręce w ręcznik.

— Co tu się działo? — zapytała. — Bałam się straszliwie.

— Sama nie bardzo wiem — odparła Amelia. — Ale kiedy usiłowałam nawiązać kontakt, miałam wrażenie, że jakiś duch wyciąga do mnie rękę. Wydawało mi się, że już od dawna pragnął się ze mną porozumieć.

— Domyślasz się, kto to mógł być?

— Hm, nie bardzo. Nie przedstawił się. Był dziwnie słaby... lecz czuło się wyraźnie, że pragnie mi pomóc. Jak by to wyrazić? Sprawiał wrażenie przewodnika. Jakby był kimś, kto pochodzi stąd, kimś, kto zna bardzo dobrze zarówno ten kraj, jak i jego historię.

— Duch Indianina?

— Z całą pewnością.

— Czy mógł to być Śpiewająca Skała?

— Nie jestem pewna. Widziałeś go tu już, więc to jest bardzo prawdopodobne. Odniosłam wrażenie, że on wie, kim jestem i dlaczego tu się znalazłam. Z drugiej strony był bardzo słaby, nieokreślony, niewyraźny. — Przerwała na chwilę. — W jaki sposób zginął Śpiewająca Skała? Nigdy mi o tym nie mówiłeś.

Wykonałem palcem ruch imitujący przecinanie gardła.

— Misquamacus uciął mu głowę. — Starałem się, aby moje słowa brzmiały dźwięcznie i naturalnie. Nie zdawałem sobie jednak sprawy, iż mimo wysiłków wypowiedziałem to zdanie zdławionym głosem. Zdarzają się w życiu momenty, kiedy wbrew twojej woli emocje wypływają i biorą górę nad opanowaniem.

— Och, Harry, tak mi przykro — odezwała się przepraszająco Amelia. — Nie chciałam zrobić ci przykrości.

— Nie zrobiłaś. Nic się nie stało. Jedna mała dekapitacja wśród przyjaciół.

— Rzecz w tym — ciągnęła Amelia — że jeśli zginął jak mówisz, to wiemy już, dlaczego jego duch jest taki słaby. Zdarza się, że jeśli ktoś umiera w wyniku odniesionego urazu, jego duch staje się niespokojny i kapryśny.

— On zawsze był diabelnie rzeczowy — wyjaśniłem. — Czy możesz to sobie wyobrazić? Rzeczowy szaman? — Starałem się żartować, lecz powoli zaczynała ogarniać mnie obawa, że wszystkie te koszmary, które prześladowały mnie po śmierci Śpiewającej Skały, znów wypełzną spod poduszki. Długo nie myślałem o tym, jak zginął, i nie chciałem roztrząsać tego wydarzenia. Obraz tej tragicznej chwili na trwale wbił się w moją pamięć, nigdy nie tracąc nic ze swej ostrości i nigdy nie przestając porażać swoją zgrozą. Widok głowy odskakującej od ciebie z wyrazem śmiertelnego przerażenia na twarzy... widok oczu nadal patrzących na ciebie, podczas gdy czaszka, w której tkwią, znajduje się trzy metry od reszty ciała — no cóż, takie wspomnienie z pewnością nie uprzyjemnia życia i nie poprawia humoru.

— Nie lubię zgadywać — podjęła Amelia — ale jestem prawie pewna, że mamy tu do czynienia z rodzajem indiańskiej magii. Indiańskiej albo wczesnohiszpańskiej. Różni się ona całkowicie swym nastrojem od magii Europejczyków i w ogóle białych. Jest bardzo malownicza, jeśli rozumiesz, co chcę przez to wyrazić. W centrum jej zainteresowania są natura i żywioły: ogień i woda, ciemność i światło, deszcz i wiatr. Magia Indian obraca się wokół problemów życia i śmierci, podczas gdy magia białych koncentruje się na takich sprawach jak pieniądze czy chęć zemsty na pracodawcy lub pragnienie zdobycia ludzkiej miłości. „O wielki Szamanie, spraw, aby mężczyźni nie mogli mi się oprzeć". Indian znacznie bardziej interesują sprawy bytu, problem przetrwania.

— Szlachetny dzikus znowu daje o sobie znać — zauważyłem.

— Nie taki szlachetny w tym wypadku — odparła Amelia. Ci dwaj mężczyźni, których zobaczyliśmy w jadalni, są ofiarami jakiegoś niedawnego mordu. Nie był to też zwyczajny mord. Zostali zabici w taki sposób, że ani ich ciała, ani dusze nie zdołają nigdy zaznać spokoju. Ich katusze będą trwały wiecznie. Nawet jeśli uda nam się dowiedzieć, co się wydarzyło, nigdy nie będziemy w stanie uwolnić ich od cierpień. Można tego dokonać tylko wtedy, gdy ofiara ma nienaruszone ciało lub nietkniętą duszę. Oni nie mają ani jednego, ani drugiego.

— Co masz na myśli? — zapytała oszołomiona Karen.

— Chcę przez to powiedzieć, że morderca poćwiartował nie tylko ich ciała. To samo zrobił z ich duszami.

— Czy to jest możliwe?

— Mnie też dotąd wydawało się nieprawdopodobne. Na razie nie wiem tylko jeszcze, co to za siła. Wspomniałeś o cieniu.

— Tak — odparłem. — Lecz tym razem cień nie był zbyt wyrazisty. Był tutaj, unosił się w tle, ale to wszystko.

— To znaczy, że akurat znajdował się gdzieś dalej, w innym miejscu, wyładowując swoją wściekłość na innej ofierze. Też nieźle.

— A co z meblami? — spytała Karen. — Domyślasz się, w jaki sposób te wszystkie meble przesunęły się przez pokój i znalazły się pod ścianą?

— Nie mam pojęcia — odparła Amelia. — Myślałam już o tym. Ostatni raz widziałam coś takiego bardzo dawno temu w pewnym domu w Poughkeepsie, kiedy to po raz pierwszy nawiązałam kontakt z duchami. Właściciel domu nazywał się Grant. Był to klasyczny psychopata. Zamordował jedną ze swych córek, przyciskając jej twarz do rozżarzonej płyty kuchni elektrycznej.

— Czyż to możliwe?! — zawołała Karen.

— O, ludzie potrafią robić jeszcze gorsze rzeczy — odparła Amelia. Pan Grant twierdził, że on tylko chciał ukarać swoją córkę za zarozumiałość na punkcie urody. Mówiła o sobie, że jest darem Boga dla mężczyzn. Chciał się przekonać, czy bez swej pięknej buzi będzie równie pewna siebie.

Tak czy inaczej, proszono mnie, abym odwiedziła ten dom i zaprowadziła tam porządek. Potem jak pan Grant poszedł do więzienia, spokój nowych lokatorów co noc zakłócały straszliwe krzyki. Dochodził ich również silny zapach, jakby przypiekanej wątroby. Zdaję sobie sprawę, że to, co mówię, brzmi potwornie, ale tak naprawdę było.

— Jaki to ma związek z naszymi dwoma przyjaciółmi z jadalni? zapytałem, spoglądając z powątpiewaniem na drzwi magicznie zamknięte przez Amelię.

— Nie wiem jeszcze dokładnie. Lecz kiedy byłam w domu Granta, stwierdziłam, że w sypialni dziewczyny przy listwie na podłodze piętrzy się wiele drobnych przedmiotów — wstążki do włosów, zapinki. Robiłam, co mogłam, aby je stamtąd usunąć, ale bezskutecznie. Co ruszyłam jedną książkę, natychmiast druga układała się w to samo miejsce. Nasunęło mi to przypuszczenie, że wszystkie przedmioty miały bezpośredni związek z miejscem w kuchni, w którym zamordowano dziewczynę. Odnosiło się wrażenie, że coś ciągnęło je w tym kierunku, jakaś magnetyczna siła przyciągała je ku sobie.

Nie miałam pojęcia, jak wyjaśnić to zjawisko, lecz kilka miesięcy później dopisało mi szczęście. Spotkałam profesora z SUNY Utica Rome, Madrona Vaudreya. Specjalizował się między innymi w badaniach nad zagadnieniem, ile elementów życia zachowuje się w ludzkim ciele po śmierci klinicznej. Chodzi o takie zjawiska jak impulsy elektryczne czy wysyłanie kodów wirusowych. Profesor Vaudrey odkrył, zupełnie przypadkowo zresztą, że nieraz przedmioty należące do zmarłych ludzi — zwłaszcza przedmioty, z którymi rzadko rozstawali się za życia — systematycznie posuwają się w kierunku miejsca, gdzie ich właścicieli spotkała śmierć.

Jego doświadczenia wykazały, że im bardziej gwałtowny i bolesny charakter miała śmierć, tym droga pokonywana przez przedmioty była dłuższa. Zdarzyło się na przykład, że dwóch synów zamordowało swego osiemdziesięcioletniego ojca. Po śmierci starca jego okulary przewędrowały po podłodze w kierunku jego leżącego ciała, jeśli się nie mylę, prawie cztery metry. Wszystko to zostało sfilmowane przez policję na wideo. Może to jest tak, że gdy dusza opuszcza ciało, zostawia po sobie próżnię, którą przedmioty miłe sercu zmarłego starają się wypełnić. Lub, co niewykluczone, pragną podążyć za swymi właścicielami, aby towarzyszyć im również w innym świecie.

— Ale jaki to ma związek z meblami Naomi Greenberg? — zapytałem Amelię. — Nie należały przecież do żadnego z tych dwóch zamordowanych mężczyzn — George'a Hope'a i Andrew, jak mu tam, chyba że towarzystwo finansowe przysłało ich tutaj, aby je zarekwirować, czego z pewnością nie można by uznać za „akt życzliwości". Dlaczego zatem miałyby się przesuwać po ich śmierci?

Amelia wzruszyła ramionami.

— Doprawdy nie mam pojęcia. Wiem jednak na pewno, że musieli umrzeć za ścianą jadalni Greenbergów, i to śmiercią okrutną i gwałtowną. Prawdopodobnie zostali zamordowani tak brutalnie, że skumulowane w rezultacie negatywne siły zdołały przesunąć meble. Morderstwo, jakiego dokonano w tym miejscu, nie było pospolitym zabójstwem. Ci mężczyźni zostali poćwiartowani na kawałki, a ich dusze zostały wysłane do sokwet. W języku Mikmaków oznacza to zaćmienie. W każdym języku — ciemność.

— Co jest za tą ścianą? — zapytałem Karen.

— To ściana działowa — wyjaśniła Karen. — Z drugiej strony jest hotel Belford.

— To znaczy, że tam po drugiej stronie jest pokój hotelowy?

— Tak mi się wydaje.

— W porządku — stwierdziłem, dziarsko zacierając ręce. — Wobec tego udamy się tam i obejrzymy to miejsce na własne oczy.

— Ty, Harry — odezwała się Amelia — powinieneś dobrze wiedzieć, że będzie to niebezpieczne przedsięwzięcie. Nie mamy do czynienia z kołatkami lub jakimiś obrzydliwymi demonami, które przyprawiają cię o mdłości. Na naszej drodze mamy bardzo silnych i bardzo zdecydowanych ludzi, których kiedyś dotknęła śmierć.

— A jak wyjaśnisz sprawę cienia?

— Nie wiem. Może powinniśmy w tej sprawie zasięgnąć rady eksperta.

— Ten cień przemienił Martina w szaleńca.

— Wiem. — Amelia była wyraźnie zmęczona. Miałem ochotę objąć ją ramieniem, lecz powstrzymałem się ze względu na Karen. W tej chwili nie byłby to gest na miejscu. Dość miałem gniewu morderczego cienia, żebym jeszcze miał wzniecać gniew kobiet.

— No, dalej, idziemy — dałem hasło.

Opuściliśmy ciche i puste mieszkanie Greenbergów, zostawiając je na pastwę grasujących duchów.

ROZDZIAŁ 9

Hotel Belford nie był wcale śmierdzącym kapustą, zakaraluszonym domem noclegowym z filmów z Robertem de Niro. W rzeczywistości okazał się całkiem czysty i elegancki, w rodzaju tych staroświeckich hoteli rodzinnych, gdzie tak chętnie zatrzymują się podróżujący kupcy i turyści, których nie stać na Sheraton czy Summit. Panowała w nim jednak specyficzna aura, wiecie, co mam na myśli — pasta do podłóg, środki dezynfekcyjne i przemykanie się chyłkiem do wspólnej łazienki. Przyzwoity, lecz nieprzytulny.

Za wysokim mahoniowym kontuarem recepcji siedział mężczyzna w wieku ponad sześćdziesięciu lat i czytał książkę. Miał gęstą białą czuprynę, bulwiasty nos oraz okulary w szylkretowej oprawce, przez co jego oczy wydawały się większe, niż naprawdę były. Przypominały świeżo otwarte małże. Ubrany był w dobrze wyprasowaną koszulę z krótkimi rękawami we wzorki przedstawiające narciarzy wodnych i dziewczęta w hawajskim tańcu hula.

Kiedy podszedłem do kontuaru, ostrożnie wyjął czerwoną skórzaną zakładkę i zamknął książkę. Czytał biografię Jamesa Thurbera *Zegary Kolumba*. Miał oczywiście prawo czytać, co mu się podoba, niemniej tego rodzaju lektura u recepcjonisty wydała mi się cokolwiek dziwna.

— Czym mogę służyć? — zapytał. W wyrazie jego twarzy widziałem nadzieję, że nie poproszę go o pokój na trzy osoby: dla pana i dwu pań Smith.

— Wie pan, mamy już dosyć hałasów, jakie dochodzą do nas przez ścianę — wyjaśniłem.

— Co proszę? Jakich hałasów? Przez jaką ścianę?

— Mieszkamy tuż obok. Z waszego hotelu dobiegają ciągłe hałasy. Można by pomyśleć, że kogoś mordują.

Mężczyzna zdjął okulary i położył je na biurku.

— Przykro mi, proszę pana. Nie wiem, o jakie hałasy panu chodzi. Nasz hotel jest bardzo cichy. Mówiąc szczerze, ten właśnie spokój sprawia, że niektórzy goście uważają, że jest on trochę staroświecki.

— Niestety, muszę z przykrością stwierdzić, że tak nie jest — odparowałem. — Hałasy są wręcz niewiarygodne. Jęki, ryki, huki. Okropność.

— Gdzie pan szanowny mieszka?

— Tuż obok. Na drugim piętrze. Nie wiem, w którym z waszych pokojów to się dzieje, ale jego ściana przylega do mojej jadalni.

— A czy pańska jadalnia ma okna od ulicy czy od podwórza?

— Od podwórza.

— W takim razie to jest pokój dwieście dwanaście. Porozmawiam z jego lokatorami, jak tylko się zjawią. Przypomnę im, że mają zachowywać się cicho.

— Sądzę, że najlepiej będzie, jeśli ja sam z nimi pomówię.

— Przykro mi, ale nie może pan iść na górę bez zaproszenia.

— W takim razie proszę mi pozwolić przynajmniej porozmawiać z nimi przez telefon.

— Niestety, bardzo mi przykro, ale są nieobecni. W ogóle rzadko przebywają w hotelu. Prawdę mówiąc, nie widziałem ich na oczy od tygodnia, a może i dłużej.

— Czy może pan poinformować nas, jak ci panowie się nazywają? — Amelia zagruchała miękko jak gołąbek.

— Niestety, proszę pani. Nie mam prawa udzielać prywatnych informacji o gościach. Mam nadzieję, że pani to zrozumie.

— W porządku — zgodziła się Amelia. — Czy jeden z nich nazywa się George Hope, a drugi Andrew Danetree?

— Naprawdę jest mi niezmiernie przykro — odparł mężczyzna, potrząsając głową. — Naprawdę nie mam prawa...

— Drogi panie — rzekła Amelia. — Jeśli tak nazywają się ludzie zamieszkujący pokój dwieście dwanaście, są wszelkie podstawy przypuszczać, że pańscy goście zostali zamordowani.

Po twarzy mężczyzny przebiegł skurcz.

— Zamordowani? Chyba nie sądzi pani, że tutaj, w tym hotelu?

Amelia skinęła głową.

— Czy państwo są z policji czy jak? — dopytywał się mężczyzna. — Powinni mi państwo chyba pokazać jakiś dowód.

— Nie jesteśmy z policji — uśmiechnąłem się. — Jesteśmy tylko zaniepokojonymi sąsiadami. A teraz czy pozwoli pan, że udamy się na górę i zobaczymy, czy panowie Hope i Danetree rzeczywiście się tam znajdują?

— Ma się rozumieć, w pańskim towarzystwie — dodała Amelia.

Mężczyzna wahał się. Chyba obawiał się, że zaprowadzimy go na górę i udusimy. Nie wzbudzaliśmy wszak zbytniego zaufania swoim wyglądem. Ścierki, którymi zmywaliśmy krew z naszych ubrań, pozostawiły na nich rdzawe, wilgotne plamy, a brak snu odbił się niekorzystnie na naszych twarzach.

— To wszystko wina tych straszliwych hałasów — odezwała się Amelia. — Nie do zniesienia jest dla nas myśl, że na podłodze za ścianą ktoś skręca się z bólu lub coś w tym rodzaju.

Po dłuższym namyśle mężczyzna zdjął z tabliczki pęk kluczy, zapiął koszulę na jeszcze jeden guzik i zawołał w tył za siebie do znajdującej się w pokoju za jego plecami niewidocznej kobiety:

— Alma, idę na górę pokazać pokój dwieście dwanaście. Pamiętaj, żebyś nie wpuszczała dzieci.

Wyszedł zza kontuaru. Miał sztuczną nogę, która skrzypiała głośno przy każdym ruchu i nadawała mu kaczy, kołyszący się chód.

— Cholerne dzieci — narzekał. — Wpadają i kradną wszystko, co tylko się da ruszyć z miejsca. Widzicie państwo ten kwadratowy ślad na ścianie? W ubiegłym tygodniu ukradli staloryt, przedstawiający zbiornik wodny w Croton. Po co dziewięcioletniemu dziecku staloryt z takim widokiem?

Wcisnęliśmy się do maleńkiej windy, którą pan Otis zaprojektował najwyraźniej z myślą o domku dla lalek swojej córki. Mężczyzna bez przerwy skrzypiał nogą i bezskutecznie walczył z męczącą go czkawką. Droga na górę dłużyła się w nieskończoność. Karen wyciągnęła z tyłu rękę i ścisnęła moją dłoń, po części, jak przypuszczałem, w odruchu czułości, a częściowo z klaustrofobii. Amelia trzymała przez cały czas wzrok utkwiony w sufit; wyglądało, jakby się modliła, aby winda jechała szybciej.

187

Winda szarpnęła i drzwi rozsunęły się gwałtownie. Recepcjonista poprowadził nas w głąb ponurego, wyścielonego zielonym dywanem i słabo oświetlonego korytarza. Wreszcie dotarliśmy do pokoju dwieście dwanaście.

Mężczyzna zapukał do drzwi konfidencjonalnym, ceremonialnym ruchem Olivera Hardy'ego.

— Panie Hope? Panie Danetree? Czy panowie jesteście u siebie?

Powtórzył pukanie trzykrotnie, aby nie było żadnych wątpliwości, że w środku nie ma nikogo. Przypuszczam, że starał się sprawić na nas wrażenie, że w jego hotelu prywatność gości jest rzeczą świętą.

Wyciągnął pęk kluczy i oznajmił:

— To są zapasowe klucze.

Skinęliśmy głowami. Przekręcił klucz w zamku i otworzył szeroko drzwi.

— Panie Hope? Panie Danetree? Tu Rheiner, kierownik hotelu.

W dalszym ciągu nie było odpowiedzi. W pokoju było zupełnie ciemno i bardzo zimno. Wciągnęliśmy powietrze w płuca. Znowu poczuliśmy ową dziwną, delikatną woń ziół, tak charakterystyczną dla wielkich otwartych przestrzeni. Karen przeszedł dreszcz.

Pan Rheiner przekręcił kontakt. Znaleźliśmy się w pokoju prawie takiej samej wielkości jak jadalnia Naomi Greenberg, z tym że mieścił on jeszcze malutką łazienkę oraz wbudowaną w ścianę szafę. W pokoju znajdowały się dwa pojedyncze łóżka przykryte wyblakłymi, zielonymi kordonkowymi narzutami. Ściany pokrywał gips pomalowany na jasnożółty kolor. Cytrynowożółte żaluzje były szczelnie zasunięte.

— A co, nie mówiłem? — powiedział pan Rheiner, rozkładając ręce. — Nie ma nikogo. Nie wiem, co ci dwaj dżentelmeni robią w Nowym Jorku, ten hotel z pewnością nie jest terenem ich działania.

Podszedłem do szafy i otworzyłem drzwi. W środku wisiały trzy czy cztery marynarki, kilka par spodni i z pół tuzina czystych koszul. Cztery koszule miały rozmiar kołnierzyka 39, pozostałe 41. Pan Hope był wyraźnie wyższy od pana Danetree lub odwrotnie. Na dole szafy znajdowało się pięć par skórzanych butów i jedna para płóciennych sportowych pantofli na płaskich obcasach.

— Hej! Co pan tam robi? — zapytał ostrym tonem pan

Rheiner, kołysząc się na wszystkie strony. — Nie ma pan prawa wtykać tu swojego nosa.

— Przepraszam — odparłem, zatrzaskując drzwi. — Zapomniałem przez chwilę, gdzie się znajduję. — Podszedłem do Amelii i zapytałem: — Masz coś?

Oczy jej błyszczały. Wyglądała na niesłychanie spiętą i naładowaną po brzegi duchową energią.

— Założę się, że tu coś jest. Coś naprawdę bardzo silnego, silniejszego nawet niż w mieszkaniu Greenbergów.

Rozejrzałem się dookoła i pociągnąłem nosem. Nadal czułem zapach ziół, lecz nic poza tym.

— Nic nie czuję — powiedziałem. — Absolutnie nic.

— A to zimno? — zapytała, mrużąc oczy w skupieniu.

— To tak, to czuję.

— A to cierpienie?

Potrząsnąłem głową.

— Chciałbym się z tobą zgodzić, ale nic takiego nie czuję.

Pan Rheiner chodził z kąta w kąt na swej sztucznej nodze, nie kryjąc niezadowolenia.

— Czy państwo już skończyli? Morderstwo, głośne krzyki. Powinienem wezwać policję.

— Przepraszam — odparłem. Wyjąłem portfel i wręczyłem mu dwa zmięte wizerunki szlachetnego Abe. Opuściliśmy pokój i weszliśmy do windy. Po trwającej w nieskończoność jeździe zwiozła nas w dół, do holu.

— Dziękuję panu za pomoc — odezwałem się, gdy wychodziliśmy z hotelu.

— Może zechce pan zostawić jakąś wiadomość lub numer telefonu? — zapytał mnie pan Rheiner.

— Telefonu?

— No wie pan, dla panów Hope'a lub Danetreego, gdy się wreszcie pojawią.

— Ach nie. To nie jest konieczne. Niemniej, dziękuję bardzo.

— Zapowiem im, że mają zachowywać się cicho.

— Bardzo proszę — odparłem. — Dziękuję.

Nie spuszczał z nas podejrzliwego wzroku. Pchnęliśmy obrotowe drzwi i wyszliśmy na ulicę.

— Chodźmy się czegoś napić — zaproponowałem. — Mam po uszy duchów i umieram z pragnienia. Czuję się wykończony i mam ochotę na coś mocniejszego.

Przeszliśmy na drugą stronę ulicy i wstąpiliśmy do baru La Boheme. Wnętrze lokalu utrzymane było w ciemnej tonacji — czarne krzesła i stoły. Z grającej szafy, ukrytej za ponadmetrowym modelem dziewczyny tańczącej kankana, płynęła łzawa francuska muzyka. Z sufitu zwieszały się pędy sztucznego bluszczu. Był to jeden z nielicznych lokali, jakie pozostawił po sobie ruch bitnikowski z lat pięćdziesiątych. Bitnicy nosili brody i berety oraz pasiaste swetry i każde zdanie ozdabiali słowem „jakby". Usiedliśmy w ustronnym miejscu i zamówiliśmy butelkę wina.

Karen sięgnęła do torebki i wydobyła mały notes, oprawny w czerwony plastik.

— Popatrzcie tylko, co znalazłam — powiedziała.

— Skąd to masz? — zapytałem.

— Leżał na nocnej szafce. Rheiner nawet nie zauważył, jak go ściągnęłam.

— Powinnaś zarabiać na życie okradaniem domów. Jesteś urodzonym włamywaczem.

Kciukiem przerzuciłem strony w dzienniczku. Jego właścicielem był Andrew W. Danetree z Pocomoke City w stanie Maryland. Pisany był okrągłym, niewprawnym pismem ucznia szkoły podstawowej. Notatek było niewiele i bynajmniej nie grzeszyły literackim stylem, niemniej okazały się najbardziej intrygującą i zajmującą lekturą, jaką kiedykolwiek zdarzyło mi się czytać.

Gdy ja czytałem, Amelia odezwała się:

— W tym pokoju z całą pewnością jest jakaś siła. Czuję ją. Jest zimna i bardzo negatywna. Nie umiem tego wyrazić, lecz używając języka spirytyzmu, określiłabym ją jako wrażenie, że ktoś zostawił szeroko otwarte drzwi.

— Dokąd prowadzą te drzwi? — zapytała Karen. — Albo może raczej skąd?

— Gdybym wiedziała, nie musiałabym się nad tym zastanawiać.

Pociągnąłem potężny łyk paula massona, najpodlejszego z możliwych.

— Posłuchajcie tego — powiedziałem. — *We wtorek rano o godzinie 4.25 zatrzymałem samochód przed Salisbury, opanowany przemożnym pragnieniem udania się do N.J. Nie było ku temu żadnej racjonalnej przyczyny, a jednak czułem, że muszę tam jechać.* A teraz słuchajcie dalej. *Powiedziałem Billie, że chodzi o interesy, sądzę bowiem, że gdybym powiedział jej prawdę, pomyślałaby, że dostałem bzika.* Odwróciłem parę kartek. — *Przybyłem do Nowego Jorku w czwartek po południu z Baltimore. Wziąłem taksówkę, aby dostać się do śródmieścia. Pieszo odnalazłem hotel Belford i oto jestem. Około 9 wieczorem w hotelu zjawił się George H., człowiek zupełnie mi nieznany. Przyjechał z Brooklyn Centre, MN. Powiedział mi, że i jego również ogarnęła podobna potrzeba. Dopadła go w trakcie pracy. Po prostu, chciał czy nie chciał, musiał przyjechać do Nowego Jorku. Do hotelu Belford również dotarł na piechotę podobnie jak ja, miał uczucie, że coś go ciągnie w tym kierunku.*

— No i co o tym powiecie? — zapytała Amelia. Otworzyła torebkę i wyjęła paczkę papierosów. — Mamy oto dwóch mężczyzn, zupełnie sobie przedtem nieznanych. Jeden przybył z zapadłego kąta Maryland, a drugi z niezbyt urodziwego Brooklyn Centre, w Minnesocie. Lecz oto w pewnym momencie obaj zaczynają odczuwać niewytłumaczalną potrzebę udania się właśnie do Nowego Jorku.

— Nie tylko niewytłumaczalną, ale też nieodpartą — dodałem. Nasz przyjaciel Andrew W. Danetree nie przyznał się nawet swojej żonie, że musi tu przyjechać. To, co czują ci dwaj faceci, to nie jakieś nieokreślone pragnienie udania się do Nowego Jorku w ogóle. O nie! Oni czują przymus zatrzymania się w tym samym hotelu. Coś ich tutaj przyciąga.

— Czytaj dalej. — Amelia zapaliła papierosa.

— Proszę, oto co pisze: *Spędziliśmy większość czwartkowej nocy, zastanawiając się, co nas zmusiło do przyjazdu tutaj. Jak zdołaliśmy stwierdzić, nie mieliśmy ze sobą nic wspólnego. Ja urodziłem się w Baltimore, a George w Cleveland, OH. Mój ojciec był malarzem pokojowym, a ojciec George'a służył w armii jako kapitan. Moi przodkowie pochodzą z Niemiec, podczas gdy George jest prawdopodobnie pochodzenia irlandzkiego. Ja już kiedyś byłem w Nowym Jorku, a George jest tutaj po raz pierwszy. Dlaczego więc znaleźliśmy się tutaj? Dlaczego obaj doznaliśmy podobnego uczucia?* Odwróciłem ostatnią stronę, na której znajdował się następujący zapis: *W piątek rano obudziłem się wcześnie z uczuciem niepokoju i zagrożenia. George zwierzył mi się, że czuje coś podobnego. Wyraził się nawet, iż ma przeczucie, że czeka nas śmierć. Nie potrafił tego wyjaśnić. Mówił, że śnił mu się jakiś koszmar, w którym był świadkiem straszliwej rzezi mężczyzn, kobiet, a także małych dzieci. Mówił, że miał wrażenie, iż tuż za nim stoi czarny cień; był tak przerażony, że nie był w stanie się poruszyć. Ja też miałem podobny sen. Był on tak realistyczny, że nie wiedziałem, czy to sen, czy jawa. W kącie pokoju widziałem jakąś ciemną plamę, ale to było coś więcej niż zwykły cień. To coś obserwowało mnie i wiedziałem, że chce mnie zabić.*

Zamknąłem dziennik.

— Czy to wszystko? — zapytała Amelia.

Skinąłem głową.

— Muszę jeszcze raz zobaczyć ten pokój — stwierdziła.

— Czyżby? A może powiesz mi, jak to zrobić? Zwłaszcza gdy w recepcji siedzi Rheiner Jęczydusza.

Amelia spojrzała na mnie wyzywająco. Ten jej surowy wzrok zmusił mnie w końcu, abym zaczął się rozglądać za kimś innym, znacznie mniej wymagającym.

— Czy odczuwasz lęk wysokości? — zapytała.

— Nie oczekujesz chyba ode mnie, abym się wspinał po rynnie?

— Nie, lecz przestrzeń między schodami ewakuacyjnymi mieszkania Greenbergów a takimiż schodami hotelu Belford wynosi tylko około półtora metra. Wystarczy przeskoczyć z jednych schodów na drugie, a bez przeszkód dostaniemy się przez okno od podwórza do pokoju dwieście dwanaście.

— Amelio — powiedziałem ostrzegawczo.

Lecz Amelia mówiła dalej:

— Nie wolno nam się cofnąć, Harry. Nie wolno nam opuścić Martina Vaizeya. To my wpędziliśmy go w ten cały kłopot i do nas należy go z tego wyciągnąć. Jedynym na to sposobem jest dowieść ponad wszelką wątpliwość, że został opętany.

— Ponad wszelką wątpliwość, uważasz, tak? — odparłem sarkastycznie. — A co będzie, jeśli nas aresztują pod zarzutem włamania?

— Biorąc pod uwagę okoliczności, panie Erskine, wydaje mi się, że jest to szansa, której nie możemy zaprzepaścić.

Wysokość działa na mnie deprymująco. Bez obawy latam samolotem i nie boję się wysokich pięter. Nie znoszę jednak spoglądać z sześćdziesięciometrowej skały na szalejące w dole morze. Podobnie nie cierpię stać na balkonie dwudziestego piątego piętra i spoglądać stamtąd na miniatury ludzkich głów, samochodów i autobusów. Za każdym razem ogarnia mnie wtedy bezrozumna, straszliwa chęć rzucenia się głową w dół, aby poczuć, jak to jest, gdy się spada. Mówi się, że podczas spadania człowiek zachowuje świadomość aż do końca, do momentu uderzenia o ziemię. Niewiele jest duchów, które pamiętają dokładnie moment swojej śmierci, zwłaszcza gdy chodzi o osoby, które zmarły śmiercią niespodziewaną i gwałtowną, i są w stanie ją opisać. Tak przynajmniej twierdzi Amelia. Możliwe też, że wiedzą, ale nie chcą o tym mówić, ponieważ sprawia im to zbyt wielki ból.

Okno Greenbergów było tak mocno przyśrubowane do futryny, że minęło prawie pół godziny, zanim zdołaliśmy się z nim uporać. Wreszcie jednak udało mi się powyjmować wszystkie śruby, oderwać sześć czy siedem warstw farby z framugi okiennej i unieść dolną ramę na wysokość około ośmiu centymetrów. Kiedy już nie mogłem dalej dać sobie z nią rady, wsadziłem w szparę jeden koniec deski do prasowania Naomi Greenberg, a drugi obciążyłem ciężarem własnego ciała. Z przeraźliwym trzaskiem okno uniosło się do góry, a ja straciwszy równowagę upadłem na podłogę, uderzając głową o nogę kanapy. Z ust wyrwało mi się soczyste przekleństwo.

Przedostaliśmy się na schody ewakuacyjne. Podwórko pod nami było mroczne i ponure; w dole na ziemi jaśniało tylko rozbite szkło i sterta śmieci. Schody zaskrzypiały pod stopami Karen. Stanęliśmy jak wryci, nasłuchując uważnie.

— Myślisz, że to bezpieczne? — zapytała Karen.

— Wcale tak nie myślę — odparłem.

Gdy patrzyło się z wnętrza mieszkania Greenbergów, wydawało się, że schody ewakuacyjne hotelu Belford są bardzo blisko. Teraz jednak, kiedy znalazłem się na zewnątrz, paręnaście metrów nad zaśmieconym betonowym podwórkiem, jakimś dziwnym sposobem wydało mi się, że są chyba o metr dalej.

Z pewnym trudem przeszedłem przez balustradę schodów Greenbergów. Przytrzymując się jedną ręką zardzewiałych żelaznych prętów wychyliłem się, aby drugą złapać przeciwległą poręcz. Przynajmniej tak miało to wyglądać. W praktyce jednak okazało się, że schody są znacznie dalej i znacznie wyżej. Była to cholernie niebezpieczna operacja.

Maksymalnie wyciągałem ciało, starając się uchwycić pręty przeciwległej balustrady. Pod sobą widziałem żużlowy murek oddzielający podwórko Greenbergów od podwórka hotelu Belford, na górze gęsto usiany błyszczącymi kawałkami tłuczonego szkła. Z trudem przełknąłem ślinę i znów spojrzałem w górę. Nie musiałem spoglądać w dół, aby się domyślić, co mnie czeka, jeśli spadnę.

— No i jak, Harry? — zapytała Amelia teatralnym szeptem.

— Nie wiem — odparłem szczerze. Uchwyt moich palców wokół pokrytego rdzą słupka słabł coraz bardziej. Wszelka moc odpływała z moich kolan, tak jak błoto z chodnika zmywane gumowym wężem. Jezu Chryste, nie dam rady, pomyślałem. Spadnę na pewno. Spadnę i rąbnę w tę najeżoną szkłem ścianę, która przetnie mnie na pół. Moje nogi spadną na podwórko Greenbergów, a tułów potoczy się pod drzwi hotelu Belford.

— Z łatwością możesz się przerzucić na drugą stronę — zachęcała mnie Amelia. — Musisz się tylko wyciągnąć jeszcze o parę centymetrów.

Zamknąłem na chwilę oczy i słuchałem dochodzącego zewsząd jednostajnego szumu ulic Manhattanu: wycia syren i klaksonów samochodowych, huku toczących się ciężarówek. Zmówiłem coś w rodzaju błagalnej modlitwy, aby Bóg obdarzył mnie choćby tylko na chwilę siłą Arnolda Schwarzeneggera, zmysłem równowagi Blondina oraz bezczelną wiarą w siebie Teddy'ego Roosevelta. Potem otworzyłem oczy i koncentrując całą uwagę na balustradzie przeciwległych schodów, rzuciłem się do przodu. Udało się. Złapałem. Rozhuśtany, uderzyłem o zardzewiałą poprzeczkę, ocierając sobie skórę na goleni. Straciłem oparcie pod nogami i zakołysałem się w powietrzu, uderzając klatką piersiową o pręty balustrady i kalecząc sobie łokieć.

— Uważaj, Harry — zawołała ostrzegawczo Karen, lecz ja zdążyłem już mocno uchwycić się poręczy.

— O cholera — szepnęła Amelia. Nie wiem, czy miało to wyrażać strach czy podziw.

Przerzuciłem ciało przez balustradę i wylądowałem na schodach. Ręce miałem czerwone od rdzy, a oczy pełne łez.

— Wszystko w porządku? — zapytała Amelia. — Teraz nasza kolej.

Przechyliłem się przez poręcz i pomogłem wspiąć się Amelii i Karen. Następnie wszyscy troje stanęliśmy na schodach i spoj-

194

rzeliśmy po sobie z wyrazem takiego triumfu na twarzach, jakbyśmy zdobyli co najmniej Mount Everest.

— Spodziewam się, iż zdajesz sobie sprawę, że to, co teraz zrobimy, jest absolutnie nielegalne — wyrecytowałem.

Amelia pozostała niewzruszona.

— Myślę, że wszyscy zdajemy sobie dobrze z tego sprawę. Sądzę także, iż mamy świadomość, że nikt oprócz nas nie jest w stanie ocalić Martina. Nie uważacie, że jest to warte ryzyka?

Karen spojrzała na mnie swymi sarnimi oczami, w których kryły się podziw i zaufanie. Nie pozostało mi nic innego, jak tylko przytaknąć:

— Naturalnie, że wiem o tym doskonale. Dlatego tu jestem.

Wyciągnąłem śrubokręt i wepchnąłem go w okno hotelu Belford. Rama okienna była dobrze nadgniła i kiedy nacisnąłem mocniej, drzazgi posypały się aż na schody. Lecz cud nad cudami — okno wcale nie było zamknięte, i chociaż trzeba było paru energicznych pchnięć, aby unieść ramę, wkrótce zdołałem podważyć ją na tyle, że mogliśmy już wszyscy wejść do pokoju.

Pokój był ciemny, zimny i w dalszym ciągu przesiąknięty tym samym ziołowym zapachem. Staliśmy dłuższą chwilę przy oknie, aby przyzwyczaić oczy do ciemności.

— Zamknij drzwi — zwróciłem się do Karen — i zasuń łańcuch. I nasłuchuj, czy nie nadchodzi Rheiner Flakopruj.

Amelia stała między dwoma łóżkami. Była blada i skupiona.

— Masz coś? — zapytałem.

— Coś tutaj jest — skinęła głową. — Coś bardzo blisko. Czuję wyraźnie, jak otwierają się drzwi.

— Masz na myśli drzwi spirytystyczne?

Amelia potwierdziła ruchem głowy.

— Nigdy dotąd nie spotkałam się z czymś podobnym. Tu pachnie niebezpieczeństwem, jeśli wiesz, o co mi chodzi. Można to porównać do jazdy kolejką wysokogórską w wesołym miasteczku, tyle że odbywa się ona pośród gęstych jak smoła ciemności.

— Jeździłem na czymś takim w Disneylandzie.

— Czuję coś. — Zamknęła oczy. — Jest bardzo blisko. Jest tam na prawo.

— Nic nie widzę — odparłem.

Oczy miała nadal zamknięte.

— Jest tam, w tym miejscu.

— Dalej nic nie widzę — odparłem zdenerwowany.

Otworzyła oczy i wskazała na łóżko.

— Tutaj.

Ogarnięty paraliżującym strachem ściągnąłem narzutę, lecz pod nią było tylko wymięte prześcieradło.

— Gdzie? — zapytałem ostrym tonem. — Gdzie?

— Pod łóżkiem! — krzyknęła przenikliwie Amelia. — To znajduje się pod łóżkiem!

Spojrzałem na nią. Z całej siły starałem się utrzymać nerwy na wodzy.

— Pod łóżkiem?

Nadal mocno zaciskała powieki. Mięśnie policzków naprężone, szczęka sztywna.

— Uhu — odparła.

Odwróciłem się w stronę łóżka. Nigdy nie lubiłem zaglądać pod łóżko, z obawy że może się tam coś czaić. Kiedy byłem dzieckiem, bałem się wysunąć palce spod kołdry; byłem przekonany, że kryjące się pod posłaniem krasnoludki z zębami ostrymi jak brzytwa tylko czekają, aż wysunę nogę, aby mi odgryźć palce.

Przeświadczenie to nie opuściło mnie, nawet gdy dorosłem. Miejsce pod łóżkiem było nadal mroczną jaskinią, gdzie złe moce tylko czyhają, aby w czasie snu rzucić się na moje odsłonięte stopy.

Spod drzwi dobiegł głos Karen:

— Cicho sza. Chyba słyszę windę.

— Łóżko, Harry — powtórzyła Amelia. — To jest pod łóżkiem.

Co za licho podkusiło mnie, abym tu przyszedł, pomyślałem. Dlaczego wciągnąłem w to wszystko Karen? Przyszedł mi na myśl Martin siedzący w areszcie za surrealistyczne morderstwo, którego nie popełnił — oczywiście jeśli wierzyć w metapsychikę. A jeśli nie? Przypuśćmy, że całe jury będzie się składało z ludzi pokroju Jamesa Randisa? Niepotrzebnie ryzykowałem życie, w dodatku dla kogoś, kogo prawie nie znam.

Erskine, pomyślałem, dałeś z siebie ludziom już dostatecznie dużo — potu i energii, starając się pomóc im w trudnych życiowych sprawach, nie mówiąc już o tym przyjemnym i lukratywnym zajęciu, które poświęciłeś. Może byś tak dla odmiany pomyślał teraz o sobie. Nie znałem Greenbergów. Nie znałem również Martina Vaizeya, dopóki Amelia nie kazała mi się udać do Central Park West. Byłem tylko bezstronnym świadkiem tych wydarzeń — niczym więcej — i trzymał mnie tu jedynie związek uczuciowy, jaki łączył mnie z Amelią i Karen.

— Łóżko! — krzyknęła przeraźliwie Amelia. Chwyciłem za krawędź łóżka i przesunąłem je na prawo.

Widok, jaki ujrzałem, ogłuszył mnie i odrzucił dwa kroki wstecz, a potem jeszcze krok. Przywarłem plecami do ściany. Pot oblał mnie od stóp do głów. Dygotałem na całym ciele i chrząkałem raz po raz, usiłując pozbyć się nieprzyjemnego ucisku w gardle. Byłem jak człowiek, który znalazł się nagle tuż nad krawędzią przepaści, tyle że to, co zobaczyłem, było bardziej przerażające niż najgłębsza czeluść. To była wiekuista otchłań.

W podłodze pod łóżkiem znajdował się rów, wąski jak świeżo wykopana mogiła. Grób ten był czarny jak noc, straszliwie zimny i wydawał się w ogóle nie mieć dna. Nie miałem pojęcia, dokąd prowadził. Dalej, w dół, przez podłogę, przez pokój piętro niżej, kolejny pokój oraz dziesiątki i setki tysięcy metrów w głąb twardego, skalistego podłoża? Jakże to mogło być?

Ostry lodowaty wiatr wiał z czeluści, zawodząc prawie niedosłyszalnie. Nie był to prawdziwy wiatr; raczej jego echo.

Istnienie takiej dziury nie mieściło się w mojej wyobraźni, ale nie starałem się za bardzo tego zrozumieć. Zwróciłem się do Amelii z zapytaniem:

— Co to jest? Co to, u diabła, może być?

Otworzyła oczy.

— To są drzwi — odparła po prostu.

— Drzwi? Dokąd?

— Drzwi, które ktoś otworzył, a potem zapomniał zamknąć. Albo nie chciał zamknąć.

— Ale co jest tam w dole? Dokąd te drzwi prowadzą?

Amelia stała dłuższą chwilę pochylona nad przepaścią uważając, aby się zbytnio nie zbliżać do jej krawędzi. Włosy z tyłu miała rozwiane. Wskazywałoby to, że z czeluści otwartego grobu wiał wiatr autentyczny bądź też wyimaginowany.

— To zastanawiające — rzekła prostując plecy. — To naprawdę zastanawiające. Jest to jeden z największych kraterów, jakie w życiu widziałam.

— Szszsz — odezwała się Karen. — Chyba słyszę windę.

Spojrzałem w czarną otchłań.

— Zetknęłaś się kiedyś z czymś takim? — zapytałem Amelię.

— Oczywiście. I to nie raz. Zazwyczaj są one jednak bardzo, bardzo małe. Jak kałuża lub odprysk rozbitego szkła. Mogą być jak lustro lub miniaturowy obrazek. Czasami jak okna. Można spotkać je na każdym kroku. Na ulicy, na wsi, wszędzie, gdzie tylko rzucisz okiem. Pozwalają nam wniknąć spojrzeniem do świata duchów i odwrotnie; dla duchów są dobrym polem obserwacji naszej rzeczywistości.

— A więc... te okna... te drzwi... spełniają podwójne zadanie? — zapytałem ją.

— Tak jest. Są lepsze niż telewizja, lepsze niż książki. Jeśli okno jest stale otwarte, możesz obserwować cudze życie rok po roku.

Spojrzałem w dół w czarną zimną otchłań.

— Tam w dole nie ma nikogo, tak mi się przynajmniej na razie wydaje.

— Nie wiem, co jest tam na dole — odparła Amelia. — Kiedy ostatni raz widziałam taką dziurę, była wielkości łepka od szpilki. Nigdy nie zetknęłam się z otworem o takich rozmiarach.

— Co więc mamy robić? — zapytałem.

— Nie wiem. To przekracza możliwości mojej oceny. Moim zdaniem chodzi tu o działalność na szerszą skalę. Duchy, które ją podjęły, są potężne, wytrwałe i wytrzymałe. Kryje się w tym oczywiście jakiś cel, ale nie wiem jaki.

W tym momencie usłyszałem w zamku zgrzyt zapasowego klucza. Karen krzyknęła: „Harry!" i cofnęła się w głąb pokoju. Za uchylonymi drzwiami, które przytrzymywał żelazny łańcuch, rozległ się rozwścieczony głos:

— Co się dzieje? Kto tam jest? To prywatna własność. Jeśli nie otworzycie, wezwę policję!

— O Boże, to Rheiner Kuternoga — rzekłem. — Trzeba się będzie niechlubnie wycofać.

— Harry — odezwała się Amelia — musimy dowiedzieć się, skąd się wzięła ta dziura, dokąd prowadzi, co to jest?

— Kto tam jest w środku? — ryczał pan Rheiner. — Jeśli nie otworzycie drzwi, wyłamię je, a wówczas będziecie mieli za swoje!

— Co robić? — zapytała przerażona Karen.

— Zagramy w otwarte karty — odparłem. — Wpuścimy pana Rheinera, pokażemy mu dziurę i powiemy, co zamierzamy zrobić. Spójrz tylko, nie można zaprzeczyć, że dziura istnieje, że powstał otwór półtora metra długi i metr szeroki, który ciągnie się w dół, w nieskończoność.

— Ale on zawoła policję albo każe nam opuścić pokój — powiedziała Amelia. — A my musimy się dowiedzieć, co to jest za dziura.

Podniosłem dłoń uspokajającym gestem: Bądź spokojna, Erskine czuwa. Stanąłem przy drzwiach, które trzaskały i łomotały, pociągane wściekłą ręką pana Rheinera, i odezwałem się:

— Panie Rheiner?

— Kim do diabła jesteście? Skąd wiesz, jak się nazywam?

— Panie Rheiner, nazywam się Harry Erskine. Byłem u pana z mymi przyjaciółkami dziś rano.

— Ach, to wy. Mówiłem żonie, że jest w was coś, co mi się nie podoba. Poczułem do was niechęć, jak tylko was zobaczyłem.

— Panie Rheiner, nie zamierzamy sprawiać panu kłopotu. Odkryliśmy jednak coś ważnego — coś, co może wyjaśnić, co się stało z George'em Hope'em i Andrew Danetreem.

— Posłuchajcie, przyjaciele — szalał pan Rheiner. — Albo natychmiast wyjdziecie z tego pokoju, albo zawołam policję i aresztuję was za to, że wdarliście się bez pozwolenia na cudzy teren.

— Panie Rheiner, pan nie rozumie.

— Masz pan rację, do cholery, że nie rozumiem. To jest przyzwoity hotel. Nikogo tu nie zamordowano i nic się tu nie działo niemoralnego ani niezgodnego z prawem. Wynoście się więc stąd natychmiast, dopóki moja cierpliwość jeszcze się nie wyczerpała.

Zdjąłem łańcuch i otworzyłem drzwi. Pan Rheiner stał w korytarzu z purpurową od gniewu twarzą. Wymachiwał groźnie policyjną pałką.

— No więc — powiedział, wtaczając się do pokoju swoim kaczym krokiem — wynoście się, i to zaraz, bez dyskusji.

Wskazałem na dziurę w podłodze. Czarną, zimną i bezdenną, ziejącą grozą. Pan Rheiner spojrzał na nią, a potem na mnie. Oczy zaświeciły mu niedowierzająco.

— Widzi pan — odezwałem się prowokacyjnie. — Mówiłem prawdę.

— Zerwaliście deski z podłogi — powiedział oskarżycielskim tonem.

— Ależ skąd, proszę pana! Nic z tych rzeczy!

— Do cholery, zerwaliście deski. Czy macie pojęcie, ile to będzie mnie kosztować?

— Panie Rheiner, proszę niech pan spojrzy. Nikt z nas nie zerwał desek.

Pan Rheiner zerknął na dziurę. Tuż nad jej krawędzią osunął się z wolna na kolana i spojrzał w głąb. Potem wetknął w nią swoją policyjną pałkę tak głęboko, jak tylko udało mu się dosięgnąć. Dziura była ciemna, głęboka i pozbawiona dna.

— Podajcie mi tę książkę — zrobił ruch głową w stronę parapetu okiennego. Na nocnym stoliku leżał wystrzępiony egzemplarz poezji Ogdena Nasha. Podałem mu go z ociąganiem. Pan Rheiner wziął tom do ręki i bez chwili wahania cisnął go w otwór. Popatrzył w ślad za książką. — Leci — stwierdził przestraszony. — Leci.

Amelia rzuciła mi zniecierpliwione spojrzenie.

— To nie jest zwykła dziura w podłodze, panie Rheiner — rzekła.

— Książka dalej leci — powtórzył zdumiony. — Przeleciała już chyba z kilkaset metrów i dalej leci.

Przez ułamek sekundy ogarnęła mnie ochota kopnąć go w tyłek, aby zwalił się do dziury w ślad za swoją książką, która — jak stwierdziłem — leciała bez końca w dół. Sprawdziłem godzinę na zegarku. Zerknąłem na Amelię, lecz ona najwidoczniej odgadła moje myśli, ponieważ potrząsnęła głową przecząco. Domyślałem się, co chciała mi powiedzieć — że gdybym wrzucił żywego człowieka do spirytystycznej otchłani, zakłóciłbym gwałtownie równowagę świata duchów, powodując zanik wszelkiej ludzkiej egzystencji.

Pamiętam, jak Adelaide Bright ostrzegła mnie, że za każdy sukces metapsychiczny przychodzi nam płacić metapsychiczny rachunek i że częstokroć rachunek ten jest tak wysoki, że człowiek nie jest w stanie unieść jego ciężaru.

Pan Rheiner wstał.

— Tam jest dziura — powiedział w dziwnie rzeczowy sposób. Cholernie wielka dziura, biegnąca aż do piwnicy. Sięgająca aż do rur kanalizacyjnych.

Stał naprzeciwko nas, czyszcząc sobie spodnie.

— Wydaje mi się, że jesteście państwo winni mi jakieś wyjaśnienie, zgadzacie się chyba? W ciągu jednego popołudnia wykopaliście dziurę głęboką jak cholera, sięgającą Bóg wie dokąd. A zrobiliście to tak cicho, że nie usłyszałem nawet szmeru. A co powiedzą państwo Kinsey, którzy mieszkają piętro niżej? Czy myślicie, że będą tolerować taką dziurę? Właśnie naprawiłem u nich sufit.

— Panie Rheiner — zacząłem, lecz on uciszył mnie głośno.

— Proszę mi nie przerywać, nie chcę słuchać żadnych pańskich tłumaczeń. Wiem tylko, że narobiliście szkody w przynajmniej trzech moich najlepszych pokojach. Albo zgodzicie się naprawić wszystkie szkody — i to szybko — albo wezwę policję. I zapowiadam, że nie życzę sobie więcej oglądać na oczy ani pana, ani pańskich przyjaciółek. Nigdy, rozumie pan. Doprawdy nie mogę zrozumieć, co te dwie panie w panu widzą.

— Panie Rheiner — powtórzyłem, lecz wiedziałem, że moje słowa padają w próżnię. Smutne to i żenujące zjawisko, kiedy w dyskusji ktoś zaczyna uciekać się do argumentów natury osobistej.

— Harry — odezwała się Amelia — muszę przeprowadzić parę testów.

Ale pan Rheiner stanął przed dziurą w postawie obronnej, ze skrzyżowanymi ramionami.

— Niech się pani nie zbliża. Proszę mi podać państwa nazwiska i adresy. Chcę także usłyszeć zapewnienie, że naprawicie wszystkie poczynione szkody.

— Panie Rheiner, wydaje mi się, że pan nie rozumie, o co tu w ogóle chodzi — rzekła Amelia. — W tym pokoju jest dziura, to pewne. Lecz jeśli pan zejdzie do apartamentu położonego piętro niżej, pod tym pokojem, przekona się pan, że nie ma tam żadnej dziury.

Pan Rheiner skrzyżował wojowniczo ramiona.

— Droga pani, ta dziura ma ze sto metrów głębokości. Za kogo mnie pani bierze? Za głupka?

— Jest pan głupkiem, jeśli pan sądzi, że bylibyśmy w stanie przekopać się przez trzy kondygnacje i sto metrów skalistego podłoża w kilka godzin, bez żadnych maszyn i narzędzi, nie czyniąc żadnego hałasu i nie zostawiając gruzu.

Pan Rheiner oskarżycielsko wymierzył w nią palec, po czym zrobił ten sam gest w moim kierunku.

— Już ja się dowiem, jak tego dokonaliście. Zapamiętajcie moje słowa. Dowiem się.

Tymczasem, w trakcie jego tyrady, ujrzałem, jak z czeluści

zaczęły wydostawać się kłęby czarnego dymu i wpełzać jakoś dziwnie bokiem pod łóżko. Dym stał się tak gęsty, że spowił zupełnie kostki nóg pana Rheinera. Amelia cofnęła się i pociągnęła za sobą Karen.

— Na nic wasze wymigiwanie się — odezwał się pan Rheiner. Zapłacicie za tę szkodę, żeby nie wiem co.

— Co to jest? — zapytałem szeptem Amelię widząc, że warstwa dymu wokół nóg pana Rheinera robi się czarna jak smoła i coraz grubsza. Nie miała wcale zapachu dymu. Nie rozwiewała się też jak dym. Wzdymała się i gęstniała, aż w końcu uformowała wokół pana Rheinera coś na kształt groźnego olbrzymiego cienia.

To był cień. To wcale nie był dym. To była zimna i surowa tkanka ciemności. Czysty strach i przerażenie. Rozrastał się z każdą chwilą, ciężkogłowy i odstręczający, aż wreszcie utworzył wokół pana Rheinera odrażającą imitację jego własnej ułomnej postaci. To był sam pan Rheiner, chociaż zarazem był kimś innym. To było tak, jak gdyby zło i niszczycielska nienawiść opuściły mroczne pokłady jego duszy i wyzwolone, zamknęły go w urągliwym kokonie.

— A więc jak zamierzacie naprawić tę szkodę? — dopytywał się natarczywie. — Zapowiadam wam, że musi to zostać zrobione dobrze. Będzie kosztowało przynajmniej dwa tysiące dolarów, możecie mi wierzyć. A może nawet i więcej, jeśli wliczymy koszt nowej wykładziny i tak dalej.

— Panie Rheiner — przemówiła do niego Amelia — niech pan się trochę przesunie, tylko ostrożnie. Niech pan nie pyta dlaczego. Niech pan tylko zrobi krok, tak, jak panu mówię.

Pan Rheiner zmarszczył się gniewnie.

— O czym, do diabła, pani mówi, młoda damo?

— Niech pan stąpnie tutaj, panie Rheiner, z tyłu coś panu grozi. Coś...

Pan Rheiner spoglądał na nią przez cały czas, nie pojmując, o co jej chodzi. Lecz widocznie coś musiało zaświtać w jego mózgu, bo odwrócił głowę i spojrzał za siebie.

Obrócił głowę i już nie przestał jej obracać. Czaszka jego zrobiła obrót o trzysta sześćdziesiąt stopni, jak głowa Lindy Blair w *Egzorcyście*, tylko szybciej, i już się nie zatrzymała. Obrotom towarzyszyło ohydne chrupanie i trzeszczenie. Skóra na szyi pana Rheinera skręciła się niczym żółtaworóżowa lina.

Twarz jego zatoczyła kolejne koło, spoglądając na nas z pełnym niedowierzania wyrazem. Właściwie był już martwy, lecz jego źrenice w dalszym ciągu wyrażały zdziwienie, przerażenie i ból. Cień skręcał się i dymił wokół jego nóg, jak oślizłe macki gigantycznej ośmiornicy. Z nieprzyzwoitym pośpiechem dwie macki zerwały mu guziki i wśliznęły się za koszulę. Ciało pana Rheinera zatrzęsło się i zadrżało, gdy wdarły się w głąb jego tułowia, obnażając muskuły i warstwę białego tłuszczu na brzuchu. Rozpruły go całego od góry do dołu z taką łatwością, jakby to była przemiękła torba na zakupy — po czym pogrążyły się w jego ciele i zaczęły w nim bezlitośnie grzebać.

— Harry — krzyknęła rozpaczliwie Karen. — Harry, on go zabija.

Oczywiście za późno już było na jakąkolwiek pomoc z mojej strony — nawet gdyby mi wystarczyło odwagi. Głowa pana Rheinera kiwała się z boku na bok niczym marionetka w ataku epilepsji. Potem gruby cień wytrysnął mu czarną smugą z ust, owijając jego twarz jak boa dusiciel. Karen krzyczała przeraźliwie, podczas gdy pan Rheiner tańczył i wykonywał wokół nas przeróżne wygibasy. Ruchy jego były teraz znacznie zwinniejsze niż za życia. Sztuczna noga wypadła mu z nogawki i plasnęła o podłogę. Mimo to tańczył nadal.

— Uciekajmy stąd — wykrzyknąłem do Karen i Amelii.

Karen przez ułamek sekundy nie ruszała się z miejsca. Była jak sparaliżowana. Potem jednak z bezradnie wyciągniętymi przed siebie rękami rzuciła się jak szalona w stronę wyjścia. Niestety, było już za późno. Cień z furią uderzył w drzwi zatrzaskując je z hukiem.

Karen szarpała za klamkę, wołając:

— Harry, pomóż mi.

Podbiegłem i zacząłem je również szarpać, i to z taką siłą, że omal ich nie wyrwałem. Lecz to, co trzymało drzwi, było silniejsze od nas.

— *Nakazuję wam otworzyć się!* — krzyczała Amelia. — *Na sól, na ogień, na zwierciadło, na klucz.*

Znów szarpnąłem zamknięte drzwi, lecz te ani myślały się poddać.

— *Otwórzcie się po raz pierwszy. Otwórzcie się po raz drugi* — krzyczała władczo Amelia. — *Otwórz demonie, otwórz duchu. Przygwóźdź tego diabła do słupa.*

Usłyszałem z tyłu przerażające dudnienie. Wydawało się, że cały budynek rozpada się na kawałki. Obejrzałem się i zobaczyłem, jak monstrualny cień zdejmuje skalpel z głowy pana Rheinera — zobaczyłem krew, włosy i poszarpaną skórę. Potem cień, jakby po pewnym namyśle, z bezmyślnym okrucieństwem zabrał się do wyrywania mu kończyn.

Nastąpiła chwila ciszy, po czym zimny kłujący wiatr uderzył nas w twarze. Niósł ze sobą krew i piasek, i ostry, gryzący w oczy dym. Karen i Amelia krzyczały wniebogłosy. Z rozciętego policzka Karen sączyła się krew, skapując po podbródku. Krew ściekała również z włosów Amelii.

— Otwórzcie się po raz pierwszy! Otwórzcie się po raz drugi! — wołała Amelia przenikliwym, rozkazującym głosem.

Możliwe, że Amelia umiała zamykać drzwi, ale było jasne jak słońce, że nie ma mocy, aby je otwierać. W każdym razie nie wtedy, gdy miała przeciwko sobie tak bezwzględną siłę niematerialną. Nie przestawałem kopać w drzwi, aż wreszcie jedna z dolnych płyt zaczęła ustępować.

— Harry, prędzej, na miłość boską! — ponaglała mnie Amelia.

Obejrzałem się szybko za siebie. W wiszącym na ścianie lustrze ujrzałem przez mgnienie swoją twarz. Widziałem Karen i Amelię umazane we krwi pana Rheinera, lecz nie zdawałem sobie sprawy, że i moja twarz też zamieniła się w okropną szkarłatną maskę. Zdumiony i przerażony, krzyknąłem głośno, a Amelia spytała:

— Co? Co?

— Jezu Chryste — zacząłem — myślałem, że...

Za nami coraz czarniejszy i coraz zimniejszy cień zaczął wypełniać pokój i spowijać nas w mroczny płaszcz. Przedstawiał okrutną, namacalną groźbę. Nie miałem czasu na myślenie. Musiałem wyważać drzwi.

Waliłem w nie nogą raz za razem. Płyta po lewej stronie zaczęła rozszczepiać się, aż w końcu pękła. Potem udało mi się rozwalić środkową część. Słyszałem nieustanne krzyki Karen, lecz jedyne, co mogłem uczynić, to kopnąć w drzwi jeszcze mocniej raz i drugi, aż wreszcie rozpadły się na kawałki.

— Prędzej — wykrzyknąłem, chwytając Amelię za rękę. Zakrwawiona, oszołomiona Amelia przestąpiła próg i wydostała się na korytarz.

Odwróciłem się, aby pomóc Karen. Lecz Karen nagle przestała krzyczeć. Stała z rękoma zwisającymi wzdłuż ciała, umazana krwią, sztywna, w wymiętej odzieży. Jej oczy miały dziwny wyraz — przebijał z nich nie tyle strach, ile coś znacznie bardziej przerażającego — bezsilna rezygnacja i poddanie się okrutnemu przeznaczeniu.

— Karen! — zawołałem.

Cień spowijał ją już całkowicie. Zasnuwał jej twarz, jak przepływająca chmura przesłania słońce. Spojrzałem na nią, ze strachu przełykając ślinę. Gotów byłem przysiąc, że dojrzałem zarys ogromnej zniekształconej głowy, która niczym wielokilogramowa wapienna bryła kiwała się pod swym ciężarem. Usłyszałem również słaby, jękliwy dźwięk i wibrowanie tak ciche, że zęby zadzwoniły mi z wrażenia.

— Karen, co z tobą?

Karen nie odpowiadała. Nie byłem nawet pewien, czy mnie słyszy.

— Karen, musisz iść za mną. Krok za krokiem.

Przy łóżku zakrwawiony tułów pana Rheinera potoczył się nagle na krawędź otchłani i zniknął w jej czeluściach. Słaby blask na chwilę rozjaśnił ciemności, jak odległe wspomnienie srebrzystej błyskawicy rozbłyskującej latem na Równinach. W ślad za panem Rheinerem jak posłuszny szczur, zostawiając za sobą połyskliwą kasztanową smugę, wśliznął się do otchłani jego skalp. Potem ruszył jego żołądek — jakiś potworny szkarłatny strzęp — który nie sposób było zidentyfikować. Wreszcie przyszła kolej na sztuczną nogę. Znów zamigotało słabe światełko.

Karen stała w mroku z szeroko otwartymi oczami.

— Karen — odezwałem się, wyciągając rękę. — Nie bój się, wszystko będzie dobrze.

Dalej nie reagowała. Nie miałem pojęcia, czy w ogóle jest świadoma mojej obecności. Jej wzrok był rozproszony.

— Karen, chwyć się mojej ręki. Wszystko będzie w porządku. To jest przecież tylko cień, nieprawdaż? To nic nie jest. Jeśli on jest na tyle silny, aby cię skrzywdzić, to pamiętaj, on czerpie moc z ciebie samej, z twego mózgu.

Poklepałem się w czoło, na wypadek gdyby mnie nie zrozumiała.

— Ty musisz tylko powiedzieć: „On nie może mi zrobić nic złego, to jest tylko cień", a potem wziąć mnie za rękę.

Oczy Karen zrobiły się szkliste i senne. Przed sekundą krzyczała histerycznie. Teraz sprawiała wrażenie, jakby zażyła narkotyk. Była spowolniona, obca, z innego świata.

— *Odebrałeś mi ją już kiedyś* — wyszeptała. — *Tym razem ci się to nie uda.*

— Co takiego? — zapytałem. — O czym ty mówisz, Karen? Chodź, idziemy.

Wyciągnąłem dłoń, usiłując pochwycić jej bezwładnie zwisającą rękę. Nie była to jednak ręka Karen. Była zimna, sucha i pomarszczona jak ręka mężczyzny — męska ręka ozdobiona pierścionkami i koralikami. Poczułem coś jeszcze. To było pajęcze łaskotanie włochatych kończyn, owijających się niewidocznie wokół tego męskiego przegubu.

Cofnąłem dłoń i wstrząśnięty spojrzałem na Karen.

— *Nic nie pomoże, biały diable, nic, absolutnie nic. Teraz nie masz nade mną żadnej władzy. Już wiem, jak z tobą walczyć.*

— Harry — dobiegł mnie z korytarza głos Amelii. — Co z tobą? Gdzie jest Karen?

— Chwileczkę — odkrzyknąłem. — Proszę, nie ruszaj się z miejsca. Zaraz tam będę.

Starałem się mówić spokojnie, aby nie wyczuła mojego lęku. Próbowałem udawać, że panuję nad sytuacją. Lecz w rzeczywistości serce waliło mi w piersi ciężko i boleśnie, a w ustach czułem gorzki, metaliczny smak przerażenia.

— *Kiedyś przelatywałem jak cień orła nad tysiącami księżyców, starając się odzyskać to, co zostało zagrabione memu ludowi.* — Głos Karen brzmiał dziwnie, jakby pięciu lub sześciu ludzi mówiło naraz. Twarz jej w dalszym ciągu przesłaniał cień. — *Narodziłem się na nowo, by szukać sprawiedliwej zemsty. Ale nie zdawałem sobie sprawy, jak bardzo zmieniliście nasz świat. Nie wiedziałem, że zniszczyliście nie tylko nasze wigwamy i tereny naszych polowań, ale także nasze święte miejsca. Nasze rzeki i jeziora, w których niegdyś pluskały się ryby, są teraz martwe jak wasze dusze. Powietrze, w którym niegdyś unosiły się wierne nam duchy wiatru, jest zatrute jak wasze serca. Uduszono nawet trawę i drzewa, jak niechciane dzieci.*

W takim świecie — ciągnęła Karen po chwili — *moja moc nic nie znaczy. Wezwałem więc na pomoc przyjazne mi i podobne mi duchy i moce. Mimo to nadal nasze siły były niewystarczające. Wy, biali ludzie, wymordowaliście nie tylko nasz naród. Wyście zamordowali również wszechświat. Wymordowaliście duchy, które już nigdy nie będą wędrować po tej ziemi — duchy kruche, duchy subtelne i delikatne, które potrafią podszepnąć myśliwemu, gdzie kryje się jeleń, i wskazać kierunek nieznanego strumienia. Wymordowaliście duchy błyskawic i deszczu.*

Wielka szkoda, że zniszczyliście to wszystko, zanim mieliście szansę zetknąć się z tym światem. Obróciliście go w perzynę i nie wiecie nawet, że kiedykolwiek istniał?

Spojrzałem prosto w oczy Karen. Jej rozszerzone źrenice były ciemne. Nie miałem wątpliwości, że on jest tutaj. Posłużył się nią, aby wygłosić swoje przemówienie, tak jak kiedyś. Istoty niematerialne mogą przemawiać tylko przez usta żywych.

— Misquamacusie — powiedziałem głosem drżącym ze wzburzenia i wściekłości. — Misquamacusie, największy ze wszystkich czarowników plemienia Algonkinów. Misquamacusie, dla którego nie istnieje czas i przestrzeń. Misquamacusie, który zabijasz Bogu ducha winnych ludzi, który tchórzliwie jak zając ukrywasz się w duszach dzieci i bezbronnych kobiet.

Oczy Karen zabłysły.

— *Czy chcesz, abym oskalpował tę kobietę na twoich oczach?*

— Odważysz się? — zapytałem prowokacyjnie. W duszy zaś modliłem się: Panie Boże, błagam cię, nie pozwól, aby się odważył. Błagam cię, Boże, niech raczej okaże się dumny i arogancki niż bezlitosny. I błagam cię, Panie Boże, zabierz go stąd. Podłącz go tam w niebie do wszystkich piorunów, aby obrócił się w popiół i już nigdy więcej nie pojawił się na tej ziemi.

— Harry! — zawołała w najwyższym zdenerwowaniu Amelia. Co się dzieje?

Znów wyciągnąłem rękę.

— Misquamacusie, ta kobieta nie zrobiła ci żadnej krzywdy. Nikt z nas nie zrobił ci nic złego. Proszę cię, puść ją.

Karen uniosła ręce i zakryła nimi twarz, tak że tylko jej oczy wyglądały.

— *Potrzebuję jej. Jej ciało było mi przytułkiem i schronieniem. Teraz posłuży mi do tego samego celu. Stanie się moimi ustami, a także moim zakładnikiem, aż do końca mojej misji wśród cieni, dopóki święte ziemie Indian nie staną się znów wolne, a naród mój będzie gnał po nich na wyścigi z wiatrem.*

— Misquamacusie — wykrzyknąłem. — Nie możesz zabrać Karen, nie możesz jej znowu porwać. To dla niej śmierć.

— *Nim użalisz się nad śmiercią jednej kobiety, pomyśl o Sand Creek. Pomyśl o Wounded Knee.*

— Nie zabieraj jej, proszę — błagałem go. A w duchu modliłem się: Panie Boże, ratuj, Panie Boże święty, ratuj. Na rany Chrystusa, Boże, okaż swoje miłosierdzie. Sprowadź piorun, trzęsienie ziemi, co tylko chcesz. — Posłuchaj, nie zabieraj jej, zabierz mnie. — Próżne złudzenia.

Aby pomścić i ocalić swój lud, Misquamacus żył, umarł i przenosił się w czasie i przestrzeni przez długie mroczne wieki. Doświadczył cierpień ciała i cierpień ducha. Jeśli nawet drzemały w nim resztki człowieczeństwa, z całą pewnością nie było to uczucie przebaczenia, zwłaszcza w stosunku do białych diabłów. Myśliwskie tereny Indian rozbrzmiewały warkotem ich samochodów, a spaliny silników tak zatruwały powietrze, że duchy wiatrów padały niczym poduszone gołębie. Przebaczenie nie obejmowało białego człowieka, który wytępił do ostatniego duchy w świętych jeziorach jego ludu i zamienił wiernego przyjaciela, wodę, w jego wroga.

Miałem szczere pragnienie współczuć mu. Ale ja to byłem ja, a on to był on, a wigwamy i polowanie na bawoły to była już pieśń przeszłości, niewiele mająca wspólnego z gospodarką światową. Nie przeciwstawimy się japońskiej technologii, oferując światu duchy wiatrów, sentyment do Indian i koce Nawajów.

Karen nadal zakrywała twarz rękami. Spoza nich przebłyskiwały oczy obcej istoty.

— *Nauczyłem się wiele, biały diable. Teraz na ciebie kolej. Wy macie swój Dzień Sądu — my mamy go też. Wkrótce odkryjesz, co to znaczy żyć tak jak my, w Wielkiej Otchłani, bez światła i nadziei.*

— Misquamacusie, pozwól jej odejść.

Usiłowałem pochwycić Karen. Złapałem ją za rękaw bluzki. Lecz w tym momencie głowę moją spowiła ciemność, jakby spadło na nią pięć worków węgla. Usłyszałem krzyk Karen. Nie tyle krzyk, ile i rozdzierające serce wołanie o pomoc. *Dość tego, dość! Nigdy więcej tego ohydnego koszmaru!*

Gdy wreszcie zdołałem unieść głowę, ujrzałem, jak cień wsuwa się z powrotem do czeluści, pociągając za sobą Karen.

— Karen! — Udało mi się złapać ją za rękę i przytrzymać przez długą, pełną napięcia chwilę trzema palcami mojej dłoni. — Karen, walcz, nie poddawaj się!

Z najwyższym wysiłkiem starałem się wzmocnić uścisk. Przemożna siła, jak olbrzymi odkurzacz odciągała ją ode mnie. Nie płakała. Nie krzyczała. Ostatkiem sił kurczowo trzymała się mojej ręki.

Czułem, że mnie również coś zaczyna ciągnąć po podłodze. Udało mi się zaczepić lewą stopę o nogę łóżka. Przyhamowało to nieco naszą jazdę w dół. Karen w połowie zniknęła już w czeluści. Gorączkowo wykręcała górną część tułowia, opierając się dalszemu pogrążaniu w otchłani. Nie wiedziałem, czy ta dziura nie jest jak ruchome piaski, w których im gwałtowniejsze robi się ruchy, tym szybciej się w nich pogrąża, więc na wszelki wypadek krzyknąłem:

— Nie ruszaj się, nie ruszaj. Staraj się podciągnąć w górę.

Amelia wróciła do pokoju i stanęła za moimi plecami. Bez słowa ujęła mnie jedną ręką za pasek od spodni, a drugą złapała się za łóżko. Przez parę sekund wydawało mi się, że jesteśmy górą. Karen udało się unieść jedno kolano i oprzeć je o krawędź czeluści. Wyciągnąłem drugą rękę i złapałem ją za bluzkę na ramieniu.

— Ciągnij — zawołałem do Amelii. — Jeszcze trochę wysiłku i wydobędziemy ją.

Stękając i wytężając siły, podciągnęliśmy ją parę centymetrów w górę, a potem jeszcze parę.

— Podaj mi drugą rękę, Karen. Masz moją dłoń, chwyć ją. Podałem jej prawą rękę. Wyciągnęła swoją.

— Świetnie, już ją masz.

Lecz ona w odpowiedzi rzuciła na mnie dzikie, złe spojrzenie i roześmiała się odrażająco. Ręka jej była zimna i twarda jak ręka mężczyzny lub ptasi szpon. Z całej siły wykręciła mi palce — usłyszałem chrupnięcie chrząstki.

— Przestań, Karen — ryknąłem. — Nie pozwól mu tego robić! Jednak ona w zamian prawie zmiażdżyła mi palce lewej ręki. Ból był nie do zniesienia. Byłem zmuszony ją puścić.

— Karen! — wrzasnąłem. Lecz ona prześliznęła się z ostrym gwizdem i zniknęła w czeluści. Dywan ciemności zamknął się nad jej głową i jedyne, co jeszcze zdążyłem dostrzec, to była uniesiona ręka chwytająca raz po raz powietrze, jak ręka tonącego, który trzeci raz idzie pod wodę.

Zacząłem walić pięściami w twardą podłogę. Wiedziałem, że ją straciłem.

Amelia dotknęła mojego ramienia.

— Harry, tak mi przykro. Szkoda, że nie mogę ci pomóc. Szkoda, że w ogóle starałam się ci pomagać.

Wiedziałem, co ma na myśli. Powoli podniosłem się z klęczek i popatrzyłem na zadymiony, opryskany krwią pokój.

— Misquamacus — powtórzyłem. — Łudziłem się, modliłem się, żeby go już nigdy w życiu nie spotkać. Tego wielkiego indiańskiego krzyżowca, nadzieję czerwonoskórych.

— Nic nie możesz już zrobić, Harry.

— Jezu! — wykrzyknąłem. Waliłem pięściami w ścianę z wściekłości, gniewu i żalu. — Czy on nie rozumie, że nic już nie wróci? Skończyły się polowania na bawoły, tańce wojenne i narady przeklętych indiańskich czarowników. To wszystko już się skończyło. Choćbyśmy nie wiem jak żałowali.

Amelia objęła mnie i przycisnęła mocno do siebie.

— Posłuchaj, Harry, chodźmy stąd, zanim ktoś wezwie policję. Dosyć mamy kłopotów, jeszcze tylko brakuje, żeby przyczepiło się do nas prawo.

Odwróciłem się i popatrzyłem na miejsce, gdzie przed chwilą była czeluść.

— Ten Misquamacus skończy w piekle — odezwałem się głosem, w którym zgrzytało szkło. — Ten Misquamacus skończy w piekle. Już ja się o to postaram.

Chicago

Nann Bryce stała za jasno oświetlonym kontuarem stoiska z kosmetykami Revlon w domu towarowym Marshall Field. Z zawodową cierpliwością czekała, aż klientka zdecyduje się wreszcie na kolor szminki. Wypróbowywała już trzecią kredkę, na przemian to ściągając, to wydymając wargi w powiększającym lusterku.

— Doprawdy nie wiem, na którą się zdecydować — odezwała się klientka. — Ta nadal wydaje mi się za ciemna.

— Może spróbuje pani jeszcze raz Pocałunek Tropików — zasugerowała Nann. Było siedem po pierwszej. Od siedmiu minut trwała przerwa obiadowa i Nann wprost skręcała się, aby opuścić stoisko. Miała spotkać się z Trixie i dowiedzieć się, jak wypadł jej egzamin. Umówiła się z nią kwadrans po pierwszej w kawiarni Orłowskiego i nie mogła się spóźnić. Nawet kiedy wszystko układało się dobrze, Trixie była nerwowa i kapryśna. Przeżycia z Natem uczyniły ją jeszcze bardziej niezrównoważoną i agresywną niż zazwyczaj.

Kobieta przyglądała się swej twarzy ze wszystkich stron.

— Nie mogę się zdecydować. A jakie jest pani zdanie? Czy ta szminka nie wydaje się pani za ciemna?

— To zależy, jak chce się pani prezentować. Czy chciałaby pani wyglądać egzotycznie i zmysłowo, czy przeciwnie, woli pani, by jej twarz wyglądała jasno i odświętnie?

— Egzotycznie — stwierdziła kobieta. — To znaczy mam na myśli tajemniczo, rozumie pani. Chcę, aby mój mąż pomyślał: Ta kobieta kryje w sobie coś, czego nie znam.

211

Nann uśmiechnęła się.

— W takim razie najbardziej odpowiedni będzie dla pani Żar Karaibów. — I po chwili. — Płaci pani czekiem czy gotówką? Było już prawie dwadzieścia pięć po pierwszej, kiedy Nann wybiegła na Washington Street i lawirując między samochodami wpadła do kawiarni Orłowskiego. W mieście było duszno i gorąco. Popołudniowe słońce o barwie mosiądzu przypiekało nieznośnie. Poranna prognoza pogody przewidywała dużą wilgotność, smog oraz wyładowania atmosferyczne. Od strony jeziora nie dolatywał nawet najlżejszy powiew.

Za to przynajmniej w kawiarni Orłowskiego było chłodno i przyjemnie — ściany wyłożone lustrami, mozaikowa posadzka, liście palm kołyszące się lekko w podmuchach wietrzyka ciągnącego od klimatyzacji.

Trixie siedziała w odległym kącie pod lustrzaną ścianą i piła kawę. Miała dziewiętnaście lat, była bardzo szczupła i uderzająco ładna, włosy miała zaczesane do tyłu i spryskane lakierem. Miała na sobie czarne spodnie do pół łydki, trzy warstwy bawełnianych koszulek i czarny bawełniany żakiet. Nann pomyślała, że w porównaniu z Trixie uroda Janet Jackson jest niczym. Mimo to Janet Jackson tańczy, śpiewa i zarabia miliony, podczas kiedy Trixie ściąga na siebie same kłopoty. Ostatnim kłopotem był oczywiście Nat.

— Ach, kochanie... przepraszam za spóźnienie — przywitała ją Nann kładąc obok siebie torbę i sadowiąc się przy niej. — Wszystko przez ten Żar Karaibów czy Pocałunek Tropików. Klientka nie mogła zdecydować się, co ma wybrać za swoje ciężkie pieniądze. „Chcę, aby mój mąż pomyślał: Ta kobieta kryje w sobie coś, czego nie znam".

Trixie uśmiechnęła się kącikiem ust, bez cienia radości. Grymas ten czynił ją podobną do ojca. Ojciec Trixie zginął w głupi sposób w wypadku samochodowym na Dundee Street w pobliżu Santa's Village. Ogromna ciężarówka dostawcza wyskoczyła nagle zza zakrętu jak dinozaur. Na autostradzie została ropa, krew i śnieg. Nann ciągle bardzo za nim tęskniła i ciągle nie mogła powstrzymać się od płaczu, gdy nadchodziło Boże Narodzenie. Niektórzy ludzie odchodzą z tego świata i rany, jakie zostawiają po sobie, szybko zarastają niepamięcią. Śmierć ojca Trixie zostawiła bliznę, która w dalszym ciągu bolała. Przynajmniej jeśli chodzi o Nann, a prawdopodobnie także o Trixie i Marshalla. Marshall był młodszym dzieckiem Nann i jej jedynym synem.

— Poproszę o kawę — zwróciła się Nann do kelnerki, a potem do Trixie: — Jadłaś coś? — Trixie potrząsnęła głową. Nann spytała kelnerkę: — Co dziś serwujecie?

— Klops z mięsa.

— Proszę dwa sandwicze z indykiem na ciemnym chlebie.

— Mamo — zaprotestowała Trixie. — Ja nie będę nic jadła.

Kelnerka zawahała się.

— Czy pani jest głucha? — skarciła ją ostro Nann. — Dwie kanapki z indykiem na ciemnym chlebie.

Kelnerka odeszła. W oczach Trixie pojawiły się łzy.

— Mamo — odezwała się, potrząsając głową.

— Jesteś w ciąży — odparła Nann, wyjmując czystą chusteczkę z torebki i rozkładając ją. Trixie wciąż jeszcze była tak dziecinna, że nie potrafiła rozłożyć porządnie chusteczki do nosa, przynajmniej nie w taki sposób, do jakiego Nann była przyzwyczajona. Trixie wytarła oczy, sprawiając wrażenie całkowicie ogłuszonej.

— Siedzisz tu w kącie — odezwała się Nann — nad samą kawą, z twarzą ponurą jak noc, a ja nawet nie wiem, w którym jesteś miesiącu.

— Powinno się urodzić czternastego lutego, w dzień świętego Walentego.

Nann opadła na oparcie krzesła z wrażenia.

— Wymarzona data. Nieszczęsne dzieło świętego Walentego.

— Mamo, staraliśmy się uważać.

— Och, nie wątpię, że się staraliście. Staraliście się dobrze bawić. Nie myśleć o konsekwencjach. O tym biednym dziecku, które nosisz teraz w swym łonie. Jaka przyszłość może je czekać przy takich rodzicach jak Niefrasobliwy Nat i Trixie Co Ma Pstro w Głowie? Masz zamiar urodzić to dziecko? Jeśli tak, to może mi powiesz, w jaki sposób zamierzacie zapewnić mu opiekę. A co z twoimi studiami? Co z tobą? Co z naszymi wszystkimi planami?

Trixie z hałasem odstawiła filiżankę z kawą na spodeczek.

— Jeszcze chwila, a powiesz mi, że sprzeniewierzyłam się pamięci ojca, prawda?

Nann zakryła oczy dłonią.

— Przepraszam. To wszystko dlatego, że czuję się taka zawiedziona. Czuję, jakbym to ja była wszystkiemu winna.

Trixie ujęła matkę za rękę.

— Mamo, Nat mnie kocha i ja kocham jego. Ja wiem, że nie masz o nim zbyt dobrego zdania. Ale przecież twoi rodzice też nie lubili tatusia, prawda? Nikt nie jest winien temu, co się stało. Ty byłaś młodsza ode mnie, kiedy przyszłam na świat. Niewątpliwie popełniliśmy błąd. Nie powinniśmy mieć dziecka tak wcześnie. Ale damy sobie radę, tak czy inaczej.

Nann wyjęła chusteczkę i otarła oczy.

— Jak ci się wydaje, ile to razy matki na całym świecie odbywają takie rozmowy z córkami? Nie wątpię, że codziennie, w każdym mieście i miasteczku, jakie tylko przyjdzie ci na myśl.

— Nie wiem — Trixie uniosła oczy. — Mam wrażenie, że czasy się zmieniają. Nie zawsze plany, jakie snujesz w stosunku do siebie lub swoich dzieci, spełniają się. Czasami to, co się już stało, okazuje się najlepszym rozwiązaniem.

Kelnerka przyniosła im zamówione kanapki. Matka z córką najpierw przyjrzały się przyniesionym porcjom, po czym spojrzały na siebie.

— Zabieraj się do jedzenia — uśmiechnęła się Nann. — Musisz teraz jeść za dwoje.

Trixie spoglądała na kanapkę. Nann ugryzła kęs indyczej piersi i zaczęła żuć. Gruczoły ślinowe odmówiły jej jednak posłuszeństwa. Bezskutecznie międliła w ustach kanapkę i za nic w świecie nie była w stanie jej przełknąć.

Rozpłakała się. Łzy pociekły po jej policzkach, skapując na talerz. Nie mogła powstrzymać się od płaczu. Nie wiedziała, czy jest jej dobrze czy źle, czy czuje się zdenerwowana czy po prostu głupia. Po bezskutecznych usiłowaniach porzuciła próby przełknięcia jedzenia. Wypluła je do serwetki i włożyła do popielniczki. Znów otarła oczy. Sytuacja nie była przecież aż tak tragiczna. Przecież, chwała Bogu, ma dopiero trzydzieści osiem lat i wkrótce zostanie babcią.

— Uspokój się, mamo — odezwała się Trixie. — Nie masz czego płakać. Wszystko się jakoś ułoży. Przynajmniej przed tym dzieckiem będzie jakaś przyszłość.

Nann szlochała w dalszym ciągu, a Trixie nadal trzymała ją za rękę, gdy oblicze otaczającego ich świata zaczęło zmieniać

214

się gwałtownie. Początkowo nie mogły zrozumieć, co się dzieje. Myślały, że ktoś rzucił cegłą w okno kawiarni Orłowskiego, bo szyba pękła po przekątnej na całej wysokości. Palmy przechyliły się na bok, a porcelanowe donice, w których tkwiły, rozbiły się o kafle mozaikowej posadzki. Z sufitu zaczął sypać się tynk, krzesła poprzewracały się. Czyżby trzęsienie ziemi? — pomyślały. Nieraz czytały o trzęsieniu ziemi, oglądały je w telewizji. Ale w tej chwili wszystkie lustra na ścianach wygięły się i z hukiem rozprysły na kawałki. Rozległ się przeraźliwy krzyk kobiet. Podłogę pokryły błyszczące odłamki rozbitego szkła. Ktoś krzyknął piskliwie: „Trzęsienie ziemi". (Może nie krzyknął, może tylko pomyślał, pomyśleli wszyscy znajdujący się na tej sali. Podobnie jak podczas katastrofy samolotu. Wszyscy myślą: Nie, wielki Boże, tylko nie to, ale nikt nie ma odwagi powiedzieć).

Trixie ścisnęła matkę za nadgarstek ozdobiony srebrną bransoletką. Zwisały z niej wszystkie amulety, jakie Nann dostała od męża na szczęście — podkowa, dzwoneczek weselny oraz dziwna haczykowata salamandra. Nie miały już jednak czasu, aby wymienić choć słowo, nawet chwili, aby spojrzeć na siebie. Dom towarowy Marshall Field rozpadał się na ich oczach — widziały to przez okno — rozsypywał się w gruzy, jakby wysadzony dynamitem. Zniknęły bez śladu okna wystawowe z kolekcją letniej mody od strony State Street. Szyby wypadły, manekiny rozrzuciły ramiona w groteskowym geście rozpaczy, po czym zniknęły, pogrążyły się w betonie. Ponad nimi, ze straszliwym łoskotem, piętro po piętrze, zawalał się cały budynek. Leciały w dół tony stali, szkła i cementu — towary, windy i klatki schodowe; wszystko to znikało w podziemnych przejściach i jeszcze głębiej, a wraz z nimi setki kupujących i sprzedawców. Widok ten przywodził na myśl zatonięcie „Titanica", tylko nie w morzu, lecz w głębi ziemi. Ogromny gmach rojący się tłumem bogatych klientów znikał w kamiennym gruncie, jakby uderzyła w niego góra lodowa.

Nann stała przy rozbitym oknie kawiarni Orłowskiego i z otwartymi ustami przypatrywała się, jak Marshall Field z ogłuszającym hukiem zamienia się w nicość. Trixie stała w pewnej odległości za nią. Chmura kurzu i cementowego pyłu jaśniała złotawo, zatykając oddech. Po jakimś czasie kurz zaczął powoli opadać i promienie słońca przedarły się wreszcie przez szarą mgłę. Mimo to w kawiarni Orłowskiego i w najbliższym jej otoczeniu nadal panowała przedziwna cisza, jakby przyszedł koniec świata. Dopiero daleki odgłos syren przywrócił ludzi do życia. Zaczęli się ruszać, rozmawiać, śpieszyć do wyjścia.

Nann stała na chodniku i spoglądała na rumowisko, które dopiero co było domem towarowym Marshall Field. Trixie zbliżyła się i stanęła obok. Tumany kurzu i pyłu były tak gęste, że z trudnością widziały nawzajem swoje sylwetki.

— To śmieszne — powiedziała Nann. Były to jedyne słowa, jakie przyszły jej na myśl.

Trixie była wstrząśnięta. Wierzchem dłoni przyciskała czoło.

— To po prostu śmieszne — wykrzyknęła Nann piskliwym głosem. — Budynek nie może się przecież tak ulotnić bez śladu.

— Trzęsienie ziemi — odparła Trixie. Odjęła rękę od czoła i przykryła nią usta, jak gdyby zbierało się jej na wymioty. — Nie słyszałaś, jak ludzie mówią, że to trzęsienie?

Nann spojrzała na nią.

— To nie jest trzęsienie ziemi. Ten budynek zapadł się w ziemię. Zapadł się wraz z moimi przyjaciółmi, z wszystkimi, z którymi pracowałam. Wszyscy zniknęli. Spójrz tylko. Nie zostało nic. Nic z wyjątkiem cegieł, kawałów muru i gruzu. Gdzie podział się ten cały gmach, dziecko? Gdzie podziali się ludzie, którzy w nim przebywali? Gdzie się to wszystko podziało, Trixie? Dokąd powędrował ten cały cholerny gmach? To był magazyn Marshall Field. To był Marshall Field. Dlaczego dom towarowy Marshall Field zniknął tak nagle bez śladu?

— Nie wiem — odparła Trixie, odwracając się plecami do matki. Zimny dreszcz wstrząsnął jej ciałem. — I nie chcę wiedzieć.

Zewsząd słychać było głęboki dudniący łoskot, przez który z trudem przebijały się syreny pędzących na sygnale karetek pogotowia i wozów straży pożarnej. Kawały betonu i tynku zaczęły sypać się z góry na ulicę. Niektóre z nich podskakiwały i rozbijały się na chodniku, inne z druzgocącym trzaskiem miażdżyły żelazne pudła taksówek i innych pojazdów. Wszędzie zapadały się budynki, ale to nie było zwykłe zapadanie się — one po prostu znikały w głębi ziemi, tak jakby ich nigdy przedtem nie było. Hałas był ogłuszający, większy niż podczas trzęsienia ziemi. Dudnienie przypominało walenie w bębny setek oszalałych perkusistów. Dawały się słyszeć grzmoty jak latem podczas gwałtownej burzy.

Nann objęła Trixie ramieniem i przycisnęła ją mocno do siebie. Miała niejasne poczucie, iż wie, o co chodzi. Domyślała się przyczyn katastrofy. W pamięci jej tkwiły słowa, które usłyszała kiedyś od babki, a ta z kolei od swojej matki. Nann znała prawdę. Nadeszła chwila, którą od wieków przepowiadali niewolnicy. Spełniło się proroctwo afrykańskich przybyszów. Znosiliśmy przez wieki cierpienia, krzywdy i niewolę, o Panie. Znosiliśmy z pokorą, bo wiedzieliśmy, że pewnego dnia ta ziemia zginie. Nadejdzie dzień, kiedy ta cywilizacja rozsypie się w proch. Dom, który buduje się na cierpieniu, buduje się na piasku; takie były powtarzane bez końca słowa babki. Znaczenie ich nigdy nie docierało w pełni do Nann — zrozumiała je dopiero teraz.

Gigantyczny blok uzbrojonego betonu spadł na ulicę, tuż przed nimi. Mógł ważyć jakieś dwadzieścia, trzydzieści ton, lecz zamiast po prostu rozsypać się w drobny gruz na chodniku, znikł bez śladu. Jego tropem posypały się kolejne zwały cementu. Po nim poszły ogromne szklane płyty, a potem okienne framugi. Wreszcie, robiąc gigantyczny zygzak w powietrzu, sfrunęły z góry klatki schodowe i betonowe stopnie.

Chodnikiem w ich stronę biegł mężczyzna. W przykurzonych promieniach słońca Nann ujrzała nad jego głową nagły błysk. Nann zorientowała się dopiero po chwili, że to wielka szklana płyta spadła na głowę mężczyzny, przecinając jego ciało ukosem na pół — od lewej skroni do prawego kolana. Potem, dzwoniąc dziwnie, zapadła się w głąb chodnika.

Przez dłuższy czas mężczyzna stał nie zmieniając pozycji. Oczy miał szeroko otwarte, a połowa przeciętych okularów tkwiła na grzbiecie nosa. Na koszuli z krótkimi rękawami i jasnoszarych spodniach pojawiła się równomierna, jak pociągnięcie szczotki do zębów strużka krwi.

— Wielki Boże — wyszeptała Nann i przeżegnała się. Kreśląc znak krzyża zobaczyła, jak z przeciętego na pół mężczyzny wyłaniają się dwa poranione męskie ciała. Wnętrzności wylały się na chodnik obfitą połyskującą masą. Nann ujrzała serce oraz czerwono-białe żebra przypominające wiszące na haku u rzeźnika połcie.

Chwyciła mocno Trixie za rękę i odwróciła się.

— Uciekajmy, dziecko!

Początkowo Trixie wydawała się zbyt oszołomiona, aby zrozumieć słowa matki. Ale Nann ostro szarpnęła ją za rękę.

— Uciekaj.

Zaczęły biec zarzuconą gruzem ulicą, pomiędzy rozbitymi samochodami i przewróconymi autobusami. Dziesiątki metrów kwadratowych rozbitego szkła zgrzytało pod ich stopami. Było tak jasne i kruche, iż wydawało im się, że pod podeszwami swych butów mają diamenty.

— Dalej, dziecko, biegnijmy! — nalegała Nann.

— Dokąd biegniemy? — wykrzyknęła pytająco Trixie. Deszcz średniej wielkości betonowych brył runął z hukiem na ulicę tuż przed nimi. Chwilę później runęły ściany garaży, pociągając za sobą połowę gmachów na East Washington, pomiędzy State i South Wabash.

— Jeśli nam się uda, to nad jezioro — wysapała Nann.

Biegły, trzymając się za ręce. Wkrótce Nann zaczęła jednak zostawać w tyle. Setki ludzi o posępnych twarzach biegły wraz z nimi w przenikliwym milczeniu. Większość kierowców porzuciła swoje wozy, lecz kilka samochodów jeździło bezładnie po jezdni, co chwila zbaczając na chodnik. Wśród biegnących Nann ujrzała młodą rudowłosą kobietę z dzieckiem w ramionach. Właśnie przebiegała przez jezdnię, gdy zza rogu East Randolph Street wyskoczyła z piskiem opon zielona granada. Nann ujrzała, jak kobieta robi łuk w powietrzu, zobaczyła lecące dziecko. Kazała Trixie zatrzymać się i dysząc ze zmęczenia pobiegła na miejsce wypadku.

Kobietę i dziecko zdążył już otoczyć tłum ludzi. Przez zwarty, odtrącający ją łańcuch brutalnych ludzkich ramion Nann zdążyła zauważyć, że kobieta już nie żyje. Twarz miała białą jak płótno, a sącząca się z rozbitej czaszki krew ściekała do rynsztoka. Dziecko leżało buzią do ziemi. Nie ruszało się. Kierowca ciężarówki powtarzał jak nakręcony: „Ona dosłownie rzuciła mi się pod koła, ona dosłownie rzuciła mi się pod koła" i tak bez końca.

Tymczasem wokół nich domy Chicago rozpadały się, jakby ich ściany zbudowane były z kart. Nann nigdy przedtem nie przeżywała trzęsienia ziemi, nie była więc pewna, czy to jest rzeczywiście trzęsienie ziemi, czy nie. Było w tym coś nierealnego. Nie dziwił jej ogłuszający grzmot i łoskot — miliony ton stali i betonu leciały przecież z góry na ziemię, nie przypuszczała jednak, że może się to odbywać z taką systematycznością i dokładnością. Gmach za gmachem znikał z powierzchni miasta. Zawalił się Prudential, potem Amoco. W ślad za nimi poszły Rookery i Monadnock, a nawet utrzymana w stylu gotyckim wieża ciśnień, która przetrwała wielki pożar w Chicago w tysiąc osiemset siedemdziesiątym pierwszym roku.

Waliły się z hukiem — olbrzymie lawiny stali i szkła — i wszystkie, jak podziemne kolejki znikające w głębi tunelu, zostawiały za sobą tylko wspomnienie. Setki tysięcy ludzi bez żadnej szansy ucieczki znikały w ziemi wraz z nimi. Wszystkie trzydziestopiętrowe wieżowce zapadały się z łoskotem w ziemię: gdy tak znikały w otchłani, przed oczami Nann jak w kalejdoskopie przesuwały się przyklejone do szyb okiennych pełne rozpaczy twarze ludzi. John Hancock Building pozostawił po sobie tylko wysoki pióropusz czarnego, krematoryjnego dymu, który przez dziesięć minut unosił się nad North Michigan Avenue i rozproszył się dopiero na Oak Street Beach.

Nann i Trixie biegły kulejąc i potykając się przez Grant Park aż dotarły do jeziora. Był tam już spory tłum: pracownicy przystani czy żeglarze oraz ludzie, którzy zdążyli uciec z wieżowców w pobliżu Loop i Civic Center. Wszyscy byli pokryci kurzem. Niektórzy mieli twarze tak białe od pyłu, że wyglądali jak błazny cyrkowe. Niektórzy płakali lub krzyczeli, większość jednak pogrążona była w milczeniu. Niszczenie miasta trwało nadal i pozostawało tylko przyglądać się temu bezsilnie.

Nann trzymała Trixie w ramionach i patrzyła, jak budynki na horyzoncie znikają jeden za drugim niczym tekturowe cele w ogromnej strzelnicy. Dirksen Building, Tribune Tower. Ogłuszający rumor i mury Merchandise Mart zwaliły się w odmęty Chicago River. Gdy go budowano, był to najwyższy budynek na świecie. Teraz pozostała po nim tylko wolno snująca się smuga kurzu — i wspomnienie.

— Nigdy bym nie przypuszczała, że możemy mieć w Chicago trzęsienie ziemi — odezwała się Trixie.

Nann potrząsnęła głową.

— Nie sądzę, aby to było trzęsienie ziemi. Ja myślę, że to nadeszła ta chwila, o której ciągle wspominały moja prababka, babka i matka.

— Jaka chwila? O czym ty mówisz?

— One zawsze twierdziły, że nadejdzie dzień, w którym biali

ludzie zostaną ukarani za swoje grzechy, i że wszystkie wspaniałe budowle oraz całe bogactwo i chwała białego człowieka znikną z powierzchni ziemi, jak gdyby nigdy nie istniały.

— Och, mamo, przestań. Nie wierzysz chyba w takie głupie przesądy. Przyjrzyj się dobrze, przecież to wyraźne trzęsienie ziemi.

— Nie jestem taka pewna — odparła Nann. — Jeśli to jest trzęsienie ziemi, to dlaczego nie ma wstrząsów tektonicznych? Spójrz na jezioro. Jego wody są zupełnie spokojne.

Trixie zmarszczyła brwi i odwróciła się. Rzeczywiście powierzchnia jeziora Michigan była przedziwnie gładka. Tylko w niektórych miejscach widać było lekkie wzdęcia. Toń była do tego stopnia spokojna, że warstwa kurzu, która na nią opadła, była nietknięta żadną rysą. Jedynie płetwy przepływających kaczek potworzyły miejscami niewielkie wiry. Niebo nad jeziorem miało barwę połyskującego brązu, jakie mają cadillaki handlarzy nieruchomości.

Usłyszały kolejny dudniący łoskot. To runął Wrigley Building, a tuż po nim Marina Tower.

Marina Tower rozpadała się piętro po piętrze, jak sterta starych płyt wolnoobrotowych, aż wreszcie runęła ze straszliwym hukiem do rzeki. Towarzyszyły temu niebosiężne fontanny wody oraz poprzewracane łodzie.

— Do licha, zbliża się chyba koniec świata — odezwała się starsza pani stojąca obok Nann.

— Też mi się tak wydaje — odparła Nann. — Może powinniśmy teraz uklęknąć i dokonać rachunku sumienia. A może odwrotnie, właśnie śmiać się, radować i śpiewać „Hosanna!".

Nann była głęboko wstrząśnięta widokiem śmierci i kalectwa, jakie widziała wokół siebie. Mężczyzna ze zwisającym jak kawał żywego mięsa policzkiem i odsłoniętą do kości szczęką ciągnął w kierunku jeziora kobietę z utkwionym w niebo nieruchomym wzrokiem. Krew płynęła jej po nogach, ściekając cienkim strumykiem po obcasach pantofli. Kierowca ciężarówki ze zmiażdżoną miednicą leżał na trawie w powiększającej się z każdą chwilą kałuży błyszczącej krwi. Im bardziej czerwona stawała się trawa wokół niego, tym bardziej szara robiła się jego twarz. Bardzo dużo było martwych dzieci; dzieci i starych ludzi. Kobieta około siedemdziesiątki leżała na boku, spoglądając na trawę niebieskimi oczami. Pilnował jej dwunastoletni chłopiec, który ostrzegł Nann, aby nie zbliżała się do nich. Przechodził z dziadkami przez Federal Central Plaza, kiedy stalowa rzeźba Aleksandra Caldera przedstawiająca flaminga zwaliła się na chodnik. Babka doznała tylko szoku, ale dziadkowi ucięło głowę. Czerwona krew na czerwonej rzeźbie.

Mimo otaczającej ją tragedii, mimo widoku ginącego miasta serce Nann przenikało coś na kształt radości. Stała z zaciśniętymi pięściami, z szeroko otwartymi oczami, obserwując, jak wieże bogactwa i przywilejów rozsypują się w proch. Nareszcie ludzie, których serca nie znały miłości ani miłosierdzia, ponoszą zasłużoną karę. Oto jaki ich spotkał los.

Sears Tower nadal tkwiła na swoim miejscu. Wokół niej nie było już praktycznie żadnego budynku. Wysoka na czterysta pięćdziesiąt metrów odbijała w sobie matowy, metaliczny kolor nieba. Oczy wszystkich kierowały się w jej stronę, jak gdyby upadek tego budynku oznaczał nie tylko koniec Chicago — miasta będącego symbolem ludzkiej energii i przedsiębiorczości, lecz największego pomnika, jaki wzniesiono kiedykolwiek, aby udowodnić wyższość człowieka nad naturą i jej prawami.

Nann zawsze była zdania, że Sears Tower miała wygląd martwy i wyniosły. Przypominała raczej grobowiec niż budynek użyteczności publicznej. Tego popołudnia gmach przypatrywał się ze swej wysokości zagładzie Chicago, sam trwając nietknięty. Jak dotąd w każdym razie. Nann wydawało się, że rozumie dlaczego.

Przez jakiś czas przeraźliwa cisza spowijała miasto. Wkrótce jednak znad jeziora zerwał się wiatr, a wzniesiony przez zawalające się budynki kurz zaczął nadawać niebu ciemniejszy i coraz bardziej brązowy kolor. Wreszcie stłoczeni nad brzegiem jeziora ludzie usłyszeli wycie syren i warkot helikopterów.

— O Boże — odezwała się kobieta stojąca obok Nann. Musiała być całkiem elegancko ubrana, kiedy rano wyruszyła z domu do miasta. Teraz jej jasnocytrynowy kostium był zakurzony i poplamiony krwią, a ufarbowane na różowo włosy potargane i sterczące w nieładzie. — O Boże, mój mąż.

Nann nie wiedziała, co ma jej odpowiedzieć. Ujęła Trixie za rękę i skierowała się na południe przez Grant Park. Nad ich głowami krążyło coraz więcej helikopterów. Były to wielkie wojskowe chinooki. W północno-zachodniej części miasta usłyszeli grzmot zawalającego się kolejnego budynku. Prawdopodobnie była to Civic Opera House lub Northwestern Atrium Center.

Jakimś cudem Buckingham Fountain nadal funkcjonowała, chociaż odbijające się w wodzie niebo nadało jej błotnistą, ciemną barwę. Nann nabrała wody w dłoń i umyła twarz. Trixie stała obok, obserwując pióropusze wody bijące w górę z głównej wysepki oraz błyszczące strumienie, wypływające z kamiennych paszczy koni morskich.

— Co teraz zrobimy? — zapytała Trixie matkę.

Nann osuszyła twarz higieniczną chusteczką. Następnie zatrzasnęła torebkę i oznajmiła:

— Czas odwiedzić twoją babkę.

— Babkę? Po co?

— Aby przekonać się, czy wszystko u niej w porządku. A także zastanowić się, co dalej mamy robić?

— Mamo — zaprotestowała Trixie. Ale Nann położyła jej palec na ustach.

— Nadszedł już czas, kochanie. Wiem dobrze, że nadszedł. Twoja babka opowie ci to, co powinnam była opowiedzieć ci ja, kiedy byłaś małą dziewczynką.

Gdy minęły Dwudziestą Szóstą Wschodnią, całkiem nieoczekiwanie stwierdziły, że atmosfera w tej okolicy jest znacznie spokojniejsza. Do ich uszu dobiegał wprawdzie nadal głuchy huk walących się budynków oraz specyficzny wibrujący dźwięk wyjących zgodnym chórem syren, ale mimo to ruch samochodowy był normalny, a ludzie stojący na rogach ulic rozmawiali i śmiali się, jak gdyby nic się nie wydarzyło.

Przy Dunbar Park udało im się zatrzymać przejeżdżającą taksówkę. Kierowca oznajmił lakonicznie:

— Tylko w kierunku południowym.

Przypominał niepokojąco wcielenie Sammy'ego Davisa Juniora.

Wsiadły. Radio było włączone. Podniecony do najwyższego stopnia spiker wiadomości terkotał jak w transie:

— *...budynek za budynkiem rozpada się... zniszczone zostało właściwie całe Loop... ludzie snują się po ulicach zupełnie oszołomieni.*

— To gorsze niż San Francisco — zauważył taksówkarz. — Nie można nawet stwierdzić, ilu ludzi zginęło.

Nann nie odzywała się, tylko siedziała z dłońmi zaciśniętymi w pięści. Trixie spoglądała na nią od czasu do czasu, ale też nic nie mówiła.

— Moim zdaniem przyroda zawsze ma ostatnie słowo, przynajmniej ja tak uważam — ciągnął kierowca. — Możemy sobie budować do woli i tak wysoko, jak nam się podoba, ale jeśli jest to sprzeczne z prawami przyrody, ona położy temu kres. — Obrócił się na siedzeniu i uśmiechnął się do nich. — Aż kiedyś przyjdzie moment, że i ja sam znajdę się pod ziemią.

— Niech pan będzie spokojny — odparła Nann. — Nic się panu nie stanie.

— Daje mi pani gwarancję?

— Nic się panu nie stanie — stwierdziła z przekonaniem Nann. Takie jest pańskie przeznaczenie. Tacy jak pan są bezpieczni.

Taksówkarz przyjrzał się jej uważnie w tylnym lusterku.

— Jest pani wróżką czy jak?

Nann potrząsnęła przecząco głową.

— A może pani wierzy w voodoo?

— Może — odparła Nann. — Może pan to nazwać, jak pan chce.

Taksówkarz uniósł w górę mały i wskazujący palec, improwizując rogi.

— Mam więc do pani prośbę, niech się pani postara trzymać z daleka ode mnie tego Barona Samedi. Ja nie wierzę w voodoo, ale też i nie potępiam, rozumie pani.

— Może pan być spokojny — powtórzyła Nann.

Taksówkarz zawiózł je w pobliże Avalon Park, pod same drzwi zbudowanego z brązowych cegieł domu. Nann wręczyła mu dziesięć dolarów, ale odmówił ich przyjęcia.

— Proszę to potraktować jako moją składkę na fundusz urodzinowy Barona Samedi.

Wysiadły z taksówki. Nann nacisnęła dzwonek u drzwi. Trixie trzymała się nieco z boku. Zachowywała się tak, jakby dopiero teraz odkryła w swojej matce coś, czego dotychczas nie rozumiała i co wywoływało w niej uczucie niepewności i niepokoju. Po chwili usłyszały przez domofon głos babki:

— Kto tam?

Salonik babki był ponury i zagracony. Teraz, gdy niebo przybrało brązową barwę, wydawał się nawet bardziej ponury, niż był w rzeczywistości. Ściany wybite były brązowoczerwoną tapetą. Ciężkie, starannie wykonane meble przyozdabiały frędzle i pompony. Dużo było haftowanych poduszek i kolorowych narzut. Staroświecki kominek, na którym od dawna nie płonął ogień, służył za rodzaj świątyni. Stały na nim gipsowe figurki Jezusa i Matki Boskiej oraz pozłacane posążki niewidomych aniołów. Znajdowały się tam także sznury jaskrawo malowanych korali z papier mâché, stroiki na głowę z kurzych piór oraz przedziwne czarne kompozycje z gwoździ, drutu i kawałków szkła.

Na gzymsie kominka widniały liczne karty pocztowe i fotografie krewnych i przyjaciół oraz galeria ulubionych świętych i bohaterów babki: święty Sebastian, Hajle Sellasje, Jesse Jackson, Martin Luther King, święty Łukasz, Papa Doc Duvalier, Otis Redding. Były tam również jaskrawe postacie demonów o zielononiebieskich twarzach z krwistymi plamami ust, upiornych bóstw z Haiti i Dominikany oraz budzących grozę zombie.

Babka siedziała w swym ulubionym fotelu. W długiej popielatej sukni wyglądała jak mały szary patyczak. W srebrnych włosach zaczesanych do tyłu tkwiły ozdobne grzebienie wysadzane muszelkami, koralikami oraz misternymi supłami ze sznurka. Policzki miała zapadnięte. Miała zaledwie siedemdziesiąt dwa lata, ale całe życie była namiętnym palaczem. Nann wiedziała również, że regularnie zażywała coś, co nazywała „napojem widzeń", aby wprawić się w halucynacyjny trans. Nann nigdy nie zdołała poznać recepty tego napoju, lecz słyszała o magach z Dominikany, którzy pili wywar z południowo-amerykańskiej liany yage i ludzkich popiołów, aby móc rozmawiać ze swymi przodkami.

Nann przygotowała herbatę i postawiła tacę z filiżankami u kolan babki. Babka obserwowała ją zamglonymi oczami. Telewizor umieszczony na przeciwległej ścianie był włączony. Dźwięku jednak nie było. Trixie stała i patrzyła na ekran — na przekazywane za pośrednictwem satelity migawki z Loop i Lincoln Park oraz West Wacker — wszystko zrównane z ziemią i doszczętnie zniszczone. Według wszelkiego prawdopodobieństwa jedynym większym wieżowcem, który jeszcze pozostał nietknięty, była Sears Tower. Trixie co najmniej trzydzieści razy usiłowała połączyć się z Natem, który pracował w domu towarowym ze sprzętem hi-fi przy Normal Park. Telefon jednak nie działał. Splotła ręce na brzuchu, jakby broniąc swoje dziecko przed ewentualną utratą ojca.

Babka obserwowała, jak Nann nalewa herbatę. Para z czajniczka unosiła się, wijąc się w górę w bladych promieniach popołudniowego słońca.

— Skąd wiedziałaś, że to nadeszła ta chwila? — zapytała. Mówiła głosem niskim, grubym i chrapliwym. — Przecież w telewizji podają, że to trzęsienie ziemi.

Nann niedostrzegalnie wzruszyła ramionami.

— Po prostu wiedziałam i już. Przepowiadałaś od lat, że któregoś dnia budynki zaczną zapadać się w ziemię. Kiedy byłam małą dziewczynką, powtarzałaś mi ciągle: „Pewnego dnia budynki znikną z powierzchni ziemi, jakby ich nigdy przedtem nie było". Nie mogłam sobie tego wyobrazić, nie mogłam sobie wyobrazić, jak coś podobnego może się zdarzyć. Lecz to stało się faktem — budynki zapadły się w głąb ziemi. Nie rozpadły się, ot tak. One zniknęły z powierzchni ziemi. Dom towarowy Marshall Field, cała przecznica, wszystko, wszyscy moi przyjaciele, ci którzy tam pracowali, klienci i inni ludzie. Zapadli się pod ziemię, nie zostawiając po sobie żadnego śladu.

Ogromne podniecenie, jakie odczuwała początkowo, zaczęło z niej stopniowo opadać. Mówiła drżącym głosem nieskładnymi, urywanymi zdaniami. W oczach błyszczały jej łzy.

— Moi przyjaciele. Jaki los ich spotkał?

Babka ujęła ją za rękę.

— Nann, dziecko, od dziesięciu pokoleń matki przekazywały tę przepowiednię córkom. Przechodziła z ust do ust, z rodziny do rodziny: „Nadejdzie taki czas. Nadejdzie taki czas". Nawet Martin Luther King był tego świadom i wiedział, co my rozumiemy pod słowem „czas". To słowo nigdy nie oznaczało tylko wolności, choć wolność też się w nim mieściła. Nigdy nie oznaczało równości, choć równość też się w nim mieściła. Nie oznaczało biernych protestów, jak na przykład siadywanie w kucki przed autobusami czy ich okupowanie. W ogóle nie miało żadnego związku z autobusem. Autobus to ich wynalazek, nie nasz. Nie dotyczyło ich osiągnięć domów, samochodów, żadnej ich technicznej tandety. Oznaczało życie takie, jakie było kiedyś i jakie powinno być. Spokojne, nieśpieszne, prawdziwe, zgodne z naturą.

— To, co mówisz — odezwała się Trixie — to jest istne szaleństwo. Babka odwróciła się, wyciągając szyję jak czapla.

— Kto ci dał prawo mówić, że to jest szaleństwo?

— To szaleństwo, to zwariowana gadka starej kobiety.

— Słuchaj, Trixie — wtrąciła się Nann, lecz babka przerwała jej.

— Łatwo ci mówić, że to jest szaleństwo, młoda damo. Lecz ta przepowiednia krążyła od najdawniejszych czasów, od momentu, kiedy czarny i czerwonoskóry człowiek po raz pierwszy zetknęli się ze sobą i zrozumieli, jaki jest ich wspólny los. Pewnego dnia, nazywamy ten dzień Zaduszkami, kapłan voodoo zwany Doktorem Hambone'em spotkał się z indiańskim magiem zwanym Maccusem. Wspólnie wprawili się w trans, który trwał dwadzieścia dni i dwadzieścia nocy, a kiedy ocknęli się z niego, żadnego z nich nie można było już nazwać człowiekiem. Odwiedzili bowiem miejsca, dokąd mają prawo iść tylko umarli, i tam zyskali wiedzę o tajemnicy śmierci i przyszłych losach świata.

— Daj spokój, babciu — zaprotestowała Trixie. — Żyjemy przecież w dwudziestym wieku.

— To prawda — zgodziła się babka. — Mamy dwudziesty wiek i chwila ta nareszcie nadeszła, a ja dziękuję Bogu i wszystkim duchom, że było mi dane jej dożyć.

— Idę do West Normal — powiedziała Trixie. — Muszę, mamusiu. Muszę zobaczyć, co się dzieje z Natem.

— Nie możesz tego zrobić, Trixie — zaprotestowała Nann. — Co będzie, jak reszta budynków zacznie się zapadać?

Jakby słowa Nann były magicznym zaklęciem, obraz w telewizji zaczął skakać, a na ekranie ukazała się Sears Tower. Dźwięk wprawdzie był wyłączony, ale nie miało to żadnego znaczenia. Huk dał się słyszeć aż tutaj, na Osiemdziesiątej Trzeciej Wschodniej.

Z przerażającym dostojeństwem wieża zaczęła zapadać się w ziemię. Z każdą sekundą jej zjazd w dół nabierał prędkości, aż wreszcie zniknęła w głębi swych fundamentów jak szybkobieżna winda — czterysta pięćdziesiąt metrów stali, szkła i betonu znikało ze straszliwym łoskotem i niepowstrzymanym pośpiechem w skalistym podłożu.

Nie minęły dwie minuty, a było po wszystkim. Tutaj, w mieszkaniu babki, odczuły echo tego wstrząsu; podłoga pod ich stopami wyginała się i falowała, sznury korali kołysały się, a dzwoneczki voodoo dźwięczały i brzęczały. Z gzymsu kominka spadła na podłogę karta. Przedstawiała jedno z najbardziej przerażających bóstw voodoo — wykrzywioną w upiornym uśmiechu twarz Wielkiego Wodza Lorgnette.

— Hosanna i alleluja — rzekła uroczyście babka. — Naresz-cie rzuciliśmy ich na kolana.

ROZDZIAŁ 10

Siedzieliśmy w moim gabinecie, jedząc danie kupione w koreańskiej restauracji, gdy dotarła do nas ta wiadomość. Było parę minut po dwunastej. Amelia, która właśnie niosła pałeczki do ust, opuściła je naraz na talerz.

— Posłuchaj.

Bezskutecznie usiłowałem wyłowić z kartonowego pudełka gotowaną krewetkę — najbardziej ruchliwego z martwych skorupiaków. Nigdy nie umiałem posługiwać się pałeczkami. Jedzenie nimi miało według mnie mniej więcej tyle sensu, co obgryzanie jabłka zwisającego z gałęzi.

— Posłuchaj — powtórzyła Amelia.

Przestałem ścigać krewetkę.

— Co się dzieje?

— Nie słyszysz?

Nastawiłem ucha, ale nie usłyszałem niczego.

— Nic nie słyszę.

— W tym sęk — odparła. — Jest tak cicho. Nie słychać szumu ulicy, klaksonów samochodowych, niczego.

Wytężyłem słuch. Zmarszczyłem brwi. Poskromiłem krewetkę, podszedłem do okna i podniosłem żaluzje. Amelia miała rację. Ruch na ulicy zamarł. Nie słychać było nawet autobusów. Na skwerze otaczającym gmach Citicorp niczym manekiny na wystawie stali znieruchomiali ludzie. Sprawiało to istotnie niesamowite wrażenie. Przypomniała mi się scena z filmu science fiction z lat pięćdziesiątych — wysłane przez wroga promienie paraliżują całą ludność.

Amelia podniosła się z miejsca i stanęła przy mnie.

— Coś musiało się stać — powiedziała. — Włącz telewizję.

— Może był zamach na prezydenta — odparłem. Nie mogłem sobie wyobrazić, aby jakieś inne wydarzenie mogło zamienić centrum Manhattanu podczas obiadowego szczytu w tłum marionetek.

Włączyłem przenośne Sony i usłyszeliśmy natychmiast:

— ...*Trzydzieści do czterdziestu wieżowców zapadło się w ziemię, a liczba zabitych i zaginionych sięga dziesiątków tysięcy.*

W milczeniu oglądaliśmy z Amelią emitowane przez NBS poszarpane, drgające i nierówne zdjęcia zniszczonego śródmieścia Chicago.

— ...*mieszkańcy uciekają z miasta w przeróżne strony. Wszystkich cechuje jednak niezwykły spokój. Nagła i trudna do wyobrażenia katastrofa zrobiła widocznie na ludziach piorunujące wrażenie.*

ENG pokazała płaczącego starszego pana.

— *Wychodziłem właśnie z domu na ulicę... Żona, która miała mi towarzyszyć, była jeszcze w holu — nagle z góry zaczęły się sypać cegły. Usłyszałem ogłuszający łoskot — odwróciłem się. Po budynku nie było już ani śladu. Po prostu zniknął. Żadnych ruin, tylko płaski pusty plac, jak gdyby nigdy, nigdy przedtem nie stał na nim żaden dom.*

W wywiadzie przekazanym przez satelitę ekspert od spraw trzęsienia ziemi z Santa Cruz w Kalifornii mówił z powagą:

— *Najbardziej zastanawiające jest to, że budynki jakby po prostu zapadały się w głąb podłoża, nie pozostawiając po sobie żadnych ruin, jak to się dzieje podczas trzęsienia ziemi, żadnych częściowo zburzonych domów. Gdyby istniało jakieś inne możliwe wytłumaczenie tego zjawiska, powiedziałbym, że to w ogóle nie jest trzęsienie ziemi, lecz coś zupełnie innego.*

Usiadłem.

— Widzisz? — zapytała w końcu Amelia. — Widzisz, co się dzieje? Budynki zapadają się pod ziemię. Znikają. To coś niesamowitego.

Stanęła za mną i objęła mnie ramionami za szyję. Patrzyliśmy, jak gmach Marina Tower runął w odmęty Chicago River. Na naszych oczach zniknęło z powierzchni ziemi Akwarium Johna G. Shedda.

— Może zapada się dno jeziora lub coś w tym rodzaju.

— Boże! — jęknąłem. — Nie mogę wprost uwierzyć w to, co się dzieje. Nie mogę w to uwierzyć.

Całe popołudnie i większość wieczoru tego dnia, jak wszyscy mieszkańcy Ameryki, jak każdy człowiek na kuli ziemskiej, spędziliśmy przed ekranem telewizyjnym. Manhattan był tak wyludniony, że przypominał parne, przesycone dymem i spalinami cmentarzysko. Na ulicach prawie nie widać było ludzi, z wyjątkiem przejeżdżających od czasu do czasu samochodów policyjnych oraz wozów strażackich. Nie było sposobu porozumieć się z kimkolwiek telefonicznie. Byłem zadowolony, że nie mam w Chicago żadnych krewnych ani znajomych. Dla zainteresowanych telewizja nadawała jednak w regularnych odstępach czasu telefony punktów pogotowia ratunkowego oraz szpitali w całym Chicago.

O trzeciej dwadzieścia pięć prezydent ogłosił stan pogotowia w całym kraju. Wszystkie loty na liniach krajowych i międzynarodowych musiały zmienić trasę, aby ominąć lotniska O'Hare i Meigs Fields. Ewakuowano ludność w promieniu około pięćdziesięciu kilometrów.

Wydaje mi się, że najbardziej wstrząsającym momentem dla ludzi był upadek Sears Tower, najwyższego budynku na świecie, szczytowego osiągnięcia amerykańskiego kapitalizmu. Trzeba powiedzieć, że jej zawalenie, które dałoby się jedynie porównać do upadku wieży Eiffla lub zburzenia pałacu Buckingham, wywołało znacznie większe przygnębienie niż klęska wietnamska. Wzbudziło ten sam bezsilny gniew i frustrację.

Rzecz oczywista, że teraz nawet nam na myśl nie przychodziło, że to jednak jest wojna. Wojna z duchami, u której podłoża leżało pragnienie straszliwej zemsty.

Około dziewiątej udałem się do sklepu na rogu Pięćdziesiątej i Lex i kupiłem gazetę. Na pierwszej kolumnie widniało zdjęcie zapadającej się Sears Tower, a tytuł mówił po prostu: TRZĘSIENIE. Wstąpiłem do sklepu z alkoholem na Pięćdziesiątej Pierwszej, kupiłem dwie butelki zimnego chardonnaya i wróciłem do siebie z uczuciem, że zbliża się koniec świata.

Nadal nie mogłem pogodzić się z tym, co spotkało Karen. Spędziłem całą noc czyniąc sobie gorzkie wyrzuty, że wplątałem ją w sprawę Misquamacusa. Nie mogłem sobie również darować, że sam dałem się w to wmieszać. Amelia starała się bezskutecznie przywołać na pomoc swoich przewodników spirytystycznych,

230

aby dowiedzieć się, gdzie znajduje się Karen i co się z nią stało. W świecie duchów jednak również panowało zamieszanie, podobnie jak w eterze, kiedy pojawiają się plamy na słońcu. W rezultacie nie zdołała odebrać nic poza urywanymi, płochliwymi fragmentami wypowiedzi.

Jedyny wyraźny głos, który do niej dotarł, należał do byłego lokatora mojego lokalu, ormiańskiego krawca. Stracił siedmioletnią córeczkę i chciał ją odnaleźć. Jeszcze jedna tragedia, równie bolesna jak dla mnie strata Karen. Nikogo nie pocieszyła, raczej przydała smutku.

O świcie tego ranka Amelia usiadła przy mnie, paląc papierosa i powiedziała:

— Wydaje mi się, że ona żyje. Z tego, co powiedział Misquamacus, wynika, że jej nie zabije. Ona jest mu potrzebna. Potrzebuje jej głosu.

— Może to w ogóle nie był Misquamacus — odparłem. — Znasz te duchy. Lubią robić kawały. Może on tylko udawał, że jest Misquamacusem, żeby mnie postraszyć.

— To był Misquamacus, wierz mi, Harry — rzekła Amelia. Rozpoznałam jego siłę. Była to ta sama siła, którą objawił nam po raz pierwszy, kiedy wywołaliśmy jego głowę z blatu stołu. To przemożna i przytłaczająca siła. On się z nas teraz śmieje, bawi się z nami w ciuciubabkę. Lecz to na pewno jest on, co do tego nie ma żadnych wątpliwości. Czuję go nosem.

Skinąłem głową. Amelia miała rację. To stwierdzenie powinno mnie do pewnego stopnia uspokoić. Lepiej bowiem mieć do czynienia ze znajomym nieprzyjacielem z zaświatów, niż z duchem wrogim i nieznanym. Lecz Misquamacus był nie tylko złośliwy i przebiegły, odznaczał się również pokazowym okrucieństwem i dlatego ze wszystkich szponów, jakie istniały we wszechświecie, jego szpony były ostatnie, w jakich chciałbym widzieć Karen.

Może miał rację, twierdząc, że biali ludzie zniszczyli jego siedziby, ale przecież wiadomo, czas nie stoi w miejscu, a te indiańskie obozowiska nie grzeszyły czystością. Jak opowiadał mi Śpiewająca Skała obozy Indian z Równin śmierdziały dymem spalonego drewna, gnijącym mięsem, smażonym tłuszczem i ludzkimi odchodami. Ich nigdy niemyte ciała wydzielały taki odór, że aby powalić bawołu, nie musieli posługiwać się łukiem i strzałą — wystarczyło tylko, aby odsłonili pachy.

Może Misquamacus miał rację, mówiąc o świętych miejscach Indian: drzewach, trawach i rzekach. Ale befsztyk z bizona nie jest z pewnością najlepszym sposobem na zachowanie gatunku. Niektóre z indiańskich plemion na południowym zachodzie kraju potrafiły ogołocić lasy skuteczniej niż pomarańczowa substancja używana przez armię amerykańską w Wietnamie.

Może Misquamacus miał również rację co do tych duchów, które rządzą skałami, rzekami i lasami. Ale przecież wśród tych duchów było również wiele takich, które sprowadzały choroby, obłęd oraz przedwczesną śmierć. Odwrotną stroną każdej sielanki jest brutalna rzeczywistość, tak jak w każdej karcie panny Lenormand jest zarówno przestroga, jak i nadzieja.

Z mieszanymi uczuciami traktowałem żądzę zemsty u Misquamacusa. Bywały momenty, że ją nawet rozumiałem. Lecz moje zrozumienie skończyło się z chwilą, gdy zabrał mi Karen. Przeżycia z nim o mało jej nie wykończyły. Bóg jeden wie, gdzie jest i co robi w tej chwili, i czy w ogóle istnieje możliwość, aby ją uratować.

Czy mieliście kiedyś chęć walić pięścią w ścianę w ataku bezsilnej wściekłości? Ja właśnie miałem taką ochotę.

Otworzyłem wino i zacząłem przeglądać gazetę, podczas gdy Amelia oglądała wiadomości. Cały dziennik poświęcony był wyłącznie Chicago. Chicago i Chicago. Ponownie, tym razem w zwolnionym kadrze, pokazano zapadanie się Sears Tower. Wywiady z rozpaczającymi rodzinami. Rabowanie sklepów i ogarniętą paniką ludność. Po paru minutach oglądania tej makabry poczułem się zupełnie jak ogłuszony. Zacząłem przerzucać ostatnie stronice gazety.

Wtedy przeczytałem to. Wiadomość dotyczyła miasta Phoenix w Arizonie. Tytuł brzmiał: MASAKRA W WARSZTACIE SAMOCHODOWYM. Dolałem sobie wina i uważnie przeczytałem notatkę.

„Policja okręgu Pinal usiłowała dziś zidentyfikować poćwiartowane ciała siedmiorga mężczyzn i kobiet, które odkryto w opuszczonym warsztacie samochodowym.

Szczątki zostały odkryte w wyniku śledztwa, wszczętego przez zastępcę szeryfa w celu wyjaśnienia zagadki »wyścigów niszczenia«, do jakich doszło na parkingu u sprzedawcy używanych samochodów.

W rezultacie, jak to określił zastępca szeryfa, »orgii niszczenia samochodów« rozbita została duża liczba pojazdów. W ślad za tym w kanale diagnostycznym na terenie warsztatu naprawczego odkryto ciała zamordowanych.

Jak dotąd, zdołano zidentyfikować zaledwie dwie ofiary. Szeryf Wallace stwierdził, że pochodziły z różnych miejscowości, i wykluczył, aby je ze sobą coś łączyło. Jedna z ofiar pochodziła z Anaheim, w Kalifornii, a druga, kobieta, z St. Louis, w Missouri.

Szeryf Wallace prosi o skontaktowanie się z nim wszystkich, którzy mogą dostarczyć informacji na temat swoich krewnych lub przyjaciół zaginionych w południowej Arizonie. Nie opisywał szczegółowo ran na ciele ofiar, lecz powiedział tylko: »Wyglądały, jakby zostały zadane przez kucharza psychopatę, którego specjalnością jest potrawa sushi«.

Przepytany przez policję Dude S. N., 22-letni pomocnik właściciela, oświadczył, że nie brał żadnego udziału ani w morderstwie, ani w niszczeniu samochodów. Dude twierdził, że samochody »rozbijały się same«. Sunęły przez parking, jakby przyciągane olbrzymim magnesem. Usiłował przekonać policję, że dostrzegł »cień«, ale nie udało mu się stanąć z niszczycielem samochodów oko w oko.

Policja określiła jego wyjaśnienie jako »dziwaczne«, lecz jak dotąd nie ma żadnych dowodów, które by podważały jego twierdzenie. W tej chwili najpilniejszym zadaniem jest złapanie wielokrotnego mordercy".

Przeczytałem wiadomość dwa razy, a potem podsunąłem ją Amelii. Spojrzała z roztargnieniem i zapytała:

— Co?

— Pojazdy sunęły przez parking jakby przyciągane olbrzymim magnesem — zacytowałem. — On twierdzi, że widział cień. Czy to ci czegoś nie przypomina? Nie przypomina ci przypadkiem mieszkania Greenbergów?

— Nie wiem — odparła. — Gdzie to się zdarzyło?

— W pobliżu Phoenix, w Arizonie.

— Jaki może być związek między masowym mordem w Phoenix a tym, co się stało u Greenbergów?

— Nie wiem, ale intryguje mnie opis, że samochody jechały same, jakby przyciągane magnesem.

Dwie strony dalej uwagę moją zwróciła kolejna informacja. Tym razem instynkt podpowiadał mi wyraźnie, że jestem na ważnym tropie. TRĄBA POWIETRZNA ZMIATA Z POWIERZ-CHNI ZIEMI DWA MIASTECZKA W KOLORADO. Było jasne, że ta wiadomość miała iść na czołówkę w gazecie, ale katastrofa w Chicago przesunęła ją na dalszy plan. Notatka była zredagowana niedbale, poskracana i wciśnięta tuż obok ogłoszenia o letniej wyprzedaży sprzętu turystycznego u J. C. Penneya. „Tornado o niezwykłej sile uderzyło dzisiaj w dwa małe miasteczka na dwóch przeciwległych krańcach Kolorado. Domy uległy zniszczeniu, a liczba zabitych i zaginionych sięga »kilkuset osób«.

Stanowe służby pogotowia zostały wezwane do Pritchard na południowym wschodzie oraz do Maybelline na północnym wschodzie, po tym jak niespodziewany huragan przeszedł przez te dwie małe miejscowości. Rozmiar zniszczeń określany jest jako »poważny lub bardzo poważny«. W miasteczkach nie ma prądu, wody i gazu.

Pierwsi naoczni świadkowie donoszą, że huragan porywał całe budynki i niósł je kilkaset metrów wraz z pojazdami, ogrodzeniami, zwierzętami i ludźmi. W Maybelline, gdzie huragan przeżyła zaledwie garstka osób, ekipy ratownicze opowiadają o domach, które zostały »wessane wprost w głąb ziemi«.

Ludzie z ekip ratowniczych twierdzą, że w pewnym momencie podczas huraganu niebo zrobiło się ciemnopurpurowe, przypominając opis ze Starego Testamentu".

Odłożyłem gazetę. OCZYSZCZAJĄ ŚWIĘTE MIEJSCA. Najpierw mieszkanie pani Greenberg; potem parking używanych samochodów w Arizonie i z kolei dwa miasteczka w Kolorado. Wreszcie Chicago. Za każdym razem występują te same charakterystyczne zjawiska. Ciemności i przyciąganie. Budynki nie rozsypują się, ale zapadają się w głąb ziemi wraz ze wszystkim, co żyje. Znikają w niej tak jak Karen w podłodze.

Pomyślałem z przerażeniem, że nasza ojczysta amerykańska ziemia przestała już być miejscem bezpiecznym, że pod naszymi stopami rozciąga się ogromna ciemna czeluść, która i nas w końcu wciągnie w swoją otchłań.

Wstałem i wyłączyłem telewizję. Amelia wyglądała na zmęczoną.

— Dlaczego wyłączyłeś telewizor? — zapytała.

— To nic nie da, że będziemy gapić się w ekran.

Sięgnęła po papierosa, ale przytrzymałem jej rękę, mówiąc miękko:

— Proszę cię, nie pal. Zdaję sobie sprawę, że może to przeze mnie zaczęłaś palić. Jeśli tak, to mam chyba prawo starać się odzwyczaić cię od tego nałogu.

— Harry Erskine, nie masz do mnie żadnych praw. Wszystkie twoje prawa już dawno wygasły, sporo czasu temu.

— MacArthur powiedział mi kiedyś, że jesteś najpiękniejszą kobietą, jaką spotkał w życiu.

Amelia nie odpowiedziała, spuściła tylko oczy.

— MacArthur mówił mi też, że rzuciłaś w niego makaronem.

— Kłamał. To były łazanki.

Pocałowałem ją niezgrabnie, ale zamiast w skroń trafiłem częściowo w oprawkę jej okularów. Wiek średni od nowa robi z mężczyzn młodzieniaszków.

— Rzuć okiem na te wiadomości. Arizona, Kolorado, a teraz Chicago.

Uprzejmie przeczytała wskazane informacje, a ja czekałem cierpliwie, aż skończy. Potem wzięła swój kieliszek.

— Czy naprawdę sądzisz, że to wszystko ma ze sobą jakiś związek?

— To samo zjawisko posuwania się przedmiotów po ziemi, to samo zapadanie się w głąb — przekonywałem ją. — Czy kiedykolwiek zdarzyło się już coś podobnego? Czy słyszałaś przedtem o czymś takim?

— O ile mi wiadomo, takie rzeczy dzieją się stale. Rzadko zaglądam do gazet.

— Moim zdaniem te wszystkie wydarzenia są ze sobą ściśle powiązane, a czynnikiem, który je łączy, jest Misquamacus.

— Poważnie myślisz, że to Misquamacus obraca w perzynę Chicago?

— Nie wiem. Naprawdę, do cholery, nie wiem, co o tym myśleć. Lecz zastanawia mnie podobny charakter tych wszystkich katastrof. Poza tym występują seryjnie.

— Może byłoby dobrze poradzić się jakiegoś specjalisty? zasugerowała Amelia.

— Na pewno masz rację. Lecz jedynym znanym mi specjalistą był Śpiewająca Skała.

— Nie, to nie był specjalista. Co myślisz o tym doktorze, no, jak mu tam, z Albany? Tym, który pierwszy raz powiedział nam o Śpiewającej Skale.

— Masz na myśli doktora Snowa. Nie wiem. Może już nie żyje. Przecież to było prawie dwadzieścia lat temu.
— Można by jednak spróbować, nie sądzisz?

Wyruszyliśmy do Albany wczesnym rankiem wzdłuż pogrążonej w złocistej mgiełce Hudson Valley. Pożyczyłem prawie nową ciemnogranatową electrę od swego starego przyjaciela, który kierował firmą wydawniczą specjalizującą się w przewodnikach. Drżałem ze strachu, aby jej nie uszkodzić i oddać w nienagannym stanie, z wypucowanymi do czysta popielniczkami. Sam niezbyt dbałem o własne auta i bardzo mnie denerwował ciężar odpowiedzialności za lśniący i pachnący skórzaną tapicerką samochód.

Włączyliśmy na jakiś czas radio, ale słuchanie przygnębiających wieści z Chicago przechodziło nasze siły. Liczba zapadających się gmachów zdawała się zmniejszać, ale liczba ofiar — zabitych, zaginionych lub rannych — sięgała dziesiątków tysięcy. Ekipy pogotowia ratunkowego mobilizowały resztki sił. Dominującym uczuciem tego ranka był ból i oszołomienie — jakby ktoś złapał w garść serce Ameryki i wydarł je z jej piersi.

Po południu oczekiwano przemówienia prezydenta. Cóż on jednak mógł powiedzieć narodowi? Chyba tylko to, jak bardzo ten kataklizm wszystkich nas poraził i przygnębił? Wiedzieliśmy o tym bardzo dobrze i bez niego.

Amelia zapaliła papierosa, ale natychmiast wyrzuciła go przez okno.

— Nie zmuszam cię, abyś rzuciła palenie — odezwałem się.
— Nie pochlebiaj sobie — odparła. — Nigdy nie byłeś w stanie do niczego mnie zmusić.

Zajechaliśmy pod dom doktora Snowa — ten sam zbudowany z cegły dom na przedmieściach Albany, gdzie poznaliśmy go dwadzieścia lat temu. W owym czasie dom otoczony był wysokimi, żałobnymi cyprysami, a teraz wszystkie drzewa z wyjątkiem jednego zostały wycięte. Dom dzięki temu miał wygląd wprawdzie bardziej pogodny, ale i bardziej zaniedbany. Miejsce żółtych siatkowych firanek zajęły grube bawełniane zasłony, jakby żywcem wyjęte z katalogu firmy wysyłkowej.

W drzwiach powitała nas wysoka, brzydka kobieta o krótko

przyciętych włosach i dużych stopach. Miała na sobie poncho związane w pasie wystrzępionym jedwabnym sznurem.

— Nazywam się Hilda — odezwała się, wprowadzając nas do przedpokoju. — Tatuś jest w oranżerii, na tyłach domu. Miałabym prośbę, aby państwo byli tak uprzejmi i nie przemęczali go zbytnio rozmową, dobrze?

Szliśmy za nią mijając rzędy groźnych indiańskich masek, które zapamiętałem z czasu mojej pierwszej bytności. Zapamiętałem też wypchane ptaki w szklanych klatkach, jak również zegar ścienny w wysokiej szafce z ciemnego drewna. Już przed dwudziestu laty tykał cichutko, jakby był bardzo zmęczony. Teraz prawie nie było go słychać.

— Może państwo mają ochotę na herbatę ziołową? — zapytała Hilda. Przypomniałem sobie, że w domu doktora Snowa nie było zwyczaju picia alkoholu.

— Dobrze by nam zrobiła filiżanka czarnej kawy — odparłem na to. Lecz ona uśmiechnęła się z przymusem i potrząsnęła głową.

— Mój ojciec nie uznaje używek.

Przeszliśmy przez zatęchły salon do dużej ośmiokątnej oranżerii. Brązowo-żółte palmy wydawały swoje ostatnie tchnienie w zbyt gorącym i zbyt suchym powietrzu. Szmaragdowy od alg szklany dach nadawał całej cieplarni upiorny zielonkawy odcień; podobnie trupi wygląd miał doktor Snow.

Siedział przy oknie w wymyślnym nowoczesnym wózku, spoglądając na swój wyschnięty ogród. Od czasu kiedy go widziałem po raz ostatni, przed dwudziestu laty, skurczył się i zmalał. Piękna grzywa śnieżnobiałych włosów piętrzyła mu się na głowie. Oczy przesłaniały okulary o zielonkawych szkłach. Ubrany był w kremowy szlafrok, który — chociaż gruby — wisiał na jego wychudłym ciele jak na kiju.

— Doktorze Snow — przemówiłem do jego pleców.

— Co widzę, pan Erskine — odpowiedział nie odwracając głowy. — Jak się miewa łowca szamanów?

— Pamięta pan — odrzekłem.

Obrócił się na swoim wózku i zmierzył mnie wzrokiem.

— Oczywiście, że pamiętam. Był pan pierwszą i jedyną osobą w całej mojej karierze naukowej, która kiedykolwiek zwróciła się do mnie o pomoc jako do eksperta.

— Czy pamięta pan pannę Crusoe? — zapytałem, trącając Amelię łokciem, aby do niego podeszła.

— Panią Wakeman — poprawiła mnie Amelia. Postąpiła krok naprzód i ujęła doktora Snowa za rękę.

— To było tak dawno temu — odparł doktor Snow. Pogłaskał Amelię po ręku i uśmiechnął się zdawkowo. — Bardzo, bardzo dawno temu.

Hm, pomyślałem. Nie uznaje używek, ale nie ma nic przeciwko naturalnym podnietom. Jak wiecie, jestem niepoprawnym zazdrośnikiem, nawet jeśli chodzi o kobiety, które mnie nie interesują lub próbuję sobie wmówić, że mnie nie interesują.

— Doktorze Snow — rzekłem — słyszał pan chyba o tym, co się dzieje w Chicago?

— Okropny kataklizm. Straszliwy. W Chicago mieszka mój dobry przyjaciel, doktor Noble z Cook County Medical Center. Bardzo się o niego niepokoję.

— Moim zdaniem — zacząłem, lecz przerwałem ogarnięty nagle wątpliwościami. Związek, jaki według mego przekonania istniał między sprawą Greenbergów i Karen, masakrą w warsztacie samochodowym w Arizonie, huraganem w Kolorado i katastrofą w Chicago, mówiąc szczerze, nagle wydał mi się co najmniej wątpliwy. Zapomniałem już, jak wielkie wrażenie wywarł na mnie przy pierwszym spotkaniu doktor Snow. Jak trudno było z nim dyskutować ze względu na prosty, logiczny sposób myślenia oraz niezawodną siłę argumentacji. Był jednym z największych znawców indiańskiego folkloru, zwyczajów i magii, jakiego spotkałem w życiu. Pozbawiony był jednak wszelkiego romantyzmu, a na dodatek nie wierzył w żadne przesądy. Poza tym nie miał pojęcia o polityce.

— Znowu ma pan kłopoty z Indianami? — zapytał zgrzytliwie, jakby w ustach miał biały żwirek, który sypie się w hotelach do popielniczek.

Wzruszyłem ramionami i odparłem z uśmiechem:

— Na to wygląda. Chodzi głównie o skalę tego problemu.

— Rozumiem. Inaczej nie przyjechałby pan do mnie, czyż nie? Prawda zaś wygląda następująco: nasze problemy z Indianami będą trwać bez końca, w nieskończoność, amen. Nie tyle może z Indianami, lecz z tajemniczymi siłami, w które oni wierzą.

Skłonni jesteśmy uważać każdą religię oprócz naszej własnej za sztuczną i wymyśloną. Wierzymy w naszą religię do tego stopnia, że „dopust Boży" ma dla nas wartość prawa. Lecz, wie pan, tu, w Ameryce, żydowski Bóg tak naprawdę niewiele znaczy. Jest to wywodzące się ze Środkowego Wschodu europejskie bóstwo, łagodne, lecz niezbyt silne. Powinniśmy czcić nie bogów Europy, nie bogów europejskich piratów i awanturników, lecz prawdziwych rodzimych bogów Ameryki, w których wierzyli Indianie. Bogowie ci są równie potężni, równie karzący i równie sprawiedliwi. I podobnie jak tamci również czuwają nad naszym losem. Co więcej, bogowie Ameryki są znacznie bardziej odpowiedni — są prawdziwi, stąd pochodzą.

— Doktorze Snow — rzekłem. — Uważam, że Chicago zniszczyli czerwonoskórzy czarownicy.

Doktor Snow podjechał bliżej swoim wózkiem. Nogi miał przykryte niebiesko-zielonym kraciastym pledem. Pachniał fiołkowym cukierkiem odświeżającym oddech i jakąś nieokreśloną maścią.

— Naprawdę pan w to wierzy?

— Widział pan rozpadające się budynki, prawda? Ściślej mówiąc, one się nie rozpadały, one znikały w ziemi.

— Ma pan rację. Co pan zatem podejrzewa?

Opowiedziałem mu o Greenbergach, Martinie Vaizeyu i Karen, a potem pokazałem mu wycinki z gazet na temat Arizony i Kolorado.

— To niezwykle interesujące — stwierdził. — Napijecie się państwo ziołowej herbatki?

— Dziękujemy uprzejmie, ale nie. Chciałbym się tylko dowiedzieć, czy jestem na właściwym tropie.

Doktor Snow przeczytał uważnie podsunięte informacje. Zdjął z nosa swoje zabarwione na zielono okulary i zamknął oczy.

— Greenwich Village... Apache Junction... Pritchard... Maybelline... Zgadza się.

— Coś się panu przypomniało? — zapytałem. A on nagle otworzył oczy, z całej siły pchnął swój wózek i przemknąwszy jak błyskawica przez cieplarnię i salon znikł nam z oczu. Spojrzałem bezradnie na Amelię; ona odpowiedziała mi podobnym spojrzeniem.

— Może odrzuciła go ta smażona cebula, którą jedliśmy na obiad? — wysunąłem przypuszczenie.

Chuchnąłem na stulone dłonie i powąchałem swój oddech.

Po krótkiej chwili nadeszła Hilda Snow.

— Tatuś prosi państwa do gabinetu — oznajmiła ponurym głosem.

Weszliśmy za nią do chyba najbardziej zagraconej biblioteki na świecie. Półki uginały się pod ciężarem książek i broszur, skorowidzów i listów, na których z kolei piętrzyły się obrazy, pocztówki i znowu listy. Na tym wszystkim walały się niezwykłe, bardzo stare okazy indiańskiej sztuki ludowej, pióropusze Apaczów, grzechotki Nawajów oraz woreczki czarowników, wypchane szponami orłów i ogonami bawołów.

Biurko doktora Snowa zarzucone było stosami książek i papierów, a wśród tego wszystkiego supernowoczesna japońska maszyna do pisania i drewniana rzeźba rytualna związana z uroczyście obchodzonym przez Indian przesileniem lata — lalka z maleńką główką o złośliwym wyglądzie. Doktor Snow siedział w swoim wózku, przy francuskim oknie w ołowianych ramach, trzymając na kolanach trzy ciężkie księgi. Z okna roztaczał się widok na spadzisty trawnik, ogrodzony płotem oraz klomby rozkołysanych przez wiatr różowych kwiatów. W gabinecie unosił się zapach świeżej taśmy do pisania, kurzu oraz pachnącego groszku.

— A więc — odezwał się — wydaje mi się, że znalazłem potwierdzenie pańskiej tezy o współzależności tych wypadków.

— Naprawdę? — zapytała krążąca po pokoju Amelia.

Doktor Snow podniósł głowę i uśmiechnął się.

— Kobiety są nad wyraz sceptyczne. Bardzo mi się to podoba. Postukał palcem w książki, jakby je chciał upomnieć. — Wszystkie miejsca, o których pan wspomniał, choć oczywiście Indianie nazywali je po swojemu, to tereny historycznych rzezi, dokonanych przez białych na Indianach.

Miejsce przy ulicy Siedemnastej Wschodniej w Nowym Jorku to jedno z najbardziej bulwersujących i najciekawszych. Zimą tysiąc sześćset dziewięćdziesiątego pierwszego roku w miejscu, które Indianie nazywali Skalnym Człowiekiem, dwaj oficerowie brytyjscy zgwałcili i zabili Indiankę z Manhattanu. Był to prawdopodobnie co najwyżej wystający z ziemi kamień z czerwonobrązowego piaskowca, który oczywiście został zniszczony w wyniku rozbudowy Manhattanu na północ. Powodem, dla którego odnotowano ten wypadek, był fakt, że obaj oficerowie zostali skazani przez sąd polowy na śmierć nie za zabicie Indianki, lecz za kradzież brandy, którą owej nocy pili.

— Czy zna pan nazwiska tych oficerów? — zapytałem doktora Snowa.

— Oczywiście. Są tutaj, w raportach z kolonii brytyjskich. Są to kapitan William Stansmore Hope z Derbyshire i porucznik Andrew Danetree z Norfolk.

— Hope i Danetree — powtórzyłem. — Tak nazywali się ludzie, którzy zginęli w hotelu Belford.

— Zgadza się. Oczywiście — potwierdził zupełnie niezdziwiony doktor Snow.

— Co znaczy oczywiście?

— Proszę mi pozwolić wyjaśnić inne opisane przez pana wypadki — odparł doktor Snow trochę zniecierpliwiony. — W tysiąc osiemset sześćdziesiątym piątym roku w Apache Junction, w Arizonie, biali najemnicy ujęli i poddali torturom siedmiu czerwonoskórych wojowników słynnego Geronimo. Indianie nazywali to miejsce Pod Starą Górą, ponieważ leży u stóp Superstitious Mountain, Góry Wierzeń.

Wczesną jesienią tysiąc osiemset sześćdziesiątego czwartego roku w Pritchard, w stanie Kolorado, oddział Trzeciego Pułku Kawalerii, tak zwanych Bezdusznych Trzeciaków, dokonał masakry ponad siedemdziesięciu pięciu Indian z plemienia Czejenów. Wydarzenie to o sześć tygodni wyprzedziło osławioną rzeź stu dwudziestu trzech Indian Czarnego Kociołka z plemienia Czejenów w Sand Creek i prześcignęło ją swym okrucieństwem. Powszechną praktyką tych kawalerzystów, oprócz skalpowania, było odcinanie mężczyznom genitaliów, z których robili sobie woreczki na tytoń. Kobiece części rodne też służyły za swoiste pamiątki.

Nowemu dowódcy okręgu wojskowego w Kolorado, pułkownikowi J. M. Chivingtonowi, udało się stłumić rozgłos wokół masakry w Pritchard. Mówiono, że zagroził rozstrzelaniem każdemu, kto ośmieli się powiadomić o tym prasę lub polityków. Pułkownik Chivington był jednocześnie pastorem Kościoła metodystów.

W lutym tysiąc osiemset sześćdziesiątego piątego roku w Maybelline w Kolorado, w miejscu, które Czejenowie nazywali Miejscem Spotkań Bizonów, biali farmerzy zamordowali dziewięćdziesięciu Indian w odwecie za atak na ich siedziby, które to najazdy były zemstą Indian za Pritchard i Sand Creek.

W roku tysiąc osiemset siedemdziesiątym wódz Siuksów Czerwona Chmura wraz z pięcioma największymi szamanami został zaproszony do Chicago. Czerwona Chmura był już przedtem w Waszyngtonie, gdzie komisarz do spraw Indian kazał oprowadzić go po dokach marynarki wojennej i arsenale Stanów Zjednoczonych, aby na własne oczy zobaczył dowody potęgi białego człowieka. Szamani jednak nie dawali wiary jego relacji z tej wizyty i w dalszym ciągu parli do wojny. Komisarz do spraw Indian dał im więc przewodnika, z którym odwiedzili składy broni, fabryki parowozów, wagonów kolejowych i doki. Chodziło mu o to, aby sami doszli do przekonania, że dalszy opór z ich strony jest bezsensowny.

Czerwona Chmura był całym sercem za zawarciem pokoju, ale czarownicy obstawali przy swoim zdaniu, że biali ludzie to kłamcy i oszuści — w czym oczywiście mieli rację. Pewnego wieczoru, podczas gdy Czerwona Chmura przemawiał do zgromadzonych w Philanthropic Institute w Chicago, w hotelu Palmer House, gdzie zakwaterowano szamanów, wybuchł pożar. Pięciu szamanów spłonęło. Wypadek ten wstrząsnął opinią publiczną, ponieważ Palmer House, będący jednym z najbardziej luksusowych hoteli w Ameryce, dopiero niedawno został oddany do użytku. Straż pożarna Chicago stwierdziła, że przyczyną pożaru było ognisko rozpalone przez Indian na środku pokoju. Lokalne gazety pisały, że jest to dowód, iż Indianie nie przestali być dzikusami i nie nadają się do życia u boku białych ludzi, i nigdy nie będą się do tego nadawali.

Bez względu na to, jaka była rzeczywista przyczyna pożaru, w jego wyniku zginęło pięciu najpotężniejszych, najbardziej wpływowych szamanów, jakich kiedykolwiek wyłoniły indiańskie plemiona. Ani długoletnie epidemie cholery, ani poczynania oddziałów kawalerii nie osłabiły tak indiańskiego narodu jak te parę minut szalejącego pożaru w hotelu Palmer.

Przechyliłem się przez jego ramię i spojrzałem na książki, spoczywające na jego kolanach.

— Tak więc związek między tymi wszystkimi wypadkami polega na tym, że każde z tych miejsc było w przeszłości sceną masakry Indian?

Doktor Snow skinął twierdząco głową.

— Właśnie tak. I im więcej Indian zginęło, tym straszliwsza jest ich zemsta. Życie za życie, mówiąc krótko. Z wyjątkiem Chicago, gdzie wydaje się, że chodzi o karę za wytępienie całych plemion.

— Ale jak oni to robią? — zapytała Amelia. — Wciągają w głąb ziemi całe budynki wraz z ludźmi.

— O to właśnie chodzi. Wciągają je w podziemny świat, w Wielką Otchłań. W ten świat, który twórcy naszych westernów określają błędnie jako Krainę Szczęśliwych Łowów.

— Nie rozumiem — odezwałem się.

Doktor Snow zatrzasnął z hukiem swoje książki i położył je z powrotem na biurku.

— To bardzo proste. Proszę spróbować sobie wyobrazić, jeśli pan potrafi, że kontynent Stanów Zjednoczonych jest jeziorem. Ponad powierzchnią tego jeziora, na której my się utrzymujemy, istnieje to, co określamy prawdziwym światem, lecz jeśli spojrzymy w dół, jeśli spojrzymy pod podeszwy naszych butów, zobaczymy siebie stojących do góry nogami w innym wymiarze, w świecie lustrze, odwróconym jak negatyw.

Ten odwrócony, odbity świat jest światem istniejącym poza śmiercią, jest Wielką Otchłanią. Jest to kraina duchów. Jest to świat, do którego idą Indianie, gdy wybije ich godzina.

Nie jest to świat bardziej realny niż realne jest samo odbicie. Lecz nie da się zaprzeczyć, że istnieje tak jak jego odbicie. Jest to świat indiańskich pojęć, indiańskiej wiary, przesądów i zabobonów, świat ich lęków oraz ich szczęścia. Jest to, jak rozumują Indianie, ich naturalny świat, w którym przyjdzie im żyć po śmierci.

W tysiąc osiemset sześćdziesiątym dziewiątym roku w Newadzie Indianin z plemienia Pajutów imieniem Tavibo zaczął przekonywać swoich ziomków, że przyjdzie czas, gdy wszyscy biali ludzie znikną i zapadną się w ziemię, a na ich miejsce wrócą umarli Indianie. Twierdził, że będąc w transie może rozmawiać ze zmarłymi. Zachęcał Indian z Wielkiej Kotliny, aby tańcząc w tradycyjnym kręgu śpiewali pieśni, których nauczyli go umarli.

Idea zyskała miano Tańca Duchów, ponieważ głosiła powrót umarłych. Rozprzestrzeniła się w Kalifornii, w Oregonie i innych częściach Nevady. Upadła, kiedy okazało się, że przepowiednie Tavibo nie spełniły się i pamięć o nich zaczęła stopniowo wygasać.

Taniec Duchów ożył w kazaniach innego proroka Pajutów, Wovoki, który zmarł w tysiąc dziewięćset trzydziestym drugim roku. Mając trzydzieści trzy lata, Wovoka zachorował poważnie i dostał wysokiej gorączki. Zaraz potem nastąpiło zaćmienie słońca, podczas którego duchy zabrały go do Wielkiej Otchłani i pokazały mu przyszłe życie.

W owym czasie na Indian z Równin spadły ogromne klęski. Przegrali wiele bitew, stracili dużo bydła i zaczęły ich prześladować nowe, często śmiertelne choroby. Ponadto zamknięto ich w rezerwatach. Wovoka przyrzekł im, że jeśli będą nadal śpiewać i tańczyć, biali ludzie zapadną się pod ziemię, zmarli ożyją, a bawoły powrócą na swe pastwiska. Może pan sobie wyobrazić, czym tego rodzaju obietnice stały się dla ludzi, którzy całkowicie zatracili poczucie pewności i wiarę we własne siły. Religię Tańca Duchów przyswoiły sobie plemiona Siuksów, Komanczów, Czejenów, Arapahów, Assinibojnów i Szoszonów. Nie przyjęli go jedynie Nawajowie — ci bali się upiorów.

Na temat Tańca Duchów powstało wiele uczonych rozpraw. Anthony Wallace określił go jako „ruch przywracania do życia", którego celem miała być obrona zagrożonej kultury. Weston Le Barre nazwał go „kultem kryzysu", widział w nim odpowiedź na powszechną wśród Indian postawę rezygnacji i rozpaczy.

— A jakie jest pańskie zdanie, doktorze Snow? — zapytałem. — Co pan o tym myśli?

Doktor Snow skierował palec ku podłodze.

— Pod naszymi stopami, panie Erskine, znajduje się kraina duchów — Wielka Otchłań, w której nadal żyje Ameryka Indian. Kraina bez autostrad, budynków, kolei, okrętów i samochodów. Kraina pełna zwierzyny i bizonów, poprzecinana rzekami o nieskażonych wodach. Ameryka taka, jak była niegdyś, zanim biały człowiek postawił na niej swą stopę. Wielka Otchłań.

— Wierzy pan, że ona rzeczywiście istnieje? — zapytałem.

— Czyż nie ma pan dość dowodów? Jak pan sądzi, gdzie w tej chwili jest pańska nieszczęsna przyjaciółka, panna Tandy? Dokąd, jak pan myśli, zapadła się Sears Tower? Dzień przepowiadany przez Tavibo i Wovokę w końcu nadszedł. Indianie mordują, łupią i biorą jeńców — i ściągają wszystko do Wielkiej Otchłani.

— Z tego, co pan mówi, wynika, że zamierzają to tam zostawić. W gruncie rzeczy z pańskich słów można również wysnuć wniosek, że usiłują cofnąć czas.

— Co chcesz przez to powiedzieć? — zapytała Amelia. Widziałem, że chętnie by zapaliła. — Jak można cofnąć czas?

— Moja droga, jest pani bardzo dobrą spirytystką, czyż nie

tak? Wie pani dobrze, że możliwe jest przesyłanie prostych przedmiotów materialnych ze świata realnego do świata ducho- wego i odwrotnie. Można, na przykład, wysłać na drugą stronę prawdziwy kapelusz. To samo można zrobić z rękawiczką, piórem, spinką do koszuli. Tak właśnie giną nam niektóre małe przedmioty. Czasami jest to denerwujące, ale to właśnie tam można je znaleźć. Wpadły do świata cieni przez powierzchnię tego wyimaginowanego jeziora, które rozciąga się pod naszymi stopami. W taki sam sposób utalentowane medium potrafi ściąg- nąć duchy z Wielkiej Otchłani do realnego świata. Niektórzy ludzie nazywają je ektoplazmą, lecz ja wolę słowo „cienie" lub „odbicia" — bo tym są w istocie.

— Nadal nie wiem, do czego pan zmierza — rzekłem.

— O, to dość proste. Pańscy Indianie, wydaje się, nagroma- dzili tyle sił niematerialnych, że są w stanie ściągnąć w głąb o wiele potężniejsze obiekty — i to te, które wybiorą. Pańscy Indianie, wydaje się, pragną oczyścić Amerykę ze wszystkiego, co biały człowiek przywiózł tu lub zbudował. Karzą potomków tych, którzy ich mordowali i krzywdzili. Biorą teraz rewanż za masakry i za zdradę, życie za życie, dom za dom. Podejrzewam wreszcie, że w konsekwencji nie zostanie tu nic prócz samych prerii, gór, bagien i pustyni.

— Czy to możliwe? — zapytałem z niedowierzaniem.

Doktor Snow zdjął okulary.

— Analizując historię naszej planety z punktu widzenia jej środowiska naturalnego i mistyki, panie Erskine, powiedziałbym, że jest to nie tylko możliwe, ale nawet wysoce prawdopodobne. Indianie chcą, aby ich ziemie wróciły do nich takie, jakie były przed nastaniem białego człowieka.

ROZDZIAŁ 11

Przejechał wózkiem przez bibliotekę i wskazał palcem górny regał.

— Proszę mi podać tę starą czarną książkę, tę, która przypomina Biblię.

Wyciągnąłem rękę i z trudem ściągnąłem tom z półki. Pachniał kwaśno, pleśnią i stęchlizną. W środku czarnej skórzanej oprawy znajdowały się zszyte ręcznie, grube, postrzępione stronice. Tworzyły jakby drugą książkę.

Doktor Snow przekartkował ją wolno i kichnął.

— Nie zaglądałem do niej chyba ze trzydzieści lat. Napisał ją w roku tysiąc osiemset sześćdziesiątym trzecim Henry Whipple, biskup episkopalny z Minnesoty. Proszę spojrzeć: *Raport z werbunku przez siły zbrojne Stanów Zjednoczonych ppirytystów i mediów do celów walki z Indianami Santi w 1862 roku*. To niezwykle interesujące — dodał. — Komisarz do spraw Indian wiedział, że Indianie mają wielką magiczną moc, i nie lekceważył jej. Odważyłbym się nawet postawić tezę, że główną przyczyną ostatecznej klęski Indian była nie tyle przeważająca liczba białych, ile utrata wiary tubylców w swoje ponadnaturalne umiejętności.

W Minnesocie pułkownik Henry Sibley, który dowodził wojskiem i lokalnymi siłami policji w walce przeciwko Indianom Santi, zapewnił sobie usługi medium znanego jako William Hood.

Jest parę relacji z działalności Williama Hooda na Dzikim Zachodzie, nie ma niestety żadnej jego fotografii. Niektórzy twierdzą, że był z pochodzenia Serbem, łowcą wampirów, że nazywał się Milan Protic. Do Ameryki został sprowadzony w tajemnicy przez komisarza do spraw Indian.

W *Rewolwerowcach* O. L. Warda odnalazłem wiarygodną wzmiankę, że William Hood mieszkał przez pewien czas w Santa Fe, w Nowym Meksyku, gdzie brał udział w kilku strzelaninach. Miał pseudonim Chłopak Widmo, ponieważ nikomu nie udało się go trafić.

Po rzezi dokonanej przez Indian Santi na czterystu pięćdziesięciu białych osadnikach w Minnesocie w sierpniu tysiąc osiemset sześćdziesiątego drugiego roku pułkownik Sibley wezwał go na pomoc. William Hood udał się na ranczo pierwszej ofiary, osadnika nazwiskiem Robin Jones, i tam przez wiele dni prowadził „dochodzenie spirytystyczne".

„Pan Hood — pisze biskup Whipple — był młodym małomównym człowiekiem z rozwichrzonymi włosami, ubranym w przedziwne skóry i derki. Z pasa zwisały mu liczne dzwonki i kości oraz kilka butelek w kształcie gruszki, które nazywał »butelkami na cienie«. Tłumaczył, że wojownicy indiańscy bywali nawiedzani przez cienie lub ciemności z Wielkiej Otchłani — jakby indiańskiego odpowiednika naszego czyśćca. Jeśli uda się oderwać kawałek — choćby najmniejszą cząstkę — takiego cienia, traci on swoją spiritualną jedność. Zostaje zraniony, ciemność wycieka z niego jak krew. Musi natychmiast wracać do Wielkiej Otchłani. Inaczej wykrwawia się na śmierć.

Indianie poddawani byli egzorcyzmom, wypędzano z nich złe siły, na skutek czego tracili swoje czarodziejskie zdolności użyczane im przez duchy.

Muszę wyznać, że ze sceptycyzmem odnosiłem się do umiejętności pana Hooda, lecz nie traktowałem też poważnie praktyk indiańskich czarowników, nie wierzyłem w ich nadprzyrodzoną moc. Pan Hood zaś był zupełnie pewien, że mają oni zdolności czynienia prawdziwych i niebezpiecznych czarów. Opowiadał, że pewnego razu został porwany przez szamana Czejenów, który poddał torturom jego duszę. W wyniku tego doświadczenia dowiedział się wiele o naturze cieni z Wielkiej Otchłani i nauczył się posługiwać bronią z taką zręcznością, że nikt nie był w stanie go pokonać.

Opowiadał też, że Czejenowie nauczyli go, jak w jednej chwili przeistoczyć się w mistai — czyli człowieka widmo, któremu żadna kula nie jest w stanie wyrządzić najmniejszej szkody.

Przechodzi przez jego ciało jak przez mgłę. Nigdy nie zdołano go jednak namówić, aby zaprezentował tę sztuczkę publicznie; twierdził, że magia służy jedynie poważnym celom i nie wolno robić z niej widowiska.

Później pułkownik Sibley miał na swych usługach Murzyna rodem z Luizjany. Osobnik ów wyglądał zawsze tak, jakby wybierał się do opery; miał laskę ze srebrną gałką w kształcie czaszki. Czasami nazywał siebie Piłozab, a niekiedy Jonasz DuPaul. Zazwyczaj jednak mówił o sobie Doktor Hambone.

Doktor Hambone wydał mi się niesłychanie groźny i starałem się go unikać, jak tylko mogłem. Pułkownik Sibley twierdził, że on potrafi rozmawiać z umarłymi, i wykorzystywał go do wydobywania zeznań od zamordowanych osadników, aby dowiedzieć się, kim byli napastnicy. Osobiście nigdy nie uczestniczyłem w ich wyprawach. Byłem przeciwny tym praktykom, wobec czego nigdy nie miałem okazji stwierdzić, czy rzeczywiście zmarli, tak jak utrzymywał, odpowiadali na jego pytania.

Pewnego dnia Doktor Hambone udał się na taką wyprawę samotnie i został schwytany przez dwóch najdzielniejszych wojowników Santi — Morderczego Upiora oraz Zderza Się Pełzając.

Pułkownik Sibley polecił wówczas Williamowi Hoodowi, aby za wszelką cenę odnalazł Doktora Hambone'a, nawet gdyby miał uciec się do sił nadprzyrodzonych, co też uczynił. Nigdy jednak nie zdradził nikomu, jak tego dokonał. Przyprowadził go do obozowiska policyjnego w transie. Doktor Hambone wyznał, że poznał szamana Indian Santi, który ukazał mu przyszłość. Według jego słów, pewnego dnia ciemność spowije wszystko, czego dokonali biali ludzie, a oni sami zostaną zmasakrowani przez cienie i żaden nie uniknie swego przeznaczenia.

Potem zniknął na dobre, lecz przedtem zapowiedział, że czarne i czerwonoskóre plemiona będą chodzić po tych równinach i łowić ryby w tych rzekach jeszcze długo potem, jak ostatni biały człowiek zniknie z ich ziemi.

Pułkownik Sibley chciał go zaaresztować, lecz William Hood odwiódł go od tego. Doktor Hambone miał groźne powiązania i William Hood obawiał się, że nie zdoła ochronić pułkownika Sibleya ani jego ludzi przed zemstą rozwścieczonego Doktora Hambone'a.

248

— No więc — odezwał się doktor Snow, rzucając niedbale książkę na biurko. Potrącił przy tej okazji stos roczników „National Geographic", wywołując małą lawinę. — Co państwo o tym sądzą?

— To jest doprawdy fascynujące — odparła Amelia. Wzięła książkę do ręki i zaczęła wolno przerzucać kartki. — Słyszałam o butelkach na cienie, ale nigdy nie natknęłam się na jakiekolwiek historyczne źródło, w którym by była o tym mowa.

— Mam taką butelkę — odrzekł rzeczowo doktor Snow. Podjechał do jednej z szafek i po dłuższym poszukiwaniu wyciągnął z niej małą buteleczkę ze zwykłego grubego szkła ze srebrnym zmatowiałym korkiem, kształtem i wielkością przypominającą żarówkę.

— Ach, pan ją naprawdę ma! — wykrzyknęła ze zdumieniem Amelia.

Doktor Snow wzruszył ramionami.

— Kupiłem ją w Baton Rouge. Wygląda bardzo zwyczajnie, prawda? Łowcy upiorów w Serbii podobno używali ich do polowań na wampiry. Potwierdzałoby to, że William Hood to w istocie Milan Protic.

Obejrzałem buteleczkę ze wszystkich stron, po czym oddałem ją doktorowi Snowowi.

— Co teraz będzie? — zapytałem. — To znaczy zastanawiam się, jakie piekło może się teraz rozpętać. Czy mamy siedzieć bezczynnie i przyglądać się, jak cały kraj zapada się pod ziemię? Jezu Chryste!

— Któż to może wiedzieć? — Doktor Snow wzruszył ramionami. Jeśli pańscy indiańscy przyjaciele zdecydowali się zatrzeć wszelkie ślady bytności białego człowieka na amerykańskiej ziemi, prawdopodobnie będą się starali zrealizować to zamierzenie. Każde miejsce, w którym polała się indiańska krew, stanie się bramą otwierającą drogę w dół, do Wielkiej Otchłani. I wierzcie mi — oprócz tych paru punktów, gdzie to się już stało, takich miejsc są tysiące, od Connecticut aż do Canyon de Chelly. Tysiące!

W Connecticut, jak wam wiadomo, w tysiąc sześćset trzydziestym ósmym roku kapitanowie Underhill i Mason czuwali osobiście nad podpaleniem obozowiska Indian z plemienia Pekotów. W pożarze spłonęło żywcem pięćset osób, mężczyzn, kobiet i dzieci. Pomyślcie tylko, jaką ogromną bramą do podziemnego świata stanie się to miejsce. Plemię za plemię. Zdziesiątkują chyba cały stan.

— Cóż to za cudotwórcy! — unosił się. — Jacyż z nich wspaniali cudotwórcy!

— Zapewne cieszą się, że ich ktoś docenia — zauważyłem zgryźliwie. — Co jednak my możemy zrobić, aby ich zatrzymać?

— Zatrzymać ich? — ściągnął brwi, jakby myśl o tym była mu niemiła. — Zatrzymać ich? Nie sądzę, aby nam się to udało. Nie sądzę, aby komukolwiek się udało.

— Proszę pamiętać, że ta katastrofa pochłonęła już tysiące niewinnych ofiar i że być może przyniesie większe zniszczenia niż setki bomb atomowych. Że to byłby kres całej cywilizacji, od której tak wiele zależy na świecie. Że to byłby powrót Ameryki do barbarzyństwa.

— Nie jest to zbyt polityczne podejście do rzeczy — uśmiechnął się chytrze doktor Snow.

— Być może. Popieram szlachetnych dzikusów i prawa Indian, ale ni cholery nie mam chęci żyć w świecie, w którym będę zmuszony uganiać się z włócznią za obiadem.

— Nie będzie pan musiał — odparł doktor Snow. — Prawdopodobnie zabiją nas wszystkich. Wybiją nas albo zamienią nasze życie w nędzną wegetację, tak jak my zamieniliśmy w nędzną wegetację ich życie.

— Niech pan przestanie, doktorze, musi być przecież na nich jakiś sposób. A także sposób na odnalezienie Karen.

— Sądzi pan, że za tym wszystkim kryje się Misquamacus? — zapytał doktor Snow.

Skinąłem głową.

— Śpiewająca Skała starał się mnie przed nim przestrzec, lecz nie zrozumiałem go wówczas dobrze.

— Misquamacus jest bez wątpienia najbardziej podejrzany w tej całej sprawie — zgodził się doktor Snow. — Zawsze słynął ze swej niezwykłej mocy. Potrafił zmieniać kierunek wiatru, odwracać bieg rzek, podróżować w czasie i pojawiać się w dwóch lub trzech miejscach jednocześnie. Pytanie tylko, jak mu się udało zgromadzić aż tak ogromne siły, że jest w stanie ściągnąć w otchłań połowę miasta.

— Może duchy mu pomogły? Wielkie Stare Duchy.

— Niewykluczone, że wezwał Tirawę, wielkiego boga Paunisów lub Heammawihio, boga niebios Czejenów. Tylko te ciemności, to ściąganie w dół.

Opuścił raz i drugi swoją pięść w dół, jakby usiłując uzmysłowić sobie, jak zrobił to Misquamacus.

— Cóż, widzę tylko jedno wytłumaczenie — powiedział wreszcie. — Musiał się w jakiś sposób porozumieć z Aktunowihio, bogiem podziemnego świata. Jakkolwiek legenda głosi, że Aktunowihio nigdy nie zawiera żadnych układów. Aktunowihio jest zbyt straszny, nawet dla takiego czarownika jak Misquamacus.

— Uważa pan, że to ktoś w rodzaju diabła czy szatana?

— O nie, Indianie nigdy nie uważali swoich bogów za reprezentantów dobra czy zła. Po prostu mieli bogów, którzy byli wysoko nad nimi, i bogów, którzy znajdowali się pod ziemią. Heammawihio to indiańska nazwa pradawnej istoty, która rządziła ziemią w odległych czasach cywilizacji przedkolumbijskiej. Indianie utrzymywali, że Heammawihio zszedł do nich po Wiszącej Drodze, jak nazywają Mleczną Drogę. Niektórzy pisarze nazywali go Cthulhu. W istocie to nie był „on", lecz „ono". Według wszelkiego prawdopodobieństwa jest tworem zbiorowej świadomości wielu żyjących gatunków z wielu różnych galaktyk. Jeśli może pan sobie wyobrazić istotę, która myśli jak człowiek, wąż, ośmiornica, wilk i stonoga zarazem, będzie pan prawdopodobnie najbliższy zrozumienia istoty Heammawihio.

Indianie najbardziej bali się Aktunowihio. Jeśli ktoś zmarł śmiercią godną i naturalną, bez obawy szedł do Krainy Szczęśliwych Łowów. Lecz jeśli złamał tabu, Aktunowihio przychodził po śmierci upomnieć się o swoją zdobycz.

Wódz Rzymski Nos naruszył kiedyś tabu, bo przed bitwą posłużył się przy jedzeniu metalowym widelcem. Poległ na samym początku walki i stał się ofiarą Aktunowihio. Świta umieściła jego ciało wysoko wśród gałęzi drzewa, w nadziei że pomoże mu to ulecieć w górę. Jednak następnej nocy drzewo znikło, wciągnięte w głąb ziemi, a ciała Rzymskiego Nosa nigdy nie zdołano odnaleźć.

Aktunowihio to po prostu uosobienie wszystkiego najgorszego, co mogłoby się człowiekowi przydarzyć. Przybiera on podobno różne postaci — psów, dziwacznych kobiet, mężczyzn bez głowy. Nawet Kolumb po powrocie do Hiszpanii wspominał, że widział takich mężczyzn.

Lecz jego najbardziej przerażającym wcieleniem jest Bawół--Widmo. Każdy Indianin na polowaniu rzucał się do ucieczki, oszalały ze strachu, jeśli wydało mu się, że stanął z nim oko w oko, i żaden z towarzyszących mu wojowników nie miał mu tego za złe.

Aktunowihio pojawia się podobno w realnym świecie pod postaciami żyjących mężczyzn i kobiet. Przechadza się często wśród nas, a my nie zdajemy sobie nawet sprawy, że się o nas ociera. Lecz jeśli spostrzeżecie, że ktoś przypatruje się wam bez widocznego powodu, lub jeśli poczujecie, że ktoś was dotyka lub ciągnie, wtedy może okazać się, że jest to Aktunowihio lub część jego substancji — Wielki Zmarły, który przechadza się wśród żywych.

— No cóż — odezwałem się. Usiadłem wygodniej na krześle i przeciągnąłem się dyskretnie. — Gdybym nie był naocznym świadkiem tych wydarzeń, gdybym sam nie zetknął się z Misquamacusem, nie uwierzyłbym, kurna, nawet w jedno słowo tej opowieści. A pan wierzy?

— Och, kiedy się naprawdę pozna Indian, wtedy wierzy się we wszystko — odparł doktor Snow. — Cały kłopot, że niewiele ludzi wie o nich coś więcej i niewiele pragnie się dowiedzieć. Od lat sporządzam prognozy dla biznesu i przepowiadam pogodę za pomocą indiańskich metod. Tylko raz przez cały ten czas pomyliłem się w prognozie pogody. Lecz myśli pan, że środki masowego przekazu mi wierzą? Oczywiście nie. I aczkolwiek moje przewidywania są bezbłędne, ci biedni głupcy wolą opierać się na satelicie, który kosztuje koszmarne sumy i w dodatku ciągle źle im przepowiada.

— Co by nam pan radził? — zapytałem posępnie. Amelia wyciągnęła do mnie rękę.

Doktor Snow jeździł wózkiem po pokoju z zamyśloną miną.

— Potrzebujecie przyjaciół, to pewne. Potrzebujecie kogoś, kto zna i rozumie Indian, ich mądrość, ale raczej instynktownie niż naukowo. Innymi słowy, ponieważ nie ma już Śpiewającej Skały, musicie znaleźć innego czarownika.

— Łatwiej powiedzieć, niż wykonać — odparłem. — A może pan kogoś zna?

Potrząsnął głową.

— Korespondowałem do tego roku z Szalonym Psem, ale od miesięcy się nie odzywa. Może umarł, może pije, a może się ukrywa, bo policja z Dakoty Południowej ściga go za bigamię. Będziecie musieli sami kogoś poszukać.

— Dziękuję stokrotnie — odparłem.

— To nie wszystko — powiedział ostrzegawczo. — Będziecie musieli mieć ludzi, którzy was wesprą, ludzi, którzy będą rozumieć wasze postępowanie i którzy nie będą się bać.

Skinąłem głową.

— Sądzę, że z tym sobie poradzę. Co jeszcze?

— Przede wszystkim będziecie musieli dowiedzieć się, jaki pakt zawarł Misquamacus z Aktunowihio. Jeśli dobrze rozumuję i Aktunowihio rzeczywiście pomógł Misquamacusowi zgromadzić konieczne moce, aby ściągnąć pod ziemię wszystkie te gmachy, to jasne, że Misquamacus musiał w zamian zaoferować Aktunowihio coś, na czym mu szczególnie zależy. Cała magiczna siła Indian oparta jest na tego rodzaju paktach. Ty pożyczysz mi swój magiczny pióropusz, a ja ci dam w zamian mego konia. Ty mi dasz swego konia, a ja uśmiercę twego wroga. Ty zabijesz mego wroga, a ja sprawię, że twoje dynie będą pięknie rosły. I tak dalej.

— Domyśla się pan może, czego Aktunowihio mógł chcieć od Misquamacusa? — zapytałem go.

Doktor Snow potrząsnął głową. Promień popołudniowego słońca rozbłysnął w soczewce jego szkieł jak sygnał heliografu wysłany z dalekiego wzgórza.

— Doprawdy nie mam pojęcia. Lecz jeśli uda się wam dowiedzieć, będzie pan musiał znaleźć sposób, aby zerwać to porozumienie. W przeciwnym wypadku, tfu, zapomnijcie raczej o całej sprawie.

Wracaliśmy do miasta zmęczeni i przegrani. Było już ciemno, gdy wjeżdżaliśmy na George Washington Bridge. Manhattan błyszczał i migotał jak miasto oglądane w sennych marzeniach. Skręcając na południe, zastanawiałem się, jak długo ten sen jeszcze może trwać. Udało nam się opanować ziemię, lecz nie byliśmy w stanie ujarzmić ciemności, która rozciągała się pod jej powierzchnią, odwiecznych mroków, świata, który, gdyby się nad tym zastanowić, był właściwą Ameryką.

— Odwieziesz mnie do domu? — spytała Amelia. — Muszę wszystko dokładnie rozważyć.

— Rozważyć? Co?

— Chcę pobyć trochę sama, Harry, i zastanowić się, czy naprawdę chcę się tym zająć razem z tobą.

Skrzywiłem się.

— Wydaje mi się, że dostąpiłaś już tego zaszczytu.

— O tak, dostąpiłam. Ładny mi zaszczyt! Oczekujesz, że zaangażuję się w skrajnie niebezpieczne przedsięwzięcie i nawet nie uważałeś za stosowne zapytać mnie, czy mam na to ochotę.

— Przepraszam — odparłem, wymierzając sobie zasłużony cios pięścią w głowę. — Znasz mnie. Biorę wszystko za dobrą monetę. — Jechałem dalej, zerkając na nią od czasu do czasu.

— O co chodzi? — odezwała się po chwili.

— Masz ochotę? — zapytałem.

— Na co?

— No, czy masz ochotę włączyć się w tę sprawę, rzecz jasna?

— Harry! Na litość boską! Powiedziałam, że muszę to przemyśleć. Jeśli mam być szczera, boję się. Boję się śmiertelnie. Widziałam głowę Misquamacusa wyłaniającą się z blatu stołu, i wiem, że to, co mówił doktor Snow, jest prawdą. Można ściągać przedmioty ze świata realnego do świata duchów i vice versa, i tu, mój drogi, chodzi właśnie o takie sprawy, o sprawy, które bez przesady mogą przerazić człowieka na śmierć, o świat pełen tajemnic i zagrożeń. Czy naprawdę chcesz ujrzeć, no, na przykład swego zmarłego dziadka, jak staje nocą przy twoim łóżku? Czy rzeczywiście chcesz wysłać ludzi na zatracenie?

— Muszę jakoś odnaleźć Karen — odparłem. Samo wymówienie imienia Karen było dla mnie jak cięcie ostrym nożem po języku. Jeśli jej nie skrzywdził, mam na myśli, jeśli jej nie zabił — to naprawdę mam zamiar ją odnaleźć.

— Może zaczynasz rozumieć, co znaczy odpowiedzialność — rzekła Amelia.

— Och tak, na pewno. Albo może w moim życiu nie ma nic innego, co rzeczywiście warte byłoby zachodu.

Nowy Jork

Tuż po czwartej tego popołudnia adwokat Abner Kaskin odwiedził swego klienta, Martina Vaizeya w areszcie śledczym numer trzynaście. Zza zabezpieczonych metalową siatką okien dochodził szum gwałtownej letniej ulewy. Krople deszczu bębniły po szybie niczym rzucane garściami, dla zwrócenia uwagi, rodzynki.

Martin siedział przy stole w pokoju widzeń, wyprostowany, świeżo ogolony, z gładko zaczesanymi lśniącymi włosami. Był blady, wyglądał na zmęczonego; jego prycza w trzynastym areszcie śledczym była znacznie mniej wygodna niż łóżko w mieszkaniu w Montmorency Building.

Prócz krzyków, hałasów, trzaskających drzwi oraz bezustannego wycia syren miał dość powodów, by nie spać spokojnie.

Abner Kaskin podał mu rękę i położył teczkę na stole. Miał okrągłe ramiona i falujące włosy, wystające zęby oraz wargi, które wyglądały jak uróżowane. Miał na sobie wygnieciony garnitur z drogiej lnianej tkaniny oraz krawat Nowojorskiej Korporacji Adwokatów. Wypchane ramiona marynarki nosiły ślady deszczu.

— Jest pewien postęp — oznajmił. — Zatelefonowała do mnie donna Medina z biura prokuratora okręgowego i powiedziała, że jest skłonna rozważyć argumenty obrony w sprawie morderstwa w mieszkaniu Greenbergów, pod warunkiem że my ułatwimy jej sprawę.

— Dlaczego mielibyśmy jej coś ułatwiać? — zaprotestował Martin. — Ja tego nie zrobiłem.

— Martin, wsadziłeś rękę do gardła kobiety i wywróciłeś ją trzewiami do wierzchu. Potem ciosami karate załatwiłeś jej męża i złamałeś mu kark. Dowody przedłożone przez lekarzy są niepodważalne. Poszlaki są przytłaczające. Poza tym jest dwóch naocznych świadków, którzy wprawdzie potwierdzili twoją opowieść o tym, że zostałeś opanowany przez demony, lecz którzy jednocześnie zgodnie oświadczają, że widzieli, jak dokonałeś obu tych morderstw. Dlatego powinniśmy ułatwić sprawę prokuratorowi. Posłuchaj, Martin, tu nie ma mowy o uwolnieniu. Będę się uważał za złotoustego geniusza, jeśli uda mi się uzyskać dla ciebie dwa wyroki dożywotnie.

Nastąpiła długa cisza. Martin siedział ze zwieszoną głową.

— Abner — powtórzył — ja naprawdę tego nie zrobiłem. Byłem bezsilny. Coś mną owładnęło. Moje zabójstwo Naomi Greenberg wyglądało tak, jak gdyby ktoś włożył mi rewolwer do ręki podczas snu i przycisnął mój palec do cyngla.

— Martin — odparł Abner. — Broniłem w swoim życiu dwadzieścia sześć wybitnych i szanowanych osób, oskarżonych tak jak ty o morderstwo, poczynając od zabójstwa kwalifikowanego aż po przestępstwa drogowe z ofiarami śmiertelnymi. Wiem, czy ktoś jest winny czy niewinny. Na tym polega mój zawód. Jeśli chodzi o ciebie, wierzę, że jesteś niewinny. Nie pytaj mnie dlaczego. Wszystkie dowody świadczą przeciwko tobie. Lecz o ile w przypadkach moich poprzednich klientów mogłem się powołać na okoliczności łagodzące, takie jak prowokacja, chwilowa niepoczytalność, działanie pod wpływem silnego wzburzenia czy alkoholizmu, to u ciebie, niestety, żaden z tych elementów nie wchodzi w grę. Opętanie przez duchy nie jest uznane w sądownictwie amerykańskim jako możliwa linia obrony. Na Haiti może tak. Chyba że przedstawię tego diabła jako dowód rzeczowy na sali rozpraw i przekonam sędziów, że opętanie jest możliwe, wówczas będziemy mieć sprawę wygraną.

Martin uniósł głowę i spojrzał z powagą na Abnera.

— Słyszałeś, co się stało w Chicago?

— Oczywiście. To jest straszne. Mam krewnego w Spertus College. Wciąż czekam na wiadomość od niego. Ale co to ma do rzeczy?

— To jest twój dowód. To jest twój diabeł z sali sądowej.

— Czy ja dobrze słyszę? — Abner zmierzył Martina uważnym wzrokiem. — Słuchaj, Martin, nie pomieszało ci się chyba w głowie, co?

— Miałem telefon od niejakiego Harry'ego Erskine'a z Albany. Prowadzi w moim imieniu śledztwo na własną rękę. Pojechał specjalnie do Albany, do eksperta od tych spraw. Nie, nie do żadnego spirytysty, nic z tych rzeczy. To jest doktor antropologii. Wielka sława. Nazywa się Ernest Snow.

— Przykro mi, ale nigdy o nim nie słyszałem.

— Ty może nie, ale każdy, kto zajmuje się antropologią, zna dobrze to nazwisko. Według tego, co powiedział mi Harry, jest on całkowicie przekonany, że siły, które mnie opętały — ta ciemność, która mnie zewsząd otoczyła — spowodowały również katastrofę w Chicago.

Abner otworzył usta i już miał się odezwać, ale po chwili je zamknął. Przeczesał dłonią swe falujące włosy.

— Martin — wykrztusił wreszcie. — Czy chcesz, abym wnosił o uznanie cię za niepoczytalnego?

— Nie bądź śmieszny. Zdaję sobie sprawę, że taka teza nie trafi nikomu do przekonania, i wierz mi, mam wszystkie klepki w porządku.

— Wobec tego może należałoby wnieść o uznanie za niepoczytalnego tego Harry'ego Erskine'a. I doktora Snowa. Na miłość boską, Chicago zapadło się w wyniku trzęsienia ziemi, a nie z powodu demonów. Jak myślisz, z jaką reakcją spotka się tego rodzaju twierdzenie na sali sądowej? Słuchaj, Martin, nie żyjemy w średniowieczu.

— Udowodnię ci, że jesteś w błędzie, Abner, udowodnię ci.

— No cóż, dobrze, że nie tracisz pewności siebie.

— Abner, musisz mi dać trochę czasu. Jeżeli nie będę w stanie udowodnić mojej niewinności ponad wszelką wątpliwość, wówczas będziesz mógł ułatwiać sprawę pannie Medinie, jak tylko chcesz. Czy przyniosłeś mi książki, o które cię prosiłem?

Abner nacisnął zamki i otworzył teczkę. Wręczył Martinowi trzy dość grube książki oraz czarny woreczek z wypłowiałego aksamitu, w którym coś dźwięczało.

— Jeszcze to. Sierżant pytał mnie, czy chcesz z domu także talerze?

Martin rozwiązał woreczek i wytrząsnął z niego dwa trójzębne srebrne widelce. Były matowe i wyglądały na bardzo stare. Trzonki zakończone były smoczą paszczą z wyłupiastymi oczami.

— Widzisz? — podniósł je do góry. — Mają przynajmniej po osiemset lat. Kupiłem je w Londynie.

Abner spojrzał smętnym wzrokiem.

— Osiemset lat, ho, ho. Całkiem nieźle.

— Czy wiesz, skąd one pochodzą?

Abner potrząsnął głową.

— Z Massachusetts. Wydobyli je z ziemi purytanie podczas kopania grobów w Plymouth. A tam trafiły ze Skandynawii, konkretnie z północnej Danii.

— Nie będziesz mi miał za złe, jeśli ci zadam pytanie — do czego ci one potrzebne? — zapytał Abner.

Martin wsadził widelce z powrotem do woreczka.

— Na pewno nie po to, żeby nimi jeść. Kiedy one powstały, ludzie nie umieli się jeszcze posługiwać widelcami. Znali jedynie noże. Dotarły do Ameryki w łodziach wikingów. Miały na celu chronić żeglarzy przed złymi duchami. Trzymali je podobno przed sobą trzonkiem do przodu. Duch wskakiwał w ten trzonek niczym błyskawica w piorunochron. Szaman wikingów obracał widelce i duch nie był w stanie ujść z nich inaczej, jak tylko przez zęby; musiał się więc podzielić na części. W każdym razie tak mówi legenda.

Z każdym słowem Martina twarz Abnera przybierała coraz bardziej zatroskany wyraz. W końcu zatrzasnął teczkę, wstał i wyciągnął rękę.

— Posłuchaj — powiedział. — Chciałbym, abyś pomyślał poważnie o obronie na podstawie niepoczytalności. To wcale nie oznacza, że musisz spoglądać tępym wzrokiem lub mieć pianę na ustach. To znaczy po prostu, że stan twojego umysłu podczas popełniania morderstwa był na tyle zachwiany, że nie odpowiadałeś za swoje czyny. To żaden wstyd, Martin. Wielu ludziom od czasu do czasu miesza się w głowie. Sam znam kilku sędziów, którzy zamiast sądzić, powinni wyplatać koszyki w zakładzie zamkniętym.

— Umówmy się, Abner. Jeśli w ciągu dwudziestu czterech godzin nie będę w stanie dostarczyć ci wiarygodnego dowodu, że moją ręką kierował duch lub demon, pozwalam ci wystąpić o uznanie mnie za niepoczytalnego, a nawet za kompletnego wariata.

— Ten dowód będę musiał przedstawić już podczas rozprawy wstępnej — odparł Abner. — Musisz przekonać sędziów, nie mnie.

— Miejmy nadzieję, że dopisze nam pech i wśród sędziów będzie chociaż jeden, który powinien wyplatać koszyki — zażartował Martin ze śmiertelną powagą.

Odprowadzono go do celi. Przez pręty widział tylko obskurną, pomalowaną na zielono ścianę, z której płatami odpadała farba. Nikła plama słońca o kształcie trapezu przenikała przez maleńkie, przesłonięte siatką okienko. Przymocowany trwale do podłogi stół odbijał jego zmienny blask. Na odrapanym blacie widniały tysiące wyciętych scyzorykami inicjałów i napisów oraz wymyślne rysunki pornograficzne. Położył na stole swoje trzy książki, a obok nich umieścił woreczek z widelcami.

Areszt rozbrzmiewał echami głosów przypominających szpital dla wariatów z filmu *Dracula*. Rozpaczliwe wycia pijaków, krzyki i śmiech narkomanów, trzaskanie drzwi, brzęk kluczy, piskliwy głos kłócącej się kobiety oraz dominujący nad tym wszystkim brzęk metalowych prętów cel, w które waliły pałki strażników.

Martin przycisnął ręce do twarzy.

— Samuelu, pomóż mi — wyszeptał. Wzywał swojego zmarłego dziesięcioletniego brata. Prosił Samuela, aby wziął go za rękę i poprowadził przez ciemne, przerażające krajobrazy spirytystycznego świata.

Wiedział, że jest to wysoce ryzykowne. Wiedział, że może również narazić na niebezpieczeństwo Samuela. Lecz nie miał wyboru. Usiłował walczyć samotnie z ciemnymi mocami, ale one owładnęły nim całkowicie i uczyniły z niego mordercę. Mógł się domyślać, jak są potężne. Jeśli Harry Erskine miał rację, twierdząc, że to Wielki Duch podziemnego świata, Aktunowihio maczał w tym palce, to jego potęga wystarczyła, aby wciągnąć w mroki całe miasto.

Otworzył jedną z książek, które dostarczył mu Abner. Miała tytuł: *Moce ciemności*. Autor profesor Calvin Mackie opisywał w niej, jak Celtowie i Indianie wyobrażali sobie życie po śmierci. Plemiona Algonkinów i Mikmaków od najdawniejszych czasów wiedziały o istnieniu podziemnego świata cieni i ogromnym czarnym bogu z rogami na głowie, na którego twarz człowiek mógł spoglądać tylko przez palce. Mówiły o tym pozostawione przez nich hieroglify. Na kurhanie Spiro w Oklahomie profesor

Mackie odkrył kamień z literami M-M. Był to skrót od Mabo-Mabona, celtyckiego imienia Aktunowihio. Obok liter wyryto prymitywny wizerunek potwora z okrągłymi oczami i jelenimi rogami. Twarz jego była tak dzika i odrażająca, że Martin czym prędzej odwrócił stronicę, aby na niego nie patrzeć, i jeszcze przycisnął ją ręką.

Zaczęło mu się wydawać, że ogarnia go coś w rodzaju obłędu. Świat duchów zawsze budził lęk, nawet wtedy, gdy udawał się tam tylko, by szukać w nim synów czy córek lub zmarłych rodziców. Poruszanie się poza realną egzystencją przypominało przedzieranie się przez ciemny ogród, zawieszony niekończącym się szeregiem czarnych mokrych pledów. Zawsze miał wtedy wrażenie, że ktoś inny również toruje sobie drogę wśród tych zwisających ciemnych koców. Był tuż obok niego, ale zazwyczaj niewidoczny. Znienacka biała zimna ręka wysuwała się spośród czerni i pociągała go za sobą. Chwytał tę rękę, choćby to była ręka trupa, i śpieszył za nią, pełen ufności.

Czasami — zazwyczaj — jego przewodnie duchy były łagodne i pomocne i prowadziły go w miejsca, do których chciał się udać. Innym razem ich ręce nagle wyślizgiwały się z jego dłoni i zostawał sam, zagubiony i zdezorientowany w ciasnym kącie czyjegoś koszmarnego snu lub w rozmigotanych błyskach rozjaśniających sceny dramatycznych śmierci — w wypadku samochodowym, na atak serca, w samobójczym skoku przez okno. Zdarzało się, że wiodły go w rejony prawdziwego niebezpieczeństwa. Ciemności, coraz większe ciemności i gęsty groźny zaduch jak oddech wilka.

Otrząsał się potem ze swego spirytystycznego transu. Kurczył się, ulatniał i wracał do realnego świata. Nie zawsze to było łatwe. Nie dalej jak cztery miesiące temu zbudził się po takim seansie stwierdzając, że ma skaleczoną dłoń, a spodnie zaplamione krwią — ktoś ugryzł go w rękę. Lekarz, który mu robił zastrzyk przeciwtężcowy, przypatrywał mu się dziwnie.

— Nie powie mi pan, jak to się stało, prawda? — zapytał go, a Martin odparł:

— Nie, nie powiem, bo i tak by mi pan nie uwierzył.

Wyjął swoje celtyckie widelce i położył przed sobą trzonkami do przodu. Może go zdołają obronić, może nie, w każdym bądź razie Celtowie uważali je za skuteczne, a jeśli ktoś wybiera się na spacer podczas burzy z piorunami, nie od rzeczy jest wziąć ze sobą laskę piorunochronną.

— Samuelu — wyszeptał. — Jesteś mi potrzebny. Potrzebuję cię, jak nigdy dotąd.

W celi nadal było duszno i cicho. Światło wpadające przez okno zajaśniało przez chwilę, lecz zaraz znikło, przesłonięte wędrującą chmurą. Przyglądał się, jak jej ruchomy cień przesuwa się po grzbiecie jego dłoni niczym obraz w kinie.

— Samuelu, pomóż mi — nalegał dalej. — Przecież zawsze mi pomagałeś. Proszę cię, pomóż mi i teraz.

Zacisnął mocno powieki. Widział w tej chwili tylko samą ciemność. Miał nadzieję, że jest to ciemność transu spirytystycznego, ciemność tego czarnego, przesiąkniętego wilgocią, zawieszonego kocami ogrodu. Czuł jednak, że to nie jest ten mrok, o który mu chodziło, w każdym razie jeszcze nie ten. Była to zwykła ciemność rozpościerająca się przed zamkniętymi oczami zrozpaczonego człowieka.

— Samuelu — powtórzył. — Gdziekolwiek jesteś, Samuelu, przybądź mi na pomoc, i to natychmiast. — A w głębi duszy dodał: — Samuelu, błagam cię.

Wydawało mu się, że usłyszał jakiś odgłos.

Poczuł za sobą czyjś oddech.

Wolno odwrócił głowę o czterdzieści pięć stopni w lewo i otworzył oczy. Przed jego celą stała Karen. Karen van Hooven, z domu Tandy, w lnianej żółtej bluzce i krótkiej spódniczce w prążki, blada, o oczach bezbarwnych, jak dwie metalowe kulki. Włosy jej opadały na bok, jakby podmywał je niewidoczny prąd.

— Karen? — zapytał Martin z niedowierzaniem. — Co ty tu robisz?

Podeszła do prętów jego celi i oparła się o nie rękami. Jej osobliwe dalekosiężne spojrzenie kierowało się gdzieś na ścianę za plecami Martina, ponad jego głową.

Martina ogarnął nieokreślony lęk. W jej metapsychicznej aurze wyczuwał coś niepokojącego. Dotąd tylko dwa razy w życiu zetknął się z podobną aurą. Raz u kobiety zmarłej z powodu poparzenia trzech czwartych powierzchni ciała, jakiego doznała ratując męża z płonącego domu. Drugi raz u dziewięcioletniego chłopca, którego ojciec maltretował, a potem utopił w miednicy.

To była aura ciemności. Ta sama mroczna aura, która otacza słońce. To była wręcz namacalna aura śmierci.

— Karen? — powtórzył Martin. Nie zrobił jednak żadnego ruchu, aby powstać. — Nie wiedziałem, że przyjdziesz.

— Muszę cię ostrzec — odezwała się Karen.

— Ostrzec? — zapytał Martin. — Przed czym?

— Muszę cię ostrzec, abyś nie bronił się przed karą, na którą zasłużyłeś. W przeciwnym wypadku dasz nam powód do niezadowolenia. Zrobiłeś to, co zrobiłeś, i teraz musisz ponieść karę.

— Nie rozumiem, o czym mówisz.

— Chodzi mi o to, że nie wolno ci się przeciwstawiać. To tylko pogorszy sprawę.

— Karen — powiedział Martin. — Czy Harry wie, że jesteś tutaj?

— Co? — Głos jej brzmiał słabo i bezbarwnie.

— Czy Harry wie, że jesteś u mnie? A poza tym, kto cię tu wpuścił? Jak to się stało, że pozwolili ci tu przyjść bez eskorty? Lub nie dali ci przynajmniej jednego policjanta dla ochrony?

— *Nie wolno ci się przeciwstawiać* — powtórzyła Karen.

Nie uprzedzając go słowem, *przekroczyła* żelazne pręty celi i stanęła obok Martina, tak spokojnie i obojętnie, jakby weszła przez otwarte drzwi. Martin zerwał się na równe nogi, przewracając krzesło.

— Ach tak — rzekł, obronnym ruchem podnosząc rękę do góry. — Ty nie jesteś Karen. Ty wcale nie jesteś Karen.

— Kim zatem jestem według ciebie? — zapytała. — Jestem Karen van Hooven, z krwi i kości. Proszę, dotknij mnie.

— Dziękuję.... lecz wolałbym nie. — Martin dał krok do tyłu.

— Chcesz dowiedzieć się, jaka to siła cię opętała, czyż nie? — zapytała Karen.

Na jej wargach błąkał się delikatny, tajemniczy uśmiech. Spojrzenie w dalszym ciągu miała rozbiegane.

— Tak jest — wybuchnął Martin — to prawda. Chcę się dowiedzieć, jak to się stało. Ale nie ma pośpiechu. Mogę z tym jeszcze poczekać.

Karen wyciągnęła rękę i położyła mu ją na ramieniu. Była to żywa ręka. Jej dotknięcie było łagodne, lecz fizycznie wyczuwalne. Przynajmniej tak je odbierał.

Jeżeli Karen była duchem bądź projekcją ektoplazmy, był to w takim razie najlepszy duch, jakiego kiedykolwiek spotkał.

Wyraźnie życzliwy, oddychający, a nawet pachnący perfumami. Duchy rzadko pachniały — w ogóle nieczęsto wydzielały jakąś woń, chociaż nadejście ich poprzedzał zawsze mocny specyficzny zapach związany z miejscem, w którym mieszkały, lub czymś, co lubiły.

Martin obszedł ją ostrożnie dookoła. Stała spokojnie, nie ruszając się z miejsca.

— Nie wierzysz mi, że jestem żywa, prawda? — zapytała.

— Żywi ludzie nie są w stanie przechodzić przez stalowe pręty. Nie mówię o sobie.

Odwróciła głowę i spojrzała mu w twarz.

— Niektórzy ludzie potrafią przechodzić przez stalowe pręty. To zależy od siły woli.

— Myślę, że tu chodzi o coś więcej niż siła woli, Karen. — Starał się nie reagować na jej uśmiech. — Myślę, że jest to sprawa projekcji materii. Jesteś tutaj, ale w rzeczywistości cię nie ma.

Karen spojrzała na niego filuternie.

— No więc dobrze, jeśli mnie tutaj nie ma, to gdzie w takim razie jestem?

— Nie wiem. I tego właśnie chciałbym się dowiedzieć.

— Nie powinieneś tego robić. To jest zbyt ryzykowne.

— Cóż może być gorszego niż groźba oskarżenia o zabójstwo kwalifikowane?

— Martin, nie zdajesz sobie sprawy, z kim chcesz podjąć walkę.

— W tym właśnie problem. I właśnie chcę się dowiedzieć.

— Martin... — Karen uniosła dłoń. — Proszę cię, nie rób tego.

— Nic innego mi nie pozostaje. Czy mam jakiś wybór?

— Przyznaję, że nie. — Patrzyła przed siebie, bębniąc nerwowo palcami po ramieniu i zagryzając wargi. — Czy na pewno nie uda mi się przekonać cię?

— Obawiam się, że nie.

— Czy masz więc coś przeciwko temu, abym została tu z tobą?

Martin podniósł z podłogi przewrócone krzesło i usiadł.

— Czy mam inne wyjście, skoro potrafisz przechodzić przez żelazne pręty? Przecież nie mógłbym zabronić ci wejść do celi.

W zasadzie Martin nie obawiał się spotkania z duchami. Przecież jego brat Samuel odwiedzał go regularnie, odkąd ukończył dziesięć lat. W większości wypadków zjawienie się ducha następowało w wyniku kumulacji dziwnej mieszanki strumienia ektoplazmy oraz niespełnionych pragnień i nie zaspokojonych uczuć.

Dwie rzeczy skłaniały duchy do powrotu do świata, który powinny były na zawsze pozostawić za sobą: zazdrość i chęć zemsty. Ludzie, którzy umierali w poczuciu zadowolenia z przeżytych lat, wśród grona oddanych przyjaciół, bez oporu odwracali się plecami do świata, który opuszczali, i z nadzieją wkraczali w przyszłe życie.

Martin poprzestawiał swoje celtyckie widelce i splótł ręce jak ksiądz odmawiający modlitwę podczas mszy. W lustrze wiszącym na ścianie widział odbicie Karen. Przez ułamek sekundy wydawało mu się, że twarz jej wykrzywiła się i pociemniała, ale może był to tylko cień, jaki rzucały przepływające po niebie chmury.

— Stój spokojnie — nakazał jej. — A jeśli coś złego zacznie się dziać — duch lub coś w tym rodzaju — musisz starać się wydostać stąd jak najprędzej. Demon, którego staram się wytropić, jest w stanie obrócić w perzynę całe miasto. Bez skrupułów może rozerwać nas na strzępy.

Karen nic nie odpowiedziała, tylko stanęła za nim ze splecionymi rękoma, czekając, co będzie dalej. Chrząknął. Po czym — zdając się całkowicie na jej łaskę — zamknął oczy.

— Samuelu — poprosił. — Potrzebuję cię, kieruj mymi krokami, Samuelu.

Usłyszał, jak Karen poruszyła się cicho za jego plecami. Opanowała go ogromna pokusa, aby otworzyć oczy i zobaczyć, co robi, lecz wiedział, że to tylko opóźniłoby całą sprawę.

— Samuelu — powtórzył. A potem: — Samuel?

Zapadła długa cisza — sześć, siedem minut, może więcej. Martin wyczuwał rosnące zniecierpliwienie Karen. Lecz tym razem wiedział, że reakcja duchów jest prawidłowa. Czuł, jak gęsty, równy strumień ciemności zalewa jego umysł i wypełnia komórki mózgowe. Ciemny strumień nieprzeniknionego mroku śmierci.

Jego brat Samuel stał w kącie pokoju w swym czerwonym szlafroku kąpielowym. Był blady i cichy.

— Samuel? — zapytał Martin.

Nigdy jeszcze nie widział brata tak smutnego. Nigdy jeszcze jego postać nie była tak niewyraźna. Miał wrażenie, że ogląda chłopca przez szarą siatkową firankę poruszaną lekkim wietrzykiem. Nie mógł dojrzeć, czy brat śmieje się, czy płacze.

— Samuel? — powtórzył jeszcze raz. Nie podniósł się, tylko wyciągnął rękę, chociaż wiedział, że Samuel nigdy jej nie dotknie.

— Martinie — odezwał się Samuel przez zamknięte usta. Poniechaj tego, Martinie... Wszystko skończone, świat przewraca się do góry nogami.

— Samuelu, muszę odnaleźć ducha, który mnie opętał. Muszę. Muszę go odnaleźć i sprowadzić tutaj, jego lub przynajmniej coś, co ma z nim związek. Muszę udowodnić, że to nie ja zamordowałem tych ludzi.

Samuel milczał chwilę. Potem wolno potrząsnął głową.

— Radzę ci poniechać tego, Martinie. To duch ciemności. Podziemnej otchłani. On was wszystkich tam wciągnie.

— Samuelu, na rany Chrystusa, musisz mi pomóc.

Samuel odgarnął z czoła niesforny kosmyk, jak to czynił za życia.

— Nie jestem w stanie ci pomóc, Martinie. Nie teraz.

— Daj mi przynajmniej przewodnika.

Znowu długie milczenie. Postać Samuela na przemian jaśniała i ciemniała, jaśniała i ciemniała, jak plama światła wpadająca przez okienko do celi Martina.

— Dobrze — odparł wreszcie Samuel i, jak nigdy przedtem, odwrócił się do niego wąskimi plecami.

Martin czekał i czekał, starając się nie ulec pokusie i nie otworzyć oczu. Tuż obok czuł obecność Karen, lecz wiedział, że ten odruch może go drogo kosztować. Nagłe przerwanie łączności ze światem duchów groziło najdziwniejszymi i niebezpiecznymi skutkami. W realnym świecie mogły na zawsze pozostać przedmioty, które do niego nie należały, lub też odwrotnie, coś, co do niego należało, mogło na zawsze trafić do świata duchów. Swego czasu natknął się na zwykłą igłę do szycia, która przedostała się z zaświatów na ziemię i kłuła do krwi każdego, kto chciał ją podnieść.

Czekał w dalszym ciągu. Starał się rozważyć w myślach sytuację i zastanowić się, w jaki sposób paktować z duchem, który go opętał. Jeśli oczywiście uda mu się go odnaleźć.

Nucąc pod nosem, bębnił palcami po stole.

Wreszcie poczuł spirytystyczny podmuch powietrza, zwiastujący nadejście ducha. Chociaż oczy miał nadal zamknięte, ujrzał wyraźnie, jak przenikając przez mury, drzwi i okna, zbliża się ku niemu szczupły mężczyzna w zaszarganym niebieskim mundurze. Był to ten sam oficer kawalerii, który nawiązał z nim kontakt na początku w jadalni Naomi Greenberg.

Mężczyzna powłóczył jedną nogą, a jego mundur pokrywał biały kurz. Był oskalpowany wraz z uszami, tak jak skalpowali Siuksowie Oglala. Całą jego głowę pokrywała zakrzepła krew, grube czarne skrzepy. W jednym miejscu przeświecała biała kość czaszki. Jego obwisły wąs był również zakrwawiony. Zatrzymał się przed Martinem, mierząc go wzrokiem od stóp do głów. Martin dostrzegł, że jego kawaleryjskie spodnie w kroku są ciemne od krwi.

— Sądziłem, że jeden kontakt wystarczy — zauważył oficer. — Chociaż martwy i ze śladami straszliwych tortur — mówił bardzo wyraźnie.

Martin trząsł się cały ze strachu.

— Muszę go odnaleźć. Muszę udowodnić, że on istnieje.

— On rzeczywiście istnieje — odezwał się kawalerzysta. — Jest realny jak deszcz. Nie wiem jednak, jak zdoła pan to udowodnić.

— Muszę.

— To jest cholernie niebezpieczne przedsięwzięcie.

— Ale przecież pan ma mi pomóc.

— Tak, proszę pana, po to się tu zjawiłem.

— Czy mogę zapytać, kim pan jest?

— Porucznik Daniel McIntosh, Kompania G, Siódmy Pułk Kawalerii.

— Co pana spotkało, poruczniku McIntosh?

— Zostałem zabity nad Rzeką Soczystej Trawy, w walce, która przeszła do historii jako bitwa nad Little Big Horn.

— Co panu wiadomo na temat cienia?

— Widziałem go, proszę pana, widziałem go tuż za Szalonym Koniem, gdy Indianie po raz pierwszy zaatakowali pagórek od północy.

— Widział go pan? — zapytał Martin.

— Tak, proszę pana, wszyscyśmy widzieli. To był cień, czarny cień. W środku coś się w nim kłębiło, jakieś węże lub kłęby dymu. Nie byliśmy w stanie tego stwierdzić. Tego dnia było bardzo ciemno. Chmury dymu z broni palnej zupełnie zakłócały widoczność.

— Jakie było jego zachowanie?

— Poruszał się z taką prędkością, że wprost nie da się tego opisać. Błyskawiczna szybkość tego olbrzymiego cienia podziałała na nas wręcz paraliżująco. Byliśmy skamieniali ze strachu. Najpierw ściągnął w dół pagórka parę koni. Ich przeraźliwy kwik przypominał ludzki głos. Czegoś tak okropnego nie słyszałem nigdy w życiu. Tak samo krzyczeli mężczyźni, których w ślad za końmi zaczął także ściągać z pagórka.

— Ten stwór ściągał ich w dół?

— Zgadza się, właśnie tak było. Odczułem to sam na sobie. Wydawało mi się, że cały pagórek porusza się pode mną. Nigdy przedtem nie doznałem takiego uczucia. Przysięgam panu, to nie Szalony Koń ani jego ludzie wysłali nas na tamten świat tego dnia. To ten cień ściągnął nas w dół i wtedy dopiero Szalony Koń zaczął zdzierać z nas skalpy i torturować nas.

— Czy widział pan, dokąd udał się ten cień?

— Nie, proszę pana, byłem już ranny. Powalono mnie na ziemię i złamano mi krzyż. Nie mogłem stanąć na nogach. Potem czterech czy pięciu Siuksów pochyliło się nade mną i zaczęło strzelać z łuku w moje genitalia. Potem oskalpowali mnie wraz z uszami i zostawili, żebym skonał. Leżałem na ziemi i śniłem o swojej kochanej matce. Majaczyło mi się, że znowu jestem małym chłopcem. I wtedy, spośród kłębów bitewnego dymu, wyłoniła się moja matka. Uklękła i dotknęła mego czoła, zimnego jak wyjęta z piwnicy maślanka. Powiedziała do mnie: „Chodź, synku, już wszystko dobrze". Zrozumiałem, że już jestem martwy i że wszystkie moje cierpienia się skończyły.

Martin zakrył swoje przymknięte oczy dłońmi, lecz mimo to w dalszym ciągu widział przed sobą postać porucznika McIntosha.

— Proszę się zastanowić, poruczniku... czy wydarzyło się coś, co mogłoby stanowić dowód, że zostaliście zabici przez ducha, a nie przez Indian?

— No cóż, mogę panu powiedzieć, że kilkunastu mężczyzn zostało całkowicie wywróconych trzewiami do wierzchu, jak rękawiczki, a nie wyobrażam sobie, aby Indianin, nawet najsilniejszy, mógł dokonać czegoś takiego.

— Ale wybito was wszystkich? Nie przeżył nikt, aby dać świadectwo prawdzie.

— Tak. Ale zrobiono zdjęcia, proszę pana.

— Zdjęcia? Ktoś robił tam zdjęcia?

— Pan Kellogg z „Bismarck Tribune". Nigdy się jednak nie dowiem, co się stało z panem Kelloggiem i jego zdjęciami.

Martin miał właśnie zapytać porucznika McIntosha, w którym miejscu podczas bitwy stał pan Kellogg, kiedy zauważył, że postać kawalerzysty zaczyna drgać i zanikać.

— Poruczniku, co się dzieje?

Porucznik McIntosh otwierał i zamykał usta, lecz nawet jeśli coś mówił, Martin nie dosłyszał z tego ani słowa. Postać porucznika ciemniała stopniowo i nikła, jakby odpływała za szarą zasłonę. Przed Martinem zaczął wyrastać jakiś cień. Temperatura w celi spadła gwałtownie i Martin poczuł mocny, znajomy zapach. Zapach płonącej prerii i indiańskich ognisk. Zapach bawolego mięsa, czarodziejskich ziół i wiatru, którego oddech zamarł w powietrzu z nadmiaru tragedii, jakich był świadkiem.

Czuł, jak Karen kręci się za jego plecami. Miał ochotę zobaczyć, co robi, lecz nie odważył się otworzyć oczu. To był trans Samuela, trans, który czerpał z jego spirytualnej energii, i gdyby Martin go przerwał, mógłby narazić brata na niebezpieczeństwo. Mógłby nawet wyciszyć jego ducha na zawsze.

Ciemność przed nim była gęsta i pełna dymu. Wydawało mu się, że coś się w niej rusza, coś czarnego i połyskującego, co skręcało się i rozkręcało.

— Kim jesteś? — zapytał ostro. — Czego chcesz?

Odpowiedziała mu długa cisza. Po czym Martin usłyszał oddech oraz głuchy dudniący głos, przypominający dźwięk wiatru, który dmie w pustą trzcinową łodygę.

— *Chciałeś mnie odnaleźć?*

Martin oblizał wargi.

— Tak, chciałem cię odnaleźć.

— *Chciałeś mnie pokonać?*

— To ty zabiłeś Michaela i Naomi Greenbergów, nie ja. Dlatego chciałem cię odnaleźć. Chcę udowodnić, że to byłeś ty.

— *Jesteś głupcem.*

— Może. Ale dowiodę, że istniejesz, nawet jeśli przyjdzie mi przypłacić to życiem.

— *Nie boisz się śmierci? Sądziłem, że wszyscy biali ludzie bają się śmierci. W czasie bitwy nad Rzeką Soczystej Trawy rzucali strzelby na ziemię i błagali: „Oszczędźcie nas". Ale my nie oszczędziliśmy nikogo.*

Martin trząsł się z zimna i ze strachu. Nieraz już miał do czynienia z nieprzyjemnymi duchami. Z duchami nędznymi, gniewnymi, zgorzkniałymi. Rozmawiał z mordercami, bigamistami oraz różnymi innymi przestępcami. Lecz duch, który ukazał mu się pod postacią tego cienia, był czymś szczególnym.

Ten duch był nieskończenie stary i przerażająco mroczny. Krył w sobie siłę, której Martin mógł się zaledwie domyślać.

Zrozumiał nagle, że się boi, straszliwie boi. Boi się bardziej niż kiedykolwiek w życiu.

— *Chciałeś mnie zobaczyć?* — wydyszał głos. Martin przełknął ślinę i skinął głową.

— *Jeśli chcesz mnie zobaczyć, to musisz otworzyć oczy.*

— Jesteś duchem — odparł Martin. — Nie zobaczę cię, jeśli będę miał otwarte oczy.

— *Otwórz oczy* — nalegał głos.

Martin z wahaniem uniósł powieki.

I zobaczył.

I zatrząsł się cały od potwornego strachu. Znów zacisnął powieki, w nadziei że to, co ujrzał, jest tylko okrutnym przywidzeniem.

Lecz wówczas poczuł ostry, rwący ból w okolicy oczodołów. Zawył i zakręcił się na krześle, czując, że czaszkę ściskają mu żelazne obcęgi. Cierpienie było tak dotkliwe, że nawet nie ruszył się z miejsca, tylko dygocąc, tkwił wyprostowany na siedzeniu.

Głębię jego oczodołów rozdzierał straszliwy ból, przenikający skórę, ciało i każde włókno nerwów. Teraz nie był w stanie zamknąć zalanych krwią oczu. W pewnym momencie poczuł, że jakaś siła wyciąga mu gałki z orbit.

— *Chryste!* — krzyknął rozdzierająco. — *O Chryste, nie oślepiaj mnie!*

To była Karen. Brała kolejno do ręki jego celtyckie widelce i wbijała mu je w oczodoły, wyłupując oczy. Widział nadal, ponieważ nerwy wzrokowe tkwiły nienaruszone między zębami widelców, ale źrenice paliły go niczym dwie płonące żagwie. Strużki piekącej krwi spływały mu po policzkach, skapując z pluskiem na stół.

— Karen — wybełkotał. — Jezus Maria, Karen, nie oślepiaj mnie. Karen co ty robisz, co ty wyrabiasz, nie oślepiaj mnie nie oślepiaj mnie nie oślepiaj mnieeee.

— *Chciałeś zobaczyć, jak wyglądam* — wychrypiał głos. — *Obejrzysz mnie zatem i już nigdy więcej nie skierujesz swoich oczu nigdzie indziej.*

Przez szkarłatną mgłę bólu, z drgającymi gałkami oczu i przy trzasku pękających naczyń krwionośnych Martin spoglądał na stojącą przed nim, częściowo ukrytą w ścianie i stole zjawę. Patrzył na istotę, która żyje jednocześnie wewnątrz i na zewnątrz spirytystycznego transu, na czarownika odznaczającego się taką mocą, że ciemność wokół przesuwała się i drżała jak przed mającym nastąpić za chwilę trzęsieniem ziemi.

Martin wiedział, kto to jest, a strach, jaki odczuwał, walczył o lepsze z bólem, jaki Karen zadała jego oczom. To był Misquamacus, największy spośród indiańskich czarowników. Misquamacus, który przemierzał czas i przestrzeń. Misquamacus, którego nie imały się płomienie ni śmierć i który przelatywał jak ptak wszystkie stopnie świadomości wszechświata. Opowiadano, że twarz Misquamacusa wyłaniała się spośród drzew i rzecznych wód, a głos jego rozbrzmiewał w świstach wiatru. W latach siedemdziesiątych ubiegłego stulecia sfotografowano go w obozowisku Siuksów koło Fort Snelling w Minnesocie. Tego samego dnia zrobiono mu zdjęcie z Eczemisami w północno-wschodniej części Nowej Anglii, oddalonej o prawie dwa i pół tysiąca kilometrów.

Teraz jednak był tutaj, w trzynastym areszcie śledczym, w celi Martina, pulsującej od jego groźnej obecności.

Był wysoki, monstrualnie wysoki. Twarz jego, o wysoko osadzonych kościach policzkowych, była płaska i okrągła jak płyta z pnia drzewa — obojętna, połyskująca czerwonymi i białymi wzorami. Czarne jak węgle oczy przypominały pęknięcia w grubej zasłonie na okno.

Najbardziej przerażające wrażenie sprawił jednak na Martinie widok jego głowy. Czaszka, szyja i ramiona Misquamacusa pokryte były rojem kłębiących się, ruszających się bezustannie błyszczących chrząszczy, karaluchów, karakanów, ryjkowców i bąków. Stał i spoglądał beznamiętnie na Martina, podczas gdy robactwo roiło się i chrzęściło. Od czasu do czasu jakiś insekt spadał na podłogę.

Na torsie i plecach Misquamacusa widniały obrzydliwe naroś-
le, czarne włochate płaty, jak u owłosionych owadów, oraz
rozrzucone po całym ciele brunatne guzy, przypominające swym
kształtem insekty. Po bokach, poczynając od żeber w dół,
powiewały i falowały bezbarwne witki, jak odnóża stonogi.
Czego się spodziewałeś? — wyszeptał jakiś głos w mózgu
Martina. Ból w oczach Martina był zbyt straszliwy, aby mógł
odpowiedzieć. Wydawało mu się w tej chwili, że to jest jakiś
koszmarny sen, z którego lada chwila się przebudzi. Lecz wtedy
Misquamacus zdjął z głowy i uniósł olbrzymią maskę bawołu —
maskę pokrytą rojem chrząszczy — i Martin zrozumiał już bez
żadnej wątpliwości, co czarownik zamierza z nim zrobić i dlaczego. Wiedział też, że jego szanse przeżycia, bez względu na
to, czy oślepnie, czy nie, równały się zeru.
— Zabij mnie — błagał. — Nie mogę znieść bólu. Proszę
cię, zabij mnie.
Misquamacus wyciągnął rękę i delikatnie dotknął jego wy-
łupionych gałek, przesuwając koniuszkami tłustych, popiela-
toczarnych palców po ich pokurczonej, pomarszczonej powierzchni.
— *A to widzisz?* — zapytał. Pstryknął paznokciami w rogów-
kę oczu i zaśmiał się, gdy Martin zawył z bólu.
— *Może nie zasłużyłeś na to* — chrypiał głos Misquamacusa.
Martin nigdy przedtem nie słyszał mowy Narragansettów, lecz
pomyślał, że jeśli przeżyje, to nigdy jej nie zapomni. Była
zabawna, deklamatorska, a zarazem pobrzmiewały w niej delikatne nutki autoironii.
— Nie oślepiaj mnie — błagał dalej. Nie potrafił znaleźć
innych słów. Wiedział, że jest już prawdopodobnie za późno na
jakąkolwiek pomoc chirurgiczną i że nic nie zdoła uratować mu
wzroku, lecz nadzieja istniała dopóty, dopóki ciągle jeszcze
widział.
Misquamacus chwycił w palce prawe oko Martina, tak jak się
chwyta śliwkę, chcąc ją zerwać. Martin wiedział, że Indianin
chce mu zadać ból, i nie tylko ból. Wydawało mu się, że zaczął
krzyczeć, ale nie miał pewności, czy jego płuca, ściśnięte
śmiertelną trwogą, zdołały wydać z siebie jakikolwiek dźwięk.
Misquamacus ścisnął w palcach gałkę jego oka, tak że pękła.
Płyn surowiczy pociekł nagle między ciemnymi palcami czarownika.

Rycząc z wściekłości i męki, Martin cofnął się i w ten sposób zerwał rozpięte między zębami celtyckich widelców włókna nerwów swoich oczu. Potworny ból wystrzelił w jego głowie jak cios młota. Nie przestając ryczeć, miotał się po celi rozbijając wszystko, na co się natknął. Wszędzie była czerń. Wszędzie był ogień. Oślepienie. Klęska.

Trzech strażników usłyszało jego jęki i czym prędzej zbiegło w dół do pomieszczeń, gdzie znajdowały się cele. Znaleźli go leżącego na podłodze, oślepionego. Jego oczodoły były jak dwa przewrócone kałamarze czerwonego atramentu. Ściany celi zbryzgane krwią. Niektóre plamy miały kształt wykrzykników, inne znaków zapytania. Martin jęczał i kopał nogami, zwijając się w konwulsjach bólu. Bezradnym strażnikom nie pozostało nic innego, jak możliwie szybko wezwać pomoc lekarską.

— Samookaleczenie — stwierdził sierżant Friendly. — To się zdarza wśród oskarżonych o morderstwo. Mają nadzieję, że nie zostaną ukarani tak srogo, jak na to zasłużyli.

Samotny karaluch wściekłymi zygzakami przemknął po podłodze.

ROZDZIAŁ 12

Następnego dnia rankiem wilgotność powietrza zwiększyła się jeszcze i mój klimatyzator firmy Avis zaczął się krztusić jak gruźlik wypluwający resztki płuc. Podniosłem się sztywno z tapczanu i powlokłem do swojej przytulnej kucheneczki. W zawieszonym na haczyku do kubków powiększającym lusterku do golenia zobaczyłem swoją twarz. Pływało w niej monstrualne, nabiegłe krwią oko.

Ubiegłej nocy wysuszyłem prawie całą butelkę absolutu. Starałem się nie myśleć o tym, co się stało z Karen i co ja powinienem teraz począć. Może w ogóle nie powinienem nic robić. Może powinienem zrezygnować z walki z Misquamacusem. Wszak starłem się z nim już dwukrotnie. Niech sobie robi, co chce.

Wsypałem kawę do ekspresu, nalałem wody Evian i włączyłem maszynkę. Rozległ się ostry trzask i z kontaktu wydobył się kłąb niebieskiego dymu. Znowu spięcie. Oznaczało to, że trzeba będzie włożyć spodnie i zejść na dół do kafejki.

Przeczesałem palcami włosy, gdy usłyszałem buczenie domofonu. Podjąłem słuchawkę, przedstawiając się jak zwykle:

— Niesamowity Erskine, chiromancja, wróżenie z kart i z fusów po herbacie...

Dalsze wywody przerwał mi jednak głos:

— To ja, Deirdre, Harry.

— Ach to ty, Deirdre. — Skrzywiłem się i spojrzałem na swój rosyjski zegarek. Wskazywał dwadzieścia po piątej, co było zupełnym absurdem. Ranek już dawno minął, a do południa był jeszcze kawałek czasu.

— Nie umawialiśmy się na dzisiaj, o ile sobie przypominam...
— Wiem. Ale miałeś zupełną rację twierdząc, że Mason mnie śledzi. Dowiedział się o Vansie. Poza tym obawiam się, że John dowiedział się o Masonie.
— No tak. A przecież cię ostrzegałem.
— Harry, wiem, że jestem natrętna, lecz chciałabym, abyś powróżył mi znów, i to zaraz. Sprawy toczą się tak szybko, że muszę być poinformowana na bieżąco.

Jak mogłem odmówić? Pani Johnowa F. Lavender była jedną z moich najlepszych klientek. Dzięki niej mój chleb był grubo posmarowany masłem. Nawet czymś więcej niż masło. Był na nim również znakomity ser Krafta. Nacisnąłem guzik i zacząłem wciągać na siebie swoje brunatne, wymiętoszone bawełniane spodnie. Słyszałem, jak pani Lavender biegnie po schodach, przeskakując po dwa stopnie naraz, niczym alpejska kozica. Otworzyłem jej drzwi jedną ręką, a drugą pośpiesznie zapinałem rozporek.

Miała na sobie obcisłe szmaragdowozielone spodnie, miękką bluzkę z szeleszczącego pąsowego jedwabiu i olbrzymi żółty słomkowy kapelusz ozdobiony ekstrawaganckim szkarłatnym kwiatem.

— Harry — odezwała się, ujrzawszy moją twarz. — Wyglądasz okropnie.

— Przepraszam — odkaszlnąłem — źle spałem tej nocy.

Wzięła do ręki pustą butelkę po wódce i odwróciła ją do góry dnem.

— Co widzę? Topisz w alkoholu swoje smutki, co? Nigdy by mi na myśl nie przyszło, że wróżbici też mają jakieś kłopoty. Czyżbyś nie był w stanie przewidzieć rozwoju wydarzeń?

— Oczywiście, że jestem w stanie — wzruszyłem ramionami. Lecz to wcale nie oznacza, że potrafię uniknąć kłopotów lub że koniecznie staram się ich uniknąć.

— Rozumiem — odparła Deirdre, mrugając do mnie porozumiewawczo okiem obramowanym firanką gęstych rzęs. — Jakaś sercowa sprawa, co?

Zgarnąłem z szezlonga stos gazet i magazynów.

— Usiądź tu i poczekaj chwilę, Deirdre. Muszę się ogolić.

— Podobasz mi się z tym zarostem — rzekła kokieteryjnie Deirdre. — Przypominasz mi Humphreya Bogarta.

Udałem się do kuchenki, wyciągnąłem sznur od ekspresu

i włączyłem maszynkę do golenia. Podczas gdy się goliłem, Deirdre opowiadała:

— Po raz pierwszy zorientowałam się, że Mason mnie śledzi, kiedy robiłam zakupy u Bergdorfa Goodmana. Spędziłam tam całe wieki, poszukując niebieskich rękawiczek do kompletu z moim niebieskim wieczorowym strojem — wiesz, do tego błękitnego kostiumu od Ralpha Laurena, o którym ci opowiadałam — gdy nagle zauważyłam mężczyznę ubranego w okropną tanią kurtkę. Kręcił się cały czas koło mnie, udając, że szuka szalika. Kiedy przeszłam do działu z bielizną, on także poszedł za mną. Nie ma wątpliwości, to jest prywatny detektyw.

— Na jakiej podstawie sądzisz, że Mason go wynajął? — zapytałem.

— Ponieważ to wynikało z twoich kart.

— No tak, rzeczywiście — odparłem. — Czy Mason powiedział ci prosto w oczy, że wie o Vinsie?

— Vansie — poprawiła mnie Deirdre.

— Vince, Vance, co to za różnica? Jesteś pewna, że Mason rzeczywiście o tym wie?

— Widzisz, nie wyraził tego tak wprost, ale powiedział, że jeśli się dowie, że go zdradzam, to gotów jest zrobić jakieś głupstwo.

— Czy zrobił już kiedyś coś takiego?

— To zależy, co się pod tym słowem rozumie. Wczoraj po południu kupił sobie u Macy'ego żółty krawat firmy Hermes.

— Hm, rzeczywiście trzeba być desperatem, żeby zrobić taki zakup.

Skończyłem się golić. Potem bez zbytnich ceregieli wyrzuciłem wtyczkę od ekspresu do kosza, oczyściłem nożem druciane przewody i wetknąłem je wprost do kontaktu. Po krótkiej chwili maszynka wydała upragniony bulgot i kawa cienkim strumyczkiem zaczęła ściekać do czajniczka. Wróciłem do gabinetu; Deirdre właśnie zapalała papierosa. Czuć było zapach roztartej siarki, saletry oraz tlącego się tytoniu. Mój żołądek zawtórował maszynce do kawy solidarnym bulgotem.

— Domyślam się, że widziałeś swoją nową klientkę w telewizji — odezwała się Deirdre. — Powiedziałam do Johna, że to jest właśnie nowa klientka Harry'ego Erskine'a. Widziałam ją jak żywą. Zwracam ci uwagę, że w rzeczywistości wygląda znacznie ładniej. Wiesz, o co mi chodzi.

Usiadłem. Goląc się, zostawiłem małą kępkę włosów na lewym policzku; kłuły mnie teraz i przeszkadzały.

— Przepraszam — odparłem. — Nie rozumiem cię.

— Jak wiesz, bardzo rzadko oglądam telewizję, chciałam jednak koniecznie zobaczyć w dzienniku wyścigi konne organizowane przez mego przyjaciela, Douglasa Eversheda III. Musiałeś słyszeć o Douglasie — to znany ekscentryk.

— Tak, słyszałem, lecz co to ma do rzeczy?

— To była ta dziewczyna, ta, która czekała na ciebie w holu, kiedy byłam tu ostatnio. W dzienniku pokazywano reportaż o tej okropnej rzezi w Arizonie i tam właśnie ją widziałam, jasno i wyraźnie. Przeprowadzano wywiad z szeryfem czy kimś takim i ona też tam stała, z prawej strony, na dalszym planie. Rozpoznałam ją od razu.

Położyłem dłoń na ustach, gwałtownie zbierając myśli. *Karen? W Arizonie?* Jak to możliwe?

— Pamiętasz, na jakim to było kanale? — zapytałem Deirdre.

— Oczywiście. To był program NBC.

— Jesteś pewna, że to była ona?

— Absolutnie. Stała z prawej strony z tyłu za szeryfem, widoczna jak na dłoni.

Dziwny dreszcz przebiegł mi po krzyżu, ni to nadziei, ni to lęku. Zasadniczo wiadomość, że Karen pojawiła się w Arizonie, nie powinna mnie w ogóle zdziwić, chociaż nie dalej jak przedwczoraj zniknęła w podłogowej czeluści w Greenwich Village. Wiedziałem z doświadczenia, że Misquamacus, dzięki swym czarodziejskim umiejętnościom podróżował bez przeszkód w czasie i przestrzeni; niewykluczone, że wziął ze sobą Karen.

Przeszukałem biurko i wyciągnąłem sfatygowaną i pozbawioną okładki książkę telefoniczną. Pośliniłem palec i przerzuciłem stronice, szukając numeru NBC. Deirdre paliła papierosa i przyglądała mi się z zainteresowaniem.

— Czy to coś ważnego? — dopytywała się.

— Nie wiem jeszcze — odparłem. — Chciałbym jednak zobaczyć tę taśmę na własne oczy.

— Nie ma sprawy, na Boga! — wykrzyknęła Deirdre. — Nagrałam na wideo cały dziennik. Chciałam, żeby zobaczył go Douglas, gdy wróci z Francji.

Miałem uczucie, że po raz pierwszy w życiu sprzyja mi nie tylko Bóg, ale i przypadek.

— Deirdre! — zawołałem. — Spadłaś mi z nieba.

Zaciągnęła się mocno papierosem i zaniosła się długim, męczącym kaszlem.

— Czy to diabelstwo da mi jeszcze trochę pożyć? — Otworzyła notes. — Masz, zadzwoń pod ten numer. To numer telefonu w moim samochodzie. Powiedz Felipe'owi, mojemu kierowcy, aby pojechał po taśmę i przywiózł ją tutaj, do ciebie.

Wyciągnęła się na szezlongu. Jej szczupłe biodra drgały lekko pod obcisłą materią szmaragdowozielonych spodni. — Felipe pojedzie po taśmę do mojego mieszkania, a ty tymczasem mi powróżysz.

— Oczywiście — zgodziłem się. — Z czego dziś będziemy wróżyć? Z kart, z fusów?

— Z kart. Tych francuskich. Lubię ich wróżby. Wywołują taki dreszczyk, wiesz.

Usiadłem przy stole i rozłożyłem karty. Z kuchenki w dalszym ciągu dochodziło ciurkanie ściekającej do dzbanka kawy. Wróżby moje nigdy nie odznaczały się zbytnią tajemniczością, ale tego ranka były jeszcze mniej subtelne niż zwykle. Nie potrafiłem myśleć o niczym innym jak tylko o Karen. Czy zdawała sobie sprawę ze swego postępowania, zastanawiałem się, a może Misquamacus ją zahipnotyzował? Co porabiała w Arizonie? Czy poleciała tam samolotem, czy też Misquamacus przewiózł ją tam tak samo, jak przenosił się sam w latach siedemdziesiątych ubiegłego wieku. Czy była tam naprawdę, czy też twarz, którą Deirdre widziała w telewizji, była tylko złudzeniem, trikiem, sztuczką magiczną?

Deirdre spoglądała przez kłęby dymu, jak przekładam karty.

— Czy to nie straszne, to trzęsienie ziemi w Chicago? — zauważyła bez związku. — Myślę czasami, że to jest kara od Boga za naszą butę i zarozumialstwo.

Nic nie odrzekłem, tylko odkryłem pierwszą kartę. Był na niej rysunek przedstawiający porośnięty drzewami pagórek oraz zaciągnięte chmurami niebo. Liście na drzewach były jesiennie pożółkłe. Niektóre chmury były białe, inne miały kolor szary i przygnębiający. Rozumiecie teraz, dlaczego tak bardzo lubiłem karty panny Lenormad. Dawały mi możność swobodnej interpretacji wróżby lub przynajmniej dawania dwuznacznych odpowiedzi.

— Co ta karta oznacza? — zapytała podniecona Deirdre.

— Mówi, że: *Jasne chmury po niebie płyną w równym szeregu... Przed tobą ważna decyzja; nie można żyć w ciągłym biegu.* Innymi słowy, musisz się na coś zdecydować. Dokonać wyboru i już się tego trzymać.

Deirdre wyraźnie nie była zachwycona przepowiednią.

— A co, jeśli tego nie zrobię? Czy koniecznie muszę dokonywać wyborów? Nie cierpię tego robić. To znaczy lubię to, co już wybrałam, lecz nie mogę znieść myśli, że nie będę miała tego, czego nie wybrałam. Nie chcę stracić niczego. — Zaśmiała się i znów zaniosła kaszlem.

Z kuchenki dobiegły mnie głośne parskania. Zaraz potem rozszedł się zapach spalenizny. Kawa w dzbanku przelała się, powodując spięcie pozbawionych izolacji drucików.

Deirdre z niecierpliwością czekała, aż skończę wycieranie.

— Mówiłam ci już, ty też powinieneś sobie od czasu do czasu stawiać karty.

Amelia zjawiła się przed pierwszą. Zasiedliśmy przy stole, racząc się pizzą po neapolitańsku i oglądając taśmę wideo dostarczoną przez Deirdre.

Spiker zaczął od słów: „Maleńka pustynna miejscowość zwana Apache Junction, w Arizonie, stała się obiektem największej akcji operacyjnej sił policyjnych w historii stanu...".

— Apache Junction — przerwałem, potrząsając głową. — Powinienem był się domyślić. Pod Starą Górą, miejsce, gdzie torturowano ludzi Geronima.

Potem głos zabrała specjalna wysłanniczka NBC. Była to ładna Indianka o wydatnych kościach policzkowych i długich, opadających na ramiona, lśniących, czarnych włosach. Dziennikarka mówiła: „Policja kontynuuje śledztwo w sprawie przerażającego morderstwa dokonanego na siedmiu mężczyznach i kobietach. Ich zmasakrowane ciała zostały odkryte dwa dni temu w kanale diagnostycznym na terenie warsztatu, należącego do tutejszego sprzedawcy używanych samochodów, Papago Joego.

Ofiary pochodzą z różnych miast. Pięcioro z nich mieszkało nawet w różnych stanach, między innymi w stanie Waszyngton, w Minnesocie i w Maine. Policja nie wie dotąd, jaki był cel pobytu ofiar w Apache Junction, ani też komu mogło zależeć na ich śmierci. Szeryf Ethan Wallace skłania się do wniosku, że zamordowane osoby były członkami nielegalnej siatki hazardowo-narkotykowej, walczącej o wpływy z mafią miasta Phoenix".

Reporterka następnie zwróciła się do wyraźnie podekscytowanego mężczyzny, wspartego rękami o tęgie biodra. Na oczach miał zielonkawe okulary marki Ray-Bans i bez przerwy żuł gumę.

Jego rozwlekłe wywody na zadane przez nią pytanie, na jakiej podstawie opiera swoje przypuszczenie, że zbrodnia była dziełem zorganizowanej przestępczości, nie interesowały mnie jednak zupełnie, ponieważ Deirdre miała rację. Tuż za plecami szeryfa Wallace'a *w tej samej żółtej bluzce, którą miała na sobie w dniu zniknięcia*, stała Karen — moja Karen. Dziewczyna, którą mogłem nazwać — moją Karen i którą mi odebrano.

Słuchała szeryfa i kiwała głową, jakby potwierdzając jego słowa. Potem zwróciła się do stojącego obok niej mężczyzny. Ten skinął głową i wskazał coś palcem. Po chwili Karen wycofała się poza zasięg kamery i znikła.

— Karen — odezwałem się do Amelii, podnosząc się z miejsca.

— Nie ma żadnych wątpliwości — zgodziła się Amelia. Sięgnęła po papierosa, ale nie zapaliła go od razu. — Co ona jednak robi tam, w Arizonie?

— Któż to może wiedzieć? Sądzę, że jej obecność jest po prostu potrzebna Misquamacusowi.

— Ale w jaki sposób się tam dostała?

— Misquamacus ma sposoby, aby pojawić się, gdzie tylko chce i kiedy chce. Nie pytaj mnie, jak to jest możliwe. On jest przecież przede wszystkim duchem manitu. Moim zdaniem czas i przestrzeń nie stanowią dla niego żadnej przeszkody.

Amelia nic nie odpowiedziała, ale widać było wyraźnie, że jest zmartwiona. Zacząłem przewijać taśmę.

— Misquamacus nie jest istotą materialną — przypomniałem jej. — Karen jest dla niego rodzajem ludzkiego manekina. W podobny sposób posłużył się jej osobą, kiedy chciał się narodzić na nowo. Przemawia jej głosem, patrzy jej oczami, dotyka jej rękoma. Można przypuścić, że została przez niego opętana.

Cofnąłem taśmę do miejsca, gdzie była na niej Karen.

— Spójrz na nią — powiedziałem. — Zwróć uwagę na jej oczy. Nie mruga powiekami. Prawdopodobnie nawet nie wie, kim jest i dlaczego się tam znajduje.

— Co masz zamiar zrobić? — odezwała się Amelia.

— Nie wiem. Może Martin będzie miał jakiś pomysł.

— Sądzisz? Nie jestem pewna. Ma z pewnością po uszy swoich własnych kłopotów. A poza tym, w jaki sposób zamierzasz się z nim skontaktować?

— Poproszę jego adwokata. I jestem pewien, że mimo własnych problemów zrozumie, że jeśli uda mi się ocalić Karen, wówczas znajdę również jakiś sposób, aby udowodnić jego niewinność.

— Jaki na przykład?

— Skąd mogę wiedzieć w tej chwili? Może to będzie pióro z przepaski na głowie Misquamacusa, a może część tej cienistej substancji, uwięziona w jednej z buteleczek, o których opowiadał doktor Snow.

— Mam nadzieję, że żartujesz.

— Tylko do pewnego stopnia.

Zajrzałem do kieszonki brudnej koszuli, którą miałem wczoraj na sobie, i wyjąłem skrawek papieru z zanotowanym nazwiskiem adwokata Martina. Wybrałem numer i czekałem ze słuchawką przy uchu.

— To wszystko jest takie zniechęcające — odezwała się Amelia. Przypomina polowanie na duchy.

— Nie rób ze mnie głupka. To jest polowanie na duchy.

— Kaskin Moskowitz Kaskin.

— Chciałbym mówić z panem Abnerem Kaskinem.

— Proszę poczekać przy telefonie.

Czekałem i słuchałem *Tulipanów z Amsterdamu* w wykonaniu Robbiego Robota. Wreszcie odezwał się energiczny głos sekretarki:

— Dzień dobry panu. Bardzo mi przykro, ale pan Kaskin jest nieobecny.

— Nazywam się Erskine. Muszę pomówić z nim w pilnej sprawie.

— Czy mogę zapytać, jaka to sprawa?

— Chodzi o pana Martina Vaizeya. To bardzo ważne.

— Pan Kaskin udał się dziś rano do szpitala, do pana Vaizeya.

— Do szpitala? Dlaczego do szpitala? Co się stało?

— Pan Vaizey miał poważny wypadek, proszę pana.

— Wypadek? Jaki wypadek?

— Przykro mi, ale nie mogę tego powiedzieć.

— Gdzie on jest? W jakim szpitalu?

— Jeśli pan chwilkę poczeka...

— W jakim szpitalu? — warknąłem. — To ma wielkie znaczenie. Tu może chodzić o życie.

— Proszę pana, nie musi pan...

— Przepraszam. Nie miałem zamiaru odgryźć pani głowy. Proszę mi podać nazwę szpitala. Jeśli ze strony pana Kaskina spotka panią za to przykrość, proszę zwalić winę na mnie. Obiecuję, że to załatwię. Co więcej, powróżę pani za darmo, co pani na to?

— Przepowie mi pan przyszłość?

W tej chwili Amelia dotknęła mojego ramienia. Wyjęła z magnetowidu taśmę od pani Johnowej F. Lavender i włączyła południowy dziennik. Na ekranie ukazało się zdjęcie Martina Vaizeya z napisem: „Podejrzany o zabójstwo", po czym kamera ENG przesunęła się na budynek szpitala na Manhattanie.

— Przepowie mi pan przyszłość? — powtórzyła sekretarka Abnera Kaskina z niedowierzaniem. Ja jednak bez słowa odłożyłem słuchawkę na widełki. Nie docierało do mnie, co mówiła reporterka, ale od razu rozpoznałem szklane drzwi szpitalnego gmachu. Słodki Jezu, jakżebym mógł ich nie poznać. Był to szpital Sióstr Jerozolimy przy Park Avenue, gdzie przebywała Karen, kiedy po raz pierwszy Misquamacus zaatakował jej ciało.

Nie dziwił mnie fakt, że Martin został zabrany właśnie do szpitala Sióstr Jerozolimy; był tam przecież jeden z najlepszych oddziałów urazowych oraz najbardziej fachowy zespół neurochirurgiczny na Wschodnim Wybrzeżu. Dręczyło mnie jednak uczucie, że ktoś z nas sobie drwi i manipuluje nami, że tańczymy w takt okrutnej i dyszącej żądzą zemsty pieśni Misquamacusa. Odnosiłem wrażenie, że ciągnął nas z powrotem na miejsce swojej pierwszej porażki, aby udowodnić, jak nikłe znaczenie ma nasze zwycięstwo.

— Siostry Jerozolimy — powiedziałem Amelii. — Nie słyszałaś o nich?

— To było tam, gdzie... — zaczęła Amelia, lecz urwała, widząc moją minę.

— Powiedzieli, co mu się stało? — zapytałem.

— Poważne uszkodzenie oka. Nie powiedzieli, jak do tego doszło.

— Najlepiej będzie, jak zaraz tam pojedziemy — zdecydowałem.

— Harry — rzekła Amelia i urwała nie dokończywszy myśli. Odwróciłem się od drzwi. — Harry — powtórzyła. — Ja nie pojadę.

Spojrzałem na nią. Na jej twarzy malował się wyraz powagi, spotęgowany dodatkowo tymi jej sowimi okularami. Ujrzałem nagle to, co powinienem był zobaczyć i u siebie, jeśli nie dawniej, to przynajmniej wtedy, kiedy zacząłem odgrywać rolę średniowiecznego, zakutego w zbroję z żelaza i stali rycerza Karen. Ujrzałem przeciętną kobietę w średnim wieku. Zrozumiałem, że nie jestem Kevinem Costnerem, a Amelia to nie jest Julia Roberts. Zrozumiałem, że minęły lata, od chwili kiedy Amelia i MacArthur po raz pierwszy wywołali obraz głowy Misquamacusa z blatu wiśniowego stołu, od chwili kiedy Karen toczyła swą pierwszą walkę o życie z odwiecznym i złowieszczym duchem i gdy Śpiewająca Skała tańczył i rzucał swoje magiczne zaklęcia. Uświadomiłem sobie w całej pełni, że w ciągu tych lat postarzeliśmy się oboje, i to znacznie.

— Harry — powtórzyła miękko Amelia. Tym razem w głosie jej słychać było żal.

Wzruszyłem ramionami.

— Nie ma sprawy. Rozumiem.

— Czy naprawdę rozumiesz?

— Posłuchaj. W życiu każdego jasnowidza przychodzi taka chwila, że musi zawiesić na kołku swój spiczasty kapelusz, odłożyć karty tarota i zastopować.

— Czuję się okropnie, zostawiając cię samego z tym wszystkim.

— Nie jestem sam. — Zatoczyłem ramieniem wokół pokoju. Wiesz o tym. W każdym centymetrze sześciennym jest więcej duchów, niż jesteśmy w stanie policzyć.

— Słusznie, ale najpierw musisz wiedzieć, jak je wezwać.

— Martin Vaizey mówił, że wszyscy potrafimy rozmawiać ze zmarłymi, tylko musimy nauczyć się ich słuchać.

Zapadła pełna wymownej słodyczy cisza. Może to były te słowa pożegnania, których przedtem nie byliśmy w stanie sobie powiedzieć. Może to był ten błysk nagłego zrozumienia, że nie było nam przeznaczone kroczyć wspólną drogą, tylko oddzielnie, własną maleńką ścieżką. I tylko nasze rozstanie tak się opóźniło. Widzę ją jeszcze, jak stoi przede mną w ów dzień, pani Amelia Wakeman, w luźnej bluzce z indyjskiej bawełny, ze sznurkiem drobnych perełek na szyi, z włosami upiętymi w błyszczący, słoneczny kok, ładna, zmęczona, uśmiechnięta. Zamknąłem drzwi i zszedłem ciężko po zatęchłych schodach na ulicę. Gwizdnąłem na przejeżdżającego checkera, który natychmiast dodał gazu i podjechał pod przeciwległy krawężnik, zabierając dziewczynę w krótkiej czerwonej spódniczce.

Jacka Hughesa znalazłem na ostatnim, trzydziestym drugim piętrze w wielkim pokoju z widokiem na Park Avenue. Gigantyczny ciemnobrązowy dywan wyściełał podłogę gabinetu. Zanim doszedłem do biurka, minęły minuty. Jack Hughes wstał i wyciągnął rękę na powitanie.

Oczekiwałem, że będzie już siwy, a może nawet biały jak gołąbek, zważywszy wszystko, co przeszedł, kiedy ostatni raz widziałem go w szpitalu Sióstr Jerozolimy. Lecz nigdy nawet mi w głowie nie postało, że może kompletnie wyłysieć. Jack Hughes w niczym nie przypominał młodego, wybitnego w swej specjalności lekarza, pełnego werwy i rozmachu. Miałem przed sobą człowieka o twarzy starego, zgorzkniałego dziecka. Stracił nawet wszystkie brwi.

— Proszę, proszę, kogo ja widzę?! — rzekł. Pomimo iż Misquamacus pozbawił go trzech palców, uścisk jego ręki był mocny i pewny. — Nigdy bym nie przypuszczał, że spotkam cię jeszcze kiedykolwiek.

— Co za gabinet. — Rozejrzałem się dookoła. — Co za widok. Co za obrazy.

— O tak. Dla dyrektora naczelnego wszystko co najlepsze. Wolałbym jednak wrócić na salę operacyjną, choćby na jeden dzień.

Przeszedłem się po pokoju. Na jednej ze ścian wisiał obraz przedstawiający wiejski domek w Cushing, w Maine, pędzla Andrew Wyetha. Namalowany tak zwaną przecierką.

— Oryginał? — spytałem Jacka. Skinął twierdząco głową.
— Niestety, nie będę mógł go zabrać ze sobą, gdy odejdę na emeryturę. — Stanął przy mnie oglądając płótno z takim podziwem, jakby widział je po raz pierwszy. — Wiesz dlaczego Andrew Wyeth malował Maine z takim upodobaniem? Powiedział, że podoba mu się nicość.
— Mogę to zrozumieć.
Po dłuższej chwili ciszy Jack odezwał się:
— Chyba nie przyszedłeś tu jednak, aby rozmawiać ze mną o sztuce, prawda?
— Masz rację. Przyszedłem z powodu jednego z twoich pacjentów.
— Mam nadzieję, że tym razem nie chodzi o trzystuletnią ciążę?
— Istotnie. Lecz sądzę, że to jest w jakiś sposób z tym związane, wiesz, z tym, co stało się przedtem.
Jack spoglądał mi prosto w oczy mądrym, trzeźwym spojrzeniem. Źrenice jego pozbawione były jakiegokolwiek koloru; wyglądały jak ów wiejski dom z okapem nad wejściowymi drzwiami z obrazu Wyetha, jasne, lecz bezbarwne.
— Nie jestem pewien, czy to by mnie interesowało.
— Dziś po południu przyjęto do twojego szpitala pacjenta nazwiskiem Martin Vaizey. Został aresztowany za dokonanie zabójstwa kwalifikowanego. Dwukrotnego zabójstwa kwalifikowanego.
— Wiem. Umieściliśmy go na osiemnastym piętrze. Jest strzeżony przez policję. Choć wątpię, aby miał jakąkolwiek szansę ucieczki.
— Słyszałem, że uległ poważnemu wypadkowi.
Jack spojrzał na swoją okaleczoną dłoń.
— Tak. Można to tak nazwać. Oślepił się.
— To też wiem. Mówiono w wiadomościach telewizyjnych.
— Powiedzieli, w jaki sposób się oślepił?
— Hmm...
— Wiesz — powiedział Jack. — To bardzo przykra historia. Mówiąc szczerze, nie mam pojęcia, jak on zdołał to zrobić. Sam wyłupił sobie oczy. Wygląda, jakby zrobił to naumyślnie, jakby celowo chciał sobie zadać maksimum bólu. Pewne przesłanki przemawiają za tym, że siedział w celi trzy, cztery minuty z gałkami ocznymi na wierzchu, przy czym włókna nerwowe były nieuszkodzone.

Oddech zamarł mi w piersiach.

— To koszmar — wyjąkałem.

— O tak, koszmar. To nie jest pospolity przypadek oślepienia. Chcę powiedzieć, że owszem, zdarza się, że ktoś dokonuje tego rodzaju samookaleczenia. Zazwyczaj są to zboczeńcy seksualni lub fanatycy religijni — usiłują w ten sposób ukarać siebie za to, co widziały ich oczy. Dwa lub trzy miesiące temu mieliśmy tutaj przypadek młodego, dwudziestotrzyletniego człowieka, który wypalił sobie gałki oczne rozpalonym do czerwoności śrubokrętem, ponieważ zobaczył swoją matkę nagą w łazience.

Usiadłem na brązowej skórzanej kozetce. Była za niska i celowo tak ustawiona, aby goście rozmawiający z doktorem Hughesem nie mogli siedzieć inaczej jak tylko sztywno wyprostowani, z przekręconą na bok szyją. Chwyt psychologiczny w stylu lat sześćdziesiątych.

— Wiem, że moja prośba będzie trudna do spełnienia — odezwałem się — i że obowiązują cię ścisłe szpitalne przepisy, ale ja muszę koniecznie porozmawiać z tym facetem.

— O ile wiem, jest nieprzytomny. Gdy go tylko przywieziono, zrobiono mu operację i jeszcze nie obudził się z narkozy.

— Jak sądzisz, kiedy będzie przytomny?

— W najlepszym wypadku nie wcześniej niż jutro rano. Poza tym jest jeszcze pytanie, czy zechce z tobą rozmawiać.

— Mogę go zobaczyć?

— Teraz? Wykluczone.

— Jack — prosiłem — przeszliśmy razem przez takie piekło, pamiętasz?

— Tak, to prawda. — Jego zduszony głos przypominał stukot kamieni w wyschniętym korycie rzeki.

— Jack — powtórzyłem. — Jestem więcej niż pewien, że Misquamacus znów wrócił na ziemię. Wrócił w innej niż uprzednio postaci, ale jest to ten sam Misquamacus. Tylko potężniejszy, daleko bardziej potężny. Odwiedziłem doktora Snowa z Albany; on jest zdania, że Misquamacus przywołał na pomoc jakiegoś ducha z podziemnej otchłani, ducha, który ma postać cienia.

Jack słuchał w milczeniu, lecz po chwili uniósł swoją okaleczoną dłoń.

— Harry, pozwól, że coś ci powiem. Wierzę w istnienie

Misquamacusa. Wierzę w duchy czerwonoskórych i wierzę, że są w tym kraju siły, o których biali ludzie nie mają najmniejszego wyobrażenia. Straciłem trzy palce w paszczy jaszczurki, która była ni to złudzeniem, ni to rzeczywistością. Widziałem szczury zbiegające ze ścian i znikające w podłodze. Widziałem rzeczy, których potworność przekracza wyobraźnię przeciętnego człowieka. Tak więc nie sądź mnie źle — ja wierzę.

Ale zarazem wierzę w coś jeszcze. Wierzę, że udało nam się zniszczyć Misquamacusa bezpowrotnie. Wierzę, że wygraliśmy. Owszem — ciągle nawiedzają nas związane z tym nocne koszmary, może jesteśmy trochę zwichnięci. Lecz przecież wygraliśmy, czyż nie? Gdybym nie miał tej wiary, moje kalectwo nie miałoby żadnego sensu. Pogodziłem się z faktem, że straciłem piętnaście lat grzebiąc się w papierkach w tym oto biurze, bo zawsze uważałem, że gra warta była świeczki. Ludzie, którym ocaliliśmy życie, byli ważniejsi niż moja kariera chirurga.

Tak więc nie mów mi, że Misquamacus wrócił. Wygraliśmy walkę, zniszczyliśmy go. Wiem to na pewno. To, przeciw czemu teraz występujesz, siedzi tylko tutaj. — Stuknął się palcem w czoło. — To nic innego jak upiory, Harry. To tylko urojenia. Mnie również zdarzają się takie przywidzenia. Doktor McEvoy odszedł na wcześniejszą emeryturę. Doktor Winsome po tych wypadkach pięć lat był na środkach uspokajających. Jakie masz podstawy uważać, że różnisz się od nas?

— Jack — nalegałem — on powrócił na ziemię. To nikt inny tylko Misquamacus zniszczył Chicago. To on zburzył dwie miejscowości w Kolorado. Bóg wie, jakie są jego dalsze zamiary.

Jack jednak dalej potrząsał głową, jakby próbował zagłuszyć w sobie jakiś krytyczny głos.

— Nie mam zamiaru słuchać cię dłużej, Harry. Wszystko jest skończone. To my jesteśmy zwycięzcami.

— A co, jeśli ci powiem, że ja muszę znów stawić mu czoło, jemu i wielu innym mściwym czarownikom?

— Nie chcę cię słuchać, Harry, nie chcę nic wiedzieć.

— A co, jeśli ci powiem, że Śpiewająca Skała nie żyje? Został zabity, Jack. Misquamacus uciął mu głowę. Czym jest utrata twoich trzech palców w porównaniu z tą tragedią?

— Kłamiesz, Harry.

— Po cóż miałbym kłamać? W Kalifornii musiały zająć się tym policja i wojsko, mogę ci to udowodnić.

— Chcesz mi więc powiedzieć, że Misquamacus wrócił i że ty i Śpiewająca Skała zniszczyliście go po raz drugi? Chcesz mi także powiedzieć, że po tym wszystkim pojawił się na nowo? Nachylił się ku mnie, oparty o biurko, i spojrzał mi w oczy. Oddech jego pachniał miętą.

— Harry, sprawa jest skończona. Jeśli potrzebujesz jakiejś pomocy, by przejść do porządku dziennego nad tym, co przeżyłeś — nie ma problemu. To było potworne i na pewno zostawiło głęboki uraz psychiczny u każdego, kto miał z tym do czynienia. Jeśli chodzi o ciebie — nie chcę cię dotknąć ani obrazić — no cóż, twój status społeczny nigdy nie był zbyt wysoki. Byłeś facetem, który nie wzbudzał szczególnej społecznej akceptacji, nigdzie nie potrafił zagrzać miejsca ani się wybić.

Walka z Misquamacusem, zniszczenie go, sprawiły, że znalazłeś się przez jakiś czas w centrum społecznego zainteresowania, poczułeś się ważny. Nie można cię winić za to, że usiłujesz odzyskać część dawnej popularności. Każdy pragnie przeżyć jeszcze raz najlepszą godzinę swego życia.

Ale to sprawa zamknięta, Harry, daję ci słowo, zamknięta.

Jeszcze podczas przemowy Jacka moją uwagę przyciągnęło słabe drżenie powietrza w odległym kącie pokoju, tuż obok okna. Przypominało drobne fale ciepła unoszące się w upalny dzień nad autostradą lub strumień gorąca bijący latem od rozżarzonego opiekacza. Wydawało mi się, że coś wykrzywiło parapet okna i poruszyło ciężkie brązowe zasłony.

— Każdy lubi mieć poczucie, że daje z siebie społeczeństwu coś cennego — ciągnął pochłonięty swymi wywodami Jack. Moja uwaga skoncentrowała się jednak tylko na drżącej przejrzystej zjawie po przeciwnej stronie pokoju, na zionącym żarem diable czy cokolwiek to było. Powoli i z trudem zjawa zaczęła przybierać postać małego chłopca. Włosy miał obcięte krótko na pazia, jak to było modne trzydzieści lat temu. Był bardzo blady, a z przymglonych oczu wyzierało zmęczenie. Ubrany był w czerwony szlafrok przewiązany w talii jedwabnym wystrzępionym sznurem. Spoglądał na mnie nieruchomym wzrokiem, a ja zadrżałem cały, jakby zimna śmierć mnie przeskoczyła.

— ...musi kiedyś odpuścić sobie trochę, inaczej popadnie w obsesję i trzeba będzie lat...

Chłopiec poruszył ręką. Podniósł prawą dłoń i skinął w moim kierunku.

Zawahałem się i wskazując palcem na siebie, zapytałem:

— Ja? Chodzi ci o mnie?

Jack urwał w pół zdania i spojrzał na mnie.

— Oczywiście, że mam na myśli ciebie, Harry. A o kimże, jak myślisz, ja ciągle mówię?

Chłopiec skinął na mnie ponownie. Tym razem wstałem i przeszedłem przez pokój.

— Harry — zaprotestował Jack. — Mógłbyś okazać przynajmniej tyle uprzejmości...

Nie zwracałem uwagi na jego słowa. Tak czy inaczej, był w błędzie. Wiedziałem, że Misquamacus wrócił i wiedziałem, jaką zemstę szykuje. To nie było przyzwoite ze strony Jacka Hughesa, że posądzał mnie o pragnienie sławy i uznania społecznego. Nigdy nie lubiłem wywoływać nadmiernego zainteresowania swoją osobą. O wiele bardziej mi odpowiadało, gdy ludzie pytali: Kim jest ten człowiek o zagadkowej twarzy?

Chłopiec w szlafroku dał znak, abym podszedł bliżej. Bałem się, ponieważ wiedziałem, że jest to rodzaj ducha. Nie emanował jednak owym śmiertelnym zimnem, jak inne zjawy, które przywodzą na myśl otwarte drzwi lodówki. Nie było wokół niego również aury żalu i goryczy. Wydawał się zaniepokojony, lecz opanowany.

— Harry, czy ty dobrze się czujesz? — zapytał Jack Hughes. Co ty wyczyniasz?

Podniosłem rękę, dając mu znak, aby zamilkł.

— Jack, tutaj ktoś jest.

— Co?

— Tutaj ktoś jest, Jack. Posłaniec z zaświatów. Ktoś, kto pragnie ze mną mówić.

— Harry, ty kompletnie...

— Sssz!

— *Mój brat został okaleczony* — odezwał się chłopiec.

— Twój brat?

— *Martin Vaizey. Oślepiono go.*

— Wiem — odparłem. — Znajduje się tutaj, w tym szpitalu.

A więc to jest Samuel — pomyślałem, brat Martina Vaizeya, którego stracił, kiedy był dzieckiem. Nadal pozostał dziesięcioletnim chłopcem, ale wciąż poczuwał się do opieki nad swym młodszym bratem. Pomimo niezwykłości sytuacji poczułem, jak

288

wzruszenie ściska mnie za gardło. Ja też kiedyś miałem brata. I też go straciłem.

— Martin kazał mi przekazać ci trzy polecenia — powiedział Samuel.

— Tak? Cóż to za polecenia?

Jack Hughes podszedł do biurka i zasiadł za nim demonstracyjnie.

— Mówię ci, Harry, ty zbzikowałeś. Naprawdę brak ci piątej klepki.

— Proszę cię, Jack — zwróciłem się do niego błagalnym tonem. — Daj mi jeszcze parę minut, dobrze? Ja naprawdę z kimś rozmawiam.

— Rozmawiasz? Jak to rozmawiasz? Chyba że rozmawiasz z oknem.

— Jack — warknąłem. — W tym pokoju jest chłopiec, brat Martina Vaizeya. Ty go nie widzisz, ale on ma mi przekazać wiadomość od Martina, muszę koniecznie usłyszeć, co to jest. Na miłość boską, Jack, po raz pierwszy udało mi się nawiązać kontakt z autentycznym zjawiskiem metapsychicznym. Proszę cię, zrób to dla mnie, pozwól mi wysłuchać.

Jack był oszołomiony.

— Dobrze — zgodził się w końcu. — Słuchaj wobec tego. Bóg z tobą. — Nacisnął guzik interkomu, aby połączyć się ze swoją sekretarką.

Zwróciłem się znów do Samuela. Postać jego falowała, przypominając ciało małego chłopca pływającego w głębi basenu.

— Martin powiedział, że panu Kelloggowi udało się zrobić zdjęcia — odezwał się Samuel. Głos jego dochodził do mnie ze zmiennym natężeniem — zanikał to znów wzmagał się, ale zawsze brzmiał niewyraźnie.

— Kto to jest pan Kellogg? — zapytałem. — Co takiego fotografował?

— Pan Kellogg robił zdjęcia... Bismarck.

— Przepraszam, nie rozumiem. Dlaczego Martin chce, żebym o tym wiedział?

— Powiedział, że musisz odnaleźć jego widelce.

— Pan Kellogg... zdjęcia... Bismarck? Martin chce, żebym odnalazł jego widelce?

Postać Samuela zaczęła robić się coraz ciemniejsza. Czułem nadciągające duchy; te same duchy, które otoczyły Śpiewającą

Skałę, kiedy objawił mi się na okładce książki o Velázquezie w mieszkaniu Martina Vaizeya.

Przeraziłem się nie na żarty. Bałem się nie tylko o siebie i o Karen. Bałem się również o Martina i Samuela.

— Samuelu — rzekłem. — Nie bardzo rozumiem, co chcesz mi przekazać.

— Będą ci potrzebne jego widelce, tak powiedział.

— Widelce? Jakie widelce? Nie rozumiem. Nie rozumiem, o czym ty mówisz.

Sylwetka Samuela stała się tak ciemna, że ledwo byłem w stanie rozróżnić jej kontury.

— Samuelu! — wykrzyknąłem.

Jego czerwony szlafrok wzniósł się i opadł jak plama błyszczących morskich wodorostów czerwieniejąca na grzbiecie fali podczas odpływu.

— To jest Misquamacus — powiedział swoim falującym głosem. — Martin go widział. To naprawdę jest on. Misquamacus.

Ciemność zgęstniała i poruszyła się, a obraz chłopca zastąpił cień żyjący swoim własnym życiem. Lecz zanim zniknął, przez nieruchomą aurę metapsychiczną dobiegły mnie jeszcze dwa krótkie słowa Samuela: *Little*... A potem: *Big*... I to był koniec.

Odwróciłem się do Jacka. Siedział za biurkiem i ze splecionymi dłońmi obserwował mnie.

— Jesteś strasznie spocony — zauważył.

— Dziwisz się? Mało nie zrobiłem w portki ze strachu.

Wstał, wyszedł zza biurka i dotknął mojego pulsu.

— Sto pięć — powiedział po chwili. — Trochę za dużo na mężczyznę w twoim wieku, lecz nie ma powodu do obaw.

— Jack... Widziałem brata Martina Vaizeya... Stał tam.

— Nie wątpię, że go widziałeś. Wierzę ci.

— Jack, na rany Chrystusa, nie irytuj mnie. Mówił coś o kimś, kto nazywa się Kellogg. Potem powiedział, że potrzebne mi będą widelce Martina. I dodał jeszcze: „To jest Misquamacus... To naprawdę jest on". Po czym znikł.

Jack puścił mój przegub i przypatrzył mi się uważnie.

— Powiedział, że będziesz potrzebował widelców Martina?

— Tak mniej więcej. Nie widzę w tym jednak żadnego sensu.

— Czy któraś z pielęgniarek wspomniała ci coś o widelcach?

— Daj spokój, Jack. Do czego zmierzasz?

Jack z trudem hamował rozdrażnienie.

— Martin Vaizey wydłubał sobie oczy z pomocą dwóch antycznych widelców.

Uniósł ręce na wysokość skroni i posługując się odpowiednią mimiką pokazał, w jaki sposób Martin się okaleczył.

— Chryste, zmiłuj się — wyszeptałem.

— Tak, niech się Chrystus zmiłuje. Tylko pamiętaj, nie ja ci o tym wszystkim powiedziałem. A gdyby ktokolwiek z personelu odważył się powiedzieć ci o tym, chciałbym bardzo wiedzieć, kto to taki. Policja prosiła mnie usilnie, aby nie robić wokół tego wydarzenia niepotrzebnego rozgłosu. Zamierza najpierw przepytać pracowników antykwariatów i muzeów. Chcą mieć to już za sobą, zanim prasa i TV rzucą się na ten temat. Jeśli ktoś z personelu puścił parę z ust o tych widelcach...

— Nikt z twoich ludzi nie wspomniał o nich słowem — zapewniłem go. — Jak ci już mówiłem, dowiedziałem się o tym dwie minuty temu, tutaj, w tym pokoju, od dziesięcioletniego, nieżyjącego chłopca w czerwonym szlafroku i szarej piżamie.

— Musisz przyznać, że nie brzmi to rozsądnie — stwierdził Jack. Ale pamiętam cię przecież z dawnych czasów. Zawsze byłeś na bakier z racjonalnym myśleniem. Posłuchaj, zapomnij o widelcach Martina. Zapomnij o Martinie. Widzę, że doznałeś jakiegoś silnego wstrząsu psychicznego. Może mógłbyś odrzucić to wszystko od siebie i wyjechać gdzieś na parę dni.

— Na przykład gdzie? Do Chicago? A może do Maybelline w Kolorado? Albo do Arizony, do Apache Junction?

Starając się nie tracić równowagi, Jack Hughes odparł spokojnie:

— Będziesz mógł rozmawiać z Martinem, kiedy tylko poczuje się lepiej. Nie mam zamiaru cię powstrzymywać. Zrobisz, co uznasz za stosowne. Ja jednak miałem już raz do czynienia z Misquamacusem, Harry, i to mi wystarczy do końca życia. Tak więc, nie staraj się mnie namówić, abym znów się w to wplątał. Koniec dyskusji.

Położyłem mu rękę na ramieniu. Spojrzałem w kąt pokoju, gdzie przed chwilą stał Samuel, i odparłem:

— Dziękuję ci, Jack. Przepraszam, jeśli cię zdenerwowałem. Nie będę cię namawiał, abyś po raz drugi stoczył walkę z Misquamacusem. Przypuszczam, że nam dopiekł bardziej niż komukolwiek.

Wiedziałem, co go tak wytrąciło z równowagi. Moja wzmianka o widelcach Martina przekonała go, że duch w jego gabinecie nie był wytworem mojej wyobraźni. A to oznaczało, że miałem rację, jeśli chodzi o Misquamacusa i że wobec tego na próżno stracił trzy palce i zniszczył swoją lekarską karierę.

Jack wziął z biurka oprawioną w ramkę fotografię. Przytrzymał ją tak blisko moich oczu, że nie byłem w stanie obejrzeć jej dokładnie. Przedstawiała niepozorną kobietę w okularach, z ciemnymi włosami.

— Gdybym mógł, chętnie bym ci pomógł, Harry. Jestem jednak żonaty. Oczekujemy właśnie drugiego dziecka.

— Nie ma sprawy — odparłem. Jeszcze raz ścisnąłem go za ramię i wyszedłem z pokoju.

Do ciężkiej cholery — pomyślałem, zjeżdżając windą w dół, wciśnięty między wózek a potężną, grubą babę w cytrynowozielonym garniturku — *gdzie są chłopcy z dawnych lat, dzielne chwaty?*

Gdzie żołnierzy naszych kwiat, tych sprzed laty? *.

Co się z nimi stało?

Zestarzeli się, odpowiedziałem sobie. Kiedyś mieli po dwadzieścia lat i rwali się do czynu, nie dbając o nic. Teraz mają po czterdzieści i nie potrafią myśleć o niczym innym, tylko o swych straconych szansach i niespełnionych ambicjach. Stracili dużo. Nie chcą ryzykować, boją się, że stracą jeszcze więcej.

Byłem chyba w wyjątkowo podłym nastroju, bo wypiłem kolejno kilka mocnych drinków. Potem wziąłem za słuchawkę i zatelefonowałem do doktora Snowa.

Przez telefon był jeszcze bardziej ostrożny i powściągliwy niż w bezpośredniej rozmowie.

— Naprawdę nie mogę nic panu poradzić — powtarzał mi raz po raz. — W niczym nie mogę pomóc. Jestem antropologiem, panie Erskine, nie indiańskim wojownikiem.

— Powiedział mi pan jednak, że ja muszę go przelicytować. Nie bardzo rozumiem, co miał pan na myśli.

Milczał chwilę. Zaczynało mu to pochlebiać.

_____

* Przekład Wandy Zawadzkiej.

— Przelicytować go? Naprawdę tak się wyraziłem?

— Tak jest. Cały czas zachodzę w głowę, co pan chciał mi przez to powiedzieć.

— Och. Sam dobrze nie wiem. Chyba nic poza tym, że Indianie nigdy nie robią niczego bez powodu. A to dlatego, że tak postępują duchy, w które wierzą.

— Proszę pamiętać, dwa razy pokrzyżował pan plany Misquamacusa: raz w szpitalu Sióstr Jerozolimy, a drugi raz nad jeziorem Berryessa. Tym razem nie ma żadnych wątpliwości, że zrobi wszystko, co w jego mocy, aby nie wszedł mu pan w drogę. Dlatego też wezwał na pomoc wszechpotężnego Aktunowihio. Ale — jak wszystkie indiańskie bóstwa — jak większość bóstw w większości religii — Aktunowihio zażądał za to zapłaty. Musi pan dowiedzieć się, jaka to ma być zapłata. I wyprowadzić go w pole. Wówczas Aktunowihio powróci do Wielkiej Otchłani i pozostawi pana w spokoju. W każdym razie... miejmy nadzieję, że tak się stanie. — Zachichotał jakoś dziwnie, po dziewczęcemu. Aktunowihio, Bawół-Widmo, woli raczej polowanie na ludzkie dusze.

— Bardzo mi pan pomógł — odparłem z nieukrywanym sarkazmem.

— To dla mnie zawsze wielka przyjemność, gdy mogę komuś służyć swoją wiedzą — odparł niezbity z tropu doktor Snow. — Szczerze mówiąc, konflikt tych dwu kultur jest dla mnie źródłem nieustającej fascynacji. Pomimo Wounded Knee, pomimo Sand Creek, pomimo Little Big Horn — ta walka trwa, te zmagania cieni o prawa moralne, polityczne i terytorialne.

— Little Big Horn — powtórzyłem.

— Tak — odparł zdziwiony doktor Snow.

„Little"... tak powiedział Samuel. A potem dodał: „Big"... To było jego ostatnie słowo.

Jakie inne wyrażenie w języku angielskim łączy w sobie w ten sposób przymiotniki Little i Big? Mógł to być oczywiście tytuł filmu z Dustinem Hoffmanem *Little Big Man*, ale nie widziałem najmniejszego powodu, aby Samuel miał do niego nawiązywać.

Little, Big, Horn.

Możliwe, że Martin to właśnie chciał mi przekazać. Możliwe, że kluczem do ponownego zjawienia się Misquamacusa, a może i do tajemnicy Aktunowihio, Bawołu-Widma, było coś, co miało związek z bitwą nad Little Big Horn, ostatnią redutą Custera.

Podziękowałem doktorowi Snowowi za pomoc. Był wyraźnie rozczarowany, że nie miałem do niego więcej pytań. Odłożyłem słuchawkę. Następnie przysunąłem sobie koreańskie danie z restauracji Mok'po i zębami odkręciłem nakrętkę długopisu. Zanotowałem wszystko, co zapamiętałem z rozmowy z Samuelem. Pan Kellogg robił zdjęcia... Tak powiedział Samuel. Potem była długa znamienna przerwa, a potem słowo „Bismarck". I znów kolejna przerwa.

Możliwe, że nie udało mi się usłyszeć całej wypowiedzi. Może to nie była przerwa, tylko słowa, które wypowiedział Samuel, do mnie nie dotarły. Może wiadomość brzmiała na przykład: Pan Kellogg robił zdjęcia... czegoś tam... a potem zabrał je do Bismarck... albo może — udał się do Bismarck.

W końcu każde dziecko wie, że Bismarck jest stolicą Dakoty Północnej w samym środku dawnego terytorium Indian na skrzyżowaniu linii kolejowej Northern Pacific z rzeką Missouri. Było bardziej prawdopodobne, że Martin miał raczej na myśli to miasto niż dajmy na to niemieckiego kanclerza o tym samym nazwisku, czy też okręt wojenny „Bismarck" z czasów drugiej wojny światowej lub też Wyspy Bismarcka na Pacyfiku. Możliwe że wiadomość powinna brzmieć: Pan Kellogg robił zdjęcia nad Little Big Horn i wysłał je do Bismarck.

To wszystko nadal nie trzymało się kupy. A zwłaszcza co miało to wspólnego z Misquamacusem? Siedziałem i słuchałem trzasków i gwizdów wydobywających się z klimatyzacyjnej skrzynki. Doszedłem do wniosku, że wprawdzie jestem Niesamowitym Erskine'em, ale nie ma we mnie ani krzty z Sherlocka Holmesa. Wstałem i z całej siły kopnąłem w wentylator. Zagdakał jak człowiek, który kiedyś na moich oczach zadławił się rybią ością.

Postawiłem sobie karty, aby poradzić się ich, co mam dalej robić; zjeść w Stars kanapkę z wołowiną wędzoną na ostro, czy raczej iść do Maude i tam się upić.

Pierwsza karta, którą odwróciłem, pokazywała mauzoleum z ciemnego marmuru z palącym się na szczycie wiecznym zniczem. *Za progiem choroba, dolegliwość znana, aż strach*

pomyśleć, co zgotuje los. Pieniądze przepadną, nadzieja nie-
znana, a odwaga również da ci przytyczka w nos.

Straszne, pomyślałem. Jestem głodny, trzeźwy jak świnia,
a moja sytuacja życiowa jest skomplikowana. Nie brak mi też
powodów do obaw. Teraz jeszcze na dodatek grozi mi katastrofa
finansowa.

Cisnąłem kartę w róg pokoju. Talia obejdzie się bez niej.
Żadna z moich klientek nie byłaby zadowolona, słysząc taką
śpiewkę, zwłaszcza zaś pani Johnowa F. Lavender. Choroba,
strach, utrata pieniędzy? Dosyć miała problemów z mężczyznami.

Zadzwonił telefon. Podniosłem słuchawkę i zacząłem swoją
zwykłą formułkę.

— Niesamowity Erskine — chiromancja, wróżenie z kart
i z fusów po herbacie...

— Harry — odezwała się Amelia. — Miałam właśnie telefon
ze szpitala Sióstr Jerozolimy.

Nastąpiła długa, ciągnąca się jak lepki irys cisza.

— Chodzi o Martina — powiedziała.

— Co się stało?

Amelia zaczęła płakać. Jeszcze zanim zdołała wyjąkać:

— To był taki uroczy człowiek — wiedziałem, że nie żyje. —
Nikomu nie zrobił nic złego — łkała Amelia.

— Wiem — odparłem. Czułem, że płaczę wraz z nią. Czym
bowiem jak nie łzami były te wilgotne strugi, jakie płynęły mi
po policzkach?

Płakała dalej, a ja opowiadałem jej, jak ujrzałem ducha brata
Martina, Samuela, i co mi powiedział. Na koniec dodałem:

— Może uda mu się jeszcze pomścić swoje krzywdy na
Misquamacusie.

— Na miłość boską, w jaki sposób? Przecież on nie żyje! —
odparła Amelia.

— To prawda. Lecz śmierć to jedna sprawa... a zemsta to
zupełnie coś innego. Można pomścić swoje krzywdy, czy się jest
żywym czy umarłym. Słuchaj, jutro rano lecę do Arizony.

— Jedziesz szukać Karen?

— A co innego mi pozostaje?

— Mógłbyś zostać w Nowym Jorku i pracować jako Niesamowity Erskine i zachowywać się tak, jakbyś nigdy nie miał
z tym wszystkim nic wspólnego.

— Słusznie — zgodziłem się. — Niewątpliwie to byłoby dobre wyjście. Tylko co z Karen?

— Harry, nie jesteś przeciwnikiem dla Misquamacusa. Już nie. Nie chcę utracić także i ciebie.

— Ja również nie mam ochoty umierać — odparłem. — Zadzwonię do ciebie z Phoenix. — Odłożyłem słuchawkę. Potem znów ją podniosłem i wybrałem numer United Airlines.

ROZDZIAŁ 13

Trudno sobie wyobrazić, jak wielu jest dzisiaj w Ameryce starych ludzi. Widać to dopiero wtedy, gdy się leci na południe lub do stanów południowo-zachodnich. W moim samolocie, lot 734, było tyle mlecznobiałych głów, że zanim dotarliśmy do St. Louis, miałem wrażenie, że zaczynam ślepnąć z powodu tej śnieżnej bieli. Oczywiście z miejsca stałem się obiektem zainteresowania starszych pań. Flirtowały ze mną i na wyścigi starały mi się dogodzić. Wiecie już, jaki mam wpływ na damy w starszym wieku. Wdowa w kobaltowoniebieskim sportowym kostiumie zafundowała mi dwie butelki szampana i kazała zanotować swój numer w Paradise Valley, a emerytowana kosmetyczka imieniem Lolly zaproponowała mi, abym wypróbował, jak smakują jej naszpikowane kolagenem wargi.

Czułem się dobrze w ich towarzystwie, bo pozwalało mi oderwać myśli od Karen i zapomnieć o strachu przed spotkaniem z Misquamacusem, jeśli w ogóle uda mi się go znaleźć. Szukałem na lotnisku La Guardia coś o Custerze i Little Big Horn, lecz były tam tylko poradniki: *Jak zarobić milion na recesji?*, *Jak stracić 20 kilo na diecie selerowej?* oraz *Szczytowy wyczyn seksualny.*

Postanowiłem zaczekać, aż znajdę się w Phoenix, i tam poszukać coś w bibliotece.

Gdzieś w głębi mózgu międliłem odruchowo słowa, które usłyszałem od małego Samuela Vaizeya. „Pan Kellogg... Bismarck... to był Misquamacus". Brakowało mi jednak danych, aby nadać im jakiś logiczny sens. Zastanawiałem się, czy nie spróbować seansu spirytystycznego, aby uzyskać od ducha Samuela więcej informacji. Nie miałem jednak pewności, czy jestem dostatecznie wrażliwym medium. Samuel ukazał mi się sam, nie na moje wezwanie. A pojawił się prawdopodobnie dlatego, że Martin wyczuł moją obecność w szpitalu i kazał mu udać się do mnie.

Rano zatelefonowałem do trzynastego aresztu śledczego i spytałem sierżanta Friendly'ego, czy mógłbym otrzymać widelce Martina. Ale sierżant, wbrew temu, czego można by oczekiwać po jego nazwisku*, poinformował mnie, że widelce są w posiadaniu policji jako dowody rzeczowe i nie mogę otrzymać ich przed zakończeniem śledztwa. Ponadto muszę przedstawić notarialnie potwierdzony dowód, że Martin sobie tego życzył.

Nie było sensu próbować przekonywać sierżanta, że dziesięcioletni nieżyjący brat Martina ukazał mi się w gabinecie dyrektora administracyjnego szpitala Sióstr Jerozolimy i nalegał, abym je zabrał. Najtrudniejszą rzeczą w zmaganiach z siłami nadprzyrodzonymi jest to, że nikt, ale to absolutnie nikt, nie chce ci wierzyć. Spikerzy w telewizji w dalszym ciągu określali tragedię w Chicago jako trzęsienie ziemi, mimo że nie było żadnych ruchów sejsmicznych, nawet najmniejszych drgań. Mimo że zniknięcie z powierzchni ziemi budynku tej wielkości co Sears Tower nie znalazło żadnego odzwierciedlenia na skali Richtera.

Lunch podano, gdy przelatywaliśmy nad południowo-wschodnim zakątkiem Kolorado. Międliłem w ustach przyrządzonego na miejscowy sposób kurczaka z sałatką fasolową, a żołądek miałem ściśnięty jak kauczukowa kulka. Lolly nachyliła się do mnie z podniesionym w górę widelczykiem i zapytała:

— Naprawdę nie ma pan ochoty na to ciastko czekoladowe?

— Naprawdę. Proszę, niech je pani weźmie.

— Musi pan wiedzieć, że czekolada to moja jedyna słabość. Prócz tego, co pan wie, a ja rozumiem.

Posłała mi pocałunek swoich obrzmiałych kolagenowych ust. Musiała mieć z siedemdziesiąt pięć lat i kłaniał jej się już rodzinny grobowiec. Ale któż mi dał prawo krytykować? Byłem o wiele, wiele młodszy, ale nie miałem w sobie ani połowy tej radości życia i humoru co ona, to pewne.

---

* Friendly znaczy przyjazny, przyjacielski.

Stewardesy zbierały właśnie tacki, kiedy przez interkom rozległ się głos pilota:

— Panie i panowie.... właśnie otrzymaliśmy wiadomość z lotniska Sky Harbour w Phoenix, że w okolicy Las Vegas szaleje cyklon. Nie wiemy jeszcze, jaka jest jego siła, lecz chcę państwa uprzedzić, że wszystkie loty z Phoenix zostały zawieszone aż do odwołania. W miarę napływu dalszych wiadomości będę państwa regularnie informował o rozwoju sytuacji.

W kabinie rozległy się okrzyki przerażenia. Jedna z kobiet wykrzyknęła:

— W Las Vegas jest mój mąż. Mój mąż jest w Las Vegas.

Lolly, z ustami pełnymi kolejnego czekoladowego ciastka, zauważyła:

— To dziwne, przecież w Las Vegas nie ma cyklonów. Nigdy nie słyszałam, aby kiedykolwiek w Las Vegas szalał jakiś cyklon.

Wzruszyłem ramionami.

— Myślę, że jest to skutek ogólnego ocieplenia klimatu.

W głębi duszy jednak byłem odmiennego zdania. Według mego przekonania nie miało to nic wspólnego z cyklonem. Mapa doktora Snowa mówi, że w pobliżu ranczo O. D. Gassa w Las Vegas w tysiąc osiemset sześćdziesiątym drugim roku pułkownik Patric Connor i jego dwustu pięćdziesięciu kawalerzystów zamordowało osiemdziesięciu sześciu Indian Waszo. Rok później ten sam pułkownik Connor podczas szalejącej śnieżycy nad Bear River w Utah otoczył i wybił do nogi czterystu Indian z plemienia Szoszonów. Dwie trzecie ofiar to były kobiety i dzieci.

Mormoni, którzy liczyli poległych, opowiadali, że śnieg w obrębie dwustu metrów od miejsca rzezi nasiąkł krwią, tak że wyglądał jak lody truskawkowe.

W interkomie znów rozległ się głos kapitana:

— Proszę państwa... Niestety, cyklon nad Las Vegas szaleje w dalszym ciągu... W tej sytuacji wszyscy pasażerowie, którzy mają zarezerwowane bilety do dalszych miejscowości, będą zmuszeni spędzić noc w okolicach Phoenix. Czyni się już w tym kierunku odpowiednie przygotowania. Ci z państwa, którzy mają jakieś pytania, proszeni są o zwracanie się z nimi do członków obsługi.

— Wie pan co? — powiedziała Lolly. — To wszystko jest bardzo zagadkowe. Jedna po drugiej dzieją się jakieś tajemnicze rzeczy. Mój astrolog powiedział, że ten rok będzie obfitował w bardzo dziwne wydarzenia.

Uśmiechnąłem się z przymusem.

— Zgadza się. Mój też.

Temperatura wynosiła grubo powyżej czterdziestu stopni, gdy opuściłem lotnisko Sky Harbour. Upał uderzył mnie jak obuchem. Nie wziąłem ze sobą przeciwsłonecznych okularów i przez pierwsze piętnaście minut chodziłem z oczami zmrużonymi jak Robert Mitchum. W firmie Budget wypożyczyłem wielkiego białego lincolna. Kosztowała mnie ta przyjemność sześćdziesiąt jeden dolarów na dobę plus dwanaście dolarów za ubezpieczenie. Suma ta znacznie przekraczała moje możliwości finansowe, ale po tym jak kapitan obwieścił kataklizm w Las Vegas, pomyślałem sobie, że raz kozie śmierć. Może lada chwila rozpadnie się cały cywilizowany świat, dlaczego więc nie zrobić sobie małej przyjemności i nie popodróżować dobrym samochodem. Młody człowiek za biurkiem nazywał się Scott. Był pięknie opalony, miał na sobie nieskazitelnie białą koszulę i w ustach rzędy wspaniałych zębów. Wręczył mi bezpłatną mapę.

— Proszę uważać na kierowców w starszym wieku — uprzedził mnie. — Mają zwyczaj robić przykre niespodzianki na jezdni. Na przykład zdarza im się zawracać bez kierunkowskazu, ponieważ nagle przypomniało im się, że zostawili w domu swoje spacerowe podpórki.

Jechałem wzdłuż Apache Boulevard na wschód przez Tempe i Mesę. Nie mogę powiedzieć, aby przedmieścia Phoenix zrobiły na mnie szczególne wrażenie. Były takie same jak przedmieścia innych miast, poza tym że buchały żarem. Stacje benzynowe, sklepy z pamiątkami, place targowe, ubogie domki. Napotkani ludzie robili wrażenie znudzonych i zasuszonych. Dookoła upał i cienie, i ta tajemnicza, sucha woń pustyni, kaktusów i spalin samochodowych.

Nic dziwnego, że wielu ludzi w Ameryce po przejściu na emeryturę przenosi się do Arizony. Przez okrągły rok jest tu sucho i ciepło, a w dodatku mieszka się w krainie baśni. Jakby życie było epizodem w przygodowych filmie. Słońce świeci jaskrawo, a cienie są głębokie. I bezustanne wrażenie, że się jest w telewizji. A jeśli się jest w telewizji jak Duncan Renaldo i Jay

Silverheels, jak Dan Blocker i James Arness, to się jest nieśmiertelnym. Twoje ciało spoczywa w mauzoleum, ale ty żyjesz, co dzień rano pędzisz na koniu, strzelasz, skaczesz i śmiejesz się. Czy na przykład ktoś odważyłby się powiedzieć, że Lucille Ball nie żyje?

Punkt sprzedaży używanych samochodów Papago Joego odnalazłem szybciej, niż się spodziewałem. Po jednej stronie autostrady znajdował się budynek pomalowany na żółtobrązowy kolor z wyblakłym szyldem: BAR SŁONECZNY DIABEŁ. Po przeciwnej stronie rozciągał się parking zapchany dziesiątkami uszkodzonych samochodów, zakurzonych i roztapiających się na masło w upalnych promieniach słońca. Pośrodku tego złomowiska królowała efektownie stuknięta przyczepa oraz przekrzywiony szyld z przytwierdzoną do niego głową bawołu: PAPAGO JOE. OKAZYJNA SPRZEDAŻ UŻYWANYCH SAMOCHODÓW. **Najdroższe — 3300 dolarów.** ZAMKNIĘTE Z POWODU REMONTU.

Zaparkowałem lincolna tuż koło Słonecznego Diabła i przeszedłem na drugą stronę szosy. W oddali w przezroczystym powietrzu rysował się poszarpany wierzchołek Góry Wierzeń. W jej wnętrzu, jak głosi legenda, miała się znajdować słynna zaginiona kopalnia Holendra. Góra jakby falowała w upale, przypominając mi chybotliwą postać Samuela, kiedy przekazywał mi wiadomość od Martina. I jak ona była nierealna.

Na temat zaginionej kopalni Holendra czytałem artykuł w moim (na ogół niezbyt interesującym) magazynie lotniczym. Najprawdopodobniej odkrył ją w tysiąc osiemset czterdziestym roku meksykański chłopiec, który szukał w niej schronienia przed ojcowskim gniewem. Potem dowiedziało się o niej trzech dorosłych Meksykanów, którzy byli jednak na tyle nieroztropni, że pokazali ją holenderskiemu bandycie imieniem Jacob Waltz. Holender zgładził ich wszystkich i zaczął sam eksploatować kopalnię. Od czasu do czasu pojawiał się w Mesie i Phoenix z kieszeniami wypchanymi samorodkami złota. Bardzo mi się to podobało. Może to przemówi też do waszej wyobraźni: Brudny i spocony wpadał do miejscowej knajpy z kieszeniami pełnymi bryłek złota.

Na łożu śmierci Waltz wyznał przyjacielowi, że zabił nie tylko tamtych trzech Meksykanów, ale także osiem innych osób, które śledziły go w drodze do kopalni. Przekazał mu też mapę ze wskazówkami, w którym miejscu znajduje się żyła złota. Widać nie był jednak z niego tęgi kartograf, skoro przyjaciel nigdy nie zdołał natrafić na ślad kopalni. Nie udało się to również setkom innych poszukiwaczy, którzy od tej pory bezustannie przekopują górę.

W całej tej opowieści była spora doza komizmu, która niezwykle trafiała mi do wyobraźni. Gotów jestem założyć się, że ten Jacob Waltz w ogóle nie był żadnym mordercą, tylko największym oszustem po tej stronie rzeki Gila.

Przeszedłem przez parking i zastukałem jak listonosz w bok przyczepy. Opodal kudłaty owczarek niemiecki szczekał przeraźliwie i szarpał się na łańcuchu.

— Leżeć, kundlu! — rzuciłem.

Szczekał dalej, ale bez zbytniego zapału. Czy zresztą było możliwe żywić zapał do czegokolwiek przy takim upale, nawet jeśli nadarzała się okazja odgryzienia komuś nogi?

Zapukałem jeszcze raz. Drzwi przyczepy otworzyły się w końcu i pojawił się w nich szczupły blady chłopak w wieku około dziewiętnastu lat. Ubrany był w bawełnianą koszulkę z napisem Sex Pistols, ciężkie sportowe buty i czarne przezroczyste majtki wykończone na dole koronką.

— Słucham? — zapytał. — O co chodzi?

— Nazywam się Harry Erskine. Chciałbym się widzieć z Papago Joem.

— Punkt jest nieczynny. Nie mamy nic na sprzedaż. Wszystkie samochody są uszkodzone.

— Nie chodzi mi o samochód.

— To o co?

— Powiedziałem już. Muszę się zobaczyć z Papago Joem.

Chłopak zafrasowany podrapał się w tył głowy.

— Nie wiem, człowieku. On nie pali się teraz do żadnych rozmów. Wszystkie jego samochody zostały rozbite. Sąd odebrał mu prawo do opieki nad córką. Poza tym — pije.

Na tym parkingu było tak piekielnie gorąco, że dosłownie zamieniałem się cały w duszone mięso. Gdyby dodać jeszcze parę pomidorów i cebuli oraz łyżeczkę szałwii, byłby ze mnie doskonały cotolette di maiale alla modenese.

— Ni cholery mnie nie obchodzi, czy pije czy nie — odparłem. Przyjechałem specjalnie z Nowego Jorku i muszę z nim porozmawiać.

— Przyjechał pan z Nowego Jorku?

— Właśnie. Nie dalej niż godzinę temu.

— Przejechał pan taki świat drogi, żeby pomówić z Papago Joem?

Skinąłem głową.

— No — zdumiał się chłopak. — To jest coś! To naprawdę jest coś.

— Fajnie, że to doceniasz — odparłem.

Nie wiadomo dlaczego — mimo że był z niego oczywisty głupek, mimo jego okropnej koszulki i stulonego ptaszka, który przezierał przez przezroczyste majtki — podobał mi się. Na świecie nie pozostało już zbyt wielu oryginałów, a ten chłopak na pewno był jednym z nich.

Drzwi przyczepy trzasnęły z hukiem i chłopak zniknął. W tym upale jego nieobecność wydawała mi się wiecznością. Wytrzymywałem gorące lata w Nowym Jorku. Latem Nowy Jork składał się wyłącznie z potu i brudu. A tutaj, u podnóża Starej Góry, upał przypominał czysty i suchy piec. Za pierwszym oddechem wszystkie włoski w nozdrzach kurczą ci się z gorąca. Za drugim twoje płuca zamieniają się w dwa płaty suszonego mięsa.

Drzwi znów się otworzyły. Twarz chłopaka była poważna.

— Papago Joe zgadza się. Ale potrzebuje ognistej wody.

— Ognistej wody?

— Nie czytał pan komiksów o kowbojach? Żąda butelki whisky Chivas Regal.

— Miała być jakaś ognista woda — zaprotestowałem.

— Dobra jest. Kupi ją pan po drugiej stronie szosy, w Słonecznym Diable. Niech pan zapyta o Lindę. Niech jej pan powie, że to Dude S. N. pana przysłał.

Otarłem czoło wymiętą chusteczką.

— Dude S. N.? Co to za nazwisko?

— Niech pan jej po prostu powie, że Dude S. N.

— Czy te litery coś oznaczają? S. N.?

Zakrył dłonią oczy, jakby chciał powiedzieć, że zabije się, jeśli ktoś go jeszcze spyta, co znaczy S. N.

— Założę się, że to inicjały jakiegoś piosenkarza.

Błysnął oczami spoza rozstawionych palców. *Tak że jeno Oczy wyglądały.*

— Niech pan nie robi ze mnie balona. Moja matka nie była

fanatyczką. W rzeczywistości mam na pierwsze imię Trenton a na drugie Partridge. Dude S. N. to jest coś, co sobie sam wymyśliłem. Chciałby pan, żeby mówiono do pana Trenton Partridge? Pomyśl pan.

— To znaczy, że pod inicjałami S. N. nic się nie kryje? Wzruszył ramionami i odwrócił wzrok.

— Prawdę mówiąc, coś się tam kryje. Ale powiem panu, jak będę chciał.

— Masz rację — odparłem, skinąwszy z powagą głową. — Idę po ognistą wodę.

Szedłem przez zapiaszczony, zalany piekącymi promieniami słońca parking. Wiedziałem, że Dude S. N. stoi dalej w otwartych drzwiach przyczepy i obserwuje mnie. To jest właśnie wspaniałe u nastolatków. Tak bardzo starają się odróżnić od innych i pozować na indywidualności, że w końcu wszyscy stają się tacy sami. To odnosi się zresztą według mnie do większości ludzi. Gotów byłem założyć się o sto dolarów, że zanim dojdę do ogrodzenia, Dude S. N. powie mi, co znaczą te litery.

Szedłem coraz wolniejszym krokiem. Cień mojej postaci kulił się trwożliwie pod stopami, jakby bojąc się wysunąć na zewnątrz. Minąłem rozbitą electrę i zmiażdżonego sabre'a. Dochodziłem już do ogrodzenia. I wtedy dobiegło mnie wołanie:

— Stalowe Nerwy!

Odwróciłem się i zdjąłem przeciwsłoneczne okulary.

— Stalowe Nerwy — powtórzył. — To znaczą moje inicjały. Dude Stalowe Nerwy!

— Wspaniale — odkrzyknąłem mu. — Podobają mi się. Nikt nie wie, co kryje się w głębi twego serca.

Przeciąłem rozmigotany w słońcu, rozgrzany termakadam i wspiąłem się po zapiaszczonych drewnianych schodkach do Słonecznego Diabła. Od zewnątrz knajpa wyglądała jak zwykły betonowy budynek. Jedyną wskazówką, że znajduje się tam restauracja, był czerwono-niebieski neon reklamujący piwo z beczki marki Coors.

Otworzyłem siatkowe drzwi i wszedłem. Po oślepiającej bieli pustyni wydawało mi się tutaj tak ciemno, że przez dłuższą chwilę mrugałem powiekami, zanim wreszcie zdołałem przyzwyczaić oczy do nowego otoczenia. Klimatyzacja pracowała pełną parą, ochładzając powietrze do temperatury bieguna północnego.

Wewnątrz znajdował się długi, słabo oświetlony bar oraz szereg chromowanych wysokich stołków wyściełanych miękkim winylem. Za barem wisiał plakat przedstawiający dziewczynę z błyszczącymi rozwianymi włosami, która opalała się na pustynnej skale. Nieudolne naśladownictwo starych mistrzów przypominało raczej rozkładówkę z „Playboya". Dziewczyna trzymała w ręku trójzębny widelec do tostów, a z jej spadających kaskadą ciemnych włosów sterczała para guzowatych rogów.

Z grającej szafy dochodziły dźwięki sentymentalnej melodii w stylu Tammy'ego Wynette'a. O ile byłem w stanie zorientować się w mroku, poza mną w Słonecznym Diable było jeszcze tylko dwóch klientów. Jednym z nich był mały opasły człowieczek w jasnozielonym ubraniu i białych pantoflach. Siedział przy barze w białym stetsonie na głowie i popijał krwawą mary. Drugim był zwalisty szofer ciężarówki z czarną brodą; zmiatał z talerza siekany befsztyk z jajami z takim zapałem, jakby od tygodnia nie miał nic w ustach.

Podszedłem do baru. Przy kontuarze pojawiła się młoda jasnowłosa kobieta. Miała ogromne jak Bambi niebieskie oczy i ubrana była w obcisłą białą bluzkę bez rękawów. Całkiem ładna, zwłaszcza dla kogoś, kto gustuje w kelnerkach z westernów.

— Czym mogę służyć? — zapytała.

— Chciałbym kupić butelkę whisky Chivas Regal, jeśli ma pani jakąś na zbyciu.

Ruchem głowy wskazała w stronę garażu Papago Joego.

— To dla Joego, prawda? Kazał ją panu kupić?

— O ile dobrze rozumiem, nie jestem pierwszy, który to robi?

— Tak jest zawsze, kiedy ktoś przychodzi porozmawiać z nim o tym mordzie — odparła. Schyliła się i wyciągnęła spod baru butelkę. — Kiedyś pił johnny walkera, ale teraz przerzucił się na droższą.

Dałem jej dwa banknoty dwudziestodolarowe. Wydała mi resztę.

— Co tu się działo? — zapytałem ją.

Wzruszyła ramionami.

— Nikt tak naprawdę nie wie. Stanley, mój synek, był świadkiem tego wydarzenia, ale on ma przecież dopiero dziewięć lat. Widział to także Dude S. N. Czy poznał pan Dude'a S. N.?

— Tak, oczywiście. Ciekawy chłopak.

— Mówią, że różne samochody sunęły po parkingu, rozbijając się o siebie. Kiedy przybył zastępca szeryfa, Stanley zaczął krzyczeć, że ktoś był w warsztacie. Wobec tego otworzyli warsztat i znaleźli ich martwych i poćwiartowanych na kawałki. Zmarszczyłem brwi.

— Czy Stanley był już kiedyś w tym warsztacie?

— Hm... Nie otwierano go od lat.

— Skąd więc wiedział, że tam ktoś jest?

Kobieta wzruszyła ramionami.

— Nie wiem. Wydaje mi się, że kierował się dziecięcą intuicją. Dzieci potrafią odbierać niezauważalne dla dorosłych sygnały. Wie pan, o co mi chodzi. Są jak psy i susły.

— Czy Stanley jest gdzieś w pobliżu?

— Tak... Jest tu.

— Pozwoli pani, że z nim porozmawiam?

Młoda kobieta zmrużyła oczy.

— Jest pan dziennikarzem?

Potrząsnąłem głową.

— Nazywam się Harry, Harry Erskine. Jestem kimś w rodzaju śledczego.

— Ach tak.

— Widziała pani kiedyś film o kołatkach? Jestem jak medium z tego filmu.

— To znaczy szuka pan duchów i im podobnych.

— Tak jest. Szukam duchów i im podobnych.

— Coś takiego. Nigdy nie przypuszczałam, że są ludzie, którzy zajmują się takimi rzeczami.

— Oczywiście, że są. Zapewniam panią.

Młoda kobieta wyciągnęła do mnie swą chłodną małą dłoń. Ująłem ją i uścisnąłem.

— Nazywam się Linda Welles — rzekła. — Niech pan zaczeka, pójdę poszukać Stanleya.

Wyszła, a ja tymczasem zacząłem oglądać telewizję. Dźwięk był wyłączony. Pokazywano migawki ze śródmieścia Las Vegas. Wyglądało, jakby robiono je w samym środku czerwonej jak krew nocy. Zobaczyłem bogato ornamentowane fontanny przed pałacem Cezara zamienione w kupę gruzów, zwalone posągi i szkarłatną pianę. Umieszczone wzdłuż Las Vegas Boulevard reklamowe tablice kasyn leżały na ziemi jedna za drugą jak poprzewracane kręgle: Silver City, Morocco Motel, Riviera,

Silverbird, Sahara. Widziałem koziołkujące bez końca samochody i ześlizgujące się na chodniki limuzyny wzdłuż Desert Inn Road. Wlókł się za nimi pióropusz iskier. Ludzie uciekali, budynki waliły się. Widziałem, jak rozpada się różowo-biały, pasiasty namiot Circus-Circus, jak znika Aladdin i wreszcie jak pośród śmiertelnej ciszy zapada się w grunt wieża hotelu i kasyna Landmark — dosłownie znika w głębi ziemi.

Wróciła Linda, prowadząc małego chłopca. Miał wyraźnie niezadowoloną minę. Wskazałem na telewizor.

— Oglądałaś to?

— Oczywiście — odparła. — Nadawano to już wcześniej. Czy to nie straszne? Mam nadzieję, że do nas taki cyklon nie dojdzie.

— Czy mogę włączyć dźwięk?

Włączyła fonię. Pełen podniecenia spiker o głosie Dana Rathera opisywał:

— *...kilkadziesiąt kilometrów kwadratowych... wszystkie samoloty do Las Vegas zostały zawrócone z drogi, a autostrady przeznaczono wyłącznie dla ambulansów i służb pogotowia... jak dotąd, nie sposób ustalić, ile osób poniosło śmierć... chociaż liczba zabitych i rannych sięga wielu tysięcy...*

Słuchaliśmy tych słów w posępnym milczeniu. Informacje przeplatane były wywiadami z sejsmologami, meteorologami i inżynierami. Inżynierowie wyrażali obawę, czy „bezwstrząsowe trzęsienie ziemi" nie uszkodzi tamy Hoovera, ponad pięćdziesiąt kilometrów na północny wschód od miasta, i czy wody jeziora Mead nie wleją się nagle w dolinę rzeki Kolorado, powodując niedające się przewidzieć straty. Szalejący sztorm uniemożliwiał wszelką pomoc — jak dotąd ani jeden helikopter nie zdołał wyruszyć do akcji.

— *Było czerwono... niebo było czerwone... — opowiadał jeden z pilotów, słaniając się na nogach ze zmęczenia. — Lecz w samym środku miasta, pośród rozpadających się w gruzy hoteli... zobaczyliśmy coś czarnego, jakby czarny dym — jakby witki czarnego dymu... coś jakby rozwścieczoną ośmiornicę.*

Mężczyzna w zielonym ubraniu odezwał się:

— Hej, Linda, przełącz na mecz, dobrze?

Linda posłusznie włączyła odpowiedni kanał. Mecz między Phoenix a LA Clippers dobiegał już końca.

— Muszę spełniać życzenia stałych klientów — powiedziała przepraszająco, wznosząc oczy.

— Mamusiu, chcę wyjść na dwór — zajęczał Stanley.

— Nie, Stanley. Chcę, żebyś najpierw porozmawiał z Harrym. Harry, to jest Stanley. Stanley, to jest Harry. Słuchaj, Stanley, Harry chce ci zadać parę pytań, jak to było z tymi autami, co to się rozbijały o siebie w garażu Papago Joego.

— Nie będę o tym mówił — zaprotestował Stanley, usiłując wyrwać rękę z dłoni matki.

— A jednak będziesz musiał.

— Nie chcę o tym mówić.

— Słuchaj, Stanley — odezwałem się. — Podejdź do mnie. Chcę ci coś pokazać.

Linda trąciła go lekko łokciem i Stanley niechętnie podszedł do baru.

— Masz w uchu ćwierć dolara — stwierdziłem.

Popatrzył na mnie jak na wariata. A ja wyciągnąłem rękę i wydobyłem mu pieniążek z ucha. Obracałem monetę na wszystkie strony, aż w końcu włożyłem mu ją do kieszonki.

— Jak ty to zrobiłeś? — zapytał zdziwiony.

— Nie musiałem nic robić. Po prostu miałeś w uchu ćwierćdolarówkę.

— Czy jesteś czarodziejem? — zapytał.

— Czy wyglądam na czarodzieja?

— Nosisz różową koszulę. Tylko czarodzieje noszą różowe koszule.

— Co ty powiesz. A prezydent? On też nosi różowe koszule.

— Rzeczywiście.

— Co powiedziałbyś na korzenne piwo? — zaproponowałem. Lubisz korzenne piwo?

— Dobrze, jeśli mi pokażesz tę sztuczkę z ćwierćdolarówką.

— Już ci mówiłem. To nie była żadna sztuczka. Czy to moja wina, że paradujesz z ćwierćdolarówkami w uszach?

Usiedliśmy przy stoliku w rogu. Stanley dostał piwo korzenne i torebkę orzeszków ziemnych. Wpychał je zachłannie do ust i gryzł hałaśliwie.

— Mam zamiar porozmawiać z Dude'em S. N. i Papago Joem — wyjaśniłem — ale najpierw chciałem usłyszeć o tym wszystkim od ciebie.

Stanley żuł przez chwilę orzeszki w milczeniu, po czym rzekł:

— Usłyszeliśmy trzaski i zgrzyty, i te inne hałasy, a potem wszystkie samochody zaczęły same jechać po parkingu.

— Czy zauważyłeś coś jeszcze?

Zawahał się przez moment, ale zaraz zaprzeczył ruchem głowy.

— Czy widziałeś coś, co wyglądało jak cień?

W dalszym ciągu żuł orzeszki. Zdołał wytrzymać moje spojrzenie przez jakieś dwadzieścia sekund, po czym spuścił wzrok na stolik.

— Skąd wiedziałeś, że w warsztacie coś jest? — indagowałem go w dalszym ciągu.

Znów spojrzał w górę. Miał czarne źrenice.

— Nie wiem, po prostu wiedziałem.

— Widziałeś cień, prawda? Coś, co przypominało cień?

Skinął głową.

— Możesz mi to opisać?

Przełknął orzeszki i wahał się chwilę. Potem wolnym ruchem uniósł rękę i zasłonił twarz, rozstawiając palce, tak że tylko oczy wyglądały. — To było czarne i biegło, i miało wielką głowę, i było całe zgięte, jak bawół, i biegło w ten sposób.

Zgarbił się, naśladując ciężki, nierówny galop zwierzęcia.

— Czy wspomniałeś jeszcze komuś o tym cieniu?

Skinął głową.

— Zastępcy szeryfa Fordyce'owi i mojej mamie.

— A co oni o tym myślą?

— Nic nie myślą. Uważają, że ktoś uciekał i to był jego cień. Biegł po nierównym gruncie i dlatego to wyglądało tak dziwnie.

— Czy Dude S. N. widział ten cień?

— Tak — odparł Stanley.

Pociągnąłem spory łyk zimnego piwa, oparłem się wygodniej na krześle i spojrzałem uważnie na Stanleya.

— A twoim zdaniem co to mogło być?

— Nie wiem. Myślę, że to był duch.

— Wierzysz w duchy?

Potrząsnął głową.

— Nie w takie jak w *Pogromcach duchów* ani w Sumera czy kogoś takiego.

— A w ten cień wierzysz?

— Wierzę — odparł.

Siedziałem zamyślony, a Stanley obserwował mnie bacznie. Wreszcie pochyliłem się ku niemu i wyciągnąłem dolara i siedemdziesiąt sześć centów drobnymi z jego lewego nozdrza.

— Wiesz co? Jesteś lepszy niż jednoręki bandyta.

— Myślałem, że już nie wrócisz, człowieku — rzekł Dude Ş. N.

Wszedłem po schodkach do środka przyczepy. Jak w każdym pomieszczeniu w całej Arizonie dzięki klimatyzacji było w niej bardzo chłodno, ale poza tym daleka była od jakiegokolwiek luksusu. Boczne ściany i część dachu były wygięte i podziurawione, a we wszystkich oknach po lewej stronie zamiast szyb tkwiły pożółkłe od słońca arkusze plastiku. Na połamanym stole stał telewizor z wybitym ekranem. Poza tym jedynymi sprzętami były materac, połamane drewniane krzesła i indiańskie koce. Jeden z nich, w zygzakowate wzory, rozwieszony na całą szerokość, dzielił przyczepę na dwa „pokoje". Mimo wentylacji w powietrzu unosił się zapach niemytych nóg, marihuany, sosnowego pochłaniacza zapachów oraz dymu tytoniowego.

— Przyniosłem whisky — oznajmiłem, stojąc z butelką w ręku.

— Świetnie — powiedział Dude S. N. W ustach trzymał zapalonego papierosa. Podsunął mi paczkę cameli. — Zapali pan?

— Nie, dziękuję.

— Ma pan charakter. Też chciałbym się pozbyć tego nałogu. Mój stary zmarł na raka płuc. Powinienem był nagrać na taśmę jego kaszel, aby mieć go w pamięci. Wykaszlał z siebie wszystko, nawet podeszwy swoich buciorów.

Rozejrzałem się.

— A gdzie jest Papago Joe?

— Zaraz przyjdzie. Myje zęby.

Jakoś nigdy nie przyszło mi na myśl, że Indianin może myć zęby, chociaż zawsze uważałem, że są z nich tacy sami ludzie jak my. Przypuszczam, że nawet Geronimo zmuszony był od czasu do czasu korzystać z męskiej toalety.

— Nie było mnie tak długo — wyjaśniłem — bo rozmawiałem ze Stanleyem.

— Rozumiem — skinął głową Dude S. N. — synkiem Lindy. Lubię go. To nie jest przeciętny dzieciak.

— Opowiedział mi, jak to było z tymi samochodami. Opowiedział mi również o cieniu.

Dude S. N. zapalił papierosa. Wzrok miał rozbiegany.

— No cóż, to bystry chłopiec. Ma bujną wyobraźnię.

— Ale ten cień nie był wytworem jego wyobraźni, prawda? Ten cień był prawdziwy.

— Gra świateł, człowieku, nic więcej.

— Na pewno nie. Ten cień był prawdziwy. A wiem, że był prawdziwy, bo widziałem go na własne oczy w Nowym Jorku.

Spojrzał na mnie szeroko otwartymi oczami. Policzki miał wpadnięte, brodę nieogoloną, a cerę białą jak prześcieradło.

— Pan też go widział?

— Tak. I wiem, co to jest. Przynajmniej, myślę, że wiem. Słyszałeś, co się stało w Chicago, w Kolorado i co się dzieje teraz w Las Vegas... Wszystko to ma ze sobą związek.

— Nie rozumiem cię, człowieku. Chce mi pan powiedzieć, że ten cień ma coś wspólnego z tymi cyklonami i trzęsieniami ziemi?

— To nie są trzęsienia ziemi. To jest zupełnie coś innego... Coś, co jest znacznie groźniejsze. Trzęsienie ziemi jest zjawiskiem naturalnym, zgadzasz się? Ziemia drży, budynki rozpadają się w gruzy. Czasami mogą jeszcze wystąpić dodatkowe wstrząsy, lecz na ogół na tym się kończy. A to, co dzieje się teraz, nie jest zjawiskiem naturalnym. To jest zemsta.

— Zemsta? — Oczy zamieniły mu się w dwie małe szparki. Balona pan ze mnie robi czy co?

— Słuchaj, S. N. Widziałeś, jak samochody sunęły przez parking, nieprowadzone przez nikogo, wpadały jeden na drugi i rozbijały się o siebie. Widziałeś tych pomordowanych ludzi. W dole pod naszymi stopami znajdują się siły, które pragną ściągnąć nas w otchłań i pogrzebać w niej na wieki. Nie spoczną, dopóki nie osiągną swego celu. I nie tylko o nas im chodzi, ale o każdy materialny dowód naszej bytności na tej ziemi.

— Nas — to znaczy kogo? — dopytywał się Dude S. N.

— Nas, to znaczy białych ludzi. My to „blade twarze", intruzi, najeźdźcy. Każdy człowiek, który najechał tę ziemię, poczynając od wikingów i Celtów przez angielskich purytanów, Polaków, Niemców i Irlandczyków. Dla nich nie ma żadnej różnicy, oni chcą mieć z powrotem swoje ziemie w takim stanie, w jakim były przed najazdem białych.

S. N. wypuścił dym przez nos i zakaszlał.

— To wariactwo, człowieku. Zaczynasz mówić tak jak Papago Joe. On bez przerwy wygłasza tyrady o białych ludziach, Indianach i pieprzy o tych rdzennych Amerykanach.

— Uważasz, że to pieprzenie? Miałeś przedsmak tego tutaj, w tym miejscu.

— Przestań nawijać, człowieku. To istne wariactwo.

Już miałem zamiar zacząć tłumaczyć mu sprawę Wielkiej Otchłani, kiedy czyjaś ręka gwałtownym ruchem odsunęła koc przegradzający przyczepę. W kraciastej koszuli i wypłowiałych dżinsach, stanął przede mną Papago Joe. Nie był zbyt wysoki, miał chyba z metr siedemdziesiąt wzrostu, ale jego szerokie bary i krzepka budowa ciała sprawiały, że wyglądał znacznie bardziej okazale. Miał dużą, pokrytą ozdobnymi nacięciami głowę i haczykowaty, mięsisty nos. Głęboko osadzone oczy przywodziły na myśl kawałki szkła migocące na dnie dwóch kopalnianych szybów. Długie i tłuste szarosiwe włosy związane były z tyłu w koński ogon. Palce miał żółte od nikotyny.

— Oczywiście, że masz rację — odezwał się, wyciągając rękę. Dla wielu z nas jest jasne, że oto nadeszła od dawna przepowiadana chwila.

— To ty jesteś Papago Joe? Proszę, przyniosłem ci whisky.

Bez słowa wziął butelkę.

— Mam nadzieję, że nie jesteś detektywem policyjnym ani dziennikarzem — upewniał się.

— Nie — odparłem. — Jestem kimś, kogo mógłbyś nazwać zainteresowaną stroną, nic poza tym.

Byłem zaskoczony jego kulturalnym i pełnym umiaru sposobem bycia.

— Zainteresowaną stroną? — Uniósł brew. — Powiedziałbym raczej, że jesteś tą bardzo zainteresowaną stroną. Wydaje się, że dużo wiesz o sprawach Indian.

— Dużo wiem o indiańskiej mściwości, jeśli o to ci chodzi.

— Och — przerwał i zamyślił się nad tym, co usłyszał. — Mściwość. Interesujące wyrażenie. — Po chwili dodał: — Dziwi cię, że nadal żywimy pragnienie zemsty?

W pytaniu tym zabrzmiała ironia, ale wyczułem pod nią także śmiertelną powagę.

— Możemy to i tak ująć. — Skrzywiłem się. — Zawsze mi

się wydawało, że musi w końcu nadejść dla wszystkich czas przebaczenia i zapomnienia.

Papago Joe odkręcił zakrętkę z butelki, znalazł trzy szklanki każda inna — i napełnił je alkoholem. Rozdał je nam i powiedział:

— Czy uważasz, że byłoby właściwe przebaczyć lub zapomnieć, dajmy na to, nazistom?

— Nazistom? — powtórzyłem. — Nie jestem pewny. Naziści to szczególny przypadek. Naziści wymordowali sześć milionów ludzi, a może i więcej, w sposób szczególnie wyrafinowany i okrutny.

— Zgadza się — odpowiedział Papago Joe. — Nigdy nie powinniśmy zapomnieć o nazistach.

— Chcesz mi wmówić, że biali osadnicy byli tak samo źli jak naziści? — Odkryłem pułapkę.

Papago Joe pociągnął łyk whisky, przepłukał sobie usta i dopiero potem połknął.

— To zależy, prawda? — powiedział wyzywająco. — To zależy, czy uważasz, że zniszczenie całej cywilizacji jest czymś, co można przebaczyć i zapomnieć.

— Posłuchaj — odparłem. — Świat się zmienia. Nie możesz zabronić ludziom badać i dociekać. Nie możesz zabronić ludziom szukać lepszego życia. A już na pewno nie możesz obwiniać każdego białego osadnika za poczynania armii i rządu. Nie zapominaj, że wymordowano też mnóstwo białych, nie tylko Indian.

— Oczywiście. Lecz nas zabijały nie tylko wasze strzelby. To robiliście wy sami.

— Nie rozumiem.

Papago Joe pociągnął kolejny łyk i znów napełnił sobie szklankę.

— To po prostu byliście wy, mój przyjacielu. Czy wiadomo ci na przykład, że kiedy purytanie wylądowali w Nowej Anglii, oczom ich ukazał się widok jak z koszmarnego snu, obraz końca świata. Były to całe połacie ziemi pokryte kośćmi martwych Indian. Za mało zostało żywych, aby pogrzebać szczątki zmarłych. A czy wiadomo ci, dlaczego tak wielu Indian pomarło? Ponieważ cztery lata przedtem, przypadkowo, zarazili się odrą od europejskich rybaków. Odra. Trzy czwarte ludności zamieszkującej tereny od Maine do Connecticut wyginęło na skutek tej choroby.

313

A potem przyszła epidemia ospy. Nie trzeba było strzelb, wystarczyła sama tylko epidemia. Nieraz jeden podróżnik lub samotny wędrowny kupiec potrafił zarazić całe plemiona. Niektóre z plemion wyginęły, zanim biali koloniści zdołali je odkryć. Zniknęły, wymarły, nie zostawiając po sobie żadnego śladu, i nikt się nigdy nie dowie, jakie były ich zwyczaje, kultura czy język, jak wyglądały ani nawet jak się nazywały.

Słyszałeś o Mandanach? W ciągu jednej zimy ludność tego plemienia, licząca tysiąc sześćset osób, zmniejszyła się do zaledwie trzydziestu jeden. I w ciągu tej samej zimy siejące postrach, okrutne plemię Czarnych Stóp wyginęło prawie doszczętnie. Nie od strzelb, nie na polu bitwy, lecz tylko na skutek samej waszej tutaj obecności.

Papago Joe usiadł na kuchennym stołku i spojrzał na mnie swymi głęboko osadzonymi, czarnymi, błyszczącymi oczami.

— Sądziliśmy początkowo, że rzucono na nas czary. To smutne, prawda? Nasi wodzowie i nasi bliscy umierali na naszych rękach. Byliśmy przepełnieni bólem, zdezorientowani, pełni gniewu i przerażenia. Naprawdę byliśmy przekonani, że przyczyną naszych nieszczęść są czary.

Odchrząknąłem. Muszę przyznać, że poczułem się cholernie nieswojo. Trochę z powodu gorzkich słów oskarżenia, jakie w stosunku do nas, białych ludzi, padły z ust Papago Joego. Czułem, jakbym to ja sam ich pozarażał lub coś takiego. Trochę zaś dlatego, że nie spodziewałem się, iż Indianin, który handlował używanymi samochodami na mało ważnym skrzyżowaniu w Arizonie, mógł przemawiać tak przekonywająco, z taką znajomością rzeczy i z takim zaangażowaniem.

— Dobrze, przyjmijmy wasz punkt widzenia — odezwałem się ostrożnie. — Nie chcecie przebaczyć i nie chcecie zapomnieć. Mogę tylko powiedzieć na naszą obronę, że nie zaraziliśmy was tymi chorobami umyślnie.

— Tak uważasz? — Papago Joe uśmiechnął się kwaśno. — Może nie zawsze się wam udało, ale staraliście się, mój przyjacielu, z całą pewnością staraliście się. Brytyjczycy dali Indianom z Wielkich Jezior koce z zarazkami ospy, w nadziei że wywołają epidemię. Było jeszcze wiele innych umyślnych prób, aby rozprzestrzenić choroby wśród plemion, które wasi przodkowie określali jako „niezadowolone".

— No cóż — odparłem, kończąc swoją whisky. — Cóż mogę

ci odpowiedzieć? Nie było mnie wtedy w tych miejscach, lecz jest mi przykro, czuję się zażenowany i zawstydzony i jeśli ze swej strony mógłbym coś zrobić, aby zrekompensować wam wyrządzone przez moich ziomków krzywdy, zrobię to z przyjemnością.

Otworzyłem drzwi przyczepy. Promienie słońca położyły się równolegle fluoryzującym refleksem na policzkach Papago Joego.

— Nie chcesz chyba wyjść? — zapytał, uśmiechając się.

Zawahałem się.

— Odnoszę wrażenie, że nie jestem tu zbyt mile widzianym gościem.

Papago Joe roześmiał się.

— Nie powinno cię to tak wytrącać z równowagi. Zdarza mi się wygłaszać takie kazania.

— Możliwe, lecz z tego, co powiedziałeś, wynika, że masz prawo to robić.

— Wracaj pan, panie Erskine — powiedział Papago Joe. — To dobra whisky. Jeśli ty nie wypijesz ze mną tej butelki, zrobi to S. N., a ja nie mogę go znieść, kiedy jest pijany. Zaczyna wymieniać wszystkie tytuły wszystkich ścieżek dźwiękowych ze wszystkich albumów zespołu Grateful Dead.

Pomyślałem przez chwilę, po czym zamknąłem drzwi. Jeśli Papago Joe wie tak dużo o historii Indian, może znajdzie jakiś sposób, aby pomóc mi odnaleźć Karen, a nawet więcej — uwolnić ją ze szponów Misquamacusa.

— Chcę ci coś powiedzieć — odezwał się Papago Joe. — Gdyby w naszych szkołach uczono niezafałszowanej historii Ameryki, codziennie, w każdej klasie, łzom nie byłoby końca. Holocaust blednie w porównaniu z tym, co zrobiono z Indianami. Żądacie od Rosjan, aby przestrzegali praw człowieka i oburzacie się na wypadki na placu Tienanmen. Powinniście raczej pomyśleć o krzywdzie, jaką wyrządziliście rdzennej ludności Ameryki. To jest największe łgarstwo w historii współczesnego świata. Pamięć o nim nigdy nie wygasła i teraz wyjada serce tego narodu.

Nalał mi na trzy palce chivas regal. Zafascynowany obserwowałem jego twarz. Skórę miał gładką, jedynie pod oczami rysowało się parę zmarszczek. Mógł mieć czterdzieści osiem, czterdzieści dziewięć lat, może pięćdziesiąt.

— Jesteś bardzo wojowniczy — zauważyłem. — Jeśli nie

315

weźmiesz mi tego za złe, powiem ci, że jest to dość rzadko spotykana cecha u rdzennego Amerykanina w twoim wieku.

Potrząsnął głową.

— Dlaczego nie nazywasz mnie Indianinem? Przecież uważasz mnie za Indianina. Na miłość boską, nazywaj mnie Indianinem. Nie znoszę hipokryzji.

— Boję się. Jak ty mnie wtedy nazwiesz?

Pomyślał przez chwilę, a potem uśmiechnął się szeroko.

— Posłuchaj, biały człowieku, mój ojciec zawsze pragnął, abym został wielkim biznesmenem. On sam pracował jak wół przez dwadzieścia lat i wiesz, jakie osiągnął stanowisko? Zastępcy kierownika działu warzywnego w miejscowym supermarkecie. Ważne stanowisko, prawda? Ale zawsze wierzył, że jego synowi powiedzie się lepiej.

Przestał palić, przestał pić, zrezygnował z czekoladowych batoników, a w końcu, jak wiem, przestał oddychać. Oszczędzał każdy grosz i wreszcie udało mu się wysłać mnie na uniwersytet stanowy w Arizonie. Zamierzałem uczyć się biznesu, lecz już od samego początku było wiadome, że mi się nie powiedzie. Jak mogło mi się udać, skoro wszyscy biali studenci na mój widok wołali: „Howgh!", zwracali się do mnie per Tonto i traktowali mnie jak gówno, które przylepiło im się do podeszwy.

Zacząłem zdawać sobie sprawę, że nawet moje własne postrzeganie Indianina zostało całkowicie zniekształcone przez kowbojskie filmy i wszystkie te bzdury o szlachetnym dzikusie w rodzaju *Ostatniego Mohikanina*. Nie wiedziałem, kim jestem ani czym jestem, a już najbardziej nie mogłem zrozumieć, dlaczego moi koledzy ze szkoły uważali mnie za niższego od siebie.

Zrezygnowałem z dalszej nauki. Cały następny rok spędziłem za to w bibliotece uniwersyteckiej, gdzie starałem się dotrzeć do prawdy. Znalazłem ją. Ona tam jest. Trzeba jej tylko poszukać. Kiedy już ją odkryłem, doszedłem do wniosku, że nie zależy mi już wcale na tym, aby zostać biznesmenem — zastępcą kierownika działu warzyw w jakimś zapomnianym przez Boga supermarkecie lub czerwonoskórym symbolem w podrzędnej prowincjonalnej spółce hipoteczno-pożyczkowej. Zdecydowałem, że najlepiej będzie, jeśli założę własne przedsiębiorstwo. Nie zależało mi nawet na wielkim dochodzie. Postanowiłem żyć tak jak rdzenny mieszkaniec tego kraju, taki, który był tutaj od samego początku.

Pociągnąłem kolejny łyk, przyglądając mu się uważnie.

— Chyba zdążył się pan już zorientować — wtrącił się do rozmowy Dude S. N. — że Papago Joe to kawał zatwardziałego Indianina. Czyż nie tak, Joe? Ten gagatek gotów pana oskalpować samymi tylko słowami.

— S. N. — odezwał się Papago Joe — skocz do Słonecznego Diabła i przynieś trochę lodu, migdałów i frytek. Nie jesteśmy zbyt gościnni.

— Co ty sobie myślisz? Czy to jest Biltmore? — odparł ze złością Dude. Niemniej naciągnął dżinsy i wyszedł, z hukiem zatrzaskując drzwi.

— Wydaje mi się — powiedział Papago Joe — że będzie lepiej, jeśli na początek porozmawiamy sobie w cztery oczy.

— Jak na razie nie zapytałeś mnie, kim jestem i dlaczego kupiłem ci butelkę whisky — odpowiedziałem.

— Przypuszczałem, że powiesz mi sam w odpowiednim czasie.

— Nazywam się Erskine, Harry Erskine. Jestem kimś w rodzaju badacza zjawisk nadprzyrodzonych, kimś w rodzaju Jamesa Randi. Poszukuję dziewczyny, którą widziano tutaj niedawno, podczas twojego wystąpienia w telewizji.

— W rzeczy samej, panie Erskine — odparł Papago Joe. — Wiem, kim pan jest i w jakim celu pan tutaj przyjechał.

— Wiesz?

— Ktoś, kogo dobrze znasz, już się zdążył ze mną skontaktować.

— Kto? Chyba nie Amelia?

Papago Joe potrząsnął głową. Uśmiechał się.

— Ktoś jeszcze bliższy. Ktoś, komu zawsze leżało na sercu twoje dobro.

Zaczynała ogarniać mnie obawa, że coś złego wisi w powietrzu. Poczułem cierpki smak strachu i niepewności.

— Nie denerwuj się — pocieszał mnie Papago Joe. — Daj mi rękę.

Z ociąganiem podałem mu dłoń. Papago Joe ujął ją i przycisnął do wygniecionej aluminiowej ścianki przyczepy. Dotyk zimnego metalu — klimatyzacja działała bez zarzutu — wstrząsnął moim ciałem.

— Co to ma znaczyć? Dlaczego to robisz? — zapytałem.

— Przekonasz się za chwilę. Dobrze się czujesz?

— Czułbym się dobrze, gdybym wiedział, o co tu chodzi.

— Bądź spokojny — uspokajał mnie Papago Joe. Dalej przyciskał moją rękę do aluminium.

— Co to ma znaczyć? — dopytywałem.

Papago Joe nie odpowiadał, tylko się uśmiechał. Lecz naraz poczułem, jak metal zaczyna wzdymać się i falować, szeleszcząc pod moją dłonią. Czułem też wyraźnie, jak zmienia kształt.

Zmarszczyłem brwi i niepewnie spojrzałem na Papago Joego, ale twarz Indianina nie wyrażała żadnego uczucia. Początkowo nie orientowałem się w jego zamiarach, ale potem czyjeś rzęsy musnęły moją skórę i poczułem na ręce powiew czyjegoś oddechu. Zrozumiałem, że Papago Joe zrobił to samo, co kiedyś Martin Vaizey w swoim mieszkaniu z albumem Velázqueza.

Śpiewająca Skała.

Usiłowałem oderwać dłoń od ściany przyczepy, ale Papago Joe trzymał ją silnie. Szybkim ruchem głowy dał mi znak, abym tego nie robił.

— Nie przerywaj kontaktu. Moja wrażliwość metapsychiczna pozwala mi zatrzymać go tu nie dłużej niż minutę, dwie.

— Śpiewająca Skała? — zapytałem ochrypłym głosem.

Nastąpiło dłuższe milczenie, ale zaraz potem poczułem pod dłonią zimny oddech i ruch metalowych warg.

— ...*powinieneś teraz przede wszystkim* — przez piętnastoletnią barierę śmierci usłyszałem niewyraźny głos Śpiewającej Skały ...*odnaleźć ich, wyrwać z apatii; nikt inny nie jest w stanie ci pomóc...*

— Kogo masz na myśli? — zapytałem. — Kogo odnaleźć? Kogo wyrwać?

Śpiewająca Skała odezwał się nie swoim głosem:

— ...*wyrwij ich z apatii, Harry, to jest także ich ziemia, oni ci pomogą...*

Papago Joe oddychał ciężko, zlany potem. Widać było, że przytrzymanie ducha Śpiewającej Skały przychodzi mu z o wiele większą trudnością niż Martinowi Vaizeyowi.

Usłyszałem, jak Śpiewająca Skała mówi:

— ...*twój naród, twój naród...*

Ale potem, prawie natychmiast, poczułem, jak metal gnie się i prostuje pod moją ręką. Śpiewająca Skała znikł. Cofnąłem się i spojrzałem prosto w oczy Papago Joemu.

— Jesteś medium?

— Nauczył mnie tego Krwawy Hak. Kiedy byłem młodszy, często obcowałem z duchami. Zerwałem z tym jednak po pewnym czasie. Doszedłem do wniosku, że seanse działają na mnie zbyt przygnębiająco. Nie widziałem w tym żadnego sensu. Bądź co bądź, niewiele mogliśmy zrobić, aby wpłynąć na naszą przyszłość; takie było przynajmniej moje zdanie. Nie wierzyłem w Taniec Duchów, w zapadanie się w głąb Wielkiej Otchłani. Nie wierzyłem, aby to było możliwe. Ale trzy dni temu, nocą, twój przyjaciel Śpiewająca Skała odwiedził mnie podczas snu. Mówił do mnie w sposób zagadkowy, językiem duchów, którego nie rozumiałem. Zdawałem sobie jednak sprawę, że to nie był zwykły sen.

Następnego dnia zażyłem proszki wizyjne i odnalazłem Śpiewającą Skałę. Wywołałem jego głowę z torby z bawolej skóry. Opowiedział mi o Misquamacusie, o wydarzeniach w szpitalu Sióstr Jerozolimy, a także o tym, jak ucięto mu głowę nad jeziorem Berryessa. Uprzedził mnie również, że Misquamacus pojawi się tutaj wraz z twoją przyjaciółką Karen. A potem powiedział, że ty także zjawisz się u mnie, poszukując jej śladów, w pościgu za Misquamacusem. Obawiał się, że Misquamacus może urządzić na ciebie zasadzkę.

— Skąd Śpiewająca Skała wiedział, że Misquamacus sprowadzi tutaj Karen? — zapytałem Papago Joego. Zaczynałem być coraz bardziej podekscytowany.

— Misquamacus zbiera trofea — wyjaśnił Papago Joe.

— Jak to? Co to znaczy?

— Indianie skalpowali wrogów, aby popisać się swoim męstwem. Ozdobione piórami tyczki, na których zawieszali zdobyte skalpy, dawały świadectwo ich odwadze. Rzecz jasna, większą chwałą było oskalpowanie wroga, kiedy jeszcze żył, lecz oni mieli zwyczaj skalpować także zabitych. Podobnie czynili podczas ostatniej wojny piloci, malując na kadłubach swych myśliwców maleńkie samolociki. Ich liczba odpowiadała liczbie strąconych samolotów przeciwnika.

Tu jednak Misquamacus napotkał istotną trudność. Ponieważ jest jedynie duchem, nie może dotykać swoich ofiar. Musi w tym celu użyć rąk istoty żywej, czyli wcielić się w czyjeś ciało. Skalpuje zatem poległych per procura. W tym przypadku użył ciała twojej przyjaciółki, Karen.

— Chryste — rzekłem. — Czy to znaczy, że Karen... Ale do czego mu potrzebne te trofea?

— Każde trofeum czyni go silniejszym. Każdy duch, którego bierze w siebie, czyni go większym. Kiedy wreszcie Indianie powstaną, na tyczkach namiotu Misquamacusa powiewać będą tysiące skalpów białych ludzi. Będzie miał na swoim koncie taką liczbę trofeów, jak nigdy żaden Indianin w całej historii. Łatwo sobie wyobrazić skutki — stanie się potężny jak bóg.

— A więc jest możliwe, że Karen wciąż tutaj przebywa?

— Tak jest. Jeśli Misquamacus ciągle zbiera trofea, Karen dalej tu jest. Będzie poszukiwać zmarłych i skalpować ich na chwałę Misquamacusa.

ROZDZIAŁ 14

S. N. wrócił, wywijając plastikową torbą z kostkami lodu. Z kieszeni wystawały mu paczuszki prażonych orzeszków ziemnych. Zamierzał właśnie zdjąć dżinsy, gdy Papago Joe powiedział:

— Słuchaj, dzwonił Dan Thundercloud. Prosi, aby mu dostarczyć do Scottsdale tę niebieską electrę.

— Człowieku, przecież to straszne — zaprotestował Dude.

— Zgadza się — odparł obojętnie Papago Joe. — Za to ci właśnie płacę.

— Nie słyszałem, aby ktoś telefonował — zauważyłem, gdy samochód z rykiem silnika zniknął w tumanach żółtobrązowego kurzu.

— Oczywiście, że nie było żadnego telefonu — odparł Papago Joe. Chcę jednak porozmawiać z tobą poważnie i bez świadków.

— Na jaki temat?

— O tym, co się dzieje i co należy zrobić, aby położyć temu kres.

— Z tego, co mówiłeś o białych ludziach, nie wynikało, że chcesz, aby to się skończyło. Nie wolałbyś, aby na tej ziemi zamiast bladych twarzy swobodnie hasały stada bawołów?

Papago Joe popatrzył na mnie, jakbym przemawiał w obcym języku.

— Oszalałeś? Myślisz, że ja chcę żyć jak koczownik, wiecznie zajęty myślą, jak by tu zdobyć coś do jedzenia? Sądzisz, że chcę mieszkać w namiocie czy w wigwamie i pichcić jakiś tłusty wywar na śmierdzącym palenisku? Że chcę uganiać się jak idiota za jakimś twardym, niesmacznym zwierzęciem, gdy tymczasem mogę sobie podjechać klimatyzowanym buickiem do Mesy, kupić na tekturowej tacce gotowy befsztyk z najprzedniejszej części wołu i popić go butelką whisky?

Zamknął drzwi przyczepy.

— To ja źle słyszałem — stwierdziłem zaskoczony.

— Nie — odrzekł, potrząsając głową. — Dobrze słyszałeś. To, co zrobiono z Indianami, było przerażające. Nie da się jednak cofnąć czasu, bez względu na to czy przebaczymy i zapomnimy, czy nie. Jeśli chodzi o mnie, nie mam wcale ochoty, aby te lata wróciły, a Misquamacus jest nieskończenie podły, usiłując nam to narzucić.

To były krwawe czasy, czasy zabobonów, głodu i nieszczęść, czasy straszliwych cierpień. Niech mi pan wierzy, panie Erskine, w życiu amerykańskich Indian nie było nic romantycznego.

Oczywiście to nie dawało wam żadnego prawa, by nas zniszczyć. Ale to już przeszłość i każdy, kto pragnie powrotu tych czasów, jest jeszcze bardziej bezrozumny i groźniejszy niż kiedyś blade twarze.

Pociągnąłem jeszcze trochę whisky i zjadłem parę orzeszków. Pomimo lodowatego zimna ciągnącego od klimatyzacji nie czułem się zbyt dobrze.

— Co zatem proponujesz? — zapytałem. — Moim głównym celem jest odnalezienie Karen. Dla mnie ta sprawa jest najważniejsza. Ale jak dotąd, nie przyszedł mi do głowy żaden pomysł, jak dobrać się do Misquamacusa.

— W wierzeniach Indian jest coś, co nazywamy pośmiertnym marzeniem. Gdy ktoś umiera, nie wypełniwszy do końca wyznaczonego mu przez los zadania, nawiedza żyjących we śnie i prosi ich, aby wykonali je za niego.

— No więc?

Przeczesał ręką szarosiwe włosy.

— Twój przyjaciel Śpiewająca Skała zobowiązał się zniszczyć Misquamacusa. Raz udało mu się go pokonać, za drugim razem ten uciął mu głowę. Teraz ma kolejną możliwość — za moim pośrednictwem.

— Czy on naprawdę cię o to prosił?

— Objawił mi się we śnie w płaszczu z orlich piór, a kiedy mówił, z jego warg wydobywał się dym. Oczy miał jak dwie lampy, a ręce przypominały szpony orła. Był martwy — miał na sobie ozdobny strój śmiertelny. Dobrze jednak słyszałem jego słowa. Prosił mnie, abym dokończył rozpoczętą przez niego walkę.

— Co mu odpowiedziałeś?

— Odparłem, że zrobię to z przyjemnością. Śpiewająca Skała był jednym z ostatnich prawdziwych indiańskich czarowników, jednym z wielkich szamanów plemienia Siuksów. Jak mógłbym odmówić jego prośbie?

— Ach tak — odparłem. Gdyby nie to, że wiedział już o mnie tak dużo, miałbym wątpliwości, czy powinienem mu wierzyć.

Papago Joe pochylił się i nakrył ręką moją dłoń.

— W tym kraju toczy się zażarta walka, panie Erskine, między teraźniejszością a przeszłością. Musimy wybrać, po której stronie stanąć, każdy z nas. Inaczej znów pogrążymy się w mroku, w ignorancji, w odmętach śmierci.

Spoglądałem na niego dłuższą chwilę, w te jego czarne, połyskujące oczy.

— Skomplikowany z ciebie człowiek, Papago Joe.

— Zgadza się — odparł.

— Od czego zaczniemy?

— Najpierw skończmy tę butelkę.

— A potem?

— Jutro zejdziemy do Wielkiej Otchłani i poszukamy Misquamacusa.

— Do Wielkiej Otchłani? Jak się tam dostaniemy?

Wskazał budynek, gdzie mieścił się warsztat.

— Wejdziemy przez to miejsce, gdzie zamordowano te siedem osób... Tak samo jak Karen w Nowym Jorku. Weszła przez miejsce, w którym zabito Hope'a i Danetreego. Każde miejsce, gdzie została przelana niewinna indiańska krew, stanowi bramę do Wielkiej Otchłani.

— Rozumiem — odpowiedziałem. Przypomniało mi się, co doktor Snow mówił nam o Apache Junction i Wounded Knee oraz setkach innych rozsianych po całej Ameryce punktów, gdzie dokonywano rzezi Indian. — Czy ty, hm, czy ty byłeś już kiedyś w Wielkiej Otchłani?

Papago Joe potrząsnął przecząco głową.

— Myślałem, że znajdę się tam dopiero po śmierci. Lecz twój przyjaciel Śpiewająca Skała będzie nam służył za przewodnika. Pomyślałem, że przyjaźń ze Śpiewającą Skałą staje się dosyć uciążliwa. Przyleciałem do Phoenix, aby odszukać Karen, a nie aby odbywać wycieczki do Wielkiej Otchłani czy Krainy Szczęśliwych Łowów, lub jak ją tam zwą. Podobnie jak Papago Joe — nie spodziewałem się trafić za życia do krainy zmarłych, a tym bardziej do kwatery Indian.

Gdybym nie oglądał na własne oczy zniszczenia Chicago i Las Vegas, potraktowałbym ten cały pomysł jako żart. Lecz Stany Zjednoczone, jak długie i szerokie, ogarnięte były falą paniki i napięcia. Dominowało przekonanie o tajemniczym charakterze obu kataklizmów i w tej atmosferze byłem gotów uwierzyć prawie we wszystko. A poza tym Papago Joe zbyt dużo wiedział. Wiedział wszystko o mnie i Karen, a także o Śpiewającej Skale i Misquamacusie. Wyrażał się w ten sam suchy, rzeczowy sposób jak dawniej Śpiewająca Skała. Z ciężkim sercem zrozumiałem, że czy będę tego chciał, czy nie, nie ominie mnie wizyta w Wielkiej Otchłani i że mój los znajduje się pod mymi stopami, w tym jak to określił doktor Snow — ciemnym odbiciu w mrocznym jeziorze.

— Potrzebne mi będzie parę rzeczy — przerwał milczenie Papago Joe. — Ogony jeleni, szpony orłów, suche kości palców, grzechotki i czarodziejskie zioła.

Nie zamierzałem go wyśmiewać. W szpitalu Sióstr Jerozolimy Śpiewająca Skała pokonał Misquamacusa za pomocą kolorowego piasku i suchych klekoczących kości. Dobrze wiedziałem, jaką moc mają czary Indian, chociaż niewykluczone, że dziś nie są one wystarczająco silne, aby pokonać ogrom potęgi Misquamacusa ani boga śmierci i ciemności, Aktunowihio. Ale, tłumaczyłem sobie, ja i Papago Joe jesteśmy przecież ludźmi nowoczesnymi, nieobce nam są osiągnięcia techniki, a niedostatki w sztuce czarnoksięskiej powinniśmy nadrobić doświadczeniem, zimną krwią i sprytem.

Papago Joe zerknął na swego wytwornego złotego roleksa.

— Co powiesz na to, abyśmy się spotkali tutaj o szóstej rano? Postaram się do tej pory przygotować wszystko, co będzie nam potrzebne.

— Czy mam zabrać torbę podróżną? — usiłowałem żartować.

Papago Joe wycelował we mnie swoje połyskliwe, czarne jak węgle oczy. Na twarzy jego rysowała się śmiertelna powaga.

— Panie Erskine, ty i ja wybieramy się do krainy umarłych. Zabierz ze sobą nadzieję, wyobraźnię i sporą dozę szaleństwa.

Skończyliśmy butelkę whisky, po czym opuściłem przyczepę, której drzwi zatrzasnęły się za mną z hukiem. Pod wpływem arktycznego zimna nabawiłem się tam kataru. Od nadmiaru whisky rozbolała mnie głowa. Odczuwałem także niepokój przed jutrzejszą podróżą do Wielkiej Otchłani. Wystawiony nagle na działanie bezlitosnych promieni słońca, dostałem silnej migreny. Przeszedłem przez oślepiająco biały parking do swojego wynajętego lincolna. Niezdarnie usiłowałem wsadzić kluczyki do zamka, kiedy ujrzałem Stanleya. Ciągnął za sobą na sznurku zakurzonego martwego susła.

— Jak się masz, Stanley? — powitałem go. — Jak tam twoje sprawy?

— Doskonale — odparł. Po czym dodał: — Wyglądasz, jakby ci było zimno.

— Doprawdy? Twój suseł też sprawia takie wrażenie.

Stanley odparł z wielkim smutkiem:

— Mój suseł jest chory.

Zerknąłem na zwierzę.

— Masz rację. Wygląda na poważnie chorego. Co mu się stało?

— Nie wiem. Był zupełnie zdrowy i bawił się jak zawsze, aż tu raptem jakby zerwał ze światem.

Muszę przyznać, że bardzo mi się to określenie podobało. Zerwać ze światem — to było dokładnie to, co wraz z Papago Joem zamierzaliśmy zrobić jutro rano. Zerwać ze światem żywych i przenieść się do świata umarłych. Alleluja.

Otworzyłem samochód i wsiadłem. Skórzane obicia parzyły, tak że zapuszczałem silnik w uniesionej pozycji, którą w Słonecznym Pasie nazywa się „półdupki nad tapicerką".

— Szukał cię ktoś znajomy — odezwał się Stanley.

— Naprawdę?

— Tak. Postara się skontaktować z tobą później.

Pomyślałem chwilę i wyłączyłem silnik. Przyjrzałem się bacznie Stanleyowi. Chłopiec odwzajemnił moje spojrzenie. Trzeba mu oddać sprawiedliwość — ten dzieciak potrafił wytrzymać cudzy wzrok.

— To była kobieta, prawda? — zapytałem go.

Stanley potarł z namysłem nos i skinął głową.

— Jasne. Powiedziała, że postara się skontaktować z tobą później.

— Jak ta kobieta wyglądała?

— Nie wiem. To była po prostu kobieta.

— A jak była ubrana? Jaką sukienkę miała na sobie?

— Wydaje mi się, że żółtą. Podobał się jej mój suseł.

Karen, pomyślałem. Przebiegł mnie dreszcz podniecenia połączony z nieprzyjemnym uczuciem strachu. Ostatni raz widziałem Karen, jak znikała w dziurze, która wcale nie była dziurą, na drugim piętrze hotelu Belford w Nowym Jorku. To prawda, że mignęła mi przelotnie w telewizji, lecz niewykluczone, że postać na ekranie była tylko złudzeniem optycznym, sztuczką operatora, zjawą. I teraz oto, w oślepiającym blasku słońca Apache Junction, stał przede mną Stanley i potwierdzał, że Karen znajduje się tu rzeczywiście, że szuka mnie i ma zamiar skontaktować się ze mną później.

Wyciągnąłem portfel i wręczyłem Stanleyowi dwa jednakowe wizerunki Abrahama Lincolna.

— Proszę, Stanley, weź to i kup sobie jakieś żywe stworzenie. No wiesz, kotka, szczeniaka.

— Dude S. N. ma jaszczurkę z rzeki Gila.

— Kup więc sobie jaszczurkę z rzeki Gila.

Nie odpowiedział, tylko skrzywił się i zmrużył oczy.

— W czym problem? — zapytałem.

— Taka jaszczurka kosztuje dwanaście dolarów siedemdziesiąt pięć centów.

Resztę dnia spędziłem w Bibliotece Publicznej miasta Phoenix przy ulicy McDowell. Wybrałem wszystkie, jakie tylko udało mi się znaleźć, publikacje na temat ostatniej reduty Custera i bitwy nad Little Big Horn. Czytałem i jadłem rozpaćkanego hamburgera, starając się nie zwracać uwagi dyżurnych pań (błyskawiczne pochylenie głowy, najniżej jak tylko można, ogromny kęs, otarcie warg, żucie).

Jak to zazwyczaj w życiu bywa, gdy szczęście przestaje dopisywać, porażka Custera nad Little Big Horn spowodowana została jego własną niesubordynacją, zapalczywością oraz notorycznym niedocenianiem przeciwnika. Czerwcowego popołudnia tysiąc osiemset siedemdziesiątego szóstego roku zaatakował on obozowisko Siuksów na zachodnim brzegu rzeki zwanej przez Indian Rzeką Soczystej Trawy. Custer miał pod sobą czterystu osiemdziesięciu kawalerzystów, podzielonych na trzy grupy. Nie wiedział jednak, że obozowiska Indian strzegło ponad dwa tysiące wojowników, wśród których byli Pęcherz i Szalony Koń.

Podczas gdy dwie z tych grup zaatakowały frontalnie siedziby indiańskie od strony południa, Custer i dwustu piętnastu jego ludzi cwałowali wschodnim brzegiem rzeki z zamiarem otoczenia Indian od północy. Lecz Pęcherz i Szalony Koń odparli atak od południa, a potem przeszli rzekę i zaskoczyli białych w pół drogi, gdy ci posuwali się szeregiem wzdłuż grzbietu wąwozu.

Kawaleria Custera poszła w rozsypkę. Podczas chaotycznego krwawego odwrotu kawalerzyści ginęli od włóczni, wojennych maczug, kul i strzał. Część żołnierzy, widząc, że nie ma ratunku, sama strzelała sobie w głowy.

Większość publikacji historycznych, jakie znalazłem w bibliotece w Phoenix, także źródła indiańskie, nie różniła się w swych relacjach. Lecz gdy niebo za oknami zaczęło przybierać charakterystyczny dla Phoenix o tej porze odcień bladego fioletu i pomarańczy, wpadłem na pierwszy trop, wskazujący, że nad Little Big Horn zdarzyło się coś innego. Była to książka złożona z rysunków wodza Siuksów Czerwonego Konia, który odegrał w bitwie niepoślednią rolę. Zachęcił go do nich chirurg armii amerykańskiej o nazwisku Charles McChesney.

McChesney spisał również ustną relację Czerwonego Konia. Pod każdym rysunkiem znajdował się odpowiedni tekst.

Żołnierze posuwali się ścieżką wydeptaną przez Siuksów i zaatakowali siedzibę Unkpapas.

Kolorowe, wykonane niewprawną, jakby dziecięcą ręką ryciny ukazywały majora Marcusa Reno i jego ludzi, jak śpieszyli zaatakować frontalnie Siuksów.

W tym momencie wszyscy Siuksowie przypuścili atak na żołnierzy, powodując wśród nich ogromne zamieszanie. Część z nich została zepchnięta do rzeki, resztę zapędzono w górę zboczy.

Chcąc podkreślić ich bezładną ucieczkę, Czerwony Koń pokazał na rysunku, jak pędzili po śladach własnych koni.

Odparłszy siły majora Reno Siuksowie skoncentrowali teraz swą uwagę na *innych żołnierzach* — na Custerze i jego ludziach, którzy mknęli wschodnim grzbietem wąwozu.

Odwróciwszy kolejną stronę książki, natknąłem się jednak na rysunek, który przejął mnie zimnym dreszczem. Z pewnością chłód panujący w sali niewiele miał z tym wspólnego, chociaż dyżurna solidnie podkręciła pokrętło klimatyzacji.

Z wąwozu podniósł się cień i przesunął się przez jego krawędź w kierunku Deep Coulee. Ogarnięci paniką żołnierze zaczęli krzyczeć. Cień pochłonął ich wszystkich. Wówczas Szalony Koń podniósł do ust swój gwizdek z kości orlego skrzydła i na ten zew Siuksowie popędzili w stronę cienia, zabijając pozostałych przy życiu żołnierzy.

Skłębione podczas bitwy kadłuby kawaleryjskich koni wódz Czerwony Koń przedstawił w różnych kolorach (czarnym, czerwonym, brązowym, niebieskim, a nawet lila). Nad ich głowami unosiła się olbrzymia czarna chmura. McChesney opatrzył rysunek następującym komentarzem:

„Niedostateczna znajomość języka znaków uniemożliwiła mi dokładne zrozumienie treści, którą wódz Czerwony Koń usiłował przekazać na swych rysunkach. Pytałem go, czy to był dym żołnierskich strzelb, czy też gliniany pył unoszący się spod końskich kopyt. Kurz chyba dławił oddech, bo chociaż grzbiet wąwozu porośnięty był roślinnością — rosły tam bylica, juka oraz stepowe pnącza — była ona jednak zbyt skąpa, aby pokryć cały grunt. Rzeka na tym odcinku w większości również świeciła suchym dnem.

Jednakże wódz Czerwony Koń powtarzał cały czas, że to nie był ani dym, ani pył, tylko cień. Starając mi się to wyjaśnić, zakrywał twarz rękami i rozstawiał palce, tak że widziałem tylko jego oczy. Nie miałem pojęcia, co oznacza ten gest, a nie znalazłem nikogo, kto by mi to wytłumaczył.

Przypuszczam, że musiał być w błędzie mówiąc, że Szalony Koń dmuchnął w swój gwizdek dopiero po tym, gdy cień pochłonął już żołnierzy. Zanim bitwa rozgorzała na dobre, kurz i dym nie tworzyły aż tak gęstej chmury, jak narysował to Czerwony Koń. Nie ma żadnej wątpliwości, że tego popołudnia w dolinie rzeki było bardzo ciemno. Według jednej z relacji »przypominało to zmierzch; pod tym całunem strzelby błyskały jak robaczki świętojańskie. Salwy z broni palnej trzaskały sucho, niczym gigantyczne płótno rozpięte na zboczach pagórków«. Z całą jednak pewnością ciemność powstała w trakcie walki, a nie przedtem.

Zaskoczyło mnie również twierdzenie Czerwonego Konia, że to cień rozprawił się z większością ludzi Custera. Powtarzał z naciskiem, że on jedynie podążał za cieniem i dobijał rannych. Nie chciał jednak (lub nie potrafił) wyjaśnić, w jaki sposób cień unicestwiał ludzi.

Kiedy próbowałem naciskać go w tej materii, powtarzał swój gest zakrywania twarzy dłonią. Powiedział, że nie może opisać tego dokładniej, bo obawia się ściągnąć na siebie gniew czarowników". Chyba ze dwadzieścia minut badałem rysunek z cieniem. Nie mogła to być chmura — na żadnym z poprzednich rysunków Czerwonego Konia nie było ani chmur, ani nieba. Nie pokazał też kurzu nawet na ilustracjach przedstawiających najbardziej zaciekłe walki. Była to jedyna rycina, na której uwidocznił cień. W przeciwieństwie do innych jego malowideł, które były jasne i czytelne, to było nieprzejrzyste, zamazane i nakreślone grubą, czarną kredką. Odnosiło się wrażenie, że rysując, zmienił zamiar i starał się zatuszować to, co przedtem namalował, pociągając wielokrotnie po szkicu ciemnym szerokim ołówkiem.

Szczegóły rysunku można by było odcyfrować tylko badając oryginał w Smithsonian Institution. Niemniej wydawało mi się, że w gęstwie splątanych falistych linii dostrzegam coś na kształt macek ośmiornicy. U góry malowidła widać było wyraźnie wyrastającą z cienia ruchliwą czarną witkę, która wpełzała do otwartych szeroko ust żołnierza.

Ten szczegół przejął mnie zimnym dreszczem. Przypominał aż nazbyt dokładnie Martina Vaizeya, gdy opętany przez ducha z głową bawołu, wpychał rękę w gardło Naomi Greenberg.

Niewykluczone, że ten sam bawół-widmo był i tam, nad Little Big Horn. Niewykluczone, że tamta masakra przebiegała właśnie tak, jak opisał ją wódz Czerwony Koń.

Przewróciłem stronicę i upewniłem się, że tok mego rozumowania jest słuszny. Rysunek przedstawiał leżących na ziemi poległych w walce Indian. Na głowach mieli wojenne pióropusze, a przy boku swoje łuki i strzelby.

Żołnierze Custera zabili 136 Siuksów, a czarownik odprawił konieczne obrzędy, aby zapewnić im szczęśliwe życie w Wielkiej Otchłani, aż do chwili kiedy na ziemi amerykańskiej nie będzie ani jednego białego człowieka, a Indianie staną się wolnym narodem.

McChesney pisał dalej: „Zrozumiałem to jako odniesienie do religii Tańca Duchów, która głosi, że wszyscy biali ludzie, wraz z tym, co stworzyli, pewnego dnia zapadną się w ziemię i zostaną pogrzebani w niej na zawsze, a Ameryka znów wróci w ręce Indian. Postać czarownika na ilustracji wydała mi się niezwykle interesująca. Czerwony Koń namalował go jako człowieka wysokiego wzrostu i z wielką dbałością o każdy szczegół. Poproszony o podanie imienia szamana, wódz Czerwony Koń odrzekł, że czarownicy nie mają imion, a każda próba nazwania ich językiem znaków grozi śmiałkowi utratą palców. Zamiast tego nakreślił na piasku parę hieroglifów, które przypominały kształtem dwa kubki, zwinięte w trąbkę ucho, romb z nakreślonymi na nim czterema poziomymi liniami oraz czarę z dwoma uchwytami. Nigdy przedtem nie widziałem, aby któryś z Siuksów pisał takimi hieroglifami i nie miałem pojęcia, co one znaczą. Przerysowałem je jednak dokładnie. Kilka miesięcy później spotkałem w Connecticut francuskiego misjonarza, ojca Eugene Vetromile, który uchodził za największego znawcę pisma Indian. Przestudiował hieroglify z wielkim zainteresowaniem i stwierdził, że aczkolwiek narysował je Siuks, jest to pismo plemienia Narragansettów. Znaczyły one: Ciemność, Strach, Wieczność, Człowiek — czyli Ten Który Niesie Grozę Wiecznej Ciemności. Odczytane fonetycznie dawały brzmienie: m-q-m-c, czyli miskwamakus".

Otworzyłem puszkę piwa Miller Draught, którą przyniosłem do czytelni wraz z hamburgerem. Oprócz tego miałem jeszcze przy sobie torbę chrupków i parę lasek suszonej wołowiny. Właśnie miałem zamiar pociągnąć pierwszy łyk, gdy zorientowałem się, że koło mnie stoi jedna z dyżurnych pań.

— Proszę mi wybaczyć, ale na tej sali jedzenie i picie jest wzbronione.

Odwróciłem się. Była to drobniutka, milutka brunetka o poważnym wyrazie twarzy. Nie miała więcej niż dwadzieścia pięć, dwadzieścia sześć lat. Ubrana była w jedwabną bluzkę i spódniczkę koloru wielbłądziej sierści.

— Bardzo mi przykro — odparłem — ale nie miałem dzisiaj nic w ustach.

— Mnie również przykro — odrzekła. — Niestety, nie wolno tu przynosić ze sobą jedzenia.

— Rozumiem — stwierdziłem. — To jest lokal dla ducha, a nie dla ciała.

Zmrużyła gniewnie oczy. Nie sądzę, aby przemówił do niej mój dowcip. Miała akcent i poczucie humoru ludzi Południa. Mieszkańcy Arizony nie znają się na żartach, czemu zresztą nie należy się dziwić. Żyją w czterdziestostopniowych upałach, wśród sklerotyków i mafiosów, jeśli nie wśród sklerotycznych mafiosów.

— Właśnie — wyjaśniłem, odchylając się na siedzeniu ze skrzyżowanymi nogami i przybierając dostojną pozę Harolda

Erskine'a, doktora nauk medycznych — właśnie szukam materiałów dotyczących bitwy nad Little Big Horn i ostatniej reduty Custera. Udało mi się tutaj znaleźć bardzo interesujące rzeczy... Jak nigdzie indziej.

— To nie zmienia faktu, proszę pana, że tu nie wolno ani jeść, ani pić.

— Ale pozwoli mi pani dokończyć piwo?

— Przepraszam, ale nie.

— No cóż — odparłem. — Ja też przepraszam. Bardzo przepraszam... I to właśnie teraz, kiedy wydawało mi się, że znalazłem to, o co mi chodziło.

Zaczerwieniła się i zerknęła niepewnie na puszkę z piwem.

— Może pan zostać, ale pod warunkiem, że nie będzie pan pił. Little Big Horn to rzeczywiście interesujący temat. Czy widział pan naszą księgę poświęconą historii dziennikarstwa?

Postawiłem puszkę z piwem na pulpicie.

— Niestety nie, ale bardzo chciałbym zobaczyć.

— Musi mi pan obiecać, że nie będzie pan pił.

— Daję na to harcerskie słowo honoru.

Odeszła, skrzypiąc gumowymi podeszwami. Siedziałem i dopijałem leniwie puszkę swego millera. Noc za oknami była ciemna i połyskliwa, jak jezioro cieni rozciągające się pod naszymi stopami. Wreszcie dyżurna pojawiła się z powrotem i położyła przede mną opasły tom.

— Proszę, oto ona — oznajmiła. — Ta księga to nasza duma. Faksymile stron gazetowych, poczynając od tysiąc osiemset czterdziestego roku.

Otworzyła książkę na tytułowej stronie „Bismarck Tribune", gazety wychodzącej w Dakocie, z dnia szóstego lipca tysiąc osiemset siedemdziesiątego szóstego roku. Tytuły krzyczały: „MASAKRA!", „Poległ generał Custer i 261 jego żołnierzy", „Ani jeden oficer ani żołnierz 5 Kompanii nie ocalał, by dać świadectwo prawdzie", „Indianki bezczeszczą i grabią poległych", „Jak zachowa się Kongres?", „Czy to początek końca?".

Pierwszy akapit był wręcz elektryzujący.

„Na zawsze zostanie w naszej pamięci fakt, że to »Bismarck Tribune« wysłała specjalnego korespondenta, Marka Kellogga, aby towarzyszył wyprawie Custera. Ostatnie jego słowa do autora niniejszego artykułu brzmiały: »Zanim ta relacja do was dotrze, będziemy już mieli za sobą walkę z czerwonymi diabłami. Jaki będzie jej rezultat zobaczymy. Jadę z Custerem i będę dokumentował śmierć«. Prorocze słowa!".

Miałem trudności z odszyfrowaniem drobnego druku, niemniej na trzeciej kolumnie udało mi się przeczytać, co następuje: „Jedynie ciało Kellogga zostało oszczędzone i nie odarte z ubrania. Może postanowili uszanować tego skromnego przedstawiciela zawodu dziennikarskiego. A może obawiali się, że jego aparat fotograficzny uwięził ich dusze i zemści się na nich, jeśli zbezczeszczą jego zwłoki. Jak się okazało, zostawiono w spokoju także jego kamerę; rolki z filmami dotarły szczęśliwie do Bismarck, gdzie zostały wywołane".

Opadłem na oparcie krzesła. Rany boskie. A więc to było to. To tę wiadomość usiłował przekazać mi Samuel. Mark Kellogg był specjalnym korespondentem „Bismarck Tribune". On rzeczywiście fotografował masakrę pod Little Big Horn.

Nie mogłem uwierzyć, że nikt nigdy nie wspomniał ani słowem o tych zdjęciach. Pomimo relacji naocznych świadków, takich jak indiańscy wojownicy, pomimo wszystkich rysunków, prawda o tym, co zdarzyło się nad Rzeką Soczystej Trawy, nigdy nie została do końca wyjaśniona. Lecz gdyby istniały fotografie...

Dyżurna podeszła do mnie, oświadczając:

— Zamykamy, proszę pana. Jeśli coś jeszcze u nas pana interesuje, obawiam się, że będzie pan musiał przyjść jutro.

— Nie, nie dziękuję — odparłem. — Jest pani wspaniała.

Wzięła do ręki puszkę. Prawdopodobnie chciała mi przypomnieć, abym ją zabrał wychodząc. Od razu się jednak zorientowała, że nie ma w niej już piwa.

— Pan je wypił — stwierdziła. — A jednak pan je wypił. Wbrew regulaminowi biblioteki i zarządzeniu władz miejskich, wbrew prawu stanowemu.

Posłusznie wyciągnąłem nadgarstki w jej stronę.

— Proszę kazać mnie aresztować.

Zabrałem ją na kolację do restauracji U Matki O'Reilly na wzgórzu, na północ od Phoenix. Zasiedliśmy potem na tarasie, popijając musującego chandona. Łagodna, ciepła i aksamitna noc Arizony, rozjarzona światłami Sun Valley, otulała nas swym kojącym płaszczem.

Powiedziała mi, że ma na imię Nesta, ma dwadzieścia sześć

lat i mieszka z rodzicami. Przypominała mi sekretarkę z którejś z tych łzawych komedii. Była nieśmiała i pełna krytycyzmu wobec własnej osoby. Nie wierzyła, że może się komuś podobać. Lubiła robić wypieki, uwielbiała konie, balet i poezję — szczególnie Longfellowa.

— Kiedyś potrafiłam wyrecytować z pamięci całą *Pieśń o Hajawacie* — mówiła śmiejąc się.

— Jeśli chodzi o mnie, nie jestem entuzjastą Indian — poinformowałem ją.

— No wiesz! A co powiesz na to:

...I przyszła Śmierć-Żniwiarz,
I jednym ciachnięciem
Ścięła wszystko wokół...
Nie szczędząc kwiatów wśród brodatych kłosów.

Wesołe, nie ma co.

— Powróżysz mi z dłoni? — spytała.

— Jasne — odparłem. — Pozwól jednak, że ci coś powiem. Wróżenie z ręki to jest jak przegląd prasy. Wiesz, co mam na myśli. Całe twoje życie zamknięte w sześciu lub siedmiu liniach. Mogę ci najogólniej określić, jak długo będziesz żyła i czy będziesz szczęśliwa. Ale jeśli chcesz poznać więcej szczegółów na temat swojej przyszłości, jeśli chcesz wiedzieć, jakich mężczyzn spotkasz na swojej drodze i kiedy, i jaki kolor bielizny podoba im się najbardziej oraz kiedy twój kot zostanie przejechany przez samochód i jakiej marki, co do dnia, godziny i minuty — to najlepiej będzie, jeśli dasz sobie powróżyć z kart.

Roześmiała się zachwycona.

— To świetnie. Postaw mi karty.

Klepnąłem się po kieszeniach koszuli, po kieszeniach spodni.

— Och, chwileczkę. Och... jaka szkoda. Zostawiłem karty w hotelu.

— Och! — zawtórowała mi. Była zawiedziona bardziej niż ja. Miała na sobie czarną bluzkę bez rękawów, ozdobioną cekinami. Ładnie zarysowane piersi połyskiwały pod ciemną, obcisłą materią. Jej przednie zęby wymagały interwencji ortodonty, ale przecież wędrowni podrywacze nie mogą być zbyt wybredni, prawda?

— Nie martw się — pocieszałem ją. — Pojedziemy do hotelu, wypijemy parę drinków i tam dam ci popis prawdziwej wróżby.

— Hm... To raczej niemożliwe — odparła.

— A co masz do stracenia? — zapytałem i natychmiast pożałowałem tych słów. Zachowałem się jak ostatni gbur.

Zasępiona, wzruszyła ramionami.

— Jak sądzę, odmawiam, bo ja jestem dwudziestosześcioletnią bibliotekarką, a ty czterdziestopięcioletnim wróżbitą i czy według ciebie jest to jakaś recepta na szczęście, choćby nawet tylko przelotne?

Chciałem jej coś odpowiedzieć, lecz postanowiłem dać spokój. Miała rację i jednocześnie jej nie miała. Jeśli rzeczywiście nie ma ochoty, jeśli nie ma ochoty skorzystać z propozycji, najlepiej, żeby tego nie robiła. Po cóż ma jutro rano iść do biblioteki z uczuciem pogardy dla siebie? A ja po cóż miałbym się wysilać w ten upalny wieczór w Arizonie tylko z powodu braku towarzystwa, z pożądania, frustracji lub Bóg wie czego tam jeszcze?

Siedzieliśmy długi czas w milczeniu. W oddali na ciemnym horyzoncie błyskały przelatujące meteory. Wyciągnęła rękę przez stół i dotknęła mojej dłoni.

— Mam nadzieję, że nie gniewasz się na mnie — rzekła.

— Gniewać się? Dlaczegóż miałbym się gniewać?

— Spodziewałeś się, że pójdę z tobą do łóżka?

— Nie, nie spodziewałem się.

— To dlaczego zaprosiłeś mnie na kolację?

— A dlaczego przyjęłaś zaproszenie?

Milczała przez dłuższą chwilę. Kiedy się wreszcie odezwała, w jej głosie brzmiała powaga. Starannie dobierała słowa. Chciała, abym ją dobrze zrozumiał i nie posądzał, że za dużo wypiła.

— Nie zdawałam sobie sprawy, co z ciebie za człowiek. Przepraszam. Nie zdawałam sobie sprawy, że towarzyszy ci jakiś cień. A on ci towarzyszy, Harry, nie zaprzeczysz temu. Wokół ciebie jest jakaś ciemność, nie potrafię jej określić. Ale ona jest, czuję ją, i ona mnie przeraża.

Miałem ochotę śmiać się i płakać równocześnie.

— Przeraża cię?

Wynająłem pokój w motelu Thunderbird przy Indian School Road. Był to odpychający zespół betonowych pomieszczeń, przypominający opuszczoną stację benzynową. Balkony z matowego szkła były popękane, a w doniczkach z kwiatami tkwiły niedopałki papierosów. Maszyna do lodu przez całą noc bezustannie chrobotała i grzechotała. W połowie drogi do mojego pokoju leżał jakiś zakurzony, pokryty łuskami przedmiot. Wyglądał na zdechłego pancernika, ale nie zadałem sobie trudu, aby to sprawdzić.

Thunderbird to nie był Biltmore, lecz bilet lotniczy do Phoenix już i tak dostatecznie zaciążył na mojej karcie kredytowej. Gdy urzędniczka przy stoisku United Airlines podała mi jego cenę, zacząłem się jąkać z wrażenia.

Było mniej więcej dziesięć po jedenastej, kiedy odwiozłem Nestę do domu i zajechałem pod Thunderbird. Mieszkała w schludnym podmiejskim domku niedaleko Chris-Town. Siatkowe firanki poruszyły się gwałtownie, gdy wysiadając z samochodu, pocałowała mnie w usta. Skoro tylko drzwi zamknęły się za nią, nastawiłem samochodowe radio na cały regulator. W duszy złożyłem sobie straszliwą i wielomówiącą przysięgę, że nigdy więcej nie umówię się z bibliotekarką. Cała ta gadanina: „Ależ panno Hempstead, kiedy pani zdejmie okulary, jest pani... jest pani po prostu piękna", to nonsensowna bzdura. Nesta była równie nieciekawa bez okularów jak w okularach, a jej intelekt dorównywał urodzie. A uwaga, że towarzyszy mi cień, zepsuła mi doszczętnie humor.

Na miłość boską, każdemu z nas towarzyszy cień, ale to nie znaczy, że trzeba nam o tym przypominać.

Wziąłem do pokoju sześć puszek piwa, zdjąłem buty i rzuciłem się na łóżko, aby popatrzeć na telewizję. Pokój był mały, ciasny i chłodny, ale mimo to duszny. Był cały w brązach. Miał brązowy dywan, brązowe zasłony i pasiastą, brązowo-pomarańczową narzutę na łóżko. Najwidoczniej brązowy kolor należał do ulubionych barw mieszkańców Arizony. Jedynymi ozdobami były olbrzymia popielniczka z indiańskiego fajansu, stojąca na telewizorze, oraz amatorski obrazek przedstawiający wodza Apaczów z napisem: „Lepiej mieć błyskawicę w dłoni niż piorun w ustach". Sparafrazowałem sobie to przysłowie, które w mojej wersji brzmiało: „Lepiej mieć dolary w banku niż nieograniczony kredyt".

Przez chwilę oglądałem *Terminatora 2*, wypijając przy okazji dwa piwa. Potem rozebrałem się i wszedłem pod prysznic. Kafelki w łazience były również brązowe. Nawet woda miała podobny odcień. Następnie owinąłem się w swój wypłowiały żółty szlafrok i wyszedłem na balkon, wycierając ręcznikiem włosy. Po wściekłym chłodzie mego pokoju powietrze na zewnątrz wydało mi się ciepłe, suche i kojące. Gdzieś obok kłóciła się głośno pijana para, a z oddali dochodziło przeciągłe wycie kojotów. Miałem uczucie, że znalazłem się na innej planecie.

Zawracałem właśnie do otwartych drzwi, aby wziąć sobie jeszcze jedno piwo, kiedy ujrzałem młodą kobietę przechodzącą szybkim krokiem przez motelowe podwórze. Trwało to zaledwie ułamek sekundy, ale nim znikła pod balkonem, zdążyłem dostrzec zarys jej ramion i czubek głowy. Z wrażenia poczułem szum z tyłu czaszki; byłem pewien, że ją rozpoznałem.

Przechyliłem się przez balkon. Pijana para kłóciła się w dalszym ciągu: *...ze wszystkich cholernych głupstw, jakie można zrobić... ze wszystkich absurdalnych idiotyzmów, jakie można popełnić...*

Nasłuchiwałem uważnie. Nie mogłem jednak dosłyszeć kroków, bo ciszę nocy mąciła kłótnia pijanej pary, uliczny szum i zniekształcona muzyka radiowa. Usłyszałem trzaśnięcie drzwi, ale to mógł być ktokolwiek bądź.

Z ręcznikiem zarzuconym na ramiona przeszedłem się balkonem aż do schodków, uważając, aby nie nadepnąć na zdechłego pancernika. Wydawało mi się, że dostrzegłem poruszający się cień; miałem też wrażenie, że słyszę szuranie podeszew po zapiaszczonym betonie. Zawołałem:

— Karen?

Czekałem, wytężając słuch.

— Karen? — powtórzyłem.

Wcale nie byłem pewien, czy to była ona. Szansa równała się zeru. Nawet jeśli była jeszcze w Phoenix — nawet jeśli Misquamacus nie przeniósł jej gdzie indziej — skąd mogła wiedzieć, gdzie się zatrzymałem?

Niemniej włosy i ramiona, które zdążyłem dostrzec w tym ułamku sekundy, wyglądały tak samo jak włosy i ramiona Karen. Coś w sposobie poruszania się sugerowało również, że to mogła być ona.

Pobożne życzenie? Być może. Dalej jednak nie ruszałem się ze swego miejsca u szczytu schodów i dalej nastawiałem uszu. Po trzech, czterech minutach drzwi od jednego z pokojów na parterze otworzyły się i pojawił się w nich tłusty mężczyzna z owłosionymi ramionami. Zaskoczony, przyjrzał mi się podejrzliwie.

— Ma pan jakiś problem, przyjacielu? — zapytał.
Potrząsnąłem głową.

— Czekam na kogoś, to wszystko.

Zmierzył mnie wzrokiem od stóp do głów, splunął kątem ust i wycofał się do siebie. Pomyślałem sobie: w bardzo wytwornym miejscu wynająłem sobie ten pokój, numer dwieście trzydzieści sześć, nie ma co mówić.

Wróciłem i zamknąłem drzwi na klucz. Usiadłem na łóżku usiłując się skoncentrować, ale byłem zbyt zmęczony, aby wymyślić coś sensownego. Poza tym miałem w głowie o jedno piwo za dużo, a w dodatku gnębiła mnie myśl o jutrzejszym dniu. Wiedziałem, że zejście do Wielkiej Otchłani jest prawdopodobnie jedyną szansą odnalezienia Karen i Misquamacusa, ale Wielka Otchłań to była przecież śmierć. My, mętni wróżbici, zwykliśmy określać ją jako „świat za zasłoną". Nie miałem pewności, czy naprawdę mam chęć się tam udać, nawet jeśli pobyt miał być tylko chwilowy.

Włączyłem telewizor i natknąłem się na „Dzień na wyścigach". Przerzuciłem się na wiadomości, ale z Las Vegas nie było żadnych nowych doniesień.

Ponad sto kilometrów kwadratowych w południowo-zachodniej Nevadzie to teren, do którego praktycznie nie ma dostępu... piloci donoszą o przeszkodach w postaci tumanów piasku wysokich na sześćset metrów, które uniemożliwiają wszelką pomoc.

Wyłączyłem telewizor i zgasiłem nocną lampkę. Leżałem chwilę w ciemnościach, wsłuchując się w szum klimatyzacji oraz dobiegający z ulicy hałas. Nie minęło dziesięć minut, a spałem jak zabity.

ROZDZIAŁ 15

Obudziłem się z uczuciem, że ktoś jest w pokoju. Doznanie było tak silne, że przez chwilę nie otwierałem oczu, z obawy że jest to prawda. Rozejrzałem się, ale nie zobaczyłem nikogo. Przez ciemnobrązowe zasłony sączyło się słabe światło. Świeciło się również czerwone kontrolne światełko telewizora. Gdyby ktoś tu był, zobaczyłbym go od razu. To chyba resztki kołaczącego się w mózgu sennego koszmaru. Odwróciłem się na bok i sprawdziłem godzinę na zegarku, który leżał na nocnej szafce. Była druga dwadzieścia pięć — ta szczególna mroczna i krótka poranna pora, kiedy Żniwiarz ścina wszystko, nie szczędząc kwiatów wśród brodatych kłosów.

Leżałem przez chwilę z głową na poduszce, zastanawiając się, co przyniesie nadchodzący dzień. Ale niepodobna było wyobrazić sobie Wielką Otchłań. Myślałem o niej jako o ciemności i tylko ciemności.

Już miałem od nowa zapaść w sen, kiedy z łazienki dobiegł mnie słaby pisk. Nie była to mysz ani świerszcz. Taki odgłos wydaje ludzka skóra, kiedy ociera się o powierzchnię glazury.

Tam, w tej łazience, musiał ktoś być. Leżałem nieruchomo, wstrzymując oddech i nastawiając uszu. Serce waliło mi w piersi głuchym powolnym rytmem, a w głowie czułem szum pulsującej krwi. Przez dłuższy czas jednakże, ponad minutę, nie dochodził mnie żaden dźwięk. Gdzieś wysoko ponad ziemią ze stłumionym warkotem przelatywał samolot, dudniła przejeżdżająca ciężarówka. Więcej nic. I nagle — *skwiiiz!*

Ostrożnie wyszedłem z łóżka i sięgnąłem po ubranie. To

nie do wiary, jak głośno szeleszczą bawełniane spodnie, kiedy się je na siebie wciąga. Trzeszczą jak trzykondygnacyjny namiot z celofanu, który niezgrana trzydziestoosobowa ekipa rozkłada w wesołym miasteczku. Zapiąłem pasek, darowując sobie koszulkę polo. Stałem w ciemnościach chłodnego pokoju, nasłuchując bez przerwy. Wytężając wzrok stałem długą chwilę przejęty ciekawością i obawą. Powątpiewając, snując marzenia, jakich dotąd żaden śmiertelnik nie odważył się snuć.

— Kto tam? — zapytałem głosem cienkim jak rozwodnione mleko. — Czy jest tam ktoś?

Zerknąłem w kierunku drzwi. Były zamknięte i zabezpieczone łańcuchem. Ewentualny włamywacz miał tylko jedną drogę — okno od łazienki. Nie wydawało mi się to jednak możliwe. Okno łazienkowe było wprawdzie dosyć szerokie, ale miało tylko piętnaście centymetrów wysokości i nikt nie byłby w stanie się przez nie przecisnąć.

Stąpając cichutko bosymi nogami, podszedłem pod drzwi łazienki. Stałem, nasłuchując, jakieś pół godziny. Włosy zjeżyły mi się na głowie, dygotałem jak w febrze. Skóra mi ścierpła — co mogło być spowodowane chłodem panującym w pokoju. Tak przynajmniej starałem się w siebie wmówić. Bać się? Kto, ja? Czego? Nocnych pisków? Byłem prawie sparaliżowany ze strachu.

Czekałem i czekałem modląc się, aby moje podejrzenia okazały się bezpodstawne. Panie Boże czy też Wielki Manitu, błagam cię, niech nikogo nie będzie w tej łazience. Lecz wiedziałem, że za chwilę będę musiał pchnąć drzwi, zapalić światło i wejść do środka. To było nie do uniknięcia. Nie mogłem przecież wrócić do łóżka i spokojnie przespać reszty nocy, nie upewniwszy się, że łazienka jest pusta.

Chrząknąłem.

— Jest tam kto? — zapytałem zdecydowanie.

No tak, bez wątpienia. Setka piskliwych głosików, jak z disneyowskich bajek, odkrzyknie mi zaraz: „To tylko my, duchy!".

Otworzyłem drzwi. Trzasnęły lekko i uderzyły o wyłożoną kafelkami ścianę. W łazience było trochę jaśniej niż w sypialni, ponieważ przenikało do niej światło z ulicy. Mogłem odróżnić wannę, klozet i umywalkę. Baterie połyskiwały niklem. Lustro rzucało ciemne refleksy. Było to lustro jak wymarzone dla samobójców. W takie lustra spoglądają zniechęceni do życia mężczyźni, gdy przykładają brzytwy do swoich gardeł. Czyż może być lepsze miejsce, aby zakończyć nieudaną egzystencję, niż motel Thunderbird?

Ze zmarszczonym czołem spojrzałem na oszkloną kabinę prysznica. Wydawała się pusta. Taką miałem przynajmniej nadzieję. Ale majaczył tam jakiś kształt, jakiś cień, który wyraźnie odcinał się barwą od koloru kafli.

Doznałem uczucia, że podłoga usuwa mi się spod nóg. *Wewnątrz kabiny ktoś był.* O Boże, ktoś był tam w środku. To jakaś metapsychika! *Hep! Hep! Hep!*

Przełknąłem gorzką ślinę. W gardle czułem suchość. Rytm serca, przed chwilą wolny i głęboki, przeszedł w szalony, nierówny galop. Nie było wątpliwości. Postać w kabinie miała białą skórę i była naga, choć się nie kąpała. Stała cicho i nieruchomo. Wyglądała na kobietę. Widziałem dwie ciemne plamy oczu, przypominające krwawe skrzepy krwi na żółtku zapłodnionego jaja, oraz gęstwę włosów.

Z wolna podszedłem do kabiny i podniosłem rękę, aby ująć za klamkę. Biała postać nie poruszyła się, lecz najwyraźniej obserwowała mnie uważnie.

— Karen — wyszeptałem.

Zapanowała przewlekła, męcząca cisza. Nie słychać było najmniejszego dźwięku, ani samochodów, ani radia, ani przelatujących samolotów. Szykowałem się już nacisnąć klamkę i otworzyć drzwi; biała postać wyraźnie na to czekała.

— Karen? — powtórzyłem. — Czy to ty?

Zanim jednak zdążyłem wykonać swój zamiar, drzwi otworzyły się same na oścież. Przede mną stała Karen. Była naga i tak biała, jakby nie było w niej życia. Stała z rękami opuszczonymi wzdłuż ciała, z utkwionymi we mnie ciemnymi oczami, oczekując jakby na mój pierwszy ruch.

Światło sączące się przez okno łazienki oświetlało mlecznym blaskiem jej piersi i ramiona. Dolna część jej twarzy pogrążona była jednak w cieniu. Nie wiedziałem, czy się uśmiecha czy nie, czy po prostu stoi tak sobie tutaj, obojętna, czekając, aż się do niej odezwę.

— Karen? — Serce biło mi teraz wariackim rytmem przypominając występ perkusisty: pot leje się strumieniami, publiczność wrzeszczy i szaleje, a muzyk w końcu pada z wysiłku. — Karen, jak się tu dostałaś?

Wolno podniosła jedną rękę.

— Nie pomożesz mi się stąd wydostać?

— Karen... drzwi są zamknięte... okno maleńkie. W jaki sposób tu weszłaś?

Wyszła z kabiny i stanęła przede mną, drobna i przerażająco blada. Podniosła rękę i włożyła ją w moją dłoń. Nigdy przedtem nie miałem w dłoni takiej ręki — przypominała zimną niedogotowaną ketmię. Nic dziwnego, że w Indiach nazywają to warzywo „damskimi paluszkami". Widocznie Hindusi musieli się już z tym zetknąć, dotykali duchów zmarłych kobiet lub też kobiet żyjących w drugim wcieleniu, czy też żywych, a tylko opętanych przez straszliwe demony.

Nie miałem pojęcia, którą z nich jest w tej chwili Karen. Lub czy też w ogóle jest to Karen.

— Harry — odezwała się. — Miło cię widzieć.

— Cccc... — zacząłem, ale zaraz przerwałem, bo język odmawiał mi posłuszeństwa. — Co się z tobą działo?

— Musiałam odejść, Harry. To wszystko.

Jeszcze mocniej ścisnąłem jej rękę. Bałem się, że z jej palców za chwilę tryśnie czysty, chłodny sok. A ona podeszła do mnie blisko, aż jej zimne sutki otarły się o mój nagi brzuch. Podniosła głowę, jakby prowokując mnie do pocałunku.

Twarz jej była bezkrwista. Oczy mroczne. Gdyby nie to, że poruszała się, oddychała i mówiła, przysiągłbym, że przed chwilą wstała z grobu.

Kiedy osoba, którą darzysz czułością, przestaje być osobą, którą darzysz czułością? — oto jest pytanie. Czy wtedy kiedy umiera i krew przestaje krążyć w jej żyłach, czy wtedy gdy pojawia się w środku nocy w twojej łazience, blada i zimna, z pustymi oczami, i żąda, żebyś ją pocałował?

— Karen — odezwałem się — jesteś taka zimna.

— Dla mnie to nie ma znaczenia — uśmiechnęła się. — Nie czuję zimna.

— Karen spójrz na to z mojego punktu widzenia. Zniknęłaś w dziurze w podłodze w Nowym Jorku, a teraz ukazujesz się tu, w Phoenix, naga, lodowato zimna — i w dodatku weszłaś tu w sposób urągający wszelkiej logice.

— Martwisz się o mnie — stwierdziła.

— Jeszcze jak! Martwię się o ciebie, martwię się o siebie.

Objęła mnie zimnymi ramionami. Wbrew wszystkiemu dziewczęca, wbrew wszystkiemu ponętna.

— Dlaczego się martwisz? — pytała. — Jestem przy tobie, czyż nie? Nic mi nie grozi.

— To prawda, że nic ci nie grozi i jesteś przy mnie, ale czy to jesteś ty?

Przycisnęła koniuszki palców do ust i zachichotała wstydliwie, jak mała dziewczynka. Zimny dreszcz przebiegł mi po krzyżu, gdy usłyszałem ten jej chichot.

— Jesteś niemądry — stwierdziła. — Oczywiście, że to jestem ja. Któż inny mógłby to być?

Doprawdy nie wiedziałem, co robić. Ale Karen szarpnęła mnie za rękę.

— Chodź — rzekła. Ciągnęła mnie w kierunku sypialni. — Chcesz, żebym ci udowodniła, że to jestem ja?

— Słuchaj, Karen. Musimy wyjaśnić sobie parę spraw. Kiedy zniknęłaś w tej dziurze w podłodze...

Popchnęła mnie na łóżko.

— Nie bądź głuptasem, to nie ma żadnego znaczenia. Nie musi się wychodzić drzwiami, tak jak niekoniecznie musi się przez nie wchodzić. Świat zna wiele innych sposobów wchodzenia i wychodzenia — nie tylko drzwi.

— Dobrze, dobrze, ale...

Mocnym krótkim uderzeniem przewróciła mnie na wznak na łóżku. Zanim zdążyłem się podnieść, wspięła się na posłanie i usiadła okrakiem na mojej piersi.

— Karen — zaprotestowałem. — Ja nie mogę...

Nachyliła się tak, iż jej twarz zamajaczyła nad moją głową.

— Czego nie możesz? Nie bądź taki powściągliwy, Harry. Możesz robić, co tylko zechcesz.

Po tych słowach zaczęła lizać mnie po twarzy. Język jej był zimny i śliski jak wieprzowa wątroba. Usiłowałem wydostać się spod niej, lecz jej biodra ściskały mnie mocno. Miała w sobie siłę i krzepę mężczyzny, a nie drobnokościstej, kruchej kobiety. Przerwała lizanie i spojrzała na mnie. Usta miała lśniące od śliny, a oczy puste i szare. Barwą przypominały stonogę.

— Możesz robić, na co tylko masz ochotę — powtórzyła. Mówiła głębokim i dziwnie ochrypłym głosem. Nie miałem już teraz żadnej wątpliwości, że Karen została opętana. To nie Karen rozmawiała ze mną. To manitu Misquamacusa. Rozlał się po jej ciele i umyśle jak czarny atrament po bibule. Wypełnił ją swą

342

duchową treścią i zaraził złośliwością, nienasyconą żądzą zemsty i dzikością swego plemienia.

— Karen — zacząłem — lepiej by było...

Lecz ona już rozpinała mi pasek i ściągała spodnie. Próbowałem się opierać, wierzgałem nogami, ale ona tylko podciągnęła się wyżej na łóżku i wymierzyła mi siarczysty policzek. Gdy nadal nie chciałem się poddać, uderzyła mnie w twarz po raz drugi — twardo, z zimną krwią, a potem jeszcze raz i jeszcze raz, aż policzki zaczęły mi płonąć, a gałki oczu podskakiwały w czaszce jak piłki.

— A teraz zrobisz to, co chcę, żebyś zrobił — zapowiedziała.

Znów usiłowałem się wyrwać, ale udaremniła tę próbę, uderzając mnie po raz kolejny. Wcisnęła mi głowę w poduszkę. Zaczynałem rozumieć, jak czują się maltretowane przez mężów żony. Ich prześladowcy nie pragną żadnej zgody, nie docierają do nich żadne słowa, mają tylko jedno przemożne pragnienie — bić, bić i bić. Mimo wszystko to nadal była Karen, jej ciało było ciałem Karen i nie chciałem robić jej krzywdy. Była tak mała i krucha, że jeden mocny cios złamałby jej szczękę albo jeszcze gorzej.

— Karen — zacząłem znowu, ale ona potrząsnęła głową mówiąc:

— Ciiii... Teraz moja kolej.

Leżałem, drżąc na całym ciele. Policzki paliły mnie. Podsunęła się wyżej i siadła mi okrakiem na szyi. Włosy łonowe łaskotały mi jabłko Adama. Spojrzała na mnie z góry i rzekła:

— Zawsze tego chciałam. Wiesz o tym, prawda? Od pierwszej chwili, kiedy się poznaliśmy.

— Karen — broniłem się — to nie jest w porządku. Tak się nie robi.

Z tajemniczym uśmiechem na ustach spojrzała z góry na moją twarz.

— Dlaczego nie w porządku? Według mnie wszystko jest jak trzeba. Czuję się wspaniale.

Pomimo strachu, pomimo lęku, że zachowaniem Karen kieruje Misquamacus, czułem, jak wzbiera we mnie pożądanie. To było jak okropny koszmar erotyczny, w którym podniecenie połączone jest z przerażeniem. Kiedyś śniło mi się, że kobieta w czarnej skórze chciała pociąć mnie brzytwą. Obudziłem się zlany potem ze strachu, ale też i z podniecenia. Rzecz szczególna, strach potęgował jeszcze moją żądzę. Czy to naprawdę była Karen, czy jakiś duch?

Uniosła się nieco bardziej, tak że jej srom znalazł się tuż nad moimi ustami. Jej uda, gładkie i zimne, chłodziły moje rozpalone od uderzeń policzki. Mimo iż było ciemno, mogłem dostrzec ciemne, jedwabiste owłosienie jej łona i połyskujące płatki warg sromowych.

Przyczaiłem się, czekając na sposobność, aby wywinąć się spod niej, ale ona widać wyczuła moje zamiary, bo odezwała się aksamitnym głosem:

— Nie rób tego, Harry. Cokolwiek myślisz, wiedz, że cię pragnę.

— Karen? — odezwałem się pytająco.

— To ja, Harry, naprawdę ja. A teraz ciiicho.

Sięgnęła ręką między nogi i palcami rozwarła wargi sromowe. Rozciągnęła je na całą szerokość. Potem zniżyła się do moich ust, oferując mi pocałunek wilgotnego ciała. Najpierw zacisnąłem wargi i starałem się odwrócić głowę w bok. Ale wtedy Karen zaczęła poruszać biodrami wolnym kolistym ruchem. Śluz z jej pochwy rozmazał mi się na podbródku. W głowie zakiełkowała mi myśl: *Myliłem się, myliłem się z kretesem. To nie jest Misquamacus. To Karen robi to, czego zawsze pragnęła, i tylko brakowało jej odwagi.*

Zaśmiała się dźwięcznym, słodkim śmiechem Karen. Wyciągnąłem ręce, objąłem jej biodra i przycisnąłem z całej siły do siebie. Otworzyłem usta i sięgnąłem językiem do jej wnętrza, najgłębiej jak się dało, liżąc każdą jego fałdkę. Usłyszałem jej krzyk, wysoki i przenikliwy. Obfity śluz popłynął jej z pochwy i ściekł mi po wargach.

Po chwili zsunęła się z mojej twarzy i pocałowała mnie. Całowała moje włosy, oczy, moje policzki i usta. Nie śpiesząc się, zsunęła się jeszcze niżej i zaczęła skubać ustami moje sutki. Leżałem na poduszce z zamkniętymi oczami, oddając się bez reszty uczuciu obezwładniającej rozkoszy, podczas gdy ona całowała mnie i gryzła, zsuwając się ku coraz niższym partiom mojego ciała.

— Karen... — usłyszałem czyjś głos. Chyba mój. Wczepiłem palce w jej włosy, podczas gdy ona ujęła mój penis i zaczęła silnymi, wolnymi ruchami masować go z góry do dołu i z powrotem. Całowała i ssała żołądź, zataczając koniuszkiem języka rozkoszne kółka. Członek mój stwardniał i nabrzmiał, jakby za chwilę miał pęknąć. Uporczywie drażniła językiem szparkę. Potem wzięła członek do ust, między zęby, i lizała go kolistymi ruchami języka. Po raz pierwszy od dłuższego czasu przestał mnie obchodzić Misquamacus, Bawół-Widmo, przestało mnie obchodzić cokolwiek poza Karen Tandy. Pomyślałem: *Ta młoda kobieta i ja jesteśmy sobie przeznaczeni od początku. Co prawda, spotkaliśmy się za sprawą cierpienia i tragedii, i panoszącego się zła, ale tak widocznie miało być.*

Trudno opisać zmysłowe doznania, jakie odczuwałem pod wpływem pieszczot Karen. Cały mój członek, aż do nasady pokrytej włosami łonowymi, skrył się w jej ustach. Ssała go rytmicznie bez chwili przerwy. Co więcej, przez cały czas lizała koliście jego trzon krętymi, wymyślnymi ruchami, jakby... — *Jakby jej głowa obracała się cały czas w kółko.*

W tej sekundzie przypomniał mi się porażający swą potwornością obraz starego Rheinera, którego głowa kręciła się wokół własnej osi. Otworzyłem oczy i ujrzałem coś jeszcze gorszego. *Karen unosiła się pionowo w powietrzu, prawie dotykając sufitu bosymi stopami, i obracała się wkoło wolnym ruchem.* Włosy jej powiewały łagodnie, a oczy miała szeroko otwarte. Ilekroć w kolejnym ruchu obrotowym napotykała mój wzrok, mierzyła mnie z góry niesamowitym spojrzeniem, którego wyraz fałszywej uległości mówił mi, że ssie mój członek, aby wykazać mi, jak bardzo jestem słaby i miękki, jak niewiele różnię się od innych mężczyzn. Zwabiony seksem, gotów byłem wyrzucić za okno swoje zasady i zdrowy rozsądek, ba nawet instynkt samozachowawczy.

Krzyknąłem głośno. Tak mi się przynajmniej wydawało. Karen natychmiast wypuściła z ust mój penis i przekręciła się w powietrzu między sufitem a podłogą jak astronauta w stanie nieważkości w kosmicznym pojeździe. Wylądowała jak orzeł z rozpostartymi skrzydłami na ścianie w odległym kącie pokoju przy ciemnobrązowych zasłonach. Obserwowała mnie stamtąd, z twarzą ukrytą w cieniu, oddychając głęboko i równo, jak po szybkim biegu. Chwyciłem spodnie i zacząłem je wciągać na siebie, rozdygotany i spocony mimo panującego w pokoju zimna.

— Jak ty to zrobiłaś? — zapytałem ją. — Jakżeś ty, do cholery, to zrobiła?

— Mogę zrobić wszystko, co mi się tylko podoba, biały diable — odparła Karen głosem jeszcze niższym i bardziej chrapliwym niż przedtem. — Mogę podróżować w czasie i przestrzeni. Nic nie jest w stanie mnie teraz powstrzymać.

— Czego chcesz? — zapytałem. Dużo bym dał, aby mój głos brzmiał bardziej dźwięcznie i naturalnie.

— Chcę, żebyś był moim posłańcem.

— To znaczy?

— Chcę, żebyś przekazał swemu ludowi moje przesłanie. Chcę, żebyś im powiedział, że ich miasta zapadają się w ziemię nie z powodu trzęsienia ziemi, lecz że sprawił to największy spośród indiańskich czarowników.

— To nie jest takie łatwe, jak by się mogło wydawać — odparłem. Starałem się mówić śmiało i odważnie, ale głos mi drżał i załamywał się. — Do kogo mam je skierować? — pytałem. — Do prezydenta? Do Urzędu do spraw Indian? Do „Washington Post"? Nie sądzisz chyba, że ktoś mi uwierzy!

— Muszą wiedzieć, dlaczego umierają — odparła Karen. — Muszą wiedzieć, dlaczego wszystko, co tu sprowadzili i co kiedykolwiek sami stworzyli, zostanie na zawsze pogrzebane w Wielkiej Otchłani. Skończyły się czasy białych twarzy. Nadeszła dawno przepowiadana chwila.

— Nie rozumiem, dlaczego zadajesz sobie trud, aby nas o tym poinformować — odparłem. — Dlaczego nie pochłoniesz nas po prostu i bez wszystkich tych zachodów?

— Musicie wiedzieć — upierała się Karen. — Księżyc się obraca i po jasności zawsze nastaje ciemność. Przez dziesiątki lat sądziliście, że wolno wam bezkarnie zabijać nas i rabować nasze ziemie. Teraz przyszła kolej na was. Znikniecie na zawsze w Wielkiej Otchłani, gdzie staniecie twarzą w twarz z bogiem cieni, który będzie waszym sędzią i krwawym katem.

— Nie rozumiem, co to ma za znaczenie, czy wiemy, dlaczego się nas masakruje, czy nie — wybuchnąłem. — Masakra jest masakrą niezależnie od przyczyny.

— Tego wymaga sprawiedliwość. To jest sprawiedliwa zemsta. Muszą o tym wiedzieć ci, którzy przeżyją, ci, którzy poniosą wieść do innych części świata i na inne kontynenty, oni wszyscy muszą wiedzieć, dlaczego to zrobiliśmy. Inaczej biali ludzie ciągle będą do nas przybywać i nigdy nie zaznamy spokoju.

— Misquamacusie — powiedziałem — to, co zamierzasz, jest niewykonalne. Zupełnie niewykonalne. Nie można cofnąć czasu. Przypuśćmy, że zmieciesz z powierzchni ziemi Nowy Jork i Los Angeles, Seattle, Denver i Pittsburgh, i wszystkie inne miasta. Co ci wówczas zostanie? Kraj z epoki kamienia łupanego. Może to nie było uczciwe, że zagarnęliśmy wasze ziemie i wytępiliśmy wasze bawoły, i zniszczyliśmy wasze życie. Może trudno wybaczyć, że wymordowaliśmy wasze kobiety i dzieci i zniszczyliśmy waszą kulturę. Ale świat już taki jest, taka jest natura ludzka i nic tego nie zmieni. Czas płynie i ludzie się zmieniają i choćbyś nie wiem jak starał się temu przeciwstawić, nie możesz cofnąć tego, co już się stało.

Przerwałem, aby nabrać powietrza.

— Owszem, narobiliśmy dużo zła, niejedno zrobiliśmy niepotrzebnie lub co najmniej niewłaściwie. Stało się. Może jednak to nas czegoś nauczyło, może staliśmy się trochę bardziej ludzcy, trochę bardziej, jak by to powiedzieć — tolerancyjni?

Nastała dłuższa cisza. Karen spoglądała na mnie z mieszaniną podejrzliwości i pogardy. W kodeksie Misquamacusa nie mieściło się coś takiego, jak przeprosiny w imieniu narodu. Noc za oknem zaczynała blednąć. Po ulicy przejechało kilka ciężkich traktorów z przyczepami.

Wreszcie Karen powtórzyła:

— Masz poinformować swój naród, dlaczego musi zginąć.

— Dobrze — wzruszyłem ramionami. — Mogę tylko obiecać, że spróbuję. Ale jak już powiedziałem — czasy dymnej sygnalizacji dawno się już skończyły. Nie wydaje mi się, aby ktoś zechciał mnie słuchać.

— Będą słuchać, kiedy zburzę im Nowy Jork.

— Masz zamiar zburzyć Nowy Jork?

— Mam dość siły; mogę zniszczyć Nowy Jork, mogę zniszczyć każde miasto — wszędzie. Nowy Jork to miejsce, gdzie białe diabły oszukały mnie po raz pierwszy. Rozprawię się z nim, zrównując go z ziemią.

Wstałem i spojrzałem prosto w oczy Karen.

— Wierz mi, potężny czarowniku, że uczynię wszystko, co w mojej mocy, aby pokrzyżować twoje zamiary.

Roześmiała się, ale zaraz dotarło do niej, że to wszystko niezbyt zabawne, bo przestała się śmiać i powiedziała:

— Pochłonę i zniszczę wszystkich, którzy przybyli na tę

ziemię z innych krain, pochłonę i zniszczę wszystkich ich następców, pochłonę wszystko, co stworzyli. Przykryje ich ziemia, a ziemię przykryje trawa, a ja pewnego dnia postawię na niej swą stopę i zobaczę wysokie drzewa i czyste wody, i tysiące indiańskich wigwamów rozciągających się od horyzontu po horyzont. A was pod naszymi stopami, w ciemnościach, wiecznie ścigać będzie Aktunowihio, bóg owładnięty nigdy niezaspokojoną żądzą posiadania waszych dusz.

— No więc dobrze — zgodziłem się. — Spróbuję przekazać twoje przesłanie mojemu ludowi. Niech cię jednak nie zdziwi, jeśli pomyślą, że brak mi piątej klepki.

— Potrzebuję jeszcze czegoś — oznajmiła Karen.

— Najlepiej mów od razu.

— Potrzebuję twojego nasienia. Po to tu przyszłam.

— Co takiego?! Potrzebujesz mojego nasienia? Karen skinęła głową.

— Chcę mieć z tobą dziecko — odparła głosem, który był na poły jej własnym, a na poły głosem Misquamacusa.

— Chcesz mieć ze mną dziecko? Ty, Karen, chcesz mieć ze mną dziecko, czy też to ty, Misquamacusie, chcesz mieć ze mną dziecko?

Karen nie odpowiedziała od razu. Dopiero po chwili usłyszałem odpowiedź.

— Miałem dwóch synów. Kiedy opuściłem czas, w którym urodziłem się jako człowiek, aby móc ponownie narodzić się w twojej epoce, pozostawiłem dwóch potomków. Obaj zamiast mnie wpadli w ręce Holendrów. Bito ich i torturowano. Jeden zmarł z wycieńczenia, drugi został powieszony. Przez wieki nie miałem następców. Lecz teraz mogę ich mieć za twoim pośrednictwem.

— Nie rozumiem cię.

— Osoba, w którą się wcielam, należy do mnie ciałem i duszą. Kiedy ta kobieta urodzi twoje dziecko, to dziecko nie będzie jej potomkiem, lecz moim.

Nie wierzyłem własnym uszom.

— Chcesz mi powiedzieć, że jeśli zapłodnię Karen, ona urodzi Misquamacusa Juniora?

Oczy Karen zapłonęły gniewem.

— Nie drwij ze mnie. Jeszcze słowo, a rozerwę cię na kawałki.

Rozległ się głuchy grzmot. Powietrze zaczęło drgać. Poczułem ostry zapach płonących traw stepowych. Cofnąłem się. Czułem, że coś niepokojącego wisi w powietrzu, i nawet domyślałem się co.

Zza ściany za plecami Karen, z rogu tuż przy drzwiach, wyszła ogromna postać, która miała na głowie coś czarnego, połyskującego. Widziałem ją wyraźnie, chociaż wydawała się mniej materialna niż Karen. Jakby przesłaniały ją trzy warstwy czarnego szyfonu lub jakby stała po przeciwnej stronie dymiącego ogniska.

— O kurwa mać! — zakląłem.

Tylko to przyszło mi do głowy. To był Misquamacus. Obszedł Karen czy też częściowo przeszedł przez nią. Zrobił parę kroków do przodu i stanął nade mną. Wyglądał jeszcze bardziej przerażająco niż przedtem. Kiedy ujrzałem go po raz pierwszy w szpitalu Sióstr Jerozolimy, jego ciało, uszkodzone w życiu płodowym promieniami Roentgena, było przykurczone i karłowate. Tymczasem dorósł i oto stał teraz przede mną jak czarny oślizły głaz z kości i muskułów, o twarzy, która dobrze prezentowałaby się na Mount Rushmore. Policzki pokryte miał czerwono-białymi magicznymi wzorami, a włosy na głowie ruszały się od cmentarnego robactwa.

Najbardziej przerażające wrażenie zrobiły na mnie jego plecy. Niektóre partie skóry przypominały ciała owadów — owłosione, pokryte gruzłami i strupami. Po bokach, od żeber w dół, wyrastały mu białe macki, które wyglądały jak bezbarwne, na wpół przezroczyste pędy kartofli.

Nie miał żadnej przepaski na biodrach, ale jego genitalia ujęte były w ciasną wymyślną siatkę ze sznurka i koralików. Na łydkach miał brudne, matowe od tłuszczu pończochy z bawolej skóry.

— Ty i ta kobieta to jedno — odezwał się Misquamacus głosem Karen. — Lecz ta kobieta i ja również stanowimy jedność. Przeznaczenie i bliskość cielesna połączyły całą naszą trójkę. Troje stało się jednym.

Przerwał na chwilę. Może był duchem, może jedynie mroczną, skłębioną mieszanką wspomnień, strachu i niedojrzałej ektoplazmy; niemniej czułem na twarzy jego lodowaty oddech i słyszałem szelest spadających z jego głowy obrzydliwych pełzających robaków.

— Dwa razy stałeś się moją zgubą — mówił dalej. — Dwa razy wyrządziłeś mi krzywdę. Ale tym razem będziesz moim

349

wybawcą; stworzycielem mojego następcy. Tym razem tysiąckrotnie zapłacisz za to, co mi zrobiłeś.

Cofnąłem się. Tyłem nogi uderzyłem o krawędź łóżka. Przemyśliwałem, czy udałoby się przez nie przeskoczyć i dopaść drzwi, zanim Misquamacus zdoła mnie dosięgnąć, i wydawało mi się, że się uda. Misquamacus za mało miał w sobie materii cielesnej, aby mógł mnie zatrzymać. Gorzej z Karen. Opętana przez Misquamacusa, może zechce mnie zatrzymać, a zdążyłem się już przekonać, jaka jest silna.

— Musisz zapłodnić tę kobietę — odezwał się Misquamacus.

— Przykro mi — odparłem. — Nie potrafię kochać się na zamówienie. Muszę mieć najpierw kolację przy świecach, która stworzy odpowiedni nastrój, jeśli wiesz, co mam na myśli, a obawiam się, że nie wiesz.

— Nie jestem głupcem, biały diable. Zapłodnisz tę kobietę.

Odwrócił się i podniósł rękę do góry. Karaluchy i czarne chrząszcze dalej sypały się z jego głowy. Karen posłusznie opuściła swoje miejsce w rogu pokoju i weszła na łóżko. Rozłożyła nogi unosząc lekko kolana. Sprawiała wrażenie, jakby pogrążona była w narkotycznym transie. Ujęła w dłonie półkule piersi. Małe białe piersi jak filiżanki mleka z ciemniejszymi guziczkami.

— Słuchaj — zwróciłem się do Misquamacusa. — Ja naprawdę nie...

— Musisz — przerwała mi Karen. — Nie masz żadnej czarodziejskiej siły. Nie masz mocy.

— Ale ja wprost nie...

— Musisz — to znowu Karen.

Wtem jakiś wysoki przenikliwy głos tuż za mną wykrzyknął:

— *Musisz! O Boże, Harry, musisz!*

Był to głos, którego nie słyszałem od dziesiątków lat, ale rozpoznałem go natychmiast. Odwróciłem się; każdy nerw mojego ciała dygotał z przejęcia. Nie dalej jak parę centymetrów za mną stał mój młodszy brat Dawid, z popielatozielonkawą twarzą. Miał na sobie czarne ubranko, w którym złożyliśmy go do trumny, ale woda kapała z niego tak jak wtedy, gdy wyciągnęliśmy go z topieli. Miał dziewięć lat, a ja nie potrafiłem go uratować.

Otworzyłem usta i zaraz je zamknąłem. Wiedziałem, że to nie może być prawda. Widziałem, jak wyciągano Dawida z basenu.

Widziałem, jak ratownik ze łzami w oczach delikatnie zamknął mu powieki. Stałem w deszczu nad grobem Dawida i patrzyłem, jak pogrąża się w nim trumna usiana koralikami kropel. Wiedziałem dobrze, co to jest. Czerwonoskórzy szamani nazywają to torturą duszy. Sięgają do najgłębszych pokładów twojej psychiki i wydobywają drzemiące tam zmory i uczucia, i każą ci żyć z tą udręką aż do granic wytrzymałości. Zdarza się, że na skutek tortury duszy ludzie tracą zmysły. W ten sposób Martin Vaizey złamał psychicznie Michaela Greenberga, tam w Nowym Jorku, wywołując widma, które Michael starał się pogrzebać w pamięci.

— *Musisz* — zakrzyknęli zgodnie Dawid i Karen.

— Dawidzie — odezwałem się. Gardło miałem zaciśnięte ze wzruszenia.

— *Musisz* — powtórzył Dawid.

— Nie jesteś realną postacią — powiedziałem. — Jesteś martwy, Dawidzie. Umarłeś wiele lat temu.

— *Wiesz o tym, że umarli mogą odwiedzać żywych. Widziałeś to sam na własne oczy. Co byś powiedział, gdybym zaczął składać ci stale wizyty i nigdy odtąd nie zostawił cię w spokoju?*

— Jesteś duchem! — wrzasnąłem. Mój strach, żal i dręczące poczucie winy sprawiały mi niemal fizyczny ból. Skręcałem się wprost z tego bólu, błagając Boga, aby położył kres tej torturze. To był psychiczny fotel dentystyczny — borowanie zęba z odsłoniętym nerwem.

— *Chcesz mnie dotknąć?* — uśmiechnął się Dawid. — *Możesz mnie dotknąć, jeśli chcesz.*

Odsunąłem się i ostrożnie obszedłem łóżko. Mroczny cień Misquamacusa nadal widniał w rogu pokoju. Nie spuszczał ze mnie oka. Dawid stał przy fotelu z drugiej strony, opierając się lekko palcami o jego obite brązowym tworzywem poręcze. Nic mnie tak nie przerażało, nic nie sprawiało mi większej udręki niż woda ściekająca na podłogę z rękawa jego grzebalnego ubranka. Jeśli był przywidzeniem, jeśli był tylko wytworem mojego dręczonego poczuciem winy umysłu — to znaczy, że mam cholernie bujną wyobraźnię.

— Potrzebuję twego nasienia, biały diable — nalegała Karen.

Spojrzałem na Dawida, na jego popielatozieloną twarz z przylepionym do czoła kosmykiem włosów. Skinął twierdząco głową. Po czym bez słowa rozpłynął się — rozpłynął się, jakby był tylko mgłą. Jedynym śladem jego bytności w tym pokoju była woda pozostała na oparciu fotela.

— Dawidzie? — odezwałem się. Nie miałem nawet czasu mu powiedzieć, że jest mi przykro, że uratowałbym go, gdyby to tylko było możliwe.

Zwróciłem się do Misquamacusa. Nadal był obecny, choć wydawał się ciemniejszy i mniej materialny.

— Potrzebuję twego nasienia — żądał dalej ustami Karen. Inaczej twoja największa hańba i twój najgłębszy ból nie odstąpią cię aż do końca twoich dni.

Karen leżała naga na łóżku, czekając na mnie.

Miałem uczucie, jakby wstrząsnął mną prąd. Mózg mój przestał racjonalnie pracować. Nie wiedziałem już, co jest rzeczywistością, co cieniem, co duchem, a co halucynacją.

— Chodź, Harry, tak będzie najlepiej — szepnęła Karen.

— Nie mogę — odparłem, potrząsając głową.

Uniosła prześcieradło zapraszając mnie, abym położył się obok niej.

— Nie chodzi ci chyba o Misquamacusa? On nie będzie widział... a poza tym, kim on właściwie jest? Tylko duchem, tylko upiorem.

— Czy to ty mówisz — zapytałem agresywnym tonem — czy też jest to jego głos? A może was obojga?

— Harry... — zachęcała mnie, unosząc wyżej prześcieradło.

— Nie mogę — odparłem. Czułem ból. — To wykluczone.

— Musisz, Harry! — odezwała się ostrzegawczo. — Czy chcesz, aby duch Dawida stale cię prześladował?

Za oknami metalowa pokrywa spadła z trzaskiem z pojemnika na śmieci i potoczyła się z hałasem po betonowym podwórku. Dobiegły mnie również inne dźwięki — świst podnoszącego się wiatru i szelest niesionych podmuchem liści i gazet. Zasłony w oknach zaczęły się poruszać, a przez szpary w drzwiach dobywał się cienki gwizd.

— Harry... — podjęła znów Karen coraz bardziej głuchym i chrapliwym głosem. Misquamacus podniósł obie ręce. Robactwo sypnęło się z jego głowy.

— *Zrób to!* — zagrzmiała Karen. — *Zrób to, bo inaczej rozerwę twoje ciało na strzępy, a potem rozerwę na kawałki twoją duszę i nigdy, aż do skończenia świata, nie zaznasz już nic innego oprócz bólu, bólu i bólu.*

Odrzuciła głowę do tyłu, a z jej wzdętego gardła wyrwał się przeraźliwy krzyk:

— *Ak! Ak! Ak! Akkrraaaaaaaa!*

— Nie zbliżaj się do mnie — krzyknąłem w odpowiedzi. Obszedłem łóżko i rzuciłem się do okna, aby rozsunąć ciężkie brązowe zasłony. Na zewnątrz był już krwawoczerwony świt, a ciemne, brzemienne w burzę chmury zasnuwały niebo. Wściekły wiatr kołysał wierzchołkami palm rosnących na podwórku motelu i pędził tumany pyłu po Indian School Road. Zobaczyłem, jak porwał płot z falistej blachy i poniósł go wzdłuż ulicy.

Ale daleko bardziej niż burza zatrwożył mnie widok mego nieżyjącego brata Dawida. Stał na balkonie przed drzwiami mojego pokoju w ociekającym wodą czarnym ubranku, z mokrymi, rozwianymi przez wiatr włosami i spoglądał na mnie smutnym, pełnym wyrzutu spojrzeniem.

Odwróciłem się do Karen. Siedziała na łóżku, wyciągając do mnie ramiona. Szczerzyła zęby, odsłaniając dziąsła jak warczący pies. W oczach widać było tylko białka. Wyglądała jak Naomi Greenberg w ostatnich, przerażających chwilach życia. Każdy muskuł obnażonego ciała Karen był tak napięty, że wydawało się, iż zamiast mięśni ma pod skórą pełzające robaki.

— *Nisz-najp, nisz-najp* — warknęła. — *Nepuz-chad... nisz-najp.* Potem wydała z siebie mrożący krew w żyłach okrzyk wojenny: *Ak! ak! ak! Akkkrraaaaaaaaaaa!*

Wstała z łóżka sztywno jak baletnica i podążyła w kierunku ciemnej, przytłaczającej sylwetki Misquamacusa. Gdy go mijała, odniosłem wrażenie, jakby jego cień nałożył się na nią. Cofałem się cały czas. Wyciągnąłem ręce przed siebie obronnym ruchem. W głowie miałem strach i popłoch. Dałem susa przez łóżko i wylądowałem na fotelu w drugim rogu pokoju. Lecz kiedy znów spojrzałem w kierunku Karen, z najwyższym trudem dostrzegłem jej sylwetkę.

W tajemniczy sposób ona i Misquamacus złączyli się w jedną postać. Rozróżniałem jeszcze ciemnawy zarys głowy i włosów Misquamacusa z rojem kłębiących się insektów oraz wysmarowane gliną białe pasy na policzkach. Lecz jego spacerująca strzecha była już jednocześnie włosami Karen, a jego policzki jej policzkami. Oczy ich także wydawały się patrzeć podwójnie. Gdyby chcieć opisać to wzajemne przenikanie się ich postaci, najbliższe prawdy byłoby porównanie, że byli jak dwa fotograficzne negatywy nałożone jeden na drugi i ściśle do siebie przylegające. To było niewyobrażalne, to było przerażające. Uzmysłowiło mi, do jakiego stopnia jedna osoba może zawładnąć ciałem i duszą drugiej. Uzmysłowiło mi, że nie jestem już jednostką, nie jestem bezpieczny. Także w głębi mojej duszy.

Karen podniosła rękę i Misquamacus uczynił to samo. Zarysy jego ramion były jednak tak niewyraźne i ciemne, iż zaledwie mogłem je rozróżnić. Muskuły Karen nie przestawały falować. Uniesione ramiona uwypukliły jej klatkę piersiową — teraz chudą i sterczącą, jak u męczennika na krzyżu.

— *Eji! Pokunnouou! Wajuk! Nisz! Eji-eji-eji-weju-suk.*

Ciągle się cofałem. W oddali rozległ się głuchy grzmot. Nadchodzi burza, pomyślałem. I to potężna. Sięgnąłem ręką za siebie i dotknąłem klamki u drzwi łazienki. Skoro Karen potrafiła się przecisnąć przez maleńkie okienko, to niewykluczone, że i mnie się to uda. Albo może owinę dłoń ręcznikiem i spróbuję wybić okno.

Niedostrzegalnie za plecami otworzyłem zatrzask. Zawahałem się przez sekundę, po czym sprawnie wśliznąłem się do środka, kalecząc się przy okazji. Ręce tak mi się trzęsły, że z najwyższym trudem udało mi się zasunąć zasuwę. Zastanawiałem się, jak długo słabe drzwi ze sklejki będą w stanie powstrzymać napór Misquamacusa, lecz miałem nadzieję, że wystarczy mi czasu, aby uciec. Przycisnąłem czoło do drzwi i trzy razy odetchnąłem głęboko. Mówiłem sobie, że już przedtem zwycięsko stawiłem czoło Misquamacusowi, więc i tym razem muszę go pokonać.

Następnego dnia po śmierci Dawida ojciec zwrócił się do mnie z powagą: „Harry, będziesz musiał znaleźć w sobie teraz siły, o które nigdy byś siebie nie podejrzewał". Powtarzałem sobie teraz jego słowa, przyciskając twarz do wątłych drzwi łazienki.

Odwagi — mówiłem sobie. Kiedy się odwróciłem, ujrzałem przed sobą Dawida z twarzą bladą i naznaczoną już śladami fizycznego rozkładu. Woda z jego ubranka ściekała kroplami na kaflową posadzkę.

— *Musisz* — wyszeptał.

ROZDZIAŁ 16

Przeszedł obok prawie się o mnie ocierając, ale nie odważyłem się go dotknąć. Może powinienem był to uczynić, lecz nie byłem w stanie. Odsunął zasuwkę białymi obrzmiałymi palcami i otworzył szeroko drzwi. Woda ściekała mu z włosów na kołnierz.

— Musisz — powtórzył raz jeszcze.

Karen stała przy łóżku, czekając na mnie. Odruchowo cofnąłem się znów do łazienki. Wiatr hulał pod podłogą, a zewsząd słychać było łomot, szczękanie i czyjeś krzyki. Odwróciłem się do Dawida. Stał w tym samym miejscu i patrzył na mnie. Wierzcie mi — była to prawdziwa tortura duszy.

Oczy Karen znowu stały się ciemne, ciemne i nieobecne. Muskuły już jej nie drgały i poza dziwnie mrocznym spojrzeniem przypominała prawie dawną, normalną Karen z czasów, zanim Misquamacus ją opętał. Ale czyż mogłem kochać się z kobietą, która miała w sobie duszę mężczyzny i której cała istota została opanowana przez ziejącego żądzą zemsty barbarzyńcę?

— Musisz, Harry — powtórzyła jak echo.

Zrobiłem ostatnią próbę. Zamaszystym krokiem podszedłem do drzwi wejściowych, ująłem za klamkę i zwróciłem się opryskliwie do Karen.

— Jeśli chcesz nasienia, sukinsynu, to idź, kup je sobie w sklepie ogrodniczym.

Otworzyłem drzwi, a on już tam był — stał na wietrze w swym przemokniętym czarnym ubranku.

— Musisz — nalegał.

Spojrzałem na Karen. *Uciekam* — pomyślałem. *Obecność*

Dawida może być denerwująca, ale to przecież tylko dziecko. Na razie odsunę go z drogi, a później będę się martwił o spirytystyczne skutki.

Niespodziewanie jednak Karen dała krok naprzód i chwyciła mnie za ramię. Karen? Wyglądała jak Karen, pachniała jak Karen, ale była silna i szybka i nie miałem żadnej szansy, aby się jej wyrwać.

Rzuciła mnie na łóżko i uderzyła w twarz i w głowę, tak że krew pociekła mi z nosa. Kiedy zrobiłem próbę, aby się podnieść, uderzyła mnie jeszcze raz i jeszcze raz; wyraźnie jej się to podobało.

Nie odzywając się słowem, szybko rozpięła mi spodnie i zaczęła je ściągać. Znów usiłowałem się podnieść, lecz tym razem złapała mnie za włosy, skręcając je z całej siły. Uderzyła mnie w twarz raz, drugi i trzeci, a wreszcie powaliła na łóżko. Odepchnąłem ją zgiętymi rękami, lecz ona w odpowiedzi wymierzyła mi następne dwa policzki, tak siarczyste, że zadzwoniło mi w ustach.

— Zjeżdżaj — wrzasnąłem. — Odczep się ode mnie, do cholery!

Ale ona chwyciła moje ucho szponiastą ręką tak mocno, że aż chrupnęła chrząstka. Drugą złapała mój członek i zaczęła go gorączkowo trzeć i masować, wpijając głęboko paznokcie w skórę. Wbrew uczuciu bólu i strachu — a może właśnie dzięki niemu — mój ptaszek zaczął sztywnieć. Karen całowała mnie i gryzła z przerażającą natarczywością. Oddech jej był tak lodowaty, że nie wiedziałem, czy to gwałci mnie młoda, płonąca namiętnością biała kobieta, czy też trzystuletni szaman, który żąda nie tylko mojego serca i duszy, ale także mego jedynego potomka.

Uniosła się nade mną. Jednocześnie moje jądra uwięzione zostały w ostrej klatce jej palców. Skóra na mosznie zaczęła się marszczyć. Czysto fizyczny strach łączył się z przedziwnym masochistycznym podnieceniem. Nie odzywałem się, nie ruszałem. Serce mi waliło, krew w żyłach płynęła coraz szybciej wydawało mi się, że całym motelem wstrząsa grzmot. Spojrzałem w oczy Karen, ale nie wiedziałem, czy to jest ona. Oczy te były jasne, błyszczące i przenikliwe. Ale czyje to były oczy? Czy spoglądały na moją twarz, czy w głąb mojej duszy?

— Kim jesteś? — zapytałem.

Nie otrzymałem jednak odpowiedzi. Wsadziła między nogi główkę penisa i masowała go tam przez chwilę. Potem, nie śpiesząc się, usiadła na mnie.

— Kim jesteś? — powtórzyłem, ale ona tylko potrząsnęła głową na znak, że nie odpowie, i podniosła palec do ust. Zaczęła unosić się na mnie jak na koniu, rytmicznie i coraz szybciej, z góry na dół i z dołu do góry, tak aby mój członek mógł jak najgłębiej wejść w jej łono. Za każdym razem moje jądra wciskały się w jego otwór.

Usiłowałem się podnieść, lecz Karen zdzieliła mnie tym razem obiema rękami. Z nosa trysnęła mi fontanna krwi. Znów nachyliła się nade mną, przyciskając piersi do mojego torsu. Rękami ścisnęła moje pośladki, wpijając głęboko palce w ciało. W dalszym ciągu jej biodra jak tłok pracowały nad moim członkiem, na przemian unosząc się i opadając. Potem przejechała paznokciem po nagim odsłoniętym miąższu i ścisnęła silniej w dłoni mosznę. Nastąpił wytrysk. Gęsty strumień nasienia wylał się obfitymi falami z moich trzewi.

— Ak! Ak! Ak! — zaskrzeczała, wyrzucając głowę do góry. Jeszcze zanim opadło ze mnie seksualne podniecenie, zalała mnie fala wstydu, strachu i odrazy. Uderzyłem ją, usiłując się spod niej uwolnić, ale ona rąbnęła mnie zaciśniętą pięścią prosto w grzbiet nosa. Opadłem z powrotem na poduszkę, a z oczu puściły mi się łzy.

Znowu nachyliła się nade mną. Nie miałem wątpliwości, że to nie jest już Karen. Ujrzałem kanciaste policzki, ostro zarysowany nos i oczy białe jak kamyki na dnie parowu.

— Biały diable — usłyszałem szept tak cichy, że z trudnością rozróżniałem słowa. — Nareszcie dałeś mi to, o co mi chodziło potomka. Syna, którego będę mógł nazwać swoim.

Odchylił się do tyłu i wydał z siebie krzyk, wysoki krzyk, który przejmuje mrozem duszę. Ten krzyk przywiódł mi na myśl wszystkie indiańsko-kowbojskie filmy, jakie oglądałem. Znów spojrzał na mnie. Teraz była to Karen.

Leżałem płasko bez ruchu, podczas gdy ona, nie śpiesząc się, schodziła ze mnie.

— No widzisz — rzekła prostując się. — To był największy akt skruchy, na jaki mogłeś się zdobyć. — Mówiąc to, rozchyliła palcami pochwę, tak bym mógł zobaczyć wypełniającą ją spermę. Kropla śluzu potoczyła się po jej udzie i wiedziałem już, tak jak i ona, że Karen nosi w swym łonie kolejnego szamana, poczętego w akcie przemocy następcę Misquamacusa.

— No i co? — spytałem. Głos mój przypominał skrzek. Ściągnęła z łóżka koc i owinęła się w niego.

— Zapłaciłeś już za swoje zdrady — odparła. Wywróciła gałki oczu, tak że widać było białka. — Teraz musisz umrzeć.

Przeczołgałem się na plecach jak rak na sam brzeg łóżka. Postać Karen zaczęła się zmieniać, przybierać inny kształt. Stawała się wyższa i ciemniejsza. Pamiętałem, że ona i Misquamacus stanowili jedno ciało i mieli jedną duszę. Niekiedy, jeśli jej na to pozwalał, ona brała górę, jak wtedy, gdy była ze mną w łóżku, innym razem on był stroną dominującą i wtedy dochodziło do takich aktów przemocy, jak wywracanie trzewiami do wierzchu, rozszarpywanie na kawałki czy tortura duszy.

Widziałem, co się stało z George'em Hope'em i Andrew Danetreem, i za wszelką cenę chciałem uniknąć ich losu. Wolałbym umrzeć od razu na miejscu. Wolałbym palnąć sobie w łeb tak jak zdesperowani żołnierze nad Little Big Horn.

— To dobry dzień, aby umrzeć — powiedziała Karen. Obeszła łóżko wkoło, nie spuszczając ze mnie wzroku ani na chwilę.

Uciekłem w drugi kąt pokoju. Karen podążyła za mną, lecz zauważyłem, że im bardziej oddala się od ściany, tym wolniejsze stają się jej ruchy, podobnie jak było z Martinem w mieszkaniu Greenbergów. Cień na ścianie odgrywał tu pierwszorzędną rolę. Misquamacus niewątpliwie czerpał z niego siłę i w im większej znajdował się od niego odległości, tym mniej jej miał. Relatywnie, ma się rozumieć. Bo nawet osłabiony Misquamacus był nadal groźny i bez wahania mógł gołymi rękami porwać mi płuca na strzępy.

— Karen — zwróciłem się do niej łagodnie — postaraj się być silna. Postaraj się być sobą. Nie pozwól, aby ta pijawka opanowała cię całkowicie. Dalej, Karen, broń się!

Karen zrobiła w moją stronę najpierw jeden krok, potem drugi. Jej oczy nadal były białe jak u ślepca.

— Eji-eji-eji-neju — zawodziła.

Uderzyłem się o poręcz fotela i sięgnąłem ręką za siebie, aby się oprzeć. Na winylowym obiciu wyczułem krople wody, które ściekły z ubrania Dawida. Czujnie obszedłem oparcie, nie spuszczając ani przez moment wzroku z Karen. Lecz ta mokra plama, te parę kropli wody przypomniały mi nagle to, co powiedział Martin Vaizey w mieszkaniu Greenbergów.

Woda. Woda białego człowieka. W przekonaniu Indian martwa woda, bo poddawana filtracji, chlorowana i oczyszczana. Lecz to jest nasza woda, woda cywilizacji białego człowieka, płynąca z kranu na każde nasze zawołanie. Tak jak w tej chwili.

Karen zrobiła kolejny krok naprzód.

— Z czasem polubisz ciemność — powiedziała. — Z czasem polubisz także ból, po latach. Będziesz się dziwił, jak mogłeś istnieć bez niego.

— Odejdź — zawołałem. — Ostrzegam cię.

Karen roześmiała się głębokim, wieloznacznym śmiechem.

— Ty ostrzegasz mnie?!

Trzymając się blisko ściany, przestąpiłem próg łazienki. Karen wolno podążała za mną. Błyskawicznym ruchem zatrzasnąłem drzwi i skoczyłem pod prysznic. Odkręciłem kurek aż do oporu. Krzyknąłem mimo woli, gdy spłynął na mnie lodowaty strumień.

Karen z trzaskiem otworzyła drzwi. To jeszcze była Karen, naga i chuda, z mięśniami drgającymi konwulsyjnie pod skórą. Jej głowa wydawała się większa i wyglądała teraz bardziej jak maska.

— Zostaw mnie w spokoju — wrzasnąłem. — Dostałaś, co chciałaś. Teraz spływaj i daj mi spokój.

— *Musisz umrzeć!* — ryknęła. — *Za wszystko, co zrobiłeś, należy ci się śmierć!*

Pomyślałem: *Wodo, rany boskie, zamień się w grzechotniki. Zamień się w cokolwiek, czego boi się Misquamacus.*

Karen zbliżyła się do mnie wolno, spoglądając ślepymi białkami oczu. Kołysząc z boku na bok głową, szczerzyła zęby w maniakalnym grymasie.

Zaciskając z całej siły powieki, przywoływałem w myślach grzechotniki, kobry, jadowite węże wodne oraz wszelkie inne cholerne płazy, których nazwy zapamiętałem z książek. Pragnąłem, aby w łazience zaroiło się od węży syczących, wijących się, skręcających i skłębionych.

Coś śliskiego i zimnego przesunęło mi się po nodze. Otworzyłem oczy i zobaczyłem, że stało się to rzeczywistością. Cała kabina pełna była węży — błyszczące i przezroczyste, kłębiły się u moich bosych stóp, a im więcej wody lało się z prysznica, tym więcej ich przybywało. Wypełzły na podłogę łazienki i wijąc się obrzydliwie, zaczęły ochoczo sunąć w stronę Karen.

Karen postąpiła jeszcze krok naprzód, lecz jadowity wąż wodny ukąsił ją w palec u nogi. Wrzasnęła i szybko cofnęła się. Pochyliła nisko głowę. W jej postawie widoczny był ten sam wyraz porażki, jaki zauważyłem u Martina Vaizeya, kiedy udało mi się wywołać grzechotnika na Wschodniej Siedemnastej. Nad zwieszoną głową Karen wyrosła mroczna czaszka Misquamacusa. Twarz jego stężała z wściekłości na kamień, a wzburzone robactwo jak grad sypało się z jego włosów.

— *Zapłacisz mi swoją duszą, biały diable* — przemówił ustami Karen.

Odwrócił się, a Karen za nim. Spoza swej rozczochranej grzywki rzuciła mi jeszcze mroczne, pełne urazy spojrzenie.

— Nie! — zaprotestowałem. — Nie możesz jej zabrać.

Lecz Misquamacus z hukiem wypadł z pokoju, ciągnąc za sobą Karen. Gwałtownie szarpnął drzwi, zatrzaskując je za sobą z łoskotem. Spojrzałem na podłogę łazienki. Było w niej po kostki wody. Sam byłem także cały mokry, ale węży nie było ani śladu. Przeszedłem przez sypialnię i otworzyłem drzwi wejściowe. Wydawało mi się, że widzę przez mgnienie umykający szybko wysoki ciemny cień oraz drobną postać w bieli. Zniknęli za rogiem budynku, w którym mieściło się biuro motelu. Ale pewności nie miałem. Światła uliczne były już wygaszone. Niebo miało kolor krzepnącej krwi. W powietrzu unosiły się tumany piasku i pyłu, kawałki płotów, śmiecie oraz roztrzaskane szalunki z domów.

Stałem na balkonie i rozglądałem się. Wiedziałem, że nie ma sensu wdawać się w pościg za Misquamacusem. Odszedł, a wraz z nim odeszła Karen. Mogli być w tej chwili w dowolnym miejscu Ameryki. Lecz tu, w Phoenix, zaczynało się dziać coś dziwnego. Z oddali dochodził mnie brzęk tłuczonych szyb oraz wycie syren. Gdy tak stałem na balkonie, poczułem wyraźnie, że coś mnie zaczyna ciągnąć. Miałem wrażenie, że jakaś magnetyczna siła stara się mnie przeciągnąć przez balustradę z matowego szkła w dół, na podwórko i ulicę a stamtąd — *dokąd?*

To było to. To było to samo co w Kolorado, Chicago i Las Vegas. To był Taniec Duchów, ściąganie do otchłani, Dzień Wszystkich Cieni. I teraz to zaczynało się tutaj.

Wróciłem do pokoju i szykowałem się do wyjścia. Z zewnątrz dobiegł mnie chrobot i zgrzyt, a kiedy wyjrzałem przez okno, zobaczyłem, jak wielki dodge sunie bokiem wzdłuż Indian School Road, a mężczyzna w baseballowej czapce na głowie bezskutecznie usiłuje go zatrzymać. Ujrzałem również roztrzaskującego się nagle o ogrodzenie motelowego parkingu winnebaga oraz lądującą na dachu kołami do góry nowiutką czerwoną atlantę.

Telewizor okręcił się na stojaku i uderzył w ścianę. Łóżko zaczęło sunąć w kierunku drzwi. Prawie ze wszystkich pokojów słychać już było krzyki i piski kobiet. Usłyszałem tupot ludzkich nóg, zbiegających po schodach i pędzących przez podwórko. Potężny piorun przeciął niebo zygzakiem gdzieś pośrodku między Paradise Valley a Manzanita Race Track.

Powoli zacząłem rozumieć tok postępowania Misquamacusa.

Najpierw postarał się ściągnąć potomków w pierwszej linii wszystkich pionierów i żołnierzy, którzy dokonywali morderstw na Indianach, na miejsca dawnej masakry. W jaki sposób udało mu się to osiągnąć i dlaczego nie mogli się oprzeć jego wezwaniu, nie byłem w stanie pojąć. Możliwe, że poruszył w ich duszach strunę pamięci przekazaną im przez minione pokolenia. Kto wie? Misquamacus miał wielką umiejętność perswazji.

Ściągnął osoby takie jak George Hope i Andrew Danetree i tych siedmioro, których znaleziono martwych w kanale diagnostycznym warsztatu Papago Joego. Gdy już się znaleźli na miejscu, otwierał bramę do Wielkiej Otchłani i oddawał ich na pastwę Aktunowihio, boga śmierci, który kierował atakiem na wzgórze pod Little Big Horn i który zamordował Custera i jego ludzi. Aktunowihio, którego macki rozerwały ciało starego Rheinera i pociągnęły w głąb piekielnej czeluści.

Misquamacus przemierzał Amerykę ściągając winnych, zabijając ich i zbierając skalpy. W tych miejscach, gdzie biali ludzie przelali indiańską krew, otwierał drzwi do krainy śmierci i ściągał w jej otchłań wszystko, co wyszło spod ręki białego człowieka — gmachy, koleje, telewizory, autostrady, porty, słowem — wszystko.

To była zemsta na niewyobrażalną skalę. Zniszczyłeś moją kulturę, biały diable, a teraz ja zniszczę twoją.

Poczułem, jak podłoga motelu Thunderbird drży pod moimi stopami. Był najwyższy czas opuścić to miejsce. Gdybym chociaż wiedział, gdzie jest teraz Karen. Ubrałem się, szybko wrzuciłem koszule i szorty do podróżnej torby i popędziłem balkonem w stronę schodów. Zdechły pancernik zniknął; widocznie nie był martwy, jak sądziłem. Schodki zaczynały już pękać; schodząc w dół, czułem, jak się przechylają, a metalowe pręty balustrady gną się i łamią.

Mój wypożyczony samochód przesunął się jakieś sześć metrów w bok na parkingu i znajdował się teraz przy niskim betonowym murku. Jeden z błotników był porządnie wgięty. Jazda w tych warunkach była dosyć ryzykowna, lecz chciałem jak najprędzej dopędzić Karen, za mało było czasu, aby wlec się piechotą.

Podejrzewałem, że Misquamacus zabrał Karen z powrotem do Wielkiej Otchłani. Papago Joe był mi więc niezbędny jako przewodnik na tamtą stronę. Potrzebowałem bezzwłocznie jego pomocy.

Wsiadłem do samochodu i włączyłem silnik. Gdy manewrowałem między pojazdami, usiłując wyjechać z parkingu, ogromny cherokee prześliznął się obok mnie z przeraźliwym piskiem opon. Ciężarówka uderzyła z ukosa w przedni błotnik samochodu, okręcając go o czterdzieści pięć stopni. Przejechałem jednak dzięki temu bezkolizyjnie przez dziurę w murku, unikając tych ostrych skrętów, z jakich słynąłem.

Jechałem na wschód wzdłuż Indian School Road. Niskie chmury pędziły po niebie, które miało kolor ziarnistej czerwieni. Po lewej stronie widniał garb Camelback. Było już wpół do siódmej, lecz nadchodzący poranek zapowiadał się jako najbardziej pochmurny w historii Phoenix.

Jazda w czasie burzy była jak senny koszmar. Chociaż cisnąłem pedał jak mogłem, mój lincoln nie był w stanie wydusić z siebie więcej niż pięćdziesiąt pięć kilometrów na godzinę. Silnik wytężał wszystkie siły, a radio wyło jak zbłąkany pies. Uczucie, że coś mnie ciągnie do tyłu, było tak silne, że wydawało mi się, iż wspinam się pod górę. Kiedy chciałem skręcić w prawo w Alma School Road, na Mesę, jakaś siła zaczęła ciągnąć samochód tak uporczywie w kierunku zachodnim, że musiałem wykręcić kierownicę w lewo aż do oporu. Kiedy już wreszcie dojechałem do Apache Boulevard, gdzie znowu powinienem skręcić na wschód, do Apache Junction, dłonie miałem czerwone od wysiłku i śliskie od potu.

Niebo ciemniało coraz bardziej, zwłaszcza z tyłu za mną, w okolicy śródmieścia Phoenix. Po ulicach rzadko kto się

362

przemykał, natomiast pełno na nich było różnych śmieci i odpadków — płotów, tablic reklamowych, dziecięcych wózków i Bóg wie czego jeszcze. Wszystko to nieznana siła ciągnęła w kierunku zachodnim, wzdłuż autostrady. Dojeżdżałem właśnie do przedmieść Mesy, gdy ujrzałem sunącą po jezdni prosto na mnie cysternę z benzyną. Musiałem skręcić na chodnik, aby uniknąć zderzenia. W tylnym okienku ujrzałem, jak sypiąc kaskady iskier, przewróciła się na bok — za chwilę stanęła w ogniu.

Na autostradzie widziało się coraz więcej wywracających się i dachujących pojazdów. Zostałem dwukrotnie stuknięty — raz przez ciężarówkę bez kierowcy, drugi raz przez samochód kombi. Nie udało mi się stwierdzić, czy tam był jeszcze ktoś żywy, bo po oknach spływała krew.

W okolicach Mesy gęsto było od pełznących po ziemi domów i budynków gospodarczych. Widziałem również ludzi uciekających grupkami w kierunku wschodnim. Wlekli się poboczami szosy, jak gdyby wspinając się z wysiłkiem pod stromą górę. Kilka razy miałem ochotę zatrzymać się i zaproponować podwiezienie, ale nie byłem pewny, czy mój samochód wytrzyma dodatkowych pasażerów. I tak czułem już zapach gumy, a radio wyło coraz donośniej.

Wiatr zawodził i tłukł się o przednią szybę, a łoskot, który wydawały ślizgające się budynki i pojazdy oraz walające się wokół śmiecie, był wręcz ogłuszający. Spróbowałem nastawić radio, lecz z głośnika dobywały się tylko niewyraźne trzaski wyładowań atmosferycznych; przez chwilkę usłyszałem muzykę country z jakiegoś bardzo odległego miejsca, jak z innej planety.

Siedem kilometrów za Mesą na tablicy rozdzielczej zabłysło czerwone światełko, widomy znak, że samochód jest przegrzany. Zaczął przystawać i dygotać i ogarnęła mnie obawa, czy zdołam dojechać nim do celu. Silnik coraz bardziej zwalniał obroty, a w pewnej chwili rozległ się ostry przenikliwy dźwięk sygnalizacji alarmowej. Czerwone światełko nakazało: WYŁĄCZ SILNIK.

W pewnym momencie jechałem już tak wolno, że zacząłem się zastanawiać, czy nie lepiej będzie porzucić pojazd i iść dalej pieszo. Na pewno szybciej dotrę do celu. Lecz wtedy stało się coś dziwnego. Samochód przyśpieszył i zaczął się toczyć z większą łatwością. Po kilku kilometrach nabrał jeszcze większej prędkości. Sygnalizacja alarmowa wyłączyła się, a czerwone światełko zgasło.

Niecałe czternaście kilometrów przed Apache Junction samochód osiągnął prędkość dziewięćdziesięciu, stu dziesięciu i stu trzydziestu kilometrów na godzinę. Dopiero gdy wskazówka doszła do prawie stu czterdziestu kilometrów, zrozumiałem, co się dzieje. Siła, która ciągnęła pojazd do tyłu w stronę Phoenix, zmieniła kierunek i popychała go teraz do przodu, do Apache Junction. Unoszące się wokół tumany piasku i śmieci również się jej poddały. Części płotów, puste puszki po napojach i wszelkiego rodzaju odpadki zaczęły teraz dzwonić, stukać i szczękać za mną, uderzając o blachę karoserii.

Przerażony rosnącą prędkością przydusiłem stopą hamulec. Niewiele to pomogło, opony ślizgały się na piasku pokrywającym autostradę. Samochód okręcał się wokół swej osi, przechylał z boku na bok i nie można było w żaden sposób nad nim zapanować. Prawe koła podskakiwały i uderzały z trzaskiem o ostrą kamienistą krawędź szosy, a przedni zderzak zahaczył o druciane ogrodzenie i wyrwał kawałek. Zdjąłem nogę z hamulca i skierowałem samochód z powrotem na prawą stronę jezdni. Nie pozostawało mi nic innego, jak pozwolić tajemniczej sile dać się ciągnąć naprzód, inaczej, kurde, zabiję się.

Pewną pociechą była myśl, że samochód ciągnie tam, dokąd chciałem. Niepokoiło mnie tylko, co będzie, kiedy już znajdę się na miejscu. Ni cholery nie wiedziałem, czy zdołam zahamować.

Gdy dojeżdżałem do Apache Junction, szybkościomierz wskazywał sto trzydzieści. Szosa zarzucona była gruzem i porozbijanymi samochodami. Miałem sześć czy siedem hałaśliwych, lecz na szczęście niegroźnych kolizji. Przerażenie ogarnęło mnie dopiero wtedy, gdy zacząłem przejeżdżać po ludziach. W pobliżu Apache Junction na drodze leżało chyba ze trzydzieści osób, martwych lub umierających — mężczyzn, kobiet i dzieci, a ja miażdżyłem ich ciała nawet nie wiedząc, co mam pod kołami. W pewnym momencie na masce znalazł się siwowłosy starzec; za chwilę dziewczyna w dżinsach i T-shircie rozpłaszczyła się na przedniej szybie. I odtąd samochód podskakiwał już bez przerwy na ludzkich rękach, nogach, tułowiach.

Krzyknąłem coś głośno. Nie pamiętam co. Z całej siły nacisnąłem hamulec. Samochód zarzucił gwałtownie i zjechał w bok, uderzając w ścianę stojącej przy autostradzie szopy. Posypały się drewniane deski. Wjechałem między półki zastawione puszkami farb, butelkami spirytusu metylowego, skrzynkami śrub, pędzli i tym podobnych rzeczy. Dokonawszy dzieła zniszczenia, znalazłem się po drugiej stronie szopy. Samochód nadal ślizgał się, zarzucał na boki i orał piasek. W pewnej chwili z impetem wpadł na kurnik. Zakotłowało się. Poleciały brązowe pióra, kurczęta, słoma, siatki, drut. Za chwilę znów znalazłem się na szosie. Trzask, jaki wydało zawieszenie, wskazywał, iż amortyzator nieźle ucierpiał.

Drżąc, pocąc się i klnąc spojrzałem w tylne lusterko. Szosa na całej szerokości zasłana była ludzkimi zwłokami. Nieopodal, z rozprutymi bokami, kołami do góry, leżał rozbity autobus. Jechał prawdopodobnie z taką samą prędkością jak ja, jeśli nie szybciej, i wywrócił się. Przejeżdżając po rozrzuconych ciałach pasażerów, modliłem się tylko, aby byli już martwi.

Przez tumany piasku i zamglone czerwonawe światło ujrzałem w górze szyld Papago Joego. Jechałem teraz z prędkością prawie stu trzydziestu kilometrów i nie miałem najmniejszego pojęcia, w jaki sposób zdołam się zatrzymać. Uznałem, że najlepiej będzie wjechać prosto w parking, zakładając, że manewr się powiedzie. Włączyłem długie światła i przycisnąłem klakson. Panie Boże, nie pozwól mi zginąć — modliłem się w myśli.

W ostatniej sekundzie, w momencie gdy dojeżdżałem do bramy, ujrzałem leżącego na drodze człowieka. Skręciłem nieco w bok i zamiast na parking trafiłem w świeżo naprawione ogrodzenie. Ten skręt jednak prawdopodobnie uratował mi życie. Samochód zaczepił o ogrodzenie i pociągnął za sobą sporą jego część wraz ze słupkami. Rola tego balastu okazała się zbawienna — zadziałał jak siatka hamująca szybkość lądowania samolotów na lotniskowcu. W chwili gdy uderzyłem w spiętrzony stos buicków i oldsmobile'ów, których Papago Joe nie zdołał jeszcze uprzątnąć po ostatnich zniszczeniach, miałem już prędkość około czterdziestu kilometrów. Niemniej czołowe zderzenie przy takiej prędkości to też nie żarty. Podskoczyłem jak marionetka, głową uderzyłem o kierownicę, a kolanami o dolną część tablicy rozdzielczej.

Uniosłem głowę i rozejrzałem się. Parking Papago Joego zatłoczony był do niemożliwości — znajdowały się tam nie tylko samochody, ale również szopy, szyldy, skrzynki, przyczepy oraz wszelkiego rodzaju rupiecie. Widziałem też pół domu wraz z wygiętym okapem. Odwróciłem się i zauważyłem, że Słoneczny Diabeł również został częściowo zniszczony. Po jednej stronie dach budynku zwisał smętnie, a wszystkie jego przybudówki i garaże przetaczały się przez szosę w kierunku przyczepy Papago Joego.

Siłą otworzyłem drzwi samochodu. Oślepiający tuman wirującego piasku natychmiast wdarł się do środka. Świst wiatru brzmiał jak najprawdziwszy płacz, grzmoty piorunów wstrząsały powietrzem.

Miałem właśnie zamiar wysiąść, kiedy ujrzałem naprzeciwko biegnącego z wysiłkiem Papago Joego. Owinięty był w wielki, szary, zniszczony koc. Machał do mnie ręką i wykrzykiwał jakieś słowa. Poczekałem, aż się przybliży. Okazało się, że dobrze zrobiłem.

— Nie ruszaj się z miejsca, dopóki cię nie zabezpieczę — krzyknął. — Inaczej wciągnie cię w otchłań, a wtedy, mój przyjacielu, pożegnaj się z życiem.

— Co się dzieje? — odkrzyknąłem pytająco.

— Czeluść się otworzyła. — Wskazał palcem na warsztat. W miejscu gdzie zamordowano tych ludzi, jest brama do otchłani. Znikają w niej samochody, ludzie, bydło — wszystko.

— To samo dzieje się w Phoenix — rzekłem.

Skinął głową. Wyciągnął z kieszeni naszyjnik i zaczął go z trudem rozplątywać.

— W Phoenix jest znacznie gorzej — odezwał się. — Oglądaliśmy to w telewizji, zanim wysiadł aparat. Wszystko zniknęło — port lotniczy, State Capitol, Art Museum, Civic Plaza, wszystko. Na Van Buren Street nie ma ani jednego budynku. Wezwano na pomoc oddziały Gwardii Narodowej, ale nie dowiedzieliśmy się nic poza tym, że stracili dwa helikoptery oraz trzydziestu ośmiu ludzi.

— Dlaczego w Phoenix jest tak źle?

Wreszcie udało mu się rozplątać naszyjnik. Założył mi go na szyję i wyjaśnił:

— W Phoenix zginęło bardzo wielu Indian. Ponad sto pięćdziesiąt osób zostało zabitych w masakrze w tysiąc osiemset osiemdziesiątym siódmym roku, kiedy to usiłowali protestować przeciwko budowaniu linii kolejowej na ich terytoriach. Trzydziestu ośmiu mężczyzn, reszta to kobiety i dzieci. Mordercy pozostali nieznani. Nie wiedziano nawet o tej rzezi, dopóki eden z poszukiwaczy złota nie natknął się przypadkiem na ich kości rozrzucone w kanionie w South Mountains.

— Do czego on służy? — zapytałem, podnosząc nieco naszyjnik, aby go dobrze obejrzeć. Nie miał nic wspólnego ze sztuką złotniczą. Była to kombinacja ostrych, ściśle splecionych włosów, czerwonych matowych korali oraz bezbarwnych zębów.

— To jest magiczny naszyjnik — odparł Papago Joe. — Takie naszyjniki nosili Indianie, kiedy wypadło im przechodzić przez święte cmentarze. Miały ich strzec przed duchami. Ochroni cię przed wciągnięciem do Wielkiej Otchłani.

— Ty nie masz na sobie niczego takiego — zauważyłem.

— Ja nie muszę. — Uśmiechnął się. — Jestem Indianinem. Tylko biali ludzie i przedmioty wytworzone ich ręką ściągane są do czeluści. Aha, i jeszcze Meksykanie.

— Widziałem Misquamacusa — poinformowałem go. — Dziewczyna, której szukam, Karen, przyszła do mnie w nocy do motelu... Misquamacus był z nią. Lub raczej w niej; nie bardzo wiem, co jest właściwsze.

— Wiem, co masz na myśli. — Papago Joe położył mi rękę na ramieniu. — My, Indianie Papago, nazywamy to „zjednoczeniem-dwu-istnień". Na razie wejdźmy do przyczepy. Powiem ci, co zamierzam zrobić.

Wygramoliłem się z samochodu. Byłem cały posiniaczony i poobijany, mimo to pokuśtykałem heroicznie naprzód. Papago Joe ujął mnie pod ramię, chociaż nie było to konieczne. Dzień był tak ciemny, że z trudnością ogarniałem wzrokiem parking. Wiatr ciskał żwirem w nasze nieosłonięte twarze, a łodygi roślin pętały nam nogi. Z warsztatu dochodziły stękania zgniatanego metalu.

— To ciągle samochody — zauważył Papago Joe. — Dla mnie to koniec. Koniec mojego interesu, koniec wszystkiego.

Gdy tak szliśmy razem przez parking, dalej miałem wrażenie, że coś mnie ciągnie — było to takie uczucie, jakby ktoś szedł obok ciebie po chodniku i co chwila usiłował zepchnąć cię na krawężnik. Magiczny naszyjnik robił jednak swoje. Wplecione w niego włosy elektryzowały i zanim doszliśmy do przyczepy, niektóre luźno zwisające końce zaczęły tlić się i palić. Papago Joe położył na nich rękę i zdusił ogień. Wciągnąłem w nozdrza woń starych, nadpalonych włosów, która przywiodła mi na myśl coś bardzo odległego, dziś martwego i zamienionego w popiół.

367

We wnętrzu przyczepy paliło się kilka świec. Przy otwieraniu i zamykaniu drzwi ich chybotliwe płomyki zamigotały i przygasły. Byli tam już Dude Stalowe Nerwy oraz Linda ze Słonecznego Diabła ze swoim synkiem Stanleyem.

— To była jazda! — stwierdził z uznaniem Dude. — Przeleciałeś przez ogrodzenie jak gówno po łopacie.

— Miałem trochę szczęścia, ot co.

Papago Joe nie marnował czasu. Udał się w odległy kąt przyczepy, skąd wrócił niosąc jakieś zawiniątko w wystrzępionej, starej, wyplamionej skórze bawołu, przyozdobionej koralikami i piórami.

— Ubiegłej nocy udałem się do rezerwatu i pożyczyłem sobie od indiańskich czarowników ten magiczny węzełek. Wyświadczyłem im przecież niejedną przysługę. Naprawiałem im samochody i pożyczałem pieniądze na kaucję, kiedy ich dzieci były w kolizji z prawem.

Koła przyczepy zaskrzypiały. Coś ciężkiego uderzyło o ścianę tuż obok drzwi.

— Jak to się dzieje, że przyczepa stoi na miejscu i nic jej nie ciągnie? — zapytałem Papago Joego.

Papago Joe spojrzał na mnie swymi czarnymi jak węgle oczami.

— Po ostatnich wypadkach postarałem się ją zabezpieczyć. Zrobiłem wokół niej koło z niebieskiego piasku i krwi kruka i poprosiłem Heammawihio, aby jej strzegł. W czasach kiedy mieszkaliśmy w namiotach, stosowaliśmy takie zaklęcia dla obrony naszych wigwamów. W kategoriach magicznych fakt, że jest to klimatyzowana przyczepa, a nie namiot z bawolej skóry nie ma żadnego znaczenia.

— Widzicie? — odezwał się Dude S. N. — Papago Joe ma tęgi łeb.

Stanley odwrócił się i spojrzał z powagą, jakby chcąc się przekonać, czy Indianin ma dużą głowę. Matka szepnęła mu do ucha:

— To znaczy, synku, że on jest mądry. Potrafi wszystko przewidzieć.

Wiatr walił w ściany przyczepy. Dobiegł mnie brzęk tłuczonego szkła i przeciągły zgrzyt metalu, od którego ścierpły mi zęby. Jakoś nie wydawało mi się, że niebieski piasek i krew kruka zdołają na dłużej uchronić nas przed wciągnięciem w otchłań

Papago Joe rozwiązał swój węzełek i wyłożył kolekcję kości patyków oraz skórzanych woreczków. Wszystkie przedmioty, zeschnięte, poplamione, zniszczone, obwiązane były włosami skórzanymi rzemykami. Cuchnęły gnijącą skórą i zjełczałym tłuszczem.

— To będzie nam potrzebne w Wielkiej Otchłani — poinformował Papago Joe. — W tym woreczku tutaj jest proszek, który wprowadzi nas w stan śmierci halucynacyjnej.

— Śmierci halucynacyjnej? — zapytałem. — A cóż to takiego, do jasnej ciasnej?

— To znaczy, że kiedy zażyjemy ten proszek, sfera świadomości w naszym mózgu zostanie wprowadzona w stan pozornej martwoty. Klinicznie będziemy martwi. Ale nasza świadomość będzie zachowana, tyle że na innym, niższym poziomie. Będziemy nadal funkcjonować jako istoty ludzkie, będziemy mogli chodzić, mówić i myśleć, a w końcu także powrócić do świata żywych.

— Z czego składa się ten proszek?

— Nie znam dokładnie wszystkich składników. Wiem, że jest w nim popiół z ludzkich kości, peyotl, a także zmacerowane liście huajillo, gorzki kaktus i jeszcze kilka innych jagód i ziół.

— To ci dopiero! — zadziwił się Dude S. N. — Co do mnie, to wolę sobie strzelić pigułkę Alka-Seltzer.

Czułem, że dostaję palpitacji.

— Papago Joe, co właściwie masz na myśli, mówiąc o śmierci klinicznej?

Papago Joe plasnął się w czoło.

— Ustaje działalność mózgu. W każdym razie lekarz nie potrafi jej stwierdzić. Ale my będziemy nadal widzieć, słyszeć, mówić i myśleć, tylko znacznie, znacznie bardziej intensywnie. To znaczy tam, w Wielkiej Otchłani.

— Czy ten proszek jest nieszkodliwy? — zapytałem.

— Nieszkodliwy? — powtórzył. — Nie był badany przez Urząd do spraw Żywności i Leków.

— Nie to miałem na myśli. Chodzi mi o to, czy nie doznamy jakiegoś uszkodzenia mózgu, rozumiesz? Urazu fizycznego lub czegoś podobnego?

Papago Joe wykrzywił twarz w grymasie.

— Skąd mogę wiedzieć? Nigdy przedtem go nie zażywałem.

— To bomba, człowieku — odezwał się Dude S. N.

— Nigdy go nie zażywałeś? — Serce galopowało mi w piersiach, a język był suchy i szorstki jak skóra kaktusa saguaro. — W dzisiejszych czasach rzadko kto podejmuje takie próby Stare praktyki czarowników dawno odeszły w przeszłość. — Przerwał, po czym rzekł: — Nie musimy tego robić. Nikt nas nie zmusza do ratowania tej cywilizacji ani nawet do ratowania twojej dziewczyny. To tylko Superman musi robić takie rzeczy. Milczałem. Byłem jedyną osobą na świecie, która miała jakąkolwiek szansę uratowania Karen, a Papago Joe prawdopodobnie jedynym człowiekiem, który mógł mi w tym pomóc. Może nie byłem Supermanem, ale wiedziałem, jak powinienem postąpić, mimo iż odczuwałem strach.

— W porządku — powiedziałem. — Przypuśćmy, że zażyjemy tego proszku. Co wtedy?

Papago Joe pokazał mi wiązkę patyczków, z których każdy przyozdobiony był pasemkami włosów i zwieńczony zakrzywionym ptasim dziobem.

— Orle pałeczki — wyjaśnił. — Pomogą nam dostać się błyskawicznie, dokąd tylko chcemy, prosto do celu. Misquamacus też ich używa. Dzięki nim potrafi być w dwu miejscach jednocześnie. W gruncie rzeczy wcale tak nie jest — on po prostu mknie przez Wielką Otchłań jak strzała. To tak jakby przemierzał czas i przestrzeń na skróty. Nie ma w tym nic magicznego ani nadnaturalnego. Już Einstein wiedział o tym. Krzywa stanowi najkrótszą odległość między dwoma punktami we wszechświecie; ta krzywa staje się jeszcze krótsza, kiedy znajdujesz się we wnętrzu wszechświata, a nie po jego zewnętrznej stronie.

Wziąłem do ręki jeden z patyczków i przyjrzałem mu się, obracając go na wszystkie strony.

— Ale one... Czy to nie są jakieś zwykłe zabobony?

— Tak. W pewnym sensie są. Ale każda z tych pałeczek jest różnie oznakowana, widzisz? Te znaki to ptasie punkty orientacyjne, którymi kierują się, przelatując nad Ameryką Północną. Tobie mogą się wydawać tylko zwykłymi patyczkami... lecz naprawdę stanowią zestaw skomplikowanych naturalnych kompasów. Za pomocą takich kompasów możesz prowadzić boeinga.

— Co jeszcze mamy? — zapytałem. Może powinienem wykazać nieco więcej sceptycyzmu, ale zbyt wiele miałem dziś do czynienia z indiańskimi czarami, aby powątpiewać w magiczne umiejętności Papago Joego. Był wykształcony, można było mieć do niego zaufanie. Było w nim nawet coś ojcowskiego. I — jak powiedziałem — nie miałem zbyt wielkiego wyboru. Szperał w swoim magicznym węzełku. Z zewnątrz dobiegł mnie odgłos głośnego zderzenia, a potem przeciągły dudniący huk, jakby trzysta drzew zwaliło się naraz na ziemię. A przecież w promieniu wielu kilometrów nie rosło ani jedno drzewo.

— Jeszcze są dwie rzeczy, które mogą nam się przydać w Wielkiej Otchłani — ciągnął Papago Joe. Pokazał następny woreczek z proszkiem. — Słoneczny proszek, który otuli nas ochronnym świetlanym płaszczem. I w nim również jest niewiele nadnaturalnych składników. W jego składzie chemicznym jest to, co sprawia, że robaczki świętojańskie świecą w ciemnościach. A ten proszek przywróci nam normalny poziom świadomości, gdy będziemy już chcieli wrócić do świata żywych. Musimy pilnie strzec tego proszku, nie może nam zginąć.

— No cóż — rzekłem. — Mam nadzieję, że wiesz, co robisz.

— Pamiętaj, Harry, podróż, jaka nas czeka, będzie łańcuchem prób i błędów. Nic więcej nie mogę ci obiecać. Nie jestem prawdziwym czarownikiem. Jestem tylko zapalonym amatorem.

— Dziękuję za uczciwe postawienie sprawy. — Uśmiechnąłem się smętnie. — Jestem gotów zagrać w to.

— Nie będziemy sami — zapewnił mnie Papago Joe. — Twój zmarły przyjaciel Śpiewająca Skała będzie moim przewodnikiem. W istocie, w sensie technicznym, to ja będę Śpiewającą Skałą.

— Nie chwytam.

— To bardzo proste. Człowiek może wejść do Wielkiej Otchłani tylko w dwojaki sposób. Albo jeśli jest martwy, albo gdy wcieli się w nią duch osoby nieżyjącej. W taki właśnie sposób weszła tam twoja przyjaciółka Karen... gdy tak błyskawicznie znalazła się w Arizonie. To Misquamacus się w nią wcielił. Wykorzystuje Karen do wykonywania za niego wszelkich czynności życiowych, czynności fizycznych, których sam nie jest w stanie wykonywać, na przykład do zbierania skalpów.

— Ale ja widziałem jego. Nie Karen. Widziałem prawdziwego Misquamacusa. Jego twarz, jego naszyjniki, wszystko. Miał na głowie odrażającą fryzurę z żywych insektów.

— Oczywiście, że widziałeś Misquamacusa — odparł Papago Joe. — Masz sporą wrażliwość metapsychiczną i z tego względu jesteś dość podatny. Poza tym widziałeś go już przed-

371

tem, mogłeś więc stwierdzić na własne oczy, że to jest on. Większość ludzi nie byłaby w stanie go dostrzec, nie ujrzałaby go.

— To znaczy, że kiedy znajdziesz się w Wielkiej Otchłani, wezwiesz Śpiewającą Skałę, aby wcielił się w twoje ciało?

— Zgadza się. Znaczy to również, że będę mógł korzystać z jego mądrości i doświadczenia, a także z jego ducha.

— Ale przecież ja będę szedł razem z tobą.

— To prawda. Będziesz również musiał kogoś poprosić, aby się w ciebie wcielił.

— Boże! — Ciarki przebiegły mi po grzbiecie.

— To wydaje się trochę dziwne, przyznaję — uśmiechnął się Papago Joe. — Mogę cię jednak zapewnić, że to nie boli.

— Kim mogę się posłużyć?

— Kimkolwiek, o kim wiesz, że nie żyje — najlepiej kimś, kto był ci bliski. Byłoby dobrze, gdyby miał jakieś umiejętności spirytystyczne.

— Czy to może być każdy? — Myślałem o Dawidzie, moim bracie, który utonął.

Papago Joe zmrużył oczy, jak kiedyś Śpiewająca Skała.

— Nie wybieraj kogoś, kto był ci zbyt bliski. Może będziesz musiał poświęcić go z jakiegoś powodu, a jeśli będzie to osoba bliska twemu sercu... cóż, ona jest wprawdzie martwa, ale możesz się zawahać, kiedy wahać się nie wolno.

Pomyślałem nagle o Martinie Vaizeyu. Lubiłem Martina w szczególny sposób. Może był drobiazgowy i apodyktyczny, może też trochę staroświecki. Podziwiałem jednak jego umiejętności metapsychiczne. Cóż więcej mógłbym o nim powiedzieć? Był typem człowieka, który miał zawsze wyczyszczone buty i nigdy nie bekał przy ludziach, jeśli w ogóle bekał.

Żałowałem, że nie żyje, żałowałem aż do bólu. Żyłby do tej pory, gdybym nie wciągnął go do walki z Misquamacusem. Należy mu się ode mnie ta niewielka szansa, aby się na nim odegrał.

— Znam faceta nazwiskiem Martin Vaizey — poinformowałem Papago Joego. — Zmarł w Nowym Jorku, właśnie parę dni temu.

Papago Joe patrzył na mnie dłuższą chwilę nieruchomym wzrokiem. — Chcesz coś jeszcze o nim powiedzieć?

— Był medium, i to dobrym. Skontaktował mnie ze Śpiewającą Skałą, ukazał mi jego twarz. Nikt lepszy od niego nie przychodzi mi na myśl.

— Dobrze — odparł Papago Joe. — Martin Vaizey. Jak to się
isze?

Podyktowałem mu nazwisko Martina i sprawdziłem godzinę.
Zegarek wskazywał piątą, co było oczywistym absurdem. Nawet
tajwański zegarek byłby lepszy niż rosyjski.

— Myślę, że powinniśmy wyruszyć już teraz — zaproponowałem. — Im dłużej będziemy zwlekać, tym gorsze są widoki
na szczęśliwe zakończenie. Misquamacus mógł już do tej pory
unieść Karen nie wiadomo dokąd.

— Nie przejmuj się tym — odparł Papago Joe. — On podróżuje tak szybko, że to naprawdę nie ma znaczenia. W tej
chwili może już być w Fairbanks na Alasce.

— W Fairbanks? Na Alasce? Jaki on może mieć tam interes? — zdziwił się Dude S. N.

— To tylko tak, dla przykładu — wyjaśnił Papago Joe. —
Chodzi mi o to, że zmarli mogą przemierzać ogromne przestrzenie dosłownie w ciągu sekundy. Oni nie znają takich ograniczeń jak my. Nie muszą walczyć z takimi przeszkodami, jak
czas, przestrzeń, energia kinetyczna, tarcie i wszystkie te głupstwa. Chcą podróżować, to podróżują i koniec.

— Szybki tranzyt, co? — stwierdził Dude S. N. — Wież
mnie, Geronimo!

— Czy kiedyś — zwrócił się do niego Papago Joe — przebiegł cię taki dreszcz, o którym mówi się: „Śmierć mnie przeskoczyła"?

— Czasami przebiega mnie dreszcz, jak wreszcie mogę się
wysikać, gdy mi się bardzo chce — odparł Dude S. N.

— Nie mówię o sikaniu, na miłość boską. Mówię o dreszczu.
Czy wiesz, co to jest? No? Czy zastanowiłeś się nad tym chociaż
raz? Stoisz na chodniku w śródmieściu Phoenix, czekając na
zielone światło, i nagle zmiana sygnalizacji przestaje cię obchodzić. Czujesz, że coś zimnego i mrocznego przechodzi przez
ciebie, coś co powoduje, że ciałem twoim wstrząsa dreszcz.
Rozglądasz się dookoła, ale nie widzisz nikogo. Czy wiesz, co
się za tym kryje? Masz jakieś pojęcie?

— Złe krążenie — odparł z całą powagą Dude S. N.

Lecz Papago Joe potrząsnął przecząco głową.

— To zmarli — odparł. — To zmarli ludzie przechodzą przez
twoje ciało z taką szybkością, że prawie tego nie zauważasz. Ale
taka jest prawda. Pomyśl o tym.

— Czy to możliwe, aby zmarli przechodzili przeze mnie? — Dude S. N. był zdziwiony i zaniepokojony.

Papago Joe skinął głową.

— Zmarli przechodzą przez ciała większości z nas parę razy w tygodniu, czasami częściej. Jeśli będziesz stać naprawdę nieruchomo, poczujesz ich.

— Hej! — zaprotestował Dude S. N. — Zmarli przechodzą przeze mnie i nawet nie powiedzą „przepraszam"? To jest pogwałcenie prawa własności.

Żart nie rozśmieszył Papago Joego.

— Zmarli nie mają zbyt wielu przywilejów. Ten jest jednym z nielicznych.

— Hej! — powiedział znów Dude S. N. — Co więc zamierzasz robić? Chcesz podróżować z tymi umarlakami? Przechodzić przez innych ludzi?

— Harry — odparł Papago Joe — pragnie odnaleźć swoją Karen. Chce także odnaleźć Misquamacusa. A teraz powiem ci, dlaczego musimy to zrobić. Jeśli nie odnajdziemy Misquamacusa, grozi nam straszliwy, czarny, upiorny koniec. Gdybyś wiedział to co ja o Aktunowihio, Bawole-Widmie, sfajdałbyś się w te babskie majtki, które masz na sobie.

— Hej, to są majtki Cybille.

— A gdzie jest w tej chwili Cybille? — zapytał ostro Papago Joe.

— Nie wiem. Chyba w domu z rodzicami. Tak przypuszczam. Chyba że znowu umówiła się z tym głupkiem Garym.

— Czy rozejrzałeś się po okolicy? Ona może być u rodziców, ale gdzie jest ich dom?

Dude S. N. zwlókł się z tapczanu i podszedł do okna. Podniósł żaluzje, lecz przez okno można było zobaczyć tylko kłębiące się tumany piasku i migotliwe odbicia płomyków świec. Dude S. N. odwrócił się i powiedział:

— To jest burza, człowieku. Po prostu burza. Huragan Jakiegoś Tam.

Papago Joe potrząsnął energicznie głową.

— To nie jest burza, Dude S. N. To nadeszła chwila, o której mówią wszystkie indiańskie legendy i przepowiednie. Nadszedł Dzień Wszystkich Cieni, dzień, w którym Taniec Duchów staje się rzeczywistością.

Przyczepa zakołysała się jeszcze gwałtowniej niż poprzednio.

W jej ścianę uderzył jakiś miękki i ciężki przedmiot. Mógł to być worek z mąką, a może prosiak lub zdechły pies. Mogło to też być na przykład dziecko.

— A więc idziesz? — rzekł Dude S. N. — Zdradzasz nas opuszczasz.

— Wam nic nie grozi — zapewnił Papago Joe. — Masz opiekować się Lindą i małym Stanleyem. To jest teraz twoje główne zadanie.

— Człowieku, ja chcę iść z wami — rzekł Dude S. N.

— Co? — zdziwił się Papago Joe.

— Chcę iść z wami. Słuchaj, człowieku, opowiadasz tutaj o duchach, które wcielają się w ludzi, o podróżowaniu w czasie i temu podobnych rzeczach. Człowieku, to jest bombowa sprawa. Chcę iść z wami.

— Nie, masz zostać tutaj i czuwać nad Lindą i Stanleyem — odparł Papago Joe.

— A co będzie, jak przyczepa się przewróci?

— Nie przewróci się. Czar będzie działać, nawet gdyby się kołysała.

— Dobrze, człowieku — odparł opryskliwie Dude S. N. — Chciałbym mieć twoją pewność.

Ja też chciałbym. Zwłaszcza że mieliśmy wyruszyć w podróż do krainy ciemności — do otchłani, o której myśl napawała mnie tęsknotą za nowojorskim metrem. Tam, w tunelach Nowego Jorku, niebezpieczeństwo było namacalne. Jeśli nawet twoi towarzysze podróży zachowywali się agresywnie, byli groźni, wrzeszczeli, demolowali wszystko wokół i wymuszali pieniądze — wiadomo było, że są żywi.

Obserwowałem, jak Papago Joe dzieli proszek, który miał wprawić nas w stan śmierci halucynacyjnej. Migocące, chybotliwe płomienie świec odbijały się w jego oczach. Ostrze brzytwy zgrzytało na szkle. Wiedziałem, dlaczego Amelia nie chciała udać się ze mną w pościg za Misquamacusem. Wiedziałem, dlaczego MacArthur skłonił ją do porzucenia spirytyzmu, potem jak po raz pierwszy udało jej się wywołać głowę Misquamacusa z blatu wiśniowego stołu.

Papago Joe dzielił proszek tak dokładnie, jakby miał do czynienia z porcjami narkotyku, z tym że ten proszek nie był biały, lecz szary — szary od popiołu spopielonych ciał i peyotlu.

— To się łyka czy wącha? — zapytałem.

Zrobił rulonik z nowiutkiego szeleszczącego banknotu pięć dziesięciodolarowego.

— Przykro mi, ale będziesz musiał wciągnąć to w płuca.

— O Jezu! — wykrzyknął Dude S. N. — Jak można wdychać taką gęstą masę? To obrzydliwe.

Papago Joe nie zwracał na niego uwagi i podał mi zwinięty banknot.

— Najpierw ty, Harry.

Wziąłem rulonik trzęsącymi się rękami. Bałem się, że wysypie cały proszek na podłogę.

Gdy pochyliłem się do przodu, Papago Joe położył mi rękę na ramieniu, próbując dodać otuchy. Spojrzałem w mroczną czeluść jego głęboko osadzonych oczu i dostrzegłem w nich błysk, który jak mi się wydało, przybliżył mnie do tajemnicy wszechświata.

— Wszyscy kiedyś umrzemy — rzekł.

Nie byłem pewny, czy powiedział to głośno.

Nowy Jork

Amelia obudziła się tuż przed świtem z nieprzyjemnym uczuciem, że dzieje się coś niedobrego. Wydało jej się, że przez noc świat utracił równowagę i wirował wokół swojej osi jak dziecięcy bąk i jak on za chwilę przewróci się na bok. Leżała w wygniecionej pościeli przez pięć czy dziesięć minut, nasłuchując, marszcząc brwi, starając się zrozumieć, na czym polega zmiana. Potem usiadła na łóżku i zapaliła światło. Sypialnia utrzymana była w żółtym kolorze. Stały w niej wazony z zasuszonymi kwiatami słonecznika i wisiały litografie Curriera i Ivesa w złoconych ramach. Dominowały sceny w żółtej tonacji, takie jak *Czytając Pismo Święte* czy *Marzenia młodości*.

Słyszała głębokie, wibrujące dudnienie. Nie dochodziło ono jednak z ulicy. Przypominało raczej burzę z piorunami, nadciągającą gdzieś od Jersey lub nadjeżdżającą z łoskotem kolejkę podziemną, lub też miasto drżące w posadach. Wzięła okulary z nocnego stolika i wstała z łóżka. Miała na sobie futbolową koszulkę XXL z nadrukiem Indianapolis Colts. Jerry — jej były mąż — był entuzjastą tej drużyny. Jej matka (pewnego chmurnego i chłodnego dnia, gdy umierała na raka) wzięła ją za rękę i prosiła, aby nigdy nie wychodziła za człowieka z Indiany. „Ci ludzie przynoszą zgubę, kochanie. Oni mają ją w genach".

Podeszła do okna i uchyliła żółte żaluzje. Za oknami było jeszcze ciemno, choć po wschodniej stronie nieba rysowała się bladoczerwona smuga, jak krew przesiąkająca przez czarne ubranie. Nasłuchiwała uważnie, w skupieniu. Dudnienie powtórzyło się. Okno zaczęło gwałtownie drżeć i brzęczeć. Odniosła również wrażenie, że podłoga pod jej stopami zaczyna z lekka dygotać. To nie były odgłosy ulicznego ruchu, chociaż widziała w dole światła reflektorów i słyszała gniewne i natarczywe trąbienie klaksonów. To było coś bardziej znaczącego. To był ten huk, którego boją się psy i kanarki, i okoliczne koty i od którego kwaśnieje mleko w kartonach. Na dodatek grzmot narastał. Potężniał z każdą chwilą, stawał się coraz głośniejszy i coraz głębszy. Słyszała, jak w kuchni dzwonią filiżanki i spodeczki.

Udała się do łazienki, a gdy usiadła na sedesie, poczuła, że wszystko w całym budynku wibruje. Ogarnął ją niepokój. Wczoraj późnym wieczorem oglądała w wiadomościach telewizyjnych chaotyczne, pełne paniki sprawozdania z Phoenix i Las Vegas. Zginęły tam setki, może nawet tysiące ludzi, a budynki rozpadły się, jakby podłożono pod nie dynamit.

Nic nie wskazywało na to, że podobna rzecz może zdarzyć się tutaj, w Nowym Jorku, ale zdawała sobie sprawę, że nie można tego wykluczyć. Przecież Manhattan był miejscem, gdzie podobnie jak w innych częściach Ameryki zginęło wielu Indian — od ognia, od kul i pocisków, od chorób.

Każde z tych miejsc mogło stać się bramą do Wielkiej Otchłani, w której zostaną pogrzebane na wieki budynki i ludzie, i wszystko, co stworzył biały człowiek.

Amelia poszła do kuchni i nacisnęła cyferki numeru w motelu Thunderbird w Phoenix. Linia była ciągle zajęta. Przez całą noc usiłowała dodzwonić się do Harry'ego, ale nie udało jej się uzyskać połączenia. Modliła się tylko, aby nie opuścił go wrodzony instynkt samozachowawczy. Czuła się winna, że odmówiła mu pomocy w ściganiu Misquamacusa, nie na tyle jednak, aby chciała teraz być w Słonecznym Pasie, gdzie budynki rozpadają się, a ludzie znikają w bezdennej czeluści.

Wsypała kawę bezkofeinową do maszynki, wyjęła papierosa i przez pewien czas obracała go w palcach. Palę nie dlatego, że mam chęć palić; palę dlatego, że zmusza mnie do tego Harry Erskine. Cholerny Harry Erskine. Ten człowiek przyciąga nieszczęścia. Wszystko, za cokolwiek się weźmie, przysparza mu tylko kłopotów. Wydaje mu się, że jest jak człowiek renesansu, może robić wszystko i nic, i to znacznie lepiej niż inni. Zrobił jej kiedyś półki do mieszkania, które w sześć dni później urwały się, rozbijając akwarium z tropikalnymi rybkami i cztery z jej pięciu cennych rzeźb meksykańskich.

Swego czasu postanowił też zrobić jej befsztyk Diane na kolację. W rezultacie wywołał pożar w kuchni. Teraz znów jak współczesny błędny rycerz, jak bohater romantycznej powieści, pojechał szukać Karen Tandy w krainie cieni, która prawdopodobnie w ogóle nie istnieje. W każdym razie na pewno nie wygląda tak, jak on sobie wyobraża. Wypuściła dym z płuc i przeszła się po swej bladocytrynowej dębowej kuchni, przysłuchując się dudniącym grzmotom.

Była szósta trzydzieści, a na dworze ciągle było ciemno. Amelia wyszła na swój maleńki balkon zastawiony doniczkami geranium i smagliczek i spojrzała na niebo. Kilkadziesiąt razy usiłowała zatelefonować do swych przyjaciół: najpierw do Renee, który mieszkał w pobliżu, na Dziewięćdziesiątej Dziewiątej Zachodniej, potem do Petera i Daviny, którzy mieszkali po drugiej stronie parku, i wreszcie do Billa Dollisa, który zawsze chciał się z nią ożenić. Wszystkie linie były zajęte, a kiedy usłyszała wycie syren i trąbienie wozów strażackich, zrozumiała, że instynkt mówi jej prawdę. W ciągu tej nocy coś złego stało się ze światem; zaczęło w niej powstawać podejrzenie, że może tego ranka słońce wcale nie wyjrzy. A może nie wyjrzy już nigdy.

Próbowała włączyć telewizję, ale aparat nie działał; wydobywały się z niego tylko jękliwe piski. Udało jej się złapać kilka stacji przez radio; na jednej była muzyka country, a na drugiej lokalne wiadomości z Hackensack w New Jersey. Trzecia nadawała wywiad z muzykiem rockowym Robbiem Robertsonem.

Chmury miały barwę intensywnego szkarłatu i wyglądały, jakby się gotowały. W powietrzu unosiła się przenikliwa woń spalenizny zmieszana z zapachem traw, pachnących korzeni i gumowego drzewa. Spoglądając w dół ze swego balkonu, Amelia zauważyła, że w większości wieżowców nadal świeci się światło: w Citicorp Center, w Chrysler Building, w Empire State. Na każdym skrzyżowaniu setki stłoczonych pojazdów tworzyły gigantyczne korki. Kiedy przechyliła się przez balkon i spojrzała w kierunku Dziewięćdziesiątej Ósmej Zachodniej, ujrzała na chodniku karambol sześciu czy siedmiu samochodów z włączonymi światłami. Słyszała wyraźnie podniesione głosy wymyślających sobie kierowców.

Robbie Robertson mówił do mikrofonu:

— To prawda, że jestem półkrwi Indianinem. Mam połączenia ze światem duchów, donoszą mi, co się dzieje po tamtej stronie.

Amelia wylała resztę kawy z maszynki, umyła ją i znów napełniła wodą. Ochota na kawę jakoś ją jednak odeszła. Teraz odczuwała głównie potrzebę czyjegoś towarzystwa, wymiany zdań, kogoś, z kim mogłaby się podzielić swym wrażeniem narastającego zagrożenia. Gdy po raz pierwszy usłyszała na ulicach krzyki ludzi, a potem łoskot zderzających się pojazdów, pomyślała sobie: Nie ma się co łudzić, to jest koniec. Tak właśnie Misquamacus bierze na nas odwet. Zapaliła kolejnego papierosa, ale zaraz go zgasiła. Postanowiła opuścić mieszkanie. Może dom nie stał na miejscu masakry Indian, ale wolała nie ryzykować. Lepiej uciekać. Najlepiej w ogóle wyjechać z miasta. To jest przecież kataklizm.

Szybko włożyła na siebie dżinsy oraz luźny biały sweter głęboko wycięty pod szyją. Przetrząsnęła biurko w saloniku i wyjęła wszystkie ważne dokumenty, jakie udało jej się znaleźć. Polisy ubezpieczeniowe, świadectwo ślubu, orzeczenie o rozwodzie. Zabrała również swój cenny album z fotografiami. Fotografie MacArthura z tego pierwszego okresu, zanim otworzyła swój sklep w Greenwich Village. Fotografie Harry'ego opalającego się na promie Staten Island. Fotografie matki, tak kruchej i schorowanej, że wydawała się prawie przezroczysta. Znów rozległy się grzmoty. Ze ściany spadł obraz; szkło rozprysło się w kawałki na dywanie. Nie czas na żal, pomyślała Amelia i pośpiesznie zapakowała swetry, majtki, skarpetki i sukienki do swej czarnej brezentowej torby podróżnej.

Robbie Robertson mówił dalej:

— Znam ludzi skromnych, o których mało kto wie, których wartość daje się rozpoznać na podstawie ich stosunku do otaczającej natury, do ojca nieba i matki ziemi. Wszyscy jesteśmy częścią przyrody, jeśli troszczysz się o ojca niebo, o matkę ziemię, one odwzajemnią ci się tym samym. Jeśli je zdradzisz, one zdradzą cię również.

Wyszła z mieszkania i zamknęła je na klucz. Przez chwilę stała na korytarzu z niepewnością w duszy. Nikt poza nią nie opuszczał mieszkania, nikt nie wydawał się wpadać w popłoch mimo przeciągłych głuchych drgań. Po chwili wzięła jednak bagaż i szybko pobiegła w stronę schodów. Chociaż mieszkała na ósmym piętrze, nie chciała korzystać z windy, z obawy że może zatrzymać się między piętrami. To nie był jedyny powód. Zawsze prześladowała ją myśl o wypadku, jaki zdarzył się

v tysiąc dziewięćset czterdziestym piątym roku, kiedy to samolot
ombowy rozbił się o Empire State Building.

Młoda windziarka runęła wraz z windą w dół z siedem-
lziesiątego dziewiątego piętra. Matka Amelii była pielęgniarką
v Bellevue i widziała, kiedy przyniesiono ją po wypadku.
„Umarła. Gdy ją przyniesiono, żyła jeszcze i świadomość tego
loprowadzała ją niemal do obłędu. Widziałam takie rzeczy setki
razy. Czasami śmierć jest wybawieniem".

Stukając obcasami, Amelia zbiegła wraz ze swym ciężarem
po schodach. Na trzecim piętrze musiała się zatrzymać, żeby
odpocząć. Oparła się plecami o ścianę. Starała się nie myśleć,
nie wpadać w panikę. Parę razy głęboko odetchnęła, tak jak ją
uczono na aerobiku, po czym od nowa podjęła wędrówkę w dół.

Budynek dygotał już cały. Wyczuwała przyczajone w nim
napięcie i niepokój. Usłyszała brzęk pękających szyb i łoskot
eksplodujących kaloryferów. Usłyszała krzyk kobiety. Wreszcie
znalazła się na dole. Na ulicy panował gwar, zamieszanie,
kurz i atmosfera ogólnej paniki. Była to sytuacja jak z filmu
science fiction z lat pięćdziesiątych, w którym najazd gigan-
tycznych jaszczurek wprawia ludzi w stan niekontrolowanego
przerażenia.

Szybkim krokiem skierowała się na północ. Sama dobrze
nie wiedziała, dlaczego obrała ten kierunek. Usłyszała krzyki
mężczyzn i zobaczyła ślizgający się po niewłaściwej stronie
jezdni wóz straży pożarnej. Miał zapalone światła, a syrena
wyła i trąbiła. Nikt nad nim nie panował, a opony piszcząc
tarły o asfalt. Bezradna załoga kurczowo trzymała się platform
i drabin. Strażacy wymachiwali tylko ramionami, wołając
ostrzegawczo:

— Z drogi, z drogi, precz z tej cholernej drogi!

Przemknęli obok niej jak w jakiejś surrealistycznej komedii,
ale w ślad za nimi pojawił się sznur innych uszkodzonych
pojazdów. Wewnątrz kierowcy leżeli całym ciężarem na kierow-
nicach, a po szybach ściekała krew. Skrzypiąc przeraźliwie,
ukazał się sunący na boku i rozdarty na pół autobus. Ciągnął za
sobą po ulicy sznur martwych i rozczłonkowanych ludzkich ciał.
Amelia dostrzegła ramię i część nogi wraz z połową ociekającej
krwią miednicy.

Ona też miała uczucie, że jakaś nieprzeparta siła ciągnie ją
wstecz. Zanim doszła do ulicy Sto Trzeciej, była już dobrze

zmęczona. Wszystko wokół niej, ludzie, pojazdy i przedmioty podążało w kierunku południowym, popychane nieznaną mocą Śmieci, stare opony, kioski, rowery, wózki dziecinne, tablice ogłoszeń, krzesła i kanapy — wszystko to sunęło jezdnią jak szemrząca, szeleszcząca, klekocząca rzeka.

Stara Żydówka z rozwianymi białymi włosami podeszła do niej i złapała ją za rękaw, pytając skrzeczącym głosem:

— To jest już koniec? Prawda? To jest Armagedon. Dzień Sądu.

Amelia uwolniła się od jej kościstego uchwytu.

— To jeszcze nie jest koniec, proszę pani. Musi pani starać się tylko utrzymać na nogach i modlić się.

— Racja, modlić się — wyskrzeczała w odpowiedzi starucha. Tak jest, modlić się. Modlić.

Zaszokowana Amelia podążała w dalszym ciągu na północ, chociaż, jak zdążyła zauważyć, każdy krok przychodził jej z coraz większym wysiłkiem. Brodziła po kolana w gazetach i śmieciach jak w głębokim śniegu, z trudnością stawiając kroki.

Dużo dałaby za to, aby w tej chwili był przy jej boku Harry, ten pretensjonalny i lekkomyślny Harry. On na pewno nie przejąłby się wizją Armagedonu.

Przewalające się gwałtowną kaskadą potłuczone talerze i wazy przepłynęły obok niej z głośnym chrzęstem; w ślad za nimi wędrowały zestawy do przypraw, serwetki i rozbite butelki oraz góry srebra stołowego. Sunęły rynsztokiem jak ławica sardynek. Ładnych parę restauracji musiało ulec zniszczeniu, pomyślała nie przerywając marszu.

Widok nakryć stołowych przypomniał jej o czymś. Przeszła jeszcze parę kroków i zatrzymała się. Pomyślała o tym, co zmarły brat Martina Vaizeya mówił o celtyckich widelcach. One mają moc unieszkodliwiania złego ducha.

Pamiętała, w jaki gniew wpadł Harry, gdy policja w trzynastym areszcie śledczym odmówiła mu ich wydania.

— Nie wiem, jak one działają. Nie wiem, jak należy się nimi posługiwać. Ale z tego, co mówił Samuel, wynika, że stanowią naszą jedyną broń w walce z Misquamacusem.

Amelia zawahała się, odwróciła głowę i spojrzała w kierunku śródmieścia. Słyszała łoskot wpadających na siebie aut i ciężarówek i sypiące się zewsząd połyskujące tafle szyb okiennych. Może jest szansa odzyskać widelce? Sierżant Friendly nieugięcie

dmawiał ich wydania Harry'emu. Ale teraz sprawy wyglądają
rochę inaczej. Miasto zaczyna się rozpadać. Może uda jej się
rzekonać sierżanta, aby zechciał pożyczyć jej te widelce, chociaż
1a parę godzin. Jej wuj Herbert był sędzią w Connecticut, miała
się zatem na kogo powołać, a jej matka urządzała niejednokrotnie
dobroczynne imprezy na rzecz nowojorskiej policji.

Obejrzała się na miasto. George Washington Bridge migotał
wężowymi językami świateł. Poczuła na twarzy powiew ciepłego
wiatru. Niósł ze sobą aromat płonących stepowych traw. Nie
miała już najmniejszej wątpliwości. Nadszedł dzień, w którym
Nowy Jork miał podzielić los Chicago. Dzień Wszystkich Cieni.
Dokądkolwiek się zwróciła, musiała przebijać się przez przewalające się zwały gruzów z rozpadających się budynków. Cóż za
różnica, jeśli zawróci, aby dokonać czegoś pożytecznego?

Ruszyła szybkim krokiem w tym samym kierunku co wszystkie odpadki, koziołkujące krzesła, stoły, kioski z prasą i rowery.
Szła szybciej, niż tego chciała. Drogą ślizgało się coraz więcej
samochodów i taksówek. Zanim doszła do Columbus Circle,
rozbite pojazdy piętrzyły się na drodze w trzech warstwach.
Coraz to nowe auta powiększały tę górę złomu z każdą chwilą.
Z głębi samochodowych pieczar dochodziły ją krzyki bólu.
Widziała grupę około trzydziestu ludzi, którzy usiłowali rozpaczliwie wybić okna w przyrzuconym stosem żelastwa auto-
busie. Z minuty na minutę rosła liczba zbierających się na jego
dachu aut i ciężarówek. Na oczach obserwującej to w bezsilnym
przerażeniu Amelii dach autobusu zawalił się w końcu pod
ciężarem zrzuconych na niego ton, miażdżąc znajdujących się
w metalowej trumnie pasażerów. Jednemu z mężczyzn udało się
wysunąć głowę przez okno, lecz zapadający się dach obciął mu
ją jak gilotyna. Głowa stoczyła się w dół po pagórku samochodów, a bluzgająca krwią szyja zamieniła się w upiorną
fontannę.

Amelia przyśpieszyła kroku. Przeszła już ponad połowę ulicy
Central Park South, kiedy wstrząsające wydarzenie zatrzymało
ją na miejscu. Na chodniku kłębił się tłum ludzi, którzy —
podobnie jak ona — uważali, iż będzie bezpieczniej trzymać się
z dala od wysokich budynków. Z trudem torowała sobie drogę
przez ludzką falę. Prawie każdy starał się przedostać do parku.
W tej chwili jakiś mężczyzna krzyknął ochrypłym głosem:

— Patrzcie! O Boże! Patrzcie, co się dzieje! Plaza!

Z początku Amelia nie mogła zrozumieć, o co chodzi. Udało jej się jednak przedrzeć przez tłum do ogrodzenia i podnieść nieco wyżej ponad ludzkie głowy. Z przeraźliwym łoskotem ogromna szara bryła hotelu Plaza zapadała się w ziemię. Jego pałacowy zielony dach znikał w głębi z coraz większą prędkością. Hotel nie rozpadał się. On po prostu znikał. Piętro po piętrze nabierał rozpędu, aż do chwili gdy ostatnia kondygnacja budynku zapadła się w głąb litej skały z hukiem, który zamącił wzrok Amelii i zablokował bębenki w jej uszach. Wreszcie, wyrzucając w ostatnim paroksyzmie gęsty pióropusz dymu, Plaza znikł z powierzchni ziemi, zostawiając po sobie rumowisko potrzaskanych cegieł. Jak surrealistyczny pomnik wśród tych ruin tkwiły powyginane mosiężne drzwi bezużytecznej, prowadzącej donikąd windy.

Przyszła chwila ciszy i osłupienia, po czym ogarnięty paniką tłum otaczający Amelię zaczął krzyczeć i wrzeszczeć. Setki ludzi rzuciły się do parku, popychając się, depcząc po sobie i wymachując ramionami. Amelia ujrzała młodą Murzynkę, którą sześćdziesięciu czy siedemdziesięciu ludzi przyparło swym ciężarem do ogrodzenia. Oczy wychodziły jej z orbit, a na wargi wystąpiła piana krwi i żółci. Systematycznie i skutecznie rozgniatano ją na śmierć, a Amelia mogła tylko przyglądać się bezsilnie.

Amelię także strażnik pchnął na ogrodzenie, tak że zrobił jej siniak na ramieniu.

— Co robisz, do diabła? — krzyknęła. — Czyście wszyscy powariowali?

Tłuścioch w przepoconym podkoszulku odepchnął ją brutalnie.

— Zjeżdżaj stąd, suko! — wrzasnął.

Rudowłosa kobieta powtórzyła za nim jak echo:

— Suka! Chcesz, żebyśmy zginęli?! Zmiataj stąd!

Minęła prawie godzina, zanim dotarła do trzynastego aresztu śledczego. Niebo nad jej głową przypominało czarne prześcieradło nasiąknięte krwią i chociaż było już dobrze po ósmej, było przytłaczająco mrocznie. Większość budynków jarzyła się jeszcze światłami, ale dominował w nich jakiś czerwonawy odcień, jakby szyby okien spływały cienkimi strumieniami krwi.

Szła Piątą Aleją, bo Siódma zabarykadowana była toczącymi się pojazdami, a Aleja Ameryk utkana była jak długa dziesiątkami zarnopomarańczowych ognisk, przypominających noc Walpur-ii. Jakaś kobieta mówiła, że nie istnieje już Radio City ani Iilton, ani Simon and Schuster Building.

Piąta Aleja też zablokowana była wolno płynącą falą pustych amochodów i autobusów. Mimo to większość chodników nada-vała się jeszcze do przejścia. Przewrócona na bok chłodnia przyczepą sunęła ze zgrzytem na południe. Drogę jej wzdłuż ałej ulicy znaczyły wołowe tusze wypadające przez rozbite ylne drzwi.

Od czasu do czasu z okolicznych budynków sypało się szkło tynk. Zaledwie kilka metrów przed nogami Amelii rozprysła ię olbrzymia kamienna głowa. Pozostał z niej tylko fragment kawałkiem nosa.

Przeszła niezdarnie przez wygiętą maskę wielkiego brązowego incolna, a potem przez plątaninę motocykli, rowerów i dziecin-1ych wózków. Na ulicy leżało ciało młodej kobiety. Miała bladą warz, obwisłe wargi i oczy bez wyrazu. Na jej ciele nie widać yło żadnych obrażeń. Na oczach przejętej grozą Amelii kobieta rzesunęła się przez chodnik, miękko zderzyła z hydrantem rzeciwpożarowym i popłynęła dalej, nieśpiesznie, martwa, wzdłuż Piątej Alei, unoszona magiczną siłą, o której żyjąc, nie niała najmniejszego wyobrażenia.

Zbliżając się do budynku, w którym mieścił się areszt, goniła uż resztkami sił — nie tyle zmęczyła ją droga i pokonywanie rzeszkód, ile przeciwstawianie się tajemniczej sile, która coraz iporczywiej pchała ją na południe. Zdziwiła się, że na ulicach rawie nie widać było ludzi. Jakby większość mieszkańców Nowego Jorku postanowiła zostać w domach i odciąć się od zewnętrznego świata, w nadziei że ominie ich ten krwawoczer-wony Dzień Sądu. Zauważyła paru rabusiów — grupki złożone z nastolatków różnych ras rozbijały wystawy sklepów ze sprzę-em elektronicznym. Ale i oni również z trudnością stawiali opór nagnetycznej sile. Ujrzała, jak jeden z chłopców na kolanach rzejechał po chodniku. Ze startych dżinsów dosłownie poszedł łym. Jęczał z bólu, ale za wszelką cenę starał się uchronić przed ipuszczeniem na ziemię trzech magnetowidów JVC, które trzy-nał pod pachami.

Przy frontowej ścianie brązowego kamiennego gmachu aresztu walały się szczątki trzech rozbitych samochodów patrolowych. Zanim Amelia doszła do drzwi wejściowych, musiała przedostać

385

się przez gąszcz drewnianych barierek z napisem: TEREN POLICYJNY. Za biurkiem urzędował potężnie zbudowany sier żant w mundurze, ze sterczącymi włosami. Jedną ręką trzyma się kurczowo krawędzi biurka, opierając się odciągającej go sile

— To wprost nie do wiary — powitał Amelię, zanim jeszcze zdążyła otworzyć usta. — Zbliża się koniec świata i dobrze jes mieć kogoś, kto by cię trzymał za rękę.

— To jest koniec świata, a ja muszę się zobaczyć z sierżantem Friendlym — odparła Amelia.

Sierżant przyjrzał jej się świńskimi oczkami spod białych rzęs

— Jest zajęty. Wszyscy jesteśmy zajęci.

— Uprzedzam, że nie jestem pomylona — powiedziała Amelia. — Chcę jednak powiedzieć, że sierżant Friendly ma w swym posiadaniu coś, co może przyczynić się do położenia kresu tej katastrofie.

— Friendly ma coś, co może przyczynić się do położenia kresu tej katastrofie? Pani żartuje. Właśnie przed chwilą zapadła się Północna Trade Tower.

— Proszę — nalegała Amelia. — Przyszłam tu na piechotę z Dziewięćdziesiątej Ósmej.

Zadzwonił telefon. Sierżant podniósł słuchawkę i odłożył ją z powrotem, nie zadając sobie nawet trudu, aby odpowiedzieć.

— Proszę — błagała Amelia.

— Przykro mi — odparł sierżant. — Friendly jest nieobecny.

— A czy wróci?

— Kto to może wiedzieć? Miasto jest terenem działań wojennych. Sama pani widzi.

— Czy mogłabym więc pomówić z kimś z jego współpracowników?

— Droga pani, dlaczego pani nie chce poczekać, aż to wszystko się skończy?

Amelia uderzyła w biurko tuż przed jego nosem swoją drobnokościstą małą piąstką.

— To się wcale nie skończy. Będzie gorzej niż w Chicago, gorzej niż w Las Vegas i gorzej niż w Phoenix. Pan nawet nie wie, do jakiego stopnia ma pan rację. To jest koniec świata.

Sierżant w dalszym ciągu trzymał się krawędzi biurka.

— Niech mnie pani posłucha. Sierżanta Friendly'ego naprawdę nie ma. Nie kłamię. Poszedł zobaczyć, co się dzieje z rodziną. Nie pozostaje nam nic innego, jak troszczyć się wyłącznie o siebie. A pani co by robiła, będąc na jego miejscu? — Sierżant Friendly — mówiła Amelia niskim, stanowczym głosem — trzyma u siebie dwa staroświeckie widelce. One nie są ani waszą, ani moją własnością. Należą do człowieka, który — jeśli mu szczęście dopisze — jest w stanie położyć kres tej tragedii. Proszę więc pana, aby pomógł mi pan dotrzeć do akt zmarłego Martina Vaizeya, medium spirytystycznego, i odszukał te pieprzone widelce, zanim będzie za późno!

Sierżant przy biurku siedział przez chwilę ze zwieszoną głową. Amelia widziała tylko jego pokrytą szczeciniastymi włosami czaszkę. Potem odwrócił się i pstryknął palcami na stojącego w drzwiach młodego fircykowatego komisarza w mundurze. Oparty plecami o framugę, bronił się przed odciągającą go od niej tajemniczą siłą.

— Komisarzu Hamilton, proszę zaprowadzić tę panią do pokoju sierżanta Friendly'ego i okazać jej żądaną pomoc.

— Dziękuję, sierżancie — Amelia wydała z siebie westchnienie ulgi. — Nie pożałuje pan tego, przyrzekam. Może nawet otrzyma pan medal.

Sierżant spojrzał na nią bladym wzrokiem.

— Kto mi wręczy ten medal? Nie widzi pani, że to koniec świata?

— Przy odrobinie szczęścia, przyjacielu, może nie będzie tak źle.

Amelia posłała mu pocałunek i udała się za komisarzem Hamiltonem do pokoju sierżanta Friendly'ego. Komisarz wyraźnie nie był zachwycony faktem, że musi jej towarzyszyć. Przez całą drogę nucił coś monotonnie pod nosem. Amelia próbowała się do niego uśmiechnąć, ale on jakby tego nie zauważał. Winda wiozła ich wolno na siódme piętro, skrzypiąc niepokojąco. Drzwi rozsunęły się z gwałtownym szarpnięciem. Komisarz Hamilton bąknął tylko nosowo „Tędy!" i poprowadził ją wzdłuż cichego korytarza o błyszczącej, wywoskowanej posadzce. Szedł drobnym nonszalanckim krokiem, skrzypiąc butami, lecz podobnie jak Amelia musiał przytrzymywać się rękami ściany, aby nie dać się ściągnąć.

Przez okna Amelia dostrzegła, że niebo stało się jeszcze ciemniejsze i bardziej czerwone. Błyskawice trzaskały jak palące się włosy. Nagle za zasłoną przecinających niebo świateł błyskawic i piorunów ukazał się Empire State. *Przed pagodą starą w Moulmein, tam gdzie morza senny brzeg...*

Doszli do drzwi z matowego szkła, na których widniało wypisane czarnymi wytartymi literami: SIERŻANT FRIENDLY. Komisarz Hamilton wprowadził ją do pokoju i spytał:

— Czego pani szuka?

Ku wielkiej uciesze Amelii widelce odnalazły się bardzo łatwo. Leżały w wysuniętej szufladce sierżanta w zalakowanej plastikowej kopercie, częściowo przykrytej stosem korespondencji i raportów. Na kopercie widniał odręczny napis: *M. Vaizey. Tym wykłuł sobie oczy.*

Amelia wzięła widelce do ręki i odparła:

— Tego. Tego właśnie szukam.

— Proszę bardzo, może je sobie pani wziąć — powiedział komisarz Hamilton. — Musi pani tylko na dole pokwitować sierżantowi Zawadskiemu. To wszystko.

Wracali korytarzem. Komisarz Hamilton nucił pod nosem i skrzypiał butami. Amelia podniosła do góry widelce w plastikowej kopercie i lekko nimi potrząsnęła, aż brzęknęły. Były ciemne i wyglądały na bardzo stare. Nie mogła sobie wyobrazić, jak mogą się przyczynić do pokonania Misquamacusa. Ten problem pozostawiała jednak Harry'emu. Promieniała zadowoleniem, że je zdołała odzyskać. Wprost triumfowała.

Podeszli do windy. Komisarz Hamilton nacisnął guzik. Czekali, czekali, a winda nie nadjeżdżała. Słyszeli jękliwe odgłosy pracującego motoru, szczęk stalowych kołyszących się lin, ale windy nie było.

— Trzeba będzie zejść schodami — stwierdził komisarz Hamilton. Otworzył drzwi prowadzące na klatkę schodową. Czuć było zatęchłym powietrzem, uryną i środkami dezynfekcyjnymi. Schodząc z piątego piętra na czwarte, nadal słyszeli pojękiwania i szczękanie windy.

— Całe miasto się wali — zauważył Hamilton.

Wyczuwalna w jego głosie nuta wzrastającego przerażenia uświadomiła Amelii, że nie był wcale taki pewny siebie, na jakiego wyglądał, że się po prostu bał. Ileż on mógł mieć lat? Dwadzieścia trzy, dwadzieścia cztery, a zewsząd osaczały go odgłosy ginącego Manhattanu.

— Jest nadzieja na ratunek — powiedziała Amelia.

Komisarz Hamilton obrzucił ją pytającym spojrzeniem. — Doprawdy? Jak można powstrzymać trzęsienie ziemi?
— To nie jest trzęsienie ziemi. W Nowym Jorku nie zdarzają się takie trzęsienia. Miasto stoi na litej skale, a nie na wulkanicznym uskoku.

Komisarz Hamilton nie zwracał uwagi na jej słowa.

— Widziała pani, jak zawalił się Chrysler Building? Po prostu zniknął, jakby go nigdy nie było. Nie mogę sobie wyobrazić Nowego Jorku bez Chrysler Building.

Dochodzili właśnie do trzeciego piętra, gdy poczuli, że budynek zachwiał im się pod stopami. Za chwilę to samo. Szyby w oknach pękły z trzaskiem jak cienki lód ścinający jesienią kałuże. Z piętnastego piętra w dół z klekotem i szczękaniem leciała metalowa poręcz. Komisarz przycisnął Amelię do ściany, dzięki czemu uniknęli zderzenia z podskakującym po schodach żelastwem. Wpatrywali się w ciemną studnię klatki schodowej; po chwili usłyszeli z piwnicy, jak poręcz uderzyła o betonową podłogę.

— Zaczyna się — powiedział, nie kryjąc przerażenia komisarz Hamilton. — Ten cały cholerny areszt rozpada się na kawałki.

Amelia usłyszała gwizd i furkot, a potem serię plaśnięć przypominających uderzenia ogona węża. To chyba była spadająca z góry winda i ciągnące się za nią zerwane liny. Głuchy huk potwierdził jej przypuszczenie.

— Szybko — ponaglała. — Musimy się stąd wydostać.

— Jezus Maria! — w głosie komisarza słychać było histerię. — Chryste Panie!

Poczuli, że budynek obsuwa się w dół niczym gigantyczna winda. Opadał coraz szybciej, z każdą sekundą nabierając rozpędu. Amelia uczepiła się najbliższej klamki u drzwi, aby przeciwstawić się wlokącej ją po podeście sile. Uderzyła o poręcz schodów i plecy Hamiltona. W końcu musiała jednak puścić uchwyt. Przekoziołkowała przez komisarza i stoczyła się po schodach aż na następny podest, nabijając sobie parę bolesnych siniaków. Czuła, jak chwiejący się budynek z hałasem obsuwa się w głąb ziemi. Pod sobą usłyszała wstrząsający krzyk — tak donośny i przenikliwy, że niepodobna było odróżnić, czy wyrwał się z gardła mężczyzny, czy kobiety. Komisarz Hamilton krzyczał również.

To jest to, to jest koniec. Zostanę żywcem pogrzebana — pomyślała.

389

Ściany budynku wibrowały. Kłęby kurzu unosiły się nad studnią klatki schodowej, a stalowe pręty poręczy pękały jeden po drugim i odpadały od betonowych stopni; powstał jeden wielki zgrzyt, szczęk i trzask.

Amelia wyczuła zbliżającą się śmierć. Złapała się najbliższej poręczy i z trudem stanęła na nogach. Na końcu podestu, nie dalej jak cztery, pięć metrów przed nią, znajdowało się okno z matowego szkła, pokryte wieloletnią warstwą kurzu. Była to jedyna droga wyjścia. Może i na nią była już za późno.

Jednak Amelia, powtarzając sobie w myśli: Może za późno, rzuciła się w kierunku okna, napinając każdy mięsień jak podczas szkolnych zawodów, dopingowana przez koleżanki i kolegów: A-mel-ia! A-mel-ia! Ukryła twarz w ramionach i uderzyła całym ciałem z głębokim przekonaniem, że nie wyjdzie z tego żywa.

Wybiła szybę i wyleciała, jak akrobata zataczając w powietrzu powolny, wdzięczny łuk. Błyszczące odłamki szkła zawirowały wokół niej. Baletnica, sportsmenka, anioł w aureoli roztrzaskanej światłości. Upadła głową na pokrytą żwirem ulicę i przekoziołkowała, zakrwawiona, ogłuszona, posiniaczona.

Ale przynajmniej żyła. Usiadła, aby wyprostować ciało, i podniosła oczy do góry właśnie w chwili, gdy okno, z którego wyskoczyła, znikało w głębi ziemi. W ślad za nim, z łoskotem, w tumanie kurzu, powędrowała reszta budynku. Po gmachu aresztu śledczego został jedynie gruz i pusta przestrzeń.

Kiedy wreszcie podniosła się na nogi, łzy strumieniem ciekły jej z oczu. Wykręciła sobie nadgarstek, poraniła plecy i zdarła skórę na łokciach. Widelce jednak ocaliła. Gdyby tylko mogła jeszcze skontaktować się z Harrym. Za rogiem zatrzymała ją zdezorientowana Murzynka w podartym niebieskim swetrze.

— Gdzie jest posterunek policji? — pytała.

Zamiast odpowiedzi Amelia wskazała ręką za siebie, na pusty, zarzucony cegłą i piaskiem plac.

— Nie rozumiem — rzekła Murzynka.

Łzy płynęły ciurkiem po policzkach Amelii.

— Ja też nie rozumiem — odparła. — Ja też...

ROZDZIAŁ 17

Z początku nie czułem nic, ale przecież nie oczekiwałem, że śmierć można odczuwać. Tylko dławienie w gardle i zawroty głowy, jakbym niechcący wciągnął w płuca połowę zawartości odkurzacza. Spojrzałem na Papago Joego. Odwzajemnił mi spojrzenie i zapytał:

— No i co? Jak się czujesz?

Sprawdziłem swój puls.

— Jeszcze żyję — odparłem. — O dziwo, nawet mnie nie mdli.

Uśmiechnął się, pochylił się nad stołem ze zrolowanym banknotem w prawym nozdrzu i wciągnął w płuca resztę proszku. Zerknąłem na Dude'a S. N. i wzruszyłem ramionami. Zaczynałem czuć się trochę nieswojo. Poza tym chciało mi się kichać. A co będzie na przykład, jeśli proszek nie zadziała i wkroczymy do Wielkiej Otchłani bez jakiegokolwiek zabezpieczenia okultystycznego? Dość miałem śmierci halucynacyjnej, nie podobałaby mi się prawdziwa.

Papago Joe zamknął oczy. Siedział sztywno wyprostowany, nucąc pod nosem pieśń, w której co chwila powtarzało się: *Nepouz... nepouz...* Przypominało mi to tajemnicze, hipnotyczne zawodzenie Naomi Greenberg, na którym łamał się mój język.

— Powinniście mnie wziąć ze sobą, nie uważasz? — powiedział Dude S. N. — Jak takich dwóch starych pryków jak wy zamierza ocalić świat od zagłady? To jest niemożliwe. Potrzebny wam ktoś młody, człowieku, potrzeba wam stalowych nerwów.

Byłem skłonny przyznać mu rację. Po walce z Misquama-

cusem i szarpaninie z Karen, po podróży do Apache Junctio
w czasie siejącego śmierć i zniszczenie huraganu czułem si
bardzo wyczerpany. Cała energia odpłynęła ode mnie, a na bar
kach poczułem ciężar przeżytych lat. Dałbym wszystko za
dobre śniadanie, kubek gorącej kawy i parę godzin spokojnego
snu.

Na nogach trzymała mnie tylko determinacja Papago Joego
i docierające do przyczepy niepokojące dźwięki: brzęk pękają
cego szkła, zgrzyt metalu oraz — co gorsza — słabe jęki. Były
to odgłosy świata, który ktoś rozdzierał na strzępy, jak worek
zabawek i żywych królików.

Już miałem zamiar zwrócić się do Dude'a S. N.: A może by
tak szklaneczkę coli, bo umieram z pragnienia? — kiedy w przyczepie zapanowały egipskie ciemności. Moją pierwszą myślą
było: elektryczność wysiadła, lecz przypomniałem sobie, że prądu
nie było już przedtem i że siedzimy przy świecach.

— Joe? Co się stało?

Echo moich słów odbiło mi się w uszach metalicznym śpiew-
nym dźwiękiem i wtedy pomyślałem: *Umarłem. To jest śmierć.*
Wdychałem ten proszek, a ten proszek był zatruty i umarłem.

— Joe! — krzyknąłem. Zacząłem wpadać w przerażenie. —
Joe, co się stało? Gdzie się, do cholery, podziałeś, Joe?

Machałem wokół siebie rękami, aż uderzyłem w bok przyczepy. Naraz poczułem, że ktoś ujmuje mnie za rękę.

— Joe? — zapytałem trwożnie. — Czy to ty, Joe?

— Nie denerwuj się — usłyszałem tuż przy prawym uchu
jego słowa. — Wszystko jest w porządku, wszystko będzie
dobrze. Trochę potrwa, zanim twoje oczy przyzwyczają się do
ciemności.

— Przez chwilę byłem pewny, że już nie żyję — odparłem
trzęsącym się głosem.

— Rzeczywiście byłeś martwy. To znaczy jesteś.

— Co?

— To jest śmierć halucynacyjna. Funkcjonujesz na najniższym
poziomie metapsychiki.

Przełknąłem ślinę. Nie wiedziałem, co o tym myśleć. Byłem
urzeczony i przejęty, lecz przede wszystkim przerażony. Już
kilka razy w swoim życiu, zmagając się z Misquamacusem,
otarłem się o drzwi śmierci, ale nigdy tak naprawdę nie włożyłem
w nie głowy.

Stopniowo moje oczy przywykły do warunków — śmierci. Wnętrze przyczepy pogrążone było w mroku. Nawet świece migotały ciemnym płomieniem. Mogłem odróżnić sylwetkę Dude'a S. N., który znów siedział na kozetce ze skrzyżowanymi nogami, ale przypominał bardziej jakiś kapryśny kształt wypełniony bladozielonym światłem niż rzeczywistą osobę. Linda też wyglądała jak płomień, tylko bardziej stały i emanujący większym ciepłem. Płomień Stanleya był najjaśniejszy: biały i świetlisty.

Odwróciłem się do Papago Joego. Kontur jego sylwetki był zamazany i bladofioletowy, cień nałożony na inne cienie; podniosłem swoją rękę i stwierdziłem, że i ona jest cieniem.

— Z fizycznego punktu widzenia jesteś niewidomy — wyjaśnił Papago Joe. — Nie możesz widzieć naszych ciał, tylko nasze dusze. Tę przyczepę widzisz tylko dlatego, że są w niej wspomnienia i skojarzenia oraz praca ludzi, którzy ją zbudowali.

— To jest jej manitu — dodałem.

— Masz rację. Wszystko ma swoje manitu; nawet samochód, nawet krzesło. Oczywiście najsilniejsze manitu mają ludzie oraz otaczający nas świat przyrody. Wszystko należy traktować z należytym szacunkiem. Zbieramy to, co zasiejemy.

— Co teraz zrobimy? — zapytałem.

— Zostawimy naszych przyjaciół i zejdziemy do Wielkiej Otchłani. Wstał i gestem nakazał mi, abym zrobił to samo. Zobaczyłem, że Dude S. N. porusza się i nawet wydawało mi się, że słyszę jego głos, ale nie byłem pewny.

— Czy on nas widzi? — zapytałem Papago Joego.

— Oczywiście, dla niego wyglądamy normalnie, nasze postacie są normalne, poza tym że oczy mamy zwrócone w głąb czaszki, tak że on widzi tylko ich białka. Widzisz, jak mały Stanley odwraca się do nas plecami? Wyglądamy trochę niesamowicie, dlatego się boi.

— Nie mam do niego żalu. — Przypomniałem sobie wywrócone oczy Naomi Greenberg i takie same Karen. Śniły mi się po nocach.

Papago Joe wyciągnął rękę, otworzył drzwi przyczepy i poprowadził mnie po schodach w dół. Kroki moje były przytłumione i zwolnione, jak ruchy Neila Armstronga, kiedy wylądował na Księżycu. Na zewnątrz było równie ciemno jak w przyczepie — czarno jak na fotograficznym negatywie. Widziałem gazety i śmiecie wirujące wolno na wietrze i czułem nieustannie na policzkach kłujące szpilki piasku. Autostradą w kierunku parkingu Papago Joego sunęły przyciągane nieznaną siłą pojazdy. Ale hałas, jaki czyniły, wydawał mi się stłumiony i odległy, jakbym miał uszy zatkane watą.

Odwróciłem się i zobaczyłem migocące niebieskie widmo Dude'a S. N., machającego nam ręką na pożegnanie. Tuż za nim, schowany między jego nogami, jaśniał biały duch Stanleya. Pomachałem im w odpowiedzi, po czym wraz z Papago Joem skierowaliśmy się przez parking do warsztatu.

— Uważaj na gruzy — ostrzegł mnie Papago Joe. Koło nas przeleciał z furkotem arkusz aluminiowej blachy, a w ślad za nim ciągnęły połamane framugi okien, szczątki dachu oraz strumienie rozbitych cegieł. Koziołkując raz za razem, potoczyła się do warsztatu przyczepa volkswagena i po chwili zniknęła w jego czeluści.

Papago Joe ujął mnie za rękaw.

— To jest właśnie to — oświadczył. — To jest brama. Musimy być teraz naprawdę ostrożni. Nie przesadzam — ostrożni duchowo i fizycznie. Jesteś gotów?

— Jestem gotów — odparłem odważnie. Cóż innego miałem odpowiedzieć? Idę, choćby to miał być koniec świata? Albo: Wielka Otchłań? Komu chcesz wcisnąć taki kit?

Obeszliśmy ścianę warsztatu, tę samą ścianę, na której Dude S. N. i Stanley widzieli zgarbiony i skaczący cień Aktunowihio, Bawołu-Widma. Pozostała część budynku uległa zawaleniu. Dach się zapadł, a ze ścian pozostały głównie porozrzucane, połamane belki. Widziałem to wszystko w mglistych, jarzących się konturach, wnikliwym duchowym postrzeganiem człowieka umarłego.

Na środku warsztatu, w podłodze, widniał szeroki otwór — podobny do tego w hotelu Belford — otwór wiodący w ciemność, pustkę i śmierć. Dziura wciągała wszystko, co znajdowało się wokół nas, wszystko, co miało jakikolwiek związek z białym człowiekiem. Przyczepy i pick-upy, szopy i motocykle oraz całe kilometry płotów, ogrodzeń, drutów telefonicznych i rur kanalizacyjnych.

Wszystko to wlewało się grzmiącą Niagarą rozdzieranego metalu, skrzypiącego drewna i przeraźliwego krzyku ludzi w roz-

394

~iawioną czarną czeluść. Ujrzałem młodego wiejskiego chłopca, unącego na plecach przez parking z dżinsami w strzępach z otwartą ciemnoczerwoną raną na prawym ramieniu. Błagał » pomoc, wołając do mnie rozdzierającym głosem:

— *Pomóż mi! Pomóż mi! Zatrzymaj mnie! Pomóż mi!*

Widziałem dzieci o bladych twarzach, niektóre jeszcze w za-rwawionych pidżamkach. Widziałem dwie młode kobiety, któ-ych ciała pokaleczył drut kolczasty. Ich skóra przypominała zory na oszlifowanych diamentach lub ponacinaną przez rzeź-ika wędzoną szynkę. Ujrzałem mężczyznę, którego rozdarte iodro było jednym kłębem splątanych mięśni i kości. Widziałem nnego, w którego piersi tkwiła tyczka z rusztowania. Cały czas siłował wstać i wyrwać z siebie ten kij, ale oczami człowieka ormalnie martwego dostrzegłem, że jego duch staje się coraz oledszy i że życie z niego ucieka.

Przez parking Papago Joego ciągnęła wielka ciężarówka z cementem. Gdy dotarła nad krawędź otworu, przewróciła się miażdżąc małą dziewczynkę, która usiłowała odczołgać się dalej od brzegu.

— Jezu Chryste, Joe — powiedziałem. — Nie zniosę tego dłużej.

Odwrócił się i spojrzał na mnie z powagą swymi czarnymi oczami.

— A czy masz inne wyjście? Ja też nie mam. Takie jest nasze przeznaczenie. Po to się urodziliśmy. Nie możemy się już cofnąć.

— Chcesz znać prawdę? — wrzasnąłem. — Chcesz ją poznać?

— Ja znam już prawdę — odparł. — Prawda jest taka, że boisz się śmiertelnie, tak jak i ja. Tak więc zróbmy, co do nas należy, zanim zginie jeszcze więcej dzieci. Musimy to zrobić, Harry — dodał po chwili. — Nie mamy wyboru.

Wciągnąłem głęboko powietrze w płuca i odparłem:

— W porządku, przepraszam. Idziemy. O ile wiem, jestem już martwy, a więc jakie to ma znaczenie.

Zbliżając się do otworu, musieliśmy brnąć po kolana w szcząt-kach, piasku i stertach śmieci. Wszystko, co wyszło spod ręki białego człowieka w pokolumbijskiej erze Ameryki, sunęło — przyciągane magnetyczną siłą do otworu w warsztacie Papago Joego i wpadało do niego przy akompaniamencie nieustannego huku, od którego trzęsła się ziemia.

Tylko raz w życiu widziałem wodospad Niagara. Byłem tam ze swymi dziadkami wkrótce po śmierci Dawida. Przypuszczam że chcieli mi pomóc wrócić do równowagi po tym tragicznym wypadku. Stałem i obserwowałem wodospad z takim samym zafascynowaniem i strachem, z jakim w tej chwili spoglądałem na rwący strumień przedmiotów wlewający się w otwór. *Wody które spadają do tej straszliwej przepaści, pienią się i kipią obrzydliwie, czyniąc straszliwy huk, straszliwszy niż grzmot.* Tymi słowami opisał Niagarę pewien francuski kleryk z siedemnastego wieku. Miałem teraz podobne uczucie.

— Co, do diabła, mamy robić? — wykrzyknąłem do Papago Joego, gdy tak staliśmy nad samą krawędzią otworu, podczas gdy zwały szczątków i gruzu uderzały jak fala o nasze nogi.

Papago Joe wskazał w dół.

— Wydaje mi się, że powinniśmy skorzystać z szansy.

Spojrzałem dookoła. Zobaczyłem szyld, który mógłby posłużyć mi za sanie, ale zakręcił się i wpadł do dziury, zanim zdążyłem wyciągnąć po niego rękę. Potem dostrzegłem dziesięciometrowy drewniany chodnik, sunący w moim kierunku z rzeką śmieci. Poczekałem, aż prawie zderzył się z moimi kolanami, i rzuciłem się na niego piersią do przodu. Usłyszałem jeszcze, jak Papago Joe zawołał:

— *Czekaj na mnie!*

Do tej pory najbardziej szarpiącym nerwy wyczynem, jakiego dokonałem w życiu, było przerzucenie się ze schodów przeciwpożarowych na tyły hotelu Belford. To, co robiłem teraz, zatrzymywało serce w piersi; choć trzeba przyznać, że było dosyć ekscytujące.

Wśród ogłuszającego łomotu zsuwających się w dół samochodów i zwałów betonu, wśród przenikliwych cienkich dźwięków falowanych blaszanych dachów i tafli szkła okiennego, wśród krzyków oszalałych z przerażenia ludzi — spadłem prosto w niebyt, w czarną jak smoła nicość.

Spadałem i spadałem i przez jedną niezapomnianą sekundę przebiegła mi przez głowę myśl, że będę tak leciał już bez końca, w przestrzeń, w czas, w bezdenną wyścieloną kirem trumnę śmierci. W tej niezapomnianej sekundzie byłem pewien, że „proszek śmierci" Papago Joego nie był niczym innym jak tylko popiołem z kominka i mlekiem w proszku zmieszanym z pokruszonym paracetamolem i że za chwilę umrę naprawdę.

ecz wtedy zorientowałem się, że już nie spadam, że jak cyrowiec na trapezie kołyszę się na szerokiej paraboli i że siła rzyciągania ciągnie mnie z powrotem w górę. Przez długą, długą chwilę nie odczuwałem nic, znajdowałem się w stanie nieważkości, nie widziałem, nie słyszałem. Potem moje stopy etknęły się z czarną trawą i żyzną czarną glebą prerii. Uderzyłem ię w ramię i w głowę, po czym zacząłem staczać się niepowstrzymanie w dół, po rozległym zboczu.

Leżałem na trawie, świadomy, że jestem tam. Byłem tam naprawdę. Leżałem w ciemnościach Wielkiej Otchłani. Lecz zegoś nie przewidziałem — tego, że ziemia będzie u góry, a niebo v dole, że będę uczepiony sufitu świata jak jakaś mucha. To chyba miał na myśli doktor Snow, kiedy opisywał Wielką Otchłań jako ezioro cieni, ciemne odbicie rzeczywistości. Jak człowiek przeglądający się w wodzie jeziora wisiałem zaczepiony butami ı góry, a poniżej, pod moją głową rozpościerała się cała nieskończoność nieba, przestrzeni i wieczności. *Pod głową* — na rany Chrystusa, ja przecież cierpiałem na nieuleczalne zawroty głowy.

Zacisnąłem mocno powieki. Zacisnąłem mocno pięści. Z meływcznego punktu widzenia byłem martwy, wisiałem do góry ıogami, a mój mózg zaczynał odmawiać mi posłuszeństwa. Czułem się w tym momencie bliższy szaleństwa niż kiedykolwiek v życiu — bardziej niż wtedy, gdy na moich oczach Martin Vaizey wypruwał flaki z Naomi Greenberg. Bardziej niż wtedy, ądy Misquamacus zjawił się w moim pokoju motelowym ze wwoją rzeźbioną twarzą, w wojennych barwach, z grzywą czarıych insektów. Resztki zdrowych zmysłów kołatały się jeszcze v moim mózgu niczym ostatni strzępek papy na zerwanym ırzez huragan dachu.

— Papago-Joe-co-do-pieprzonej-cholery-się-dzieje-Papago-Joe-gdzie-się-do-pieprzonej-cholery-podziewasz? — wrzeszczałem.

Wtedy usłyszałem, jak coś ciężkiego grzmotnęło tuż obok z ostrym szelestem trawy. Przy moim boku leżał Papago Joe.

— O kurde! — powiedział.

— Tu wszystko jest do góry nogami — poinformowałem go.

Odetchnął parę razy głęboko, bardzo głęboko.

— Wiem, nienawidzę wysokości. Naprawdę nie cierpię wyokości. Powiedzieć, że jestem przerażony, Harry, to za mało. Ja o prostu flaki z siebie wysrałem ze strachu.

— Może przywykniemy — starałem się go pocieszyć. — Może — bo ja wiem — nasze receptory się zaadaptują. Pamiętasz, co było z tym facetem, któremu kazano chodzić z czymś w rodzaju peryskopu przy twarzy, tak że widział wszystko odwrotnie? Po kilku dniach jego mózg odkrył, na czym to polega, i obrócił wszystko właściwie, i facet widział już rzeczy normalnie.

Papago Joe usiadł ostrożnie. Spojrzał na wschód, potem powoli odwrócił głowę na zachód.

— Nie ma wątpliwości — stwierdził. — Siła przyciągania tu działa. Ale niebywałe! Ona ciągnie nas do góry.

Usiadłem i też rozejrzałem się wokół. Gdziekolwiek rzuciłem okiem, wszędzie rozpościerała się preria — pofalowane wzgórza, głębokie dolinki. Czarna preria z czarną trawą pod czarnym niebem usianym czarnymi gwiazdami. Odwrócona preria pod odwróconym niebem. Usłyszałem szmer poruszanej wiatrem trawy i poczułem woń spalenizny. Poczułem zapach palenisk, zapach koni oraz inne nieznane mi przedtem wonie. Poczułem zapach historii. Zapach przeszłości amerykańskich Indian. Ten sam zapach, jaki wciągali w płuca Siedzący Byk i Szalony Koń.

— A więc to jest to — stwierdziłem przejęty bezbrzeżnym lękiem, ponieważ było to miejsce, o którym pisano ciągle w kowbojskich powieściach i pokazywano w filmach o Dzikim Zachodzie. I oto proszę, jest — Wielka Otchłań, czyli Kraina Szczęśliwych Łowów. Krótko mówiąc — to było niebo i my się w tym niebie znaleźliśmy.

Nie było to jednak królestwo puchatych chmur, cherubinów i brzdąkających harf. Indianie nie wierzyli w niebo — w każdym razie nie w taki sposób jak my. Wierzyli w ciemność i wierzyli w światło, wierzyli w Heammawihio i Aktunowihio. I w nic poza tym. Zawarli układ z Aktunowihio, że ściągnie białego człowieka i wszystkie jego dzieła do królestwa ciemności, tak aby mogli mieć dla siebie królestwo światła.

Preria trzęsła się i dudniła. Przejmująca grozą fontanna pojazdów, domów, szyldów, kawałków potrzaskanego drewna wlewała się w powietrze aż po północno-wschodnie krańce i spadała na trawę z ogłuszającym łoskotem. Wszystko to ciągnęło do ciemności Wielkiej Otchłani z położonego wyżej ponad naszymi głowami świata. Rozbite, zniszczone, połamane, martwe i okaleczone.

Ujrzałem wyrzuconą w powietrze cysternę z benzyną, która roztrzaskała się i eksplodowała z hukiem, zamieniając się w pomarańczową kulę ognistą. Jej szczątki dopalały się w trawie. Widziałem rozpadające się na kawałki domy, okna, drzwi i gonty oraz dzieci, które przelatywały w powietrzu jak Ann i Andy Raggedy.

Udało mi się stanąć na nogi. Wiedziałem, że niebo jest raczej pode mną niż nade mną, lecz udało mi się przekonać siebie, że przecież nie mogę upaść do góry — i nie upadłem. Wyciągnąłem rękę do Papago Joego, mówiąc:

— Najlepiej ruszajmy na polowanie... Szukać Misquamacusa.

— Racja — przytaknął Papago Joe. — Najpierw jednak musimy odnaleźć naszych spirytystycznych przewodników.

Usiadłem znowu, a on otworzył swój magiczny węzełek i wyciągnął dwa suche patyczki. Zaczął nimi wystukiwać powolny, zawiły rytm, przerywany od czasu do czasu serią szybszych uderzeń.

— No, no — rzekłem z uznaniem. — Mistrz z ciebie.

Ściągnął brwi. Jego oczy były prawie niewidoczne w ciemnościach.

— Co chcesz przez to powiedzieć? To jest improwizacja. Nie przypuszczasz chyba, że dawniej czarownicy nie improwizowali?

— Myślę, że tak — przytaknąłem słabym głosem. Zawsze uważałem, że ten złożony język bębnów i pałeczek był powszechnie rozumiany przez Indian. Śpiewająca Skała mówił, że większość Indian nie rozumiała sygnałów dymnych.

Papago Joe dalej delikatnie wystukiwał pałeczkami swoje rytmy, aż w końcu odezwał się:

— Bracia, jesteśmy martwi. Jesteśmy tu nowi. Szukamy przyjaciół i przewodników po Wielkiej Otchłani. Szukamy ludzi, którzy nas poprowadzą.

Znowu zaczął stukać.

— Poszukujemy przyjaciół i przewodników — powtórzył. — Zmarliśmy niedawno i potrzebujemy pomocy. Pragniemy spotkać się z Siuksem o imieniu Śpiewająca Skała oraz białym o nazwisku Martin Vaizey.

Czekaliśmy prawie dwadzieścia minut. Wokół była czarna preria i czarne niebo. Jeśli Papago Joe, tak jak ja, w ogóle czuł

399

cokolwiek, było to zapewne oszołomienie, obojętność oraz całkowite oderwanie od wszelkiej rzeczywistości. Myślałem, że zwymiotuję. Już samo zwisanie do góry nogami przyprawiało mnie o mdłości. A za każdym razem, kiedy przechylałem się na bok, miałem wrażenie, że się huśtam.

W końcu jednak ujrzałem pośród prerii migające szybko światełko, chybotliwy spirytystyczny płomień; po chwili tuż za plecami Papago Joego wyrosła uśmiechnięta życzliwie postać. Był to Śpiewająca Skała.

Wzruszenie ścisnęło mnie za gardło. Ufałem Papago Joemu, oczywiście, ufałem mu nade wszystko. Lecz Śpiewająca Skała potykał się z Misquamacusem od samego początku, pokonał go i chociaż on i ja nigdy nie byliśmy ze sobą zbyt blisko, tak naprawdę blisko, to jednak szanowaliśmy się i ceniliśmy wzajemnie. Gotowi byliśmy umrzeć za siebie, co też on w końcu uczynił.

Ciągle miałem przed oczami widok jego odciętej, toczącej się po ziemi głowy. Nie jestem w stanie opisać wyrazu jego twarzy — mózg dalej funkcjonował, oczy patrzyły.

— *Hej, Harry* — odezwał się Śpiewająca Skała.

Uniosłem rękę w geście powitania.

— *Bawisz się w umarłego* — zauważył Śpiewająca Skała. — *Mój wujek też zażywał proszek śmierci... mówił, że to czyni go silnym. Mówił, że widzi krainę, po której pędzą stada bawołów, tak jak to było dawniej, zanim zjawili się tutaj biali ludzie. No cóż... ty wiesz i ja wiem... mówił tylko częściową prawdę.*

— Musimy odnaleźć Misquamacusa. Widzisz, co on wyrabia? Musimy położyć temu kres.

Śpiewająca Skała odwrócił się i popatrzył na strumień spadających w dół samochodów.

— *Ostrzegałem cię, Harry. Ostrzegałem cię. On chce, żeby wszystko było jak dawniej. Góry, rzeki, prerie. Chce się was pozbyć.*

Spojrzałem na Papago Joego, a on tylko wzruszył ramionami.

— A co ty o tym myślisz? — zapytałem Śpiewającą Skałę. — Czy uważasz, że on ma rację, usiłując zniszczyć obecną cywilizację?

— *Czas idzie naprzód, Harry, nie cofa się. Cokolwiek się wydarzyło... choćby najbardziej tragicznego... nie ma już odwrotu. Musimy patrzeć w przyszłość.*

Śpiewająca Skała wydał mi się mniejszy, niż był za życia,

raczej jakiś delikatniejszy, bardziej kruchy. Wyglądał bardziej
na agenta ubezpieczeniowego niż na indiańskiego czarownika.

— *Wiem, co wyrabia Misquamacus* — rzekł. — *Wiem też,
gdzie go można znaleźć. — Spojrzał na Papago Joego.* — *Czy to
ty wybrałeś mnie na swego spirytystycznego partnera?*

— Tak — odparł Papago Joe.

W tej chwili poczułem, że ktoś kładzie mi rękę na ramieniu.
Odwróciłem się. To był Martin Vaizey. To był naprawdę on.
Wyglądał dokładnie tak jak wtedy, kiedy ujrzałem go po raz
pierwszy w jego mieszkaniu w Montmorency Building. Uśmiechnął się niedostrzegalnie i rzekł:

— *Witaj, Harry, wygląda na to, że tym razem na ciebie
przyszła kolej zostać opętanym.*

Uścisnąłem jego rękę.

— Halo, Martin. Jak ci tu leci?

Potoczył wzrokiem po otaczających nas przestrzeniach. Czarny
wiatr rozwiewał mu włosy.

— *Widziałem już kiedyś to miejsce oczami innych ludzi... nie
sądziłem, że przybędę tu tak szybko.*

Papago Joe wstał, a ja za nim. Wtedy zdarzyło się coś
niezwykłego, a zarazem wspaniałego. Śpiewająca Skała wstąpił
w Papago Joego, dosłownie wkroczył w niego i razem stworzyli
jedną postać.

— Jak tego dokonałeś? — zapytałem Papago Joego, nie kryjąc
zdziwienia.

— Twój przyjaciel jest tylko duchem. Może wstąpić w każdego, w kogo chce. Ja mam teraz wszystkie jego magiczne
umiejętności oraz całą wiedzę o Wielkiej Otchłani. I to jest
cudowne.

Miałem zapytać Papago Joego, jakie to jest wrażenie, kiedy
w ciebie wstępuje czyjś duch, gdy zacząłem doświadczać tego
na sobie. Uczucie przyjemnego ciepła spowiło całe moje ciało,
jakbym zanurzył się wraz z głową w olbrzymiej staroświeckiej
wannie napełnionej gorącą wodą. Nagle zdałem sobie sprawę, że
jestem nie tylko sobą, ale także Martinem Vaizeyem, że jego
umysł i mój umysł połączyły się ze sobą w mojej głowie,
wypełniając ją wszystkimi jego wspomnieniami, jego wiedzą
i pojęciami. Wiedziałem już, co zdarzyło się w celi trzynastego
aresztu śledczego.

Roześmiałem się głośno. Uczucie obecności w czyimś umyśle

wpłynęło na mnie bardzo ożywiająco. Przypomniałem sobie wakacje nad Cape Cod. Wspominałem przyjęcia urodzinowe choinki i wakacje, a wszystko to były przeżycia Martina nie moje.

— Martin? — Wydało mi się, że rozmawiam sam z sobą.

— Jestem tutaj — odparł Martin, a jego głos odbił się echem w moich uszach.

Nieraz słyszałem o ludziach opętanych przez duchy lub o ludziach, w których wstąpił demon. Osobiście nie doświadczyłem tego nigdy. Teraz owładnął mną podziw dla potęgi ludzkiego umysłu. Jednocześnie doświadczyłem innego niż kiedykolwiek przedtem uczucia miłości do innego człowieka. Zrozumiałem całą moc Martina oraz wszystkie jego słabości. Byłem Martinem a Martin był mną. Wiedziałem już, że potrafił być oddany i współczujący, zabawny i ofiarny. Wiedziałem, że nie odznaczał się poczuciem humoru. Wiedziałem też, że był zdolny do kłamstwa i że zawsze dręczyło go poczucie niespełnionych nadziei.

Rany boskie, wiedziałem nawet, że lubił cielęcinę.

— Dalej, Harry — odezwał się Papago Joe. — Musimy dowiedzieć się, gdzie jest Misquamacus. Potem zastanowimy się, jak go załatwić.

— W jaki sposób go namierzymy?

— Z pomocą tych orlich pałeczek. Mają metafizyczne właściwości, a poza tym są czymś w rodzaju kompasu. Indiańscy czarownicy odkryli, że duch, dokądkolwiek zawędruje, wszędzie zostawia za sobą ślad... Spirytystyczny odpowiednik odcisków stóp. A skoro zostawia ślad, to znaczy, że można go wyśledzić. Gdzie ostatnio widziałeś Misquamacusa?

— W motelu, w moim pokoju.

— Bardzo dobrze... Zaczniemy stamtąd.

Papago Joe poszperał wśród swych orlich pałeczek, aż znalazł tę jedną, która miała nas poprowadzić na zachód.

— W tym wypadku umiejętności Śpiewającej Skały okazały się bardzo przydatne — oświadczył, pokazując pierzastą pałeczkę. Nigdy bym jej nie znalazł tak szybko, gdyby nie jego pomoc. Chodź, złap się za nią. Odwiedzimy parę miejsc.

Stanąłem za nim w najczarniejszym ze światów i razem uchwyciliśmy orlą różdżkę. Nie odważyłem się spojrzeć w dół, wiedziałem, że tam rozciąga się jedynie bezdenne niebo, a obawiałem się spaść. Lecz Martin wpływał uspokajająco na moje

402

...erwy. Znał lepiej Wielką Otchłań, wiedział, że jedyne prawdziwe niebezpieczeństwo stanowią duchy i cienie, które się po niej włóczą — duchy szamanów i czarowników, cienie demonów ludzi, którzy byli nie tylko ludźmi, ale również wilkami czy jawołami.

Poczułem metafizyczne właściwości orlej pałeczki. Doświadczyłem ich tak gwałtownie i dojmująco, że cofnąłem rękę jak oparzony. Oczywiście Martin był o wiele hardziej podatny na działania duchów niż ja. Nie byłem jednak przygotowany na ostrą jak brzytwa ciemność, która przecięła błyskawicą powietrze na zachód w kierunku Phoenix i motelu Thunderbird.

— Trzymaj się — krzyczał Papago Joe. — Nie cofaj ręki.

Uchwyciłem orlą pałeczkę i ulecieliśmy w przestrzeń. Nie można tego właściwie nazwać lotem; nie trzepotaliśmy rękami, aby wzbić się w przestrzeń. To ciemność przemknęła obok nas z rozdzierającym uszy *kkrakkkkkkkkk* i oto znaleźliśmy się w całkiem innej okolicy.

Straciłem na chwilę zmysł równowagi i dopiero po paru próbach udało mi się stanąć prosto.

— Uważaj — powiedział Papago Joe. — Jeszcze tylko tego brakuje, abyś wykręcił nogę w kostce lub w innym bezsensownym miejscu.

Spojrzałem wokół. Z początku nie mogłem się zorientować, gdzie jesteśmy. Nie było żadnych świateł, żadnych znaków, żadnych ulic, niczego. Lecz naraz zauważyłem w oddali ciemny i mroczny garb, którego nie można było nie rozpoznać. To była Camelback Mountain, niedaleko Phoenix. Kiedy się rozejrzałem uważnie, stwierdziłem, że znajdujemy się dokładnie w tym miejscu, gdzie stał motel Thunderbird. Po motelu nie było jednak śladu, jakby nie został jeszcze zbudowany. Okolica była piaszczysta, a ziemia pobrużdżona i spękana od suszy. Wyschłe koryto pobliskiej rzeki wiło się w stronę śródmieścia Phoenix lub tego, co kiedyś nim było lub być miało, lub też być mogło. Nie miałem pojęcia, która wersja jest prawdziwa.

— Co to jest? — zapytałem Papago Joego. — Czy to teraźniejszość czy przyszłość? Czy też może jeszcze coś innego?

Lecz zanim zdążył mi odpowiedzieć, usłyszałem w głowie głos Martina. *To nie jest przyszłość. To nie jest przeszłość. To jest śmierć. Kraina śmierci. Czas tu nie mija. Nic się nie zmienia. Umarli się nie starzeją. Nie w taki sposób, Harry, jak ty, Karen czy Papago Joe.*

403

Papago Joe znów przebierał w swoich pałeczkach.

— Tutaj — powiedział. — Tutaj. Tu przebywał Misquamacus. W tym kierunku poszedł. Harry. Za mną... Wszędzie mam jego ślady.

Powędrowaliśmy na zachód, aż do Dwudziestej Czwartej Ulicy, czyli piaszczystej oślej dróżki, która powinna była być lub też była Dwudziestą Czwartą Ulicą — w innej rzeczywistości. Wszystko zaczęło mi się mieszać w głowie i rad byłem, że nie natknęliśmy się od razu na Misquamacusa, bo sądzę, że załatwiłby mnie w tej chwili bez najmniejszego trudu. Byłem przerażony, wstrząśnięty, najwyraźniej nie czułem się dobrze w skórze zmarłego.

Phoenix zostało wciągnięte w głąb ziemi — w Wielką Otchłań. Miasto wyglądało jak samotny łańcuch górski; jego podnóża stanowiły porozbijane samochody i zburzone domy z cegły. Szczyty to wysokie biurowce. Pomimo zniszczenia, pomimo fruwających wokół śmieci Phoenix zachowało majestat żałobnej godności — ponieważ tutaj, w mrokach indiańskiej magii, tutaj, w ciemnościach śmierci, znajdowała się większość jego wspaniałych budowli. Ściągnięto je w dół, w ich własne lustrzane odbicie, i teraz oto stały razem jak posępnie zamyślone nagrobne kamienie: Valley National Bank i Arizona Bank, First Federal Sawings Building i chluba Słonecznej Doliny — Hyatt Regency, wszystkie pogrążone w ciemnościach, wszystkie zawieszone jak stalaktyty na niebie, na którym nigdy nie pojawia się słońce.

Wielka Otchłań stawała się tym, co głosił Misquamacus i prorocy Tańca Duchów: cmentarzyskiem władzy białego człowieka.

— Tutaj... znalazłem jego ślad... tutaj... wiedzie na północny wschód — powiedział Papago Joe.

— Jak daleko? — zapytałem.

— Nie wiem dokładnie... sto, może sto parędziesiąt kilometrów.

— Kolorado? — zasugerowałem. — Zniszczył dwa miasteczka w Kolorado. Może tam również zbiera trofea.

Papago Joe był poważnie zmartwiony.

— Czy zdajesz sobie sprawę z tego, co się stanie, jeśli go nie zatrzymamy? To będzie gorsze niż największa katastrofa nuklearna. Groza przejdzie ludzką wyobraźnię. Kiedy bombardowaliśmy Irak, zapowiedzieliśmy, że cofniemy ten kraj do epoki amienia łupanego. No cóż, to nam Misquamacus zgotuje teraz aki los. On cofnie nas do czasów bizonów, łuków i strzał, do życia w prymitywie. To życie nie było wspaniałe, nie było idylliczne, to nie był raj. To tylko biali ludzie przedstawiali je w ten sposób, a Dee Brown rozczulał się i płakał. Prawda zaś est taka, że Indianie pędzili życie w znoju, brudzie i ciemnocie. Pieprzyć Hajawatę. Pieprzyć *Taniec z wilkami*. Byliśmy zacofanym, prymitywnym ludem, który się przeżył, i tyle. I niech sobie będzie, że nie jestem dumnym rdzennym Amerykaninem. Ale przynajmniej mówię tak, jak było.

— Nigdy nie słyszałem, aby Indianin mówił w podobny sposób. — Zazwyczaj brakuje im odwagi — odparł Papago Joe. — Ale wielu z nas myśli podobnie. Świadomość potrafi zabić, nie gorzej niż kula lub cholera.

Spuścił głowę. Nie wiedziałem, co mam mu odpowiedzieć. Lecz w końcu on podniósł na mnie swe czarne błyszczące oczy i rzekł:

— Bierzmy się do dzieła. Musimy przecież dopaść Misquamacusa. Zanim się ściemni, chcę mieć skalp tego sukinsyna na tyczce przed swoim namiotem.

W takim samym pędzie, na skrzydłach ciemności, i z takim samym błyskawicznym *krrrrakkkkkk* wylądowaliśmy w czarnym, pofałdowanym stepie, pośród gruzów małego miasteczka.

Wolno podchodziliśmy do ruin. Bez trudu dowiedzieliśmy się, gdzie się znajdujemy. Byliśmy w Pritchard, w Kolorado, mieścinie liczącej trzystu trzydziestu pięciu mieszkańców. Niedaleko leżał w trawie powyginany i spryskany krwią drogowskaz.

Obejrzeliśmy porozrzucane po stepie szczątki, lecz nic nie mogliśmy zrobić. Widzieliśmy ciała nieżywych dzieci. Widzieliśmy kobiety o białych twarzach z wargami, które już zieleniały. Widzieliśmy psy i koty oraz przewrócony spychacz, okap stacji benzynowej oraz setki puszek po napojach.

— Idźmy dalej — powiedziałem do Papago Joego. — Nic tutaj nie znajdziemy.

Poradził się kolejnej pałeczki. Potem: *krrrrakkkkkk*, i znaleźliśmy się w innej części Kolorado. Była to pagórkowata stepowa kraina, kraina bizonów, chłostana czarnym, ostrym wiatrem. Za brzegami wolno wijącej się rzeki rozciągało się obrócone w ruinę miasteczko. Stanęliśmy na szczycie niskiego pagórka i spoglądaliśmy na rozrzucone martwe ciała, na szczątki i kawałki, na tragiczne resztki zniszczonego życia.

— Wydaje mi się, że to jest Maybelline — powiedział Papago Joe. Wetknął pałeczkę w rumowisko. — Wiesz co, Harry. To jest coś więcej niż zemsta. To jest nawet gorsze niż ludobójstwo. To jest mordowanie przyszłości. To jest cofanie się.

— No więc co? — zapytałem ponuro.

— Będziemy go dalej ścigać, to jasne.

— Lecz załóżmy, że nie uda się nam go odnaleźć? On nie jest głupi. Z pewnością podejrzewa, że będziemy go szukać.

— Może. Ale jest tak pewny siebie, że nie zawraca sobie tym głowy. Jak to mówią, dumnie głowę nosi, dopóki sobie tyłka nie rozbije.

— Kto to powiedział?

— Skąd mogę wiedzieć? Zjednoczone Szczudłaki Ameryki? Czy to ważne? Najważniejsze to ścigać go dalej i nigdy nie zaprzestać pościgu. Ten twój Misquamacus to taki pan Wytrwały. Na pana Wytrwałego jest tylko jeden sposób — pan Wytrwalszy. Można go pokonać tylko jego własną bronią, polować na niego, tropić go, ścigać; a kiedy go już znajdziemy...

Papago Joe nie musiał kończyć zdania. Żaden z nas nie miał pojęcia, co zrobić z Misquamacusem, skoro już go wytropimy. To trzeba będzie rozstrzygnąć na miejscu. Misquamacus już był martwy. Był bardziej martwy niż my. Lecz on wkroczył do królestwa spirytystycznej reinkarnacji, gdzie rozbudził w sobie mściwość, obrósł w potęgę i wielką magiczną wiedzę i gdzie szykował się zająć miejsce po prawej stronie Wielkiego Manitu. Cieszący się łaskami wojownik, wielki czarownik, przypuszczalnie największy ze wszystkich czarowników.

Jak można załatwić kogoś, kto ma takie plecy?

Papago Joe znów poszperał w swoich pałeczkach, aż trafił na jedną, której dotknięcie przejęło go mrowiem.

— Udał się znowu na północny wschód, dość daleko, prawie dwa tysiące kilometrów stąd.

— Chicago — powiedziałem. Była w tym jakaś myśl. Misquamacus podróżował z jednego miejsca na drugie, skalpując swe ofiary, zbierając trofea. Każdy martwy wróg, z którego zdjął skalp, przydawał blasku jego sławie i ugruntowywał jego znaczenie. Gdy wypełni swoją misję, będzie prawdopodobnie uchodził za najbardziej krwawego indiańskiego wojownika, jaki kiedykolwiek żył. Albo umarł. Albo jedno i drugie.

Stanąłem przy Papago Joem i uchwyciłem się orlej pałeczki. Wtedy zauważyłem, że w trawie coś się rusza. Nie coś, lecz ktoś. Początkowo myślałem, że jest to zraniony ptak, który usiłuje wzlecieć do góry. Potem jednak zrozumiałem, że to biegnie człowiek. Młoda dziewczyna.

Nic nie mówiąc, pobiegłem jej śladem. Młóciłem nogami trawę. Wreszcie zrównałem się z nią i złapałem ją za ramię. Okręciła się i spojrzała na mnie dzikim wzrokiem.

— Nie bój się — wysapałem. — Nie chcę cię skrzywdzić.

— Kim jesteś? — zapytała dysząc. Twarz jej była śmiertelnie blada. Była młoda, mogła mieć najwyżej czternaście, piętnaście lat, ale w wyrazie jej oczu było coś szczególnego, jakaś dziwna mroczna czujność, która sprawiła, że przez chwilę wydawała mi się znacznie starsza. Dojrzała osobowość pod maską dziecięcej twarzy.

— Nie bój się — powtórzyłem. Dyszała ciężko, a ja jej wtórowałem. — Jestem przyjacielem. Nawet nie jestem nieboszczykiem. Nie takim prawdziwym w każdym razie.

— To tak jak i ja — oświadczyła.

— Nie jesteś martwa? A więc co tu robisz? Wiesz przecież, gdzie się znajdujesz, prawda? W Wielkiej Otchłani, Krainie Szczęśliwych Łowów. To jest miejsce, do którego idą zmarli.

— Szukam mego brata — odparła. — Zgubiliśmy się podczas huraganu i próbuję go odnaleźć.

— Chodź — zaproponowałem. — Chodźmy do Papago Joego. On wie na ten temat znacznie więcej niż ja.

— Nie jestem dzieckiem — zaprotestowała. — Sama potrafię się o siebie zatroszczyć.

— Hej, a czy ja powiedziałem, że nie potrafisz?

Poprowadziłem ją z powrotem przez trawy. Ujrzawszy ją, Papago Joe pochylił się i wyciągnął rękę.

— Jak się nazywasz, kotku? — zapytał. Pomyślałem, że lepiej by było, gdyby miał mniej złowieszczy wygląd, gdyby przemawiał mniej grobowo, ale wydawało się, że dziewczynka od razu poczuła do niego zaufanie. Może dlatego, że Papago Joe, jako ojciec, którym ja nigdy nie byłem, wiedział, jak należy postępować z kilkunastoletnimi panienkami.

— Nazywam się Wanda, Wanda McIntosh — przedstawiła się. Szukam Joeya, mego brata Joeya.

— Mieszkałaś tu, w Maybelline? — zapytał Papago Joe.

Wanda pokręciła głową.

— Mieszkaliśmy w Pritchard z mamą i Joeyem. Ale to był przedtem. Moja mama nie żyje, widziałam jej ciało. A także moja przyjaciółka, Maggie. Szyba w oknie łazienki zbiła się szkło wpadło do wanny i przecięło ją na pół. Oczy jej wydawały się puste. Mogłem jedynie domyślać się straszliwych przeżyć, jakie stały się jej udziałem.

— Jak się tu dostałaś? — zapytałem ją. — Przecież Pritchard leży setki kilometrów stąd.

— Szukałam Joeya. Nie znalazłam go w Pritchard i czarny człowiek powiedział mi, że może czarownik zabrał go ze sobą To ten czarny człowiek tu mnie przyprowadził. Nie wiem, jak to zrobił; to było jak lot w powietrzu, ale nim nie było.

— Ale brata tu nie znalazłaś?

Wanda pokręciła głową.

— Tutaj też był huragan. Czarny człowiek powiedział, że nie może mi już więcej pomóc, i odszedł. Wróciłam do prawdziwego świata, ale nigdzie nie mogłam odnaleźć Joeya, bo był huragan i zawalały się budynki. O mało nie zmiażdżył mnie helikopter, więc uciekłam i skryłam się tutaj. W każdym razie wydaje mi się, że tutaj mam większą szansę go odnaleźć.

Papago Joe wziął do ręki wisiorek, który Wanda miała na szyi, i przyjrzał mu się uważnie zmrużonymi oczami.

— Ten czarny człowiek... czy powiedział ci, jak się nazywa?

— Tak. Powiedział, że jego nazwisko brzmi Jonasz DuPaul i że gdyby ktoś zapytał mnie kiedyś, skąd mam ten wisiorek, mam odpowiedzieć, że pochodzi od samego Toussainta L'Ouverture'a, który dał go jemu, a on mnie, żeby chronił mnie od śmierci nawet w dolinie cieni.

— Ach tak — Papago Joe podniósł wisiorek i zwrócił się do mnie: — Wiesz, co to jest?

— Wygląda jak medal dla zakładów przemysłu drobiarskiego stanu Kentucky.

— To jest voodoo, amulet voodoo. Bardzo rzadki, obdarzony ogromną czarodziejską mocą. Jeśli pochodzi od samego Toussanta L'Ouverture'a, to znaczy, że jest rzeczywiście w nim coś niezwykłego. Przyjrzyj się temu ofiarnemu kogucikowi i dzwoneczkowi. Touissant L'Ouverture przewodził powstaniu niewolników na Haiti i wypędził brytyjskich handlarzy niewolnikami. Był uważany za boga.

Wyciągnąłem rękę i dotknąłem wisiorka. I wtedy: *Grzmot*
ębnów, dudniące i dudniące bez końca bębny, bębny — i poma-
owane na niebiesko, wykrzywione w uśmiechu twarze — i czarne
bnażone dala, wijące się konwulsyjnie, i wstrząsane drgawkami
ęce i nogi — po czym — nóż, który przecina gardło koguta,
tryskająca na wszystkie strony krew — naga dziewczyna, która
ije tę krew, a ona ścieka jej po brodzie i rozmazuje się na
iersiach — i — blada jak kreda twarz z czarnymi błyszczącymi
czami o powiekach jak dwa czarne chrząszcze — i — dziewczyna
: włosami ściągniętymi do tyłu, z odsłoniętą szyją — i — nóż,
ttóry jednym pociągnięciem przecina jej gardło, fontanna krwi
: bąbelkami powietrza.

Puściłem naszyjnik. Spojrzałem na Papago Joego, a potem na
Wandę.

— Chryste Panie! — powiedziałem wstrząśnięty.

Papago Joe uśmiechnął się nieporuszony.

— Pamiętaj, że w tobie jest też metapsychiczna wrażliwość
Martina Vaizeya, nie tylko twoja własna.

— Ty to też czułeś?

— Bardzo słabo. Nie mam takich właściwości jak Martin
Vaizey. Ale wiem, co to jest. To są czary voodoo. W ten sposób
jeden człowiek przekazuje swoją czarodziejską moc drugiemu.
Czarownik, gdy umiera, może przekazać na przykład ją synowi
lub przyjacielowi, lub komukolwiek innemu. Osoba, która włoży
na siebie ten naszyjnik, przejmuje całą jego siłę. Przypuszczam,
że Jonasz DuPaul ofiarował go Wandzie, aby dzięki niemu dała
sobie radę w Wielkiej Otchłani.

— Dlaczego on to zrobił? — zapytałem.

— Nie wiem — odparł Papago Joe. — Może poczuł do niej
sympatię. Tak czy inaczej, to jest prawdziwe voodoo.

— Voodoo, hm? — zastanowiłem się. — Nigdy nie miałem
do czynienia z voodoo. Oglądałem w nocnej telewizji *Martwego
szatana*. Pomyślałem wtedy, pamiętam, że bezpieczniej będzie
trzymać się z dala od centrów handlowych.

— Mówiłem o prawdziwym voodoo — powtórzył Papago
Joe. Wziął znowu naszyjnik do ręki i obracał go na wszystkie
strony. Jonasz DuPaul był jednym z tych czarowników voodoo, którzy budzili największy strach, coś jak Misquamacus
dla amerykańskich tubylców. W Nowym Orleanie matki do
dziś straszą nim dzieci. Zęby Jonasza DuPaula są podobno

ostre jak igły — z upodobaniem miażdży nimi główki no worodków.

— To nieprawda — zaprotestowała Wanda. — Widziałam jego zęby i mogę stwierdzić, że wyglądają normalnie. Są zażółcone, ale nie są wcale szpiczaste.

— Chwileczkę — powiedziałem. — Jonasz DuPaul... To mi coś przypomina.

Szukałem intensywnie w pamięci. Nagle przypomniałem sobie doktora Snowa, który cytował dziennik biskupa Whipple'a: *Potem pułkownik Sibley zatrudnił też Murzyna rodem gdzieś z Luizjany. Osobnik ów wyglądał zawsze tak, jakby wybierał się do opery... czasami nazywał siebie Piłozqb, a czasem Jonasz DuPaul. Przeważnie jednak mówi o sobie Doktor Hambone... Pułkownik Sibley twierdził, że Doktor Hambone potrafi rozmawiać z umarłymi, i wykorzystywał go do wydobywania zeznań od zamordowanych osadników, aby dowiedzieć się, kim byli napastnicy.*

— Doktor Hambone — oznajmiłem. — To jest właśnie on. Był czarownikiem voodoo na usługach dowództwa kawalerii Stanów Zjednoczonych; pomagał im walczyć z czarami Indian. Nie pamiętam dokładnie, kiedy to było, w tysiąc osiemset pięćdziesiątym roku lub coś koło tego.

— Tak jest — potwierdził Papago Joe. — Do licha, wiesz o tym więcej, niż przypuszczałem. Tylko jaki związek ma Doktor Hambone z tymi wszystkimi indiańskimi czarami? Czy tylko zakrada się, szuka żeru, i jak to ma w zwyczaju, zbiera trupy, aby powiększyć swoją armię zombie?

— Kiedy go spotkałam, powiedział, że właśnie przechodził obok wtrąciła się Wanda.

— Czy powiedział ci, dlaczego tobie właśnie daje ten amulet?

— Nie, powiedział tylko, że modliłam się tak gorąco i że dobrze jest mieć taką silną wiarę. Pewnie było mu mnie żal.

— No cóż, widać nawet budzące największą grozę istoty mają swoje słabe miejsca. — Rzuciłem okiem na Papago Joego. — Jeśli chcemy udać się do Chicago, to na nas już czas, prawda?

Ale Papago Joe w dalszym ciągu zastanawiał się nad czymś.

— To mnie zupełnie zbiło z tropu — powiedział. — Co, u diabła, czarownik voodoo robi tutaj, pośród tego galimatiasu? Niewykluczone, że w przeszłości pomagał zwalczać indiańskie czary, ale nie wydaje się, aby teraz występował jako ich wróg. Ciekaw jestem, o co mu chodzi?

Usiłowałem przypomnieć sobie, co jeszcze opowiadał mi doktor Snow.

— Jest chyba jakaś opowieść, że został porwany przez Indian Santi i że ich szaman ukazał mu wizję przyszłości, według której wszyscy biali osadnicy zginą zabici przez cienie.

— No tak. Czy wiesz coś jeszcze?

— Chyba nie. Po tym jak go uratowano, Doktor Hambone wyruszył do Nowego Orleanu i podobno nigdy więcej go nie widziano.

— W porządku — podsumował Papago Joe. — Wydaje mi się, że i my powinniśmy wyruszyć w drogę. Co poczniemy z małą Wandą?

— Czy masz jakichś krewnych, którzy mogliby się o ciebie zatroszczyć? — zapytałem ją.

— Mam ciotkę i wujka w Denver.

— A więc dobrze... — powiedział Papago Joe, przebierając między swymi pałeczkami. — Jeśli chcesz odbyć najszybszą podróż w swoim życiu, możesz się z nami zabrać.

Ująłem mocno rękę Wandy.

— Wierz mi, to jest równie zabawne, jak jazda wysokogórską kolejką w wesołym miasteczku.

Lecz kiedy dotknąłem jej dłoni, wzdrygnąłem się cały. Nie czułem, że to jest ręka dziewczynki. *To była ręka mężczyzny, twarda i muskularna.* Spojrzałem wstrząśnięty i zobaczyłem, że postać nie wygląda jak Wanda. Szara twarz ze zwisającym zakrwawionym wąsem, głowa pokryta zakrzepłą krwią.

— *Porucznik Daniel McIntosh, Kompania G Siódmego Pułku Kawalerii.*

— Co? — wzdrygnąłem się. — Czego pan chce?

Papago Joe spojrzał na mnie zaskoczony. Rzecz jasna, nie widział twarzy, którą miałem przed oczami.

— Harry? — zawołał. A potem, już z większym niepokojem: — Harry!

— *To jest moja praprawnuczka, proszę pana. Murzyn ocalił ją przez wzgląd na mnie. Spotkałem tego Murzyna nad Rzeką Soczystej Trawy. On tam był, najpierw z Pęcherzem, a potem z Szalonym Koniem, widziałem go na własne oczy. Gdy uciekaliśmy, a Siuksowie nas gonili i skalpowali, i obcinali genitalia, powiedział, że dość tego, ale Szalony Koń nie chciał słuchać. Ten Murzyn nienawidzi białych, proszę pana, ale żal mu było*

411

ludis, którzy ginęli nad Rzeką Soczystej Trawy, i litował się na ich okrutną śmiercią. Dlatego też ocalił moją praprawnuczkę proszę pana, a także mego praprawnuka.

Otworzyłem usta, chcąc zadać Danielowi McIntoshowi dalsze pytanie, lecz zanim zdążyłem dobyć głosu, jego twarz zatarła się i znikła. W ułamku sekundy trzymałem w dłoni rękę Wandy i zamiast krwawej zjawy znad Little Big Horn widziałem jej czystą dziewczęcą twarz.

— Czy ty to czułaś? — zapytałem. — Czy wiedziałaś, co się z tobą dzieje?

Potarła górną wargę, jakby podświadomie starała się sprawdzić, czy ma jeszcze wąs. Potem spojrzała na mnie rozjarzonymi oczami.

— Czułam to. Naprawdę czułam. A Joey żyje. Prawda? Wiem o tym. Nie mam pojęcia skąd, ale wiem. On żyje, prawda? Naprawdę żyje?

Papago Joe ujął drugą rękę Wandy.

— Denver?

— Denver — przytaknąłem. — A potem Bismarck.

— Bismarck?

— Musimy obudzić się z tej śmierci halucynacyjnej i odwiedzić redakcję „Bismarck Tribune". Musimy odszukać tam parę fotografii. I musimy to zrobić niezwłocznie.

ROZDZIAŁ 18

Nigdy nie przypuszczałem, że po zmartwychwstaniu można mieć kaca. Gdy ciepłym cichym popołudniem udawaliśmy się do redakcji „Bismarck Tribune", skronie mi pulsowały, a w ustach miałem tak, jakby przespał się w nich suseł.

O miasteczku Bismarck niewiele można powiedzieć prócz tego, że leży w centrum Dakoty Północnej, nad rzeką Missouri, między górską i centralną strefą czasu. Wzdłuż pozbawionych wyrazu ulic miasteczka ciągną się hurtownie, domy czynszowe, sklepy z żelastwem, linie telefoniczne, szybkie bary oraz rzędy zakurzonych furgonetek. Swoje istnienie Bismarck zawdzięcza głównie rzece i kolei — gdyby nie one, w tym miejscu do dziś byłyby tylko szumiące prerie, okolone odległymi liniami horyzontu, i mgiełka letniego upału.

Wyłoniliśmy się ze spękanego gruntu nie dalej niż kilometr od miasteczka — niczym dwa powstałe z grobu ciała. Spłoszyliśmy dzikiego królika, który przerażony popędził zakosami wśród traw. Na szczęście był to nasz jedyny świadek.

Doprowadziliśmy swój wygląd do porządku i rozejrzeliśmy się wokół. Po ciemnościach Wielkiej Otchłani jasne słońce porażało, a upał prawie zbijał z nóg. Dostrzegliśmy śródmieście Bismarck, migocący w słońcu zakręt Missouri oraz rysujący się w oddali rezerwat Mandan. Ruszyliśmy w stronę miasta.

W Denver zostawiliśmy Wandę. Chcieliśmy, aby miała jak najbliżej do wujostwa. Wchodzić i wychodzić z Wielkiej Otchłani mogliśmy jedynie przez kratery w miejscach, gdzie przelano

indiańską krew. W Denver było ich bardzo wiele i bez trud
znaleźliśmy jeden w pobliżu dzielnicy Mountain View, gdzi
mieszkali wujek i ciotka Wandy.

Wanda stała chwilę w zakurzonej trawie, rozglądając się dookoła

— Dziękuję — powiedziała. — Mam nadzieję, że się jeszcz
kiedyś spotkamy.

— My również — odparłem.

Bez słowa zdjęła z siebie czarodziejski amulet i podała g
Papago Joemu.

— Weź to. Może ten amulet uchroni cię przed niebezpieczeń
stwem.

Papago Joe wziął wisiorek do ręki, ale zauważyłem, że ni
powiesił go sobie na szyi. Uścisnął dłoń Wandy i pocałował j
w policzek; znikła w trawie, jakby zanurzała się w porośniętym
trzcinami jeziorze.

— Miła dziewczyna — zauważyłem.

Papago Joe skinął głową.

— Będziesz nosił ten amulet? — spytałem.

— Nie — odparł. — Najpotężniejsrym źródłem mocy Wand
jest jej młodość. Jeżeli będę nosił ten amulet, grozi mi, że
przejmę od niej tę cechę.

— Cóż jest złego w młodości?

— Jeśli nawet trochę mi żal, że się starzeję, wcale nie palę
się do tego, aby mieć znowu czternaście lat. Stokrotne dzięki.

— No tak — odparłem, chociaż nie byłem pewien, czy go
dobrze zrozumiałem.

Znalezienie wyjścia z Wielkiej Otchłani koło Bismarck sprawiło Papago Joemu nieco trudności. Krążyliśmy pod miastem
w tę i z powrotem, szukając otworu. Wreszcie jednak orle
pałeczki drgnęły; trafiliśmy na miejsce, gdzie zwiadowcy amerykańskiej kawalerii schwytali, zgwałcili i zabili trzy Indianki,
które oddaliły się od obozu.

Tam gdzie wsiąkła ich krew, powstał otwór, przez który Papago
Joe i ja wydostaliśmy się na zalaną słońcem powierzchnię.

Pożegnanie ze Śpiewającą Skałą i Martinem Vaizeyem był
niewątpliwie jednym z najbardziej wstrząsających przeżyć. Miałem wrażenie, jakby całe moje wnętrze opuściło mnie i odstąpiło
o krok; w ciemnościach zobaczyłem Martina — stał ze smutnym
uśmiechem na szarej jak popiół twarzy. Przy boku Papago Joego
był Śpiewająca Skała.

— Do zobaczenia, chłopcy — to było wszystko, co mogłem w tej chwili z siebie wydusić.

Śpiewająca Skała podniósł rękę w geście, który w języku iuksów oznaczał: zanim przyszedłeś, w moim sercu była pustka, teraz jest wypełnione po brzegi.

Czułem dokładnie to samo.

Gdy przyszliśmy do redakcji „Tribune", wszyscy byli na biedzie, a siwowłosa portierka za nic nie chciała nas wpuścić. Nie pomogły moje złożone błagalnie dłonie ani próby rozmieszenia jej minami w stylu Barta Simpsona.

Udaliśmy się zatem do znajdującej się po drugiej stronie ulicy Crossing Restaurant, gdzie usiedliśmy w rogu przy małym stoliku nakrytym obrusem w czerwone wzory. Zamówiliśmy steki z cebulką i piwo.

Obsługująca nas kelnerka miała wysoko utapirowane ciemne włosy, jaskrawo umalowane usta, a na górnej wardze pieprzyk, którego wyrastały czarne włoski. Spoglądała na mnie co chwila dołożyła mi parę plasterków cebuli.

— Na koszt firmy, kotku. Coś mi się wydaje, że ci się przydadzą.

Papago Joe spojrzał na mnie swymi głęboko osadzonymi oczami.

— Przyznasz — odezwał się z pełnymi ustami — że nic ci tak nie pomoże w walce z krwiożerczym czarownikiem jak kilka dodatkowych krążków cebuli.

— Pokonam go samym tylko oddechem — przytaknąłem.

Po przerwie obiadowej, gdy otworzono już redakcję „Tribune", poszliśmy do archiwum zdjęć. Był to mały duszny pokoik, ustawiony od góry do dołu szarymi regałami. Niski mężczyzna w pstrokatych szelkach podał nam fotografie z tysiąc osiemset osiemdziesiątego szóstego roku.

— Interesują nas przede wszystkim zdjęcia zrobione podczas bitwy nad Little Big Horn — wytłumaczyłem archiwiście.

Spojrzał na mnie zaskoczony. Przypominał mi Mickeya Rooneya, z czasów gdy grał postać Andy Hardy'ego.

— Przykro mi, ale podczas tej bitwy nie robiono żadnych zdjęć, a jeśli nawet ktoś je robił, to nic mi o nich nie wiadomo. Byłyby przecież bardzo słynne, prawda? Autentyczne fotografie znad Little Big Horn. Mój Boże!

— „Tribune" wysłała nad Little Big Horn swego korespondenta, który towarzyszył generałowi Custerowi. Nazywał si Mark Kellogg i — jak sądzę — był niezłym fotografem. Mia własny aparat fotograficzny. Robił zdjęcia podczas bitwy i cho ciaż został zabity, to jednak negatywy ocalały.

— Nigdy o tym nie słyszałem — odparł archiwista, be przekonania kręcąc głową. — Proszę, szukajcie panowie, ale ja t wszystko tu katalogowałem, zwłaszcza zbiór fotografii historycz nych, i nie przypominam sobie żadnych zdjęć znad Little Big Horn

Zaczęliśmy przeglądać duże, brązowe, opisane koperty. Zna leźliśmy fotografie robione przez Marka Kellogga, między in nymi zdjęcie, które pokazywało generała Custera w niedbałe pozie przed namiotem wraz z jego indiańskim przewodnikien Krwawym Nożem i dwoma wynędzniałymi kundlami. Po dwóc godzinach poszukiwań musieliśmy jednak przyznać, że istotni nie ma żadnych zdjęć znad Little Big Horn.

— Przyszedł mi do głowy pewien pomysł — zasugerowa archiwista. — Dom rodzinny Kelloggów. Do dziś mieszkaj w Bismarck, przy Edvinton Avenue East. Jak donosiła nasz gazeta w swym specjalnym rocznicowym wydaniu, Mark Kellog został zabity przez Siuksów, ale Indianie oszczędzili jego ciało Zwrócono też rodzinie jego rzeczy.

— Dziękujemy serdecznie — odparliśmy i opuściliśmy loka gazety.

W drodze na Edvinton Avenue East zatrzymałem się prze sklepem z telewizorami, aby w szybie wystawowej popraw sobie włosy. W pewnej chwili na ekranie zauważyłem zdjęci rozpadających się domów, rozbitych samochodów i ludzkic ciał wleczonych przez zasypane gruzem chodniki.

— Spójrz — zwróciłem się do Papago Joego. — Znów to sam Przechodzący obok staruszek przystanął przy nas na chwil i również zaczął oglądać wiadomości.

— Nowy Jork — zauważył i splunął.

— To Nowy Jork? — spytałem przerażony.

Skinął głową.

— Dobrze im tak. Domy mieli wielkie, a dusze małe.

Pani Keitelman siedziała w wyściełanym fotelu przy zasuni tych żółtych żaluzjach, które chroniły sprzęty przed palącyn

romieniami słońca. W salonie królowały ciężkie, brzydkie
ębowe, politurowane na ciemno meble w gargantuicznym stylu,
ozpowszechnianym w minionej epoce przez katalogi Searsa
Roebucka. Na nocnym stoliku szklana kopuła przykrywała
adko wypchanych ptaków o matowych oczach i wypłowiałym,
rzerzedzonym upierzeniu. Tuż obok, nad potężną sekreterą
ielkości organów Wurlitzera, na kiczowatym obrazie pływał
/ jeziorze posępny karp.

— Kolekcjonowanie różnych przedmiotów było zawsze hobby
aszej rodziny — wyjaśniła pani Keitelman. — Cały strych jest
awalony ubraniami, książkami, drobiazgami, ozdobami i Bóg wie
zym jeszcze. Ale stryjeczny dziadek Mark, no cóż, jego rzeczy
anowiły zawsze przedmiot naszej największej dumy. Proszę
obie wyobrazić, że mamy nawet jego kieszonkowy teleskop.

— Interesują nas tylko fotografie — odparłem. — Przynaj-
niej na razie. To znaczy, z przyjemnością kiedyś wrócimy
bejrzeć resztę pamiątek.

Uśmiechnęła się. Była to dobrze utrzymana kobieta w wieku
omiędzy siedemdziesiąt pięć a osiemdziesiąt lat, o bladej, niemal
rzezroczystej cerze. Jej białe włosy przepasane były wstążką.
Miała na sobie luźną bawełnianą sukienkę w kolorze niebieskim,
armonizującym z barwą jej oczu. Nie wiem dlaczego, ale
vydawało mi się, że wygląda tak jak moja babka, której nigdy
ie miałem okazji poznać.

— Widziałam te fotografie tylko raz — rzekła. — Podobno
ostały przywiezione do Bismarck z miejsca bitwy razem z ubra-
iami, walizką, zegarkiem i innymi drobiazgami biednego stryja
Marka. Nigdy nie przywieźli jego ciała. W gazecie napisali, że
ie był zmasakrowany, ale mój dziadek napisał w swoim dzien-
iku, że był tak samo okaleczony jak inni i dlatego nie zwrócili
go zwłok rodzinie.

— Te fotografie... to odbitki czy negatywy? — zapytałem
anią Keitelman.

— Mamy jedne i drugie. Oryginalne negatywy przesłane
ostały do „Tribune", gdzie zrobiono po trzy odbitki. Jedną dla
azety, drugą dla wojska, a trzecią dla celów archiwalnych.
azeta jednak nie tylko nigdy nie opublikowała żadnego zdjęcia,
le nie zrobiła nawet sztychu z tych fotografii, jak to było
ówczas w zwyczaju. Wojsko stwierdziło, że ich zdjęcie zagubiło
ę, a już w żadnym wypadku nie chcieli dać wiary relacji

naszego stryjecznego dziadka Marka. Sugerowano nawet, ;
sfabrykował te zdjęcia. Rodzina jednak dalej przechowuje zaróv
no odbitki jak i negatywy.

Zostawiła nas samych na trzy, cztery minuty. Zegar na gzyms
kominka tykał miarowo, odmierzając popołudniowe godzin
a stojąca przed nami w wielkich filiżankach słaba kawa ;
śmietanką stygła coraz bardziej.

— Wprost nie do wiary — odezwałem się. — Że też właśni
wojsko nie chciało uwierzyć w prawdziwość fotografii Ke
logga.

Papago Joe, znudzony, potarł grzbiet nosa.

— Nie oczekujesz chyba, że ktoś uwierzy w to, co my tera
robimy. Zażycie proszku śmierci, wizyta w Krainie Szczęśliwyc
Łowów? Wysłano by nas prosto do czubków.

— Nie wiem — odparłem. — Ciągle nie mogę zrozumieć
dlaczego ludzie nie chcą uwierzyć w duchy, choć one znajdują
się tuż pod naszym nosem. Rozmawiają z nami, kierują naszyn
krokami, mieszają się z nami w tłumie jak zwykli śmiertelnicy
Różnica polega tylko na tym, że jedni z nas są martwi, a inr
jeszcze żyją.

Papago Joe mruknął coś rozbawiony. Oparł się wygodni
i założył nogę na nogę, ukazując łydkę w skarpetce w czerwon
kratkę i zniszczony kowbojski but.

— Nigdy nie przypuszczałem, że usłyszę coś takiego o
białego człowieka.

— A ja nigdy nie sądziłem, że zobaczę Indianina w skarpet
kach w szkocką kratkę.

Wróciła pani Keitelman z fotografią w brązowej ramce i wiel
ką, mocno podniszczoną kopertą. Najpierw pokazała nam foto
grafię. Ukazywała korpulentnego młodego mężczyznę o poważ
nym wyrazie twarzy z przedziałkiem na środku i w sztywnyn
kołnierzyku z załamanymi rogami.

— To jest właśnie nasz biedny stryjeczny dziadek Mark. T
zdjęcie było robione w forcie Yates, Terytorium Dakoty, sie
demnastego września tysiąc osiemset siedemdziesiątego piąteg
roku, rok przed śmiercią nad Little Big Horn. W forcie Yate
właśnie pochowano Siedzącego Byka. Do dzisiaj istnieje tai
jego grób.

Ustawiła naprzeciw nas mały stoliczek do kart i rozłożył
pokryty od wewnątrz zielonym rypsem blat. Potem ostrożni

tworzyła kopertę, wyjęła sześć dużych fotografii w kolorze sepii i ułożyła je w dwóch rzędach po trzy.

— Wojsko nie wierzyło w ich autentyczność — powiedziała.

Twierdzili, że ktoś je spreparował, ktoś, komu zależało na tym, by przekonać Urząd do spraw Indian, że Indianie dysponują niezwykłą czarodziejską siłą, z którą wojsko nie może sobie poradzić. Te zdjęcia miały być czymś w rodzaju niewyszukanej zemsty za to, że wodzów Siuksów przywieziono na Wschodnie Wybrzeże i pokazano im stocznie i fabryki broni, aby przekonać ich, że dalsza walka z białymi nie ma żadnych szans.

Oglądaliśmy fotografie z drobiazgową dokładnością. Było oczywiste, że Mark Kellogg robił je w niesłychanie trudnych warunkach; cztery z nich zresztą były mocno zamazane. Wyraźnie można było jednak dostrzec głęboki wąwóz porośnięty bylicą oraz rysujące się w tle pozbawione roślinności wzgórze. Na pierwszym zdjęciu widać było jadących wąwozem w kierunku wzgórza żołnierzy i rozciągające się nad nimi niezwykle ciemne niebo. Mogło to jednak być skutkiem wadliwego naświetlenia.

Jednak następna fotografia pokazywała coś, co wyłaniało się znad szczytu pagórka. Coś ciemnego, z powykręcanymi mackami, podobnego do gigantycznej, uformowanej z dymu ośmiornicy. Oficer jadący na przedzie był na wpół odwrócony, a jego koń stanął dęba. Za nim niektórzy z żołnierzy ściągali już koniom wodze, przygotowując się do pośpiesznego odwrotu.

— Zdjęcia te wskazują wyraźnie, dlaczego wojsko nie chciało się nimi zainteresować — powiedziała pani Keitelman. — Po prostu pokazują, jak sławny Siódmy Pułk Kawalerii Stanów Zjednoczonych podwija ogon pod siebie i ucieka w popłochu. Nie sposób jednak winić ich za to, bo — zobaczycie, co wydarzyło się później.

Nad widnokręgiem ukazał się wielki, zwalisty, czarny kształt. Można było dostrzec trzech żołnierzy, którzy spadli lub zostali ściągnięci z koni. Jeden z nich został zmiażdżony przez padającego wierzchowca; pozostali próbowali uciec, ale czarne dymne macki oplotły ich, zanim zdołali odjechać parenaście metrów.

Masakra, która nastąpiła potem, przechodziła wszelkie wyobrażenie. Mimo to na czwartej fotografii również nie było widać śladu Indian. Kawalerzyści zostali ściągnięci z siodeł, rozebrani i wymordowani. Wokół pełno było martwych i rannych zwierząt, przypominających wybebeszone kanapy. Do-

strzegłem również młodą kobietę z plemienia Santi, która chc
dziła między zwłokami ludzi i koni, zdzierała siodła, pasy, but
i zbierała broń.

Zostały jeszcze dwa zdjęcia. Na jednym widać było wznosząc
się ogromny cień; niektórzy żołnierze strzelali do niego i naj
widoczniej trafiali, bo można było rozróżnić dym i kawałk
czegoś, co można by uznać za ektoplazmę.

Ostatnia fotografia była najbardziej zastanawiająca. Gdybyn
nie wiedział wcześniej, że coś podobnego może istnieć, ni
wierzyłbym własnym oczom. To było nie do wiary, ale byłc
widoczne na autentycznej odbitce fotograficznej, wyblakłe
i pożółkłej.

Na odwrocie fotografii widniała napisana ołówkiem data
Niedziela, 25 czerwca, 1876 rok. Dokładna data bitwy nad Littl
Big Horn. Była to niedziela klęski i śmierci Custera i wszystkicl
jego żołnierzy.

Fotografia ukazywała kawalerzystów, którzy starając się rato
wać życie, pędzili na koniach w dół, po stokach wąwozu. Nawe
wyblakłe kolory starej fotografii pozwalały dojrzeć białka icl
przerażonych oczu. Tuż za nimi posuwało się — a niektórycl
już dosięgło — straszliwe monstrum, którego opisanie wymagało
by stworzenia specjalnego słownika.

Przypominało czarną chmurę złożoną z najgorszych koszmarów ludzkiej wyobraźni. W środku z trudem rozróżniałem
coś w rodzaju twarzy, która była jak pełen grozy ludzki krzyk
Wijące się obrzydliwie macki wysuwały się z niej niczym węże
Nie macki jednak budziły największe przerażenie, ale pod-
brzusze bestii, które wyglądało, jakby składało się ze splątane
masy ludzkich głów, setek tysięcy ludzkich głów. Dymny
potwór o kształtach ośmiornicy pędził przez wierzchołek wzgórza wysokimi, nierównymi susami, podpierając się setkam
ludzkich rąk.

— Chryste — powiedziałem i odsunąłem się do tyłu n:
krześle.

Pani Keitelman, słysząc bluźnierstwo, z przyganą uniosła brwi
Była jednak wyraźnie zadowolona, że uwierzyłem w praw
dziwość zdjęć.

— Są autentyczne, prawda? — spytała. — Nie wątpią panc
wie, że są prawdziwe. Nie ma w nich żadnych fotograficznycl
sztuczek. Tak było naprawdę.

— Droga pani — powiedział spokojnie Papago Joe, głosem chrypłym ze zmęczenia. — Oglądałem rysunki i obrazy ukazujące tę zjawę od dzieciństwa i słyszałem o niej takie opowieści, e co noc budziłem się z krzykiem przerażenia. Nigdy jednak awet mi w głowie nie postało, że ujrzę to na fotografii.

— Wie pan, co to jest? — spytała pani Keitelman.

— Tak, proszę pani. To jest Aktunowihio, rdzennie amerykański bóg ciemności. I tak właśnie wygląda prawda o Little Big Horn. To nie Szalony Koń, lecz Aktunowihio zabił Custera. Zastanówmy się jednak. Aktunowihio zwykle nie opuszczał Wielkiej Otchłani, krainy ciemności i śmierci. Nie miał takiej ocy i nie miał możliwości poruszania się. Był dymem, zawiesiną, był samą czernią. Przepływał przez ciemność, nie potrafił jednak pokonywać przestrzeni w świetle dnia. Musiał więc znaleźć na to jakiś sposób.

— Te głowy, te wszystkie głowy — zastanawiałem się głośno te wszystkie ramiona. Takie czarne.

— Właśnie — przytaknął Papago Joe, rozdymając triumfalnie nozdrza. — Tu się chyba kryje rozwiązanie zagadki Doktora Hambone'a. Oto układ, jaki zrobił, gdy dostał się w ręce Indian Santi. W zamian za swoje życie, za swoją wolność dał Aktunowihio możność użycia swoich zombie, rozebranych na części ciał amerykańskich niewolników — martwych, lecz ożywionych. Pomyśl tylko. Cień i śmierć połączone w jedno. Niezwyciężone.

Pani Keitelman długo przyglądała się fotografii.

— Zawsze mi się wydawało, że to może chodzić o coś podobnego. Cóż jednak mogłam zrobić? Wszyscy mówili, że fotografia jest falsyfikatem. W tych czasach często pojawiały się fałszywe fotografie czarownic, dinozaurów i innych podobnych stworów, a ludzie w to wszystko wierzyli. Ale też trudno wyobrazić sobie zamieszanie, jakie powstałoby, gdyby się okazało, że Custer nie zginął z ręki Szalonego Konia, lecz został zabity przez indiańskiego demona. Wzburzyłoby to Kościół, polityków, Indian, białych, wojskowych, historyków — wszystkich.

Mówiąc to, sięgnęła po jeszcze jedną fotografię.

— Chyba jednak demon nie był taki niezwyciężony.

Pokazała nam zdjęcie zrobione z innej pozycji, bliżej wzgórza. Nie mam pojęcia, jak Markowi Kelloggowi udało się przejść przez wąwóz ze swym bagażem i sprzętem fotograficznym. Sądząc po zdjęciach, znajdował się on dostatecznie daleko od

miejsca pierwszego ataku, żeby zdać sobie sprawę z tego, co si
dzieje, i uciec — zarówno przed Aktunowihio, jak i zucham
Szalonego Konia. Zdecydował się jednak zostać i utrwali
wszystko dla potomności. To bardzo przykre, że nawet dziś
niemal sto dwadzieścia lat po jego śmierci, nadal utrzymuje si
opinia, że Mark Kellogg niepotrzebnie poświęcił swoje życi
i że jego zdjęcia mają taką samą wartość jak zdjęcia Wielkie
Stopy, potwora z Loch Ness czy yeti.

Aktunowihio to coś zupełnie innego. Aktunowihio był uosobieniem ciemności i śmierci. Aktunowihio był cieniem, który
unosi się we śnie na czarnych falach twojej podświadomości,
potworny drapieżca, żerujący w mrokach ludzkiego wnętrza,
z którego wywodzi się twój rozsądek, a w końcu także i twoje
życie. I oto widać go wyraźnie, jak pędzi brzegami Rzeki
Soczystej Trawy podczas najstraszniejszej klęski, jaką kiedykolwiek poniósł biały człowiek w walce z Indianami.

Jednakże ostatnia fotografia pokazywała coś innego. Na samym skraju, z lewej strony, stale jakaś postać — chuda, w łach-
manach, w kapeluszu z szerokim rondem. W lewej ręce trzymała
jakiś przedmiot. Trudno dokładnie rozpoznać, co to takiego, ale
widać było, jakby wydobywał się z tego czegoś dym.

A może dym nie wydobywał się, lecz wnikał?!

Wskazałem Papago Joemu tę postać.

— Widzisz go? Nie wiedziałem, że był nad Little Big Horn.
Jestem gotów założyć się o wszystko, że to jest William Hood,
czy jak on się tam zwał. Chłopak-Widmo, łowca wampirów,
którego kawaleria amerykańska zatrudniła do walki z Indianami
Santi. Patrz — trzyma w ręku butelkę na cienie. Widocznie
usiłuje złowić w nią kawałek substancji Aktunowihio.

— Słyszałem o tym — przyznał Papago Joe. — Wystarczyło,
aby łowca cieni złapał nawet najmniejszą cząstkę cienia, a cała
jego reszta zmuszona była wrócić do Wielkiej Otchłani. W przeciwnym wypadku światło wlewające się w niego strumieniem
przez uszkodzoną substancję groziło mu śmiercią. Był bezradny
wobec łowcy cieni, ponieważ mógł przetrwać w realnym świecie
jedynie jako całość. To tak, jakby ktoś skradł ci usta, którymi
jesz, oddychasz i mówisz. A gdyby ktoś próbował go odzyskać...
wystarczyło wlać do butelki nieco kwasu siarkowego, a ten już
skutecznie rozpuszczał cień. Niektórzy łowcy cieni mieli setki
takich butelek. Sprzedawali je ludziom, którzy chcieli wykorzys-

ć je przeciw swoim wrogom, niewiernym żonom czy nieuczciym wspólnikom.

Mówiono, że Billy Kid padł ofiarą cienia wynajętego przez
ata Garreta za duże pieniądze. Jak może wiesz, fama głosi,
e Billy wszedł do zaciemnionej sypialni, a Pat Garret strzelił
o niego i zabił go. Warto się zastanowić, dlaczego sypialnia
yła taka ciemna. I dlaczego ostatnie słowa Billy'ego brzmiały:
Kto to?".

Podziękowaliśmy pani Keitelman, a ja, pragnąc jej się jakoś
rewanżować, zaproponowałem, że jej powróżę z fusów po
erbacie. Nie wierzyła jednak w przepowiednie. Trochę dziwne
ak na wdowę z Bismarck z Dakoty Północnej, która bez zatrzeżeń uwierzyła w potworną zjawę, prawdziwą sprawczynię
nasakry wojska generała Custera. Ale Zachód cały składa się
: podobnych sprzeczności — jest pełen przesądów, wierzy
v duchy, w demony i w to, że ziemia szepcze.

Stańcie tu tak jak my, Papago Joe i ja, w tę letnią noc po dniu
pędzonym w ciemnościach Wielkiej Otchłani, i spróbujcie
udowodnić, że na Zachodzie nie straszy.

Hotel Mandan, w którym zatrzymaliśmy się na noc, położony
był w południowo-wschodniej części miasta. Był to szary, oszaowany deskami budynek stojący samotnie na porośniętej zarośami parceli. Miał dobre proporcje, ale wdzięku tyle co pionowo
tojący kontener. Właścicielka hotelu, starsza pani o siwych
włosach, miała denerwujący tik, który polegał na nieoczekiwanym przekrzywianiu głowy w bok. Niemniej, w wyklejonej
apetą w kwiaciaste wzory jadalni, zaserwowała nam pożywną
kolację złożoną z wieprzowiny i fasoli. Było również dużo
whisky oraz wesołe towarzystwo dwóch handlowców, którzy
przylecieli po południu z Kansas City, w Missouri, oferując
sprzedaż magazynów z prefabrykowanych elementów.

Było to drugie pomyślne wydarzenie tego wieczoru. Po raz
pierwszy od czasu gdy Karen zjawiła się w moim gabinecie,
zacząłem rozumieć sens tego, co robię. Zrozumiałem, że mamy
szansę stawić potworowi czoło, a może nawet, jeśli nie pokonać
go — któż mógłby pokonać władcę wszelkiej ciemności? — to
przynajmniej zmusić go, aby wrócił do Wielkiej Otchłani i nie
opuszczał jej nigdy więcej.

423

Po Little Big Horn okazało się, że William Hood zdoł przetrącić kark Aktunowihio i zatrzymał go pod powierzchn: ziemi przez ponad sto lat. Jeśli jemu się udało, byłem przeświac czony, że my zrobimy to równie dobrze, a może nawet lepie Dysponujemy wszak znacznie nowocześniejszą techniką. Jeste; my o wiele lepiej przygotowani naukowo i mamy szerszą wiedz o zjawiskach przyrodniczych. No i właśnie odbyliśmy dług podróż z Phoenix w Arizonie do Bismarck w Dakocie Północne; w sumie ponad dwa tysiące kilometrów, a po drodze widzieliśm tylko ludzkie szczątki, peyotl, kępy dzikich ziół i stosy suchyc' patyków.

Nadszedł jednak czas, aby zadzwonić. Najbardziej martwiłen się o Amelię. W telewizji pokazano chaotyczny reportaż na żywc w którym można było obejrzeć, jak w gruzy obraca się Wool worth Building, po nim gmach General Motors, Pierre'a Cardina a wreszcie Muzeum Guggenheima. Widać było tylko kurz zamieszanie, światła helikopterów i góry zepsutych samochodów

Przez pierwszą godzinę telefon stale był zajęty. Chciałem ju; odłożyć słuchawkę, gdy Papago Joe, pociągając whisky z butelki zachęcił mnie:

— Spróbuj jeszcze. Może się uda. Wystukaj jeszcze raz.

Wybrałem numer i prawie natychmiast usłyszałem w aparacie trzeszczący głos:

— Słucham. Kto mówi?

— Amelia? Czy to ty, Amelio?

— Harry! Słyszę cię, jakbyś dzwonił z Księżyca.

— Amelio, co się tam dzieje? Czy nic ci się nie stało?

— Ze mną wszystko w porządku. Jestem tylko trochę posiniaczona. Próbowałam wyjechać z miasta, ale to było niemożliwe. Wszystkie drogi zablokowane. Poza tym wprowadzono coś w rodzaju godziny policyjnej. Harry, gdzie jesteś? Próbowałam dodzwonić się do Phoenix, ale wszystkie linie są uszkodzone.

— Jestem w Bismarck, w Dakocie Północnej.

— Słuchaj, Harry. Pamiętasz te widelce, o których wspominał Martin Vaizey, celtyckie widelce? Te, których używano do pokonywania złych duchów? Wiesz, poszłam do aresztu i wydobyłam je stamtąd.

— Ach tak? To dobrze.

Po krótkiej chwili ciszy Amelia powiedziała podniesionym głosem:

— Dobrze?! Co to, do diabła, ma znaczyć? Omal nie zgięłam. Budynek aresztu zawalił się i musiałam wyskakiwać przez okno.

— Powiedziałem tak, bo domyślam się, że te widelce są bardzo ważne, ale w tej chwili nie wiem, jak się nimi posługiwać.

— Nie wiesz, jak się nimi posługiwać? Cała jestem posiniaczona, pokaleczona i wyglądam jak czarownica, a ty nie wiesz, co z nimi zrobić?

— Posłuchaj, Amelio — uspokajałem ją. — Nigdzie się nie ruszaj. Musimy załatwić jeszcze parę spraw, a potem przyjedziemy cię zabrać.

— Och, doskonale. Chcesz więc te widelce, czy mam je dołożyć do swojej zastawy?

— Tak, Amelio... proszę. Muszę spytać Martina.

— Martin nie żyje, Harry, i nie możesz spytać go o nic.

— Tak myślisz? Jeśli chcesz wiedzieć, jestem z Martinem w całkiem bliskim kontakcie. Nie sądzę, abym miał problem z zadaniem mu tak prostego pytania.

Nastąpiła bardzo długa cisza. Słyszałem trzaski i cienkie dzwonienie międzymiastowych łączy. Nagle Amelia rzekła:

— Przepraszam, Harry. Boję się, po prostu się boję. Budynki wokół zapadają się bez przerwy, znienacka, zapadają się wraz z ludźmi, którzy są w środku. I nikt nie jest w stanie temu zapobiec.

— Myślę, że ktoś jest — odparłem. — Prawdę mówiąc, my staramy się to zrobić.

Znowu długie milczenie. A potem:

— Masz jakieś wieści o Karen?

— Hmm.

— Martwię się o ciebie, Harry.

— I ja o ciebie. I tak zawsze będzie.

Przesłaliśmy sobie pocałunki przez telefon. Papago Joe znowu pociągnął whisky, przewrócił oczami i rzekł:

— Wielki Manitu, miej mnie w swojej opiece.

Usiadł na brzegu łóżka ze skrzyżowanymi nogami.

— Mój tok rozumowania jest taki — powiedział. — Ostatni raz Aktunowihio pojawił się w realnym świecie nad Little Big Horn. Miał tyle siły, bo Doktor Hambone użyczył mu swoich murzyńskich dusz. Teraz ma dość siły, by niszczyć miasta, domy, ludzi, wszystko. Znów toruje sobie drogę do realnego świata, stopniowo, krok po kroku pokonuje przeszkody, tak jak rozprawi się z twoim przyjacielem Martinem Vaizeyem. Równocześni dochodzą wieści, że gdzieś tu kręci się Doktor Hambone. On lub jego duch. Podejrzewam, że Doktor Hambone zawarł z nim nowy układ, niewykluczone, że za pośrednictwem Misquamacu sa, na mocy którego czarni i czerwoni będą wspólnie rządzil kontynentem, kiedy zostanie oczyszczony z białych.

— Co Doktor Hambone mógł mu zaoferować? — spytałem.

— Cóż, myślę, że dusze, przecież to nimi żywi się Ak tunowihio. Dusze to podstawa jego egzystencji. Dusze wszystkiego i wszystkich, którzy nie odeszli z tego świata w zgodzie z porządkiem rzeczy. Dusze zmarłych w pokoju są szczęśliwe. Trafiają do krainy Heammawihio, ducha jasności, gdzie spędzają wieczność jako gwiazdy. Spokojne, zadowolone, migocące.

Prawdopodobnie po raz pierwszy od czasów Little Big Horn Doktor Hambone oddał Aktunowihio dusze zmarłych niewolników. Tyle że teraz, po prawie stu dwudziestu latach, może mu ofiarować znacznie więcej niezadowolonych dusz czarnych ludzi. Miliony więcej. Dlatego właśnie Aktunowihio jest teraz taki silny. Same tylko dusze Indian nie dałyby mu takiej mocy. Ale razem z czarnymi! Pomyśleć o wszystkich czarnych, którzy zostali zlinczowani przez Ku-Klux-Klan. O tych, którzy zmarli w nieszczęściu, z biedy, w opuszczeniu. O czarnych, którzy zginęli podczas marszów o prawa obywatelskie. Wszystkie te dusze muszą dawać Aktunowihio olbrzymią siłę taką, którą wprost trudno objąć wyobraźnią. Jestem pewien, że to dusze czarnych pomagają mu zniszczyć wszystko, co wy, bezczelne białe dranie, zbudowaliście.

Zastanawiając się nad tym, co powiedział Papago Joe, dopiłem piwo i zgniotłem puszkę w ręku.

— Myślisz, że taka jest prawda? To mi dopiero zabiłeś ćwieka w głowę.

Stuknąłem palcem w czoło.

— Ja nie myślę, ja *wiem*, że taka jest prawda. Wierz mi. Tak mi mówi moja intuicja.

— Co wobec tego powinniśmy zrobić?

— Według mnie trzy rzeczy: Najpierw odszukamy Doktora Hambone'a, zlikwidujemy go i uwolnimy wszystkie więzione przez niego duchy. W ten sposób pozbawimy Aktunowihio jego ły niszczącej. Potem złowimy jego cień, co pozwoli nam zymać go w potrzasku tak długo, jak zechcemy. No i wreszcie izprawimy się z Misquamacusem — raz na zawsze.

— Świetnie! Ale jak to zrobimy?

Odetchnął głęboko.

— Nie wiem. Jeszcze o tym nie myślałem.

— A jak poradzimy sobie z Doktorem Hambone'em?

— Nie wiem, jeszcze o tym nie myślałem.

— A Aktunowihio? Czy i o nim też jeszcze nie myślałeś?

— Owszem, o nim myślałem. Dostaniemy Aktunowihio, ipiąc jego cień do butelki — tak jak to robił William Hood, amiętasz, łowca upiorów.

— Mówiłeś, że to niezmiernie trudna sztuka; tylko niewielu ą posiadło.

— To prawda. Ale poradzimy sobie z tym małym problemem. Vywołamy ducha Williama Hooda.

— Ten pomysł wydaje mi się trochę szalony — orzekłem. — ak go odnajdziemy?

— Tak samo jak odnaleźliśmy twego starego przyjaciela ipiewającą Skałę i Martina Vaizeya. Po prostu zejdziemy ponow- ie do Wielkiej Otchłani i tam go wywołamy. Potem skorzystamy nów z naszych orlich pałeczek i przeniesiemy się do Nowego orku, gdzie stawimy czoło Misquamacusowi i Aktunowihio.

— A Doktor Hambone? Co z nim?

Papago Joe uśmiechnął się szeroko.

— Teraz na mnie kolej wykonać telefon. Do Sissy LaBelle : Nowego Orleanu, mojej starej przyjaciółki. Poznałem Sissy rzez paru mądrych ludzi. Sissy będzie wiedziała, co zrobić.

Podobnie jak ja Joe wybierał swój numer dwadzieścia, trzy- lzieści razy, zanim wreszcie uzyskał połączenie. Nie można się ryło dziwić, że system łączności na terenie Stanów nie działał ak należy; Chicago się zapadło, Las Vegas i Phoenix leżały v gruzach, a teraz walił się Nowy Jork. Gdyby się udało rzekonać władze federalne, że Papago Joe i ja jesteśmy przy- iuszczalnie jedynymi ludźmi, którzy są w stanie uratować resztę połeczeństwa — tylko my dwaj — dzięki proszkowi śmierci, rlim pałeczkom i zaklęciom — z pewnością dostalibyśmy do lyspozycji gorącą linię. Ale tak zwykle bywa. Nikt ci nie iomaga, gdy starasz się ratować świat; a jak ci się to uda, nikt ci iawet nie powie dziękuję.

427

Nawiasem mówiąc, gdybym był na miejscu rządu, też by w to nie wierzył. Ja sam już z trudem w to wierzę. To by gorsze niż koszmar, gorsze niż mroczne halucynacje; i myślę, ż tak już zostanie.

— Sissy? — zapytał Papago Joe najsłodszym głosem, na jak go było stać. Po czym: — Ach, chciałbym rozmawiać z Sissy. – I znów: Ach, rozumiem. Ach, to ty, Loni. Jak się masz Loni? T Papago Joe. Przypominasz mnie sobie? Papago Joe z Phoeni: Tak, Indianin, którego poznałaś razem z Anthonym Funicellen Zgadza się. Tak jest. Jak się miewasz? Posłuchaj... mam maleńk prośbę... a Sissy jest nieobecna. Czy znasz może kogoś, kt mógłby dla mnie zrobić małe hokus-pokus? Domyślasz się, o c chodzi? Tak jest. Potrzebna mi jest Mama. — Przykrył ręk słuchawkę. — Kuzynka Sissy, niezła dziewczyna. Powinna nan pomóc. — Po czym: — Świetnie, Loni. To hej! Dobrze. No. Raczej bliżej Chicago niż Miami. W porządku. Wystarczy. Wiesz podaj mi oba na wypadek, gdyby jej nie było. Z Chicago moż być różnie. Z pewnością. Świetnie. Dobrze. Dziękuję.

Zapisał dwa nazwiska i adresy, podziękował jeszcze ra: i odłożył słuchawkę.

— Prześpij się trochę — zaproponował. — Jutro ruszamy dc Chicago.

ROZDZIAŁ 19

Następnego popołudnia za kwadrans druga zajechaliśmy przed
dom z brązowej cegły obok Avalon Park. Przylecieliśmy samolotem American Airlines, za który zapłacił Papago Joe swoją
złotą kartą kredytową American Express. Na samą myśl o bliskim spotkaniu z jeszcze jednym *krrrakkk!* wydobywającym się
z Wielkiej Otchłani cierpła na mnie skóra. Na domiar złego
Papago Joe uprzedził, że nasz zapas proszku śmierci halucynacyjnej, niezbędnego, by się znaleźć w świecie umarłych, jest bardzo
skromny. W ostatecznej rozgrywce z Misquamacusem i Ak-
unowihio musimy mieć przynajmniej dwie pokaźne porcje do
wąchania. W naszej sytuacji nie mogliśmy pozwolić sobie na
marnowanie go.

Pomimo ogromu zniszczeń w Chicago, z pewnymi ogranicze-
niami wciąż działała komunikacja lotnicza, z portem w Midway.
Udało nam się dostać na samolot, którym leciała do Chicago
grupa inżynierów i lekarzy. Chcąc uniknąć wszelkich rozmów
z przygodnymi pasażerami, zajęliśmy miejsca w tyle samolotu.
Za żadną cenę nie chcieliśmy przestraszyć tych wszystkich
urodzonych optymistów, wyjaśniając im, że obecne zniszczenia
i straty są niczym w porównaniu z tym, co zamierza zrobić
Misquamacus.

Za kilka tygodni nawet te ruiny mogłyby zniknąć. Po tym
ogromnym mieście zostałyby ławice piasku, skały i stepowa
trawa.

Jadąc taksówką przez południowe przedmieścia Chicago,
zauważyłem coś bardzo dziwnego i natychmiast swoimi spo-

429

strzeżeniami podzieliłem się z Papago Joem. Po ulicach chodzi ludzie: całymi rodzinami, parami i osobno, czarni i biali. Wszysc ubrani bardzo dobrze — powiedziałbym odświętnie. Mężczyźi w garniturach z kamizelkami, pod krawatami, kobiety w żółtyc i kremowych sukniach na halkach. Dzieci również odświętni ubrane i w rękawiczkach. Nikt nie miał kapelusza. Absolutnie nik
— Wystrojeni jak do kościoła — zauważyłem.
Papago Joe trzeźwo pokiwał głową.
— Zrób użytek ze swoich metapsychicznych zdolności – zaproponował. — Czy nie widzisz, że ci ludzie są martwi?
Rozejrzałem się po ulicach, czując narastający niepokój.
— Martwi? — spytałem.
— Oczywiście... wchodzimy w końcową fazę planu Mis quamacusa. Doktor Hambone oddał mu dusze czarnych, b pomogły mu przywołać Aktunowihio. W zamian za to Mis quamacus przywrócił do życia zmarłych... zgodnie z przepowied nią Tavibo, według religii Tańca Duchów.
Na rogu ulicy Osiemdziesiątej Drugiej i Champlain Avenue niedaleko Avalon Park, uwagę moją przyciągnęła murzyńsk rodzina. Byli tam: dziadek, babcia, wujkowie, ciotki i dzieci a nawet trzyletnia dziewczynka ubrana w cytrynowożółtą sukien kę i rękawiczki w kolorze sukienki. Stali na rogu ulicy i patrzyl przed siebie bez celu. Twarze mieli szare, a oczy przypominały rozżarzone węgle w popiele.
— To są zombie — stwierdziłem zdjęty strachem.
— Fachowo mówiąc, tak — przyznał Papago Joe.
— Wszyscy tacy wystrojeni, a nikt nie ma kapelusza.
— To zrozumiałe. Przecież nie ułożą cię do trumny w kape luszu na głowie.
Nie wiem dlaczego, ale to logiczne wyjaśnienie jeszcze bar dziej mnie przeraziło.
Zapłaciliśmy taksówkarzowi.
— Uważaj, przyjacielu, kogo zabierasz — poradził mu Papag Joe. — Niektórzy klienci mogą się okazać nie tymi, za którycł się podają.
— Potrafię odróżnić żywego od umarłego — powiedzia kierowca z miną człowieka, który wie lepiej. — Nie zabieran zmarłych. Oni nie mają pieniędzy na przejazd.
Nie wiedziałem, czy mam się śmiać czy płakać. Przypomnia mi się film Steve'a Martina *Umarli nie jeżdżą taksówkami*.

Weszliśmy po schodach do mieszkania Mamy Jones. Musieliśmy dwukrotnie zadzwonić, zanim otworzyły się drzwi. Przywitała
as przystojna, uprzejma Murzynka w kwiaciastej sukni, pach-
ąca drogimi perfumami.

— Czego panowie sobie życzą? — spytała.

— Ja jestem Joe, a to jest Harry — wyjaśnił Papago Joe.
'rzyszliśmy z pewnego rodzaju misją.

— Misją? — powtórzyła. — Kim jesteście? Może świadkami
ehowy? Dosyć mamy własnych stowarzyszeń religijnych. Ja na
rzykład wierzę w transfuzję krwi.

— Nie. Nie jesteśmy świadkami Jehowy — oznajmił Papago
oe. — Przyszliśmy zobaczyć się z Mamą Jones.

Kobieta spojrzała na nas podejrzliwie.

— Kto was tu przysłał?

— Sissy LaBelle. Czy zna pani Sissy LaBelle?

Powieki jej nieznacznie drgnęły.

— Moja matka zna Sissy LaBelle. Wspomina ją od czasu do
zasu.

— Czy Mama Jones to pani matka?

— Tak.

— Czy jest w domu?

— Nie wiem. Pójdę zobaczyć.

Papago Joe wyjął z kieszeni wisiorek, który Doktor Hambone
dał Wandzie.

— Proszę jej pokazać to — powiedział.

Nie było jednak takiej potrzeby. W drzwiach salonu, wsparta
na ramieniu pięknej młodej dziewczyny z kokardą we włosach,
stała stara, szczupła kobieta w szarej sukni. Twarz jej była tego
samego koloru co suknia. Promienie słońca odbijały się w brud-
nych soczewkach powiększających okularów, sprawiając wrażenie dwóch świecących półksiężyców.

— Mówicie, że przysłała was Sissy LaBelle? Proszę, wejdź-
cie.

Mijając kuchnię, w drodze do salonu, zauważyłem chudego
Murzyna w czarnej skórzanej kurtce. Stał ze zwisającymi rękoma.
Skinąłem głową na powitanie, lecz on chyba mnie nie widział.
Włosy miał ostrzyżone na jeża, a w uszach kolczyki. Gdyby nie
oczy, pozbawione wyrazu, i szary koloryt twarzy, byłby z niego
całkiem przystojny mężczyzna.

Nagle drzwi od kuchni zamknęły mi się przed nosem.

— Chodźcie prędzej — powiedziała Mama Jones. — To je
Nat, narzeczony mojej wnuczki.
— Wygląda jak... — urwałem skarcony spojrzeniem Papag
Joego.
Mama Jones spojrzała na mnie prowokująco.
— No, śmiało. Mów, co chciałeś powiedzieć. Że wygląda ja
trup. To prawda, że on już raz umarł. Zginął tam, gdzie praco
wał — w sklepie ze sprzętem hi-fi. Umarł i został pochowany
Teraz zmartwychwstał. Alleluja. Gdyby nie był ojcem dzieck
Trixie, nie byłoby go tutaj.
Siedzieliśmy przed kominkiem, patrząc na wystawę pocz
tówek, obrazów i akcesoriów służących do obrzędów voodoo
Mama Jones paliła papierosa, wypuszczając dym przez nos
podczas gdy Nann i Trixie poszły do kuchni przygotować kawę
Nann wcale nie ukrywała, że nie jest nam rada. Nie mogł
jednak nic zrobić, ponieważ było to mieszkanie Mamy Jones
a ona bardzo chciała porozmawiać o Sissy LaBelle i o znajomyct
z „dawnych dobrych czasów" na ulicy St. Philip, jak Chief Bc
Rebirth, Evangeline Charmant czy Jack Quezergue. Pomyślałerr
sobie, że to ostatnie, oryginalnie brzmiące nazwisko byłoby
bardzo przydatne w grze w scrabble'a.
— Chyba nie przyszliście, aby wspominać dawne czasy? —
spytała w końcu Mama Jones, prostując się na krześle.
— Nie, proszę pani — odpowiedział Papago Joe.
— Jesteś Indianinem, prawda? — spytała Mama Jones.
— Tak, proszę pani.
— A pan nie? — powiedziała, zwracając się do mnie.
— Nie, proszę pani. Ja nie.
— Tak myślałam. Nie czuję aury. — Mama Jones zaciągnęła
się papierosem i zakaszlała. — Zadaję sobie pytanie, co robi
Indianin z białym człowiekiem u kapłanki voodoo. I odpowiadam
sobie, że to pewnie ma związek z Tańcem Duchów, z Dniem
Wszystkich Cieni, który właśnie nadszedł.
— To prawda — stwierdził Papago Joe.
— Poszukujemy Doktora Hambone'a — wtrąciłem.
— Chce pan powiedzieć, zombie Doktora Hambone'a. Zmart
dawno temu. Był przyjacielem Toussainta L'Ouverture'a.
— Niech będzie zombie — wzruszył ramionami Papago Joe.
Patrzyła na nas spod przymkniętych powiek. Chyba zdawała
sobie sprawę, że wiemy niejedno o Tańcu Duchów i Doktorze

ambonie; zwłaszcza zaś o duchach i ich różnych wcieleniach. iecz ęsto zdarza się, aby ktoś siedząc w salonie i popijając twę gawędził o trupach i powieka mu nie drgnęła. A nam, emu i mnie, powieka nie drgnęła.

— Po co wam Doktor Hambone? — spytała Mama Jones.

[am nadzieję, że wiecie, co to za skurwysyn.

Papago Joe zaczął jej tłumaczyć. Nie było to łatwe — wszak bieraliśmy się częściowo tylko na przypuszczeniach. Mama nes była cierpliwym słuchaczem. Czekając, aż Papago Joe ończy swoją opowieść, odpalała jednego papierosa od drugiego.

— Dobrze to sobie obmyśliliście — stwierdziła. — Przed iekami drogi Doktora Hambone'a i Maccusa spotkały się. pracowali wspólnie program przyszłości Indian i Murzynów.) było w dniu, który do dzisiaj nazywamy Dniem Duszy. 'krótce jednak Doktor Hambone zainteresował się katoli- zmem. Był zafascynowany cudami, które czynił Chrystus, uznał, że moc Boga bardziej go pociąga niż moc Wielkiego anitu. Zdradził nas. Zaczął pracować dla białych. Śledził diańskich czarowników, starając się pozbawić ich magicznej ły.

W końcu Indianie złapali go i wyperswadowali mu, żeby nienił orientację. Szamani Santi przeciągnęli go przez prze- rzeń kosmiczną, od krańca do krańca. A, wierzcie mi, dzieją tam rzeczy, o których lepiej nie myśleć, jeśli się chce pozostać zy zdrowych zmysłach.

Słusznie sądzicie, że wszystkie dusze, które miał, oddał awołowi-Widmu, czy jak go tam nazywacie, indiańskiemu)gowi ciemności. Wspólnymi siłami chce teraz zniszczyć świat ałego człowieka do ostatniej cegły.

— A pani się to podoba? — zapytałem.

Odwróciła się i utkwiła we mnie spojrzenie swoich kruczo- arnych oczu.

— Nie może pan sobie nawet wyobrazić, ile wycierpieli urzyni przez te wszystkie lata. Nie ma pan pojęcia, jak wy- ądało Chicago w czasach slumsów. Teraz też nie jest lepiej, vłaszcza jeżeli jest się biednym i do tego Murzynem. Na Grand venue rodzą się murzyńskie dzieci już w łonie matki uzależ- one od narkotyków. Jeżeli tak ma wyglądać świat białego łowieka, to my nie chcemy w nim żyć.

— Do czego więc zmierzacie? Czy chcecie jak Indianie żyć

w wigwamach? Czy zdaje sobie pani sprawę, jak zimno je
w namiocie nad jeziorem Michigan podczas ostrej zimy? Czy
macie zamiar się poruszać? Czy nauczy się pani jeździć r
konikach palomino? Czy upoluje pani bawołu na obiad? N
miłość boską, czy wyobraża sobie pani, jak uciążliwe byłob
życie w takich warunkach? Bez szpitali, bez sanitariatów, be
szkół, autostrad, dróg i supermarketów? Czy chce mi pa
wmówić, że pragnie pani, żeby wnuczka, prawnuczka i pra
prawnuczka żyły w epoce kamienia łupanego?

— To jest zemsta — gwałtownie odpowiedziała Mama Jone
Przywieźli nas z Afryki jak bydło. Zniszczyli naszą kultur
naszą godność. A teraz — proszę! Gdzie się podziały wasz
autostrady? Gdzie są wasze dumne wieże? Przygięliśmy was c
ziemi.

— Proszę mnie posłuchać, Mamo Jones. Historia nie st
w miejscu. Nie można jej też cofnąć. Lepiej byłoby dla wa
zmienić świat, a nie zniszczyć go. Czy chciałaby pani, żeb
dziecko Trixie było pozbawione opieki lekarskiej lub stomatolo
gicznej, żeby nie miało szans zwiedzić świat? Nie wiem jak Na
ale Trixie, jestem pewien, tego by nie chciała.

— Oni nas zdruzgotali. Wy przeklęci biali ludzie. Wyście na
zniszczyli. — Po pomarszczonych policzkach ściekały łzy.

— Czy moglibyśmy nawiązać kontakt z Doktorem Har
bone'em? — próbował wrócić do sprawy Papago Joe. — Cz
zrobi to pani dla nas? Chcemy z nim tylko porozmawiać.

Pociągnęła nosem, wytarła oczy i wzruszyła ramionami.

Papago Joe spojrzał na mnie. Wziąłem Mamę Jones za rę
i pogłaskałem.

— Czy moglibyśmy się z nim spotkać?... Porozmawiać z nir
Wiemy, że jest ostry, ale chyba i miłosierny. Spotkaliśmy ma
białą dziewczynkę, którą uratował. Może uda nam się c
uzyskać? Wiadomo — zemsta, ale może nie aż tak totalna.

— Dobrze — zgodziła się Mama Jones. — Ale pamiętajci
tylko rozmowa. Doktor Hambone jest bardzo potężnym czaro
nikiem, i jeżeli coś pójdzie nie tak... Nie wiem, czy wiecie, c
znaczy wieczne potępienie, lecz zapewniam was, że Dokt
Hambone może je wam bez trudu zapewnić.

Oglądaliśmy w kuchni wiadomości telewizyjne, podczas g
Mama Jones przygotowywała pokój do seansu i spotkania z Do
torem Hambone'em. Nat poszedł do sypialni, co przyjąłe

wielką ulgą. Z dziennika dowiedzieliśmy się, że cała Upper
ast Side i centrum finansowe Nowego Jorku zostały zrównane
ziemią. Niepotwierdzone źródła przyniosły wiadomość, że
lidtown Tunnel został zatopiony, a Brooklyn Bridge częściowo
niszczony. Słuchałem wiadomości i ciało moje stopniowo ogar-
iało drętwienie, jak kiedy w bardzo mroźny dzień marzną
złowiekowi nogi. Dopiero później zdałem sobie sprawę, że to
złoba tak mną owładnęła.

Doskonale rozumiałem żałobę Indian, po tym jak utracili
czystą ziemię, swoją magiczną moc i tysiące ukochanych sióstr
braci. I nie było nikogo, kto by im wyjaśnił, dlaczego tak się
ało.

Mama Jones poprosiła nas do salonu. Pokój tonął w dymie
w ciemnościach. Zasłony na oknach były szczelnie zasunięte.
ylko jedna świeczka, która paliła się w czerwonej szklanej kuli,
»zjaśniała mrok pokoju.

Na stole nakrytym spłowiałym czerwonym obrusem Mama
»nes ustawiła szkielet kogucika, małą zeschniętą czaszkę i rząd
»lorowych świętych figurek.

— Jeszcze raz przypominam — powiedziała — że to ma być
lko rozmowa. Nic więcej.

Zamknęła drzwi i usiedliśmy wokół stołu. Siedzieliśmy bardzo
ugo, aż poczułem drętwienie w lewej stopie. Mama Jones nie
lzywała się, tylko jej lewa ręka leciutko drżała.

Po dziesięciu minutach, które wydawały się wiecznością,
lama Jones odezwała się.

— Jonaszu DuPaul, pokornie proszę cię o rozmowę. Jonaszu
uPaul, czy mnie słyszysz?

Jedyną odpowiedzią była cisza. Miałem wrażenie, że moja
opa stała się pięć razy większa. Poczułem ból w plecach. Po
z pierwszy brałem udział w seansie voodoo i zupełnie nie
iałem pojęcia, czego mogę się spodziewać. Pomyślałem, że
żeli obrzędy voodoo są tak męczące jak ten, wolę pozostać
zy wróżeniu z fusów po herbacie.

Zobaczyłem, że Papago Joe zmarszczył brwi i rzuca na boki
ybkie spojrzenia.

— O co chodzi? — spytałem.

Odpowiedział coś i znów spoglądał na boki, jakby dając mi
kieś znaki oczyma.

Odwróciłem się i o mało nie spadłem z krzesła w ataku

435

serca. Za moimi plecami, nie dalej niż piętnaście centymetró
za mną, stał wysoki smukły Murzyn w zakurzonym fraku. Jeg
twarz przypominała maskę. Miał świecące oczy i żółte ja
u szczura zęby.

— Jonasz DuPaul — spokojnie stwierdziła Mama Jones. –
Witaj, Jonaszu DuPaul.

Murzyn, nie poruszając nogami, prześlizgiwał się wokół stołu
Zatrzymał się nad czerwoną lampą, której blask nadał mu jeszcz
bardziej upiorny wygląd, jakby cały był przesiąknięty krwią.

Kiedy się odezwał, jego głos nie wychodził z ust, lecz z małej
drewnianej szafki, która stała w rogu pokoju. Miałem nieprzepai
tą chęć otworzyć drzwiczki i sprawdzić, czy nie ma tam ukryteg
głośnika. Nie zrobiłem tego, w obawie że natknę się tam n
jeszcze okropniejsze atrybuty voodoo, jak na przykład czaszkε
która mówi, czy małpa wysuszona do rozmiarów pająka.

— Jestem teraz bardzo zajęty, Mamo — powiedział Dokto
Hambone. — Dlaczego mnie wzywasz? Nie wiesz, że to jest Dzie
Wszystkich Cieni? Nie widzisz, że wchłaniamy wszystkie pomnił
chciwości, pomniki niewolnictwa, pomniki ucisku? Alleluja.

— Alleluja — powtórzyła jak echo Mama Jones.

Głowa Doktora Hambone'a z łatwością obróciła się, jakb
obsadzona była na dobrze naoliwionym łożysku. Jego obrzydliw
uśmiech był jak grymas kanibala. Nieraz miałem do czynieni
z tajemniczymi duchami czy istotami nadprzyrodzonymi w rój
nych postaciach. Ale żadna z nich nie przeraziła mnie tak ja
Doktor Hambone. To był trup, który chodził. Trup, który władε
duszami innych zmarłych. To był handlarz dusz.

— Czego chcecie ode mnie? — spytał Doktor Hambone. –
Mówcie szybko i jasno. I mówcie prawdę.

— Chcemy, żebyś przywołał z powrotem dusze, które dałε
Misquamacusowi. Chcemy, żebyś rozważył swoje poczynania –
powiedziałem.

Jego spojrzenie przeszyło moje ciało dreszczem grozy. Pięść
wparł w przykryty obrusem stół z taką siłą, że kostki rozerwał
skórę i wyszły na wierzch.

— Ja mam rozważyć swoje poczynania? Czy to ma być jak
żart białych? Niszczymy właśnie wasze wielkie miasta, a ty n
proponujesz, żebym rozważył swoje poczynania. Ha, ha, ha. H
ha, ha! Mamo Jones, po to wyczarowałaś mojego ducha ı
ziemię, żeby ten biały zgłaszał mi takie propozycje?

— Panie DuPaul — wtrącił się Papago Joe. — Mój przyjaciel ie miał zamiaru pana rozśmieszyć, prosząc, aby pan ponownie ozważył swoje poczynania. Chciał tylko pana prosić, aby pan dwołał wszystkie te dusze.

— Proszę pana... — rzekł Doktor Hambone. — Myślę, że opełnia pan wielki błąd. Widzę, że nie wie pan, kim jestem.

— Doskonale wiem — odparł Papago Joe.

Sięgnął do kieszeni i wyjął wisiorek przedstawiający kogucika. W czerwonym, upiornym świetle świecy wisiorek kręcił się błyszczał.

— Pan jest Piłozab, Jonasz DuPaul i potężny czarownik Doktor Hambone w jednej osobie.

Papago Joe wydawał się zupełnie spokojny, a ja zgrzytałem zębami ze strachu i zdenerwowania. Pozwolił, żeby wisiorek kręcił się jeszcze przez dłuższą chwilę, a potem odezwał się.

— Ten amulet dostał pan od Toussainta L'Ouverture'a, rawda?

Doktor Hambone nie mógł oderwać oczu od amuletu. Uniósł swoją na wpół zmumifikowaną rękę, lecz Papago Joe pociągnął wisiorek do siebie.

— Kto i dlaczego dał amulet Toussaintowi L'Ouver-ture'owi? Oto jest pytanie. Pan, Doktorze Hambone, zna od-powiedź. Dostał go od czarownika voodoo, żeby chronił go przed zombie, demonami i złymi bóstwami. Amulet przenosił cechy osobowe z jednego właściciela na drugiego. W ten sposób pan, podobnie jak czarownik, stał się nietykalny dla zombie. Ale Toussaint L'Ouverture przekazał amuletowi także swoje cechy. Kiedy włożył pan amulet, zdradził pan wasz układ dotyczący Dnia Duszy i zawarł pakt z Misquamacusem, czyż nie? Toussaint L'Ouverture chciał wszelkimi siłami walczyć o postęp i oświecenie, nawet gdyby musiał w tym celu sprzy-mierzyć się z białymi.

Potem podarował pan amulet małej białej dziewczynce. Kiedy go nosiła, ta mała biała dziewczynka była odważna, miała magiczną moc i rozum ponad swój wiek — jak pan. A co by było, gdybym teraz oddał ten amulet panu?

Doktor Hambone wpatrywał się w Papago Joego tak strasznym wzrokiem, że oczy omal nie wyskoczyły mu z orbit. Odwracając się w stronę Mamy Jones, ryknął z taką furią, aż drzwi szafki otworzyły się i zakołysały na złamanych zawiasach.

437

— Jesteś zdrajczynią! Dlaczego mnie wezwałaś? Zdrajczyn
Sprawię, że będziesz żyła w cierpieniu! Zobaczysz!

W tej chwili Papago Joe rzucił amulet do góry. Popłynął prze
pokój, jak film w zwolnionym tempie, a łańcuszek zapętlił si
jak lasso. Doktor Hambone uniósł się i usiłował złapać łańcusze
ręką, ale pętla przeleciała przez jego głowę i opadła mu na szyję

Wrzask, który wydobył się z gardła Doktora Hambone'ε
wstrząsnął nawet szklanym żyrandolem. Doktor Hambone ściąg
nął ze stołu serwetę, z której rozsypały się na wszystkie stron
kości kogucika, figurki i szklane paciorki. Lampa spadła n
podłogę, oświetlając frędzle u zasłon.

— Harry! — krzyknął Papago Joe. — Zasłony!

Rzuciłem się z furią i jednym pociągnięciem rozsunąłem je n
boki, by móc otworzyć okno. Powódź słońca zalała pokój.

Doktor Hambone z wytrzeszczonymi oczyma i ustami roz
ciągniętymi w ohydnym grymasie szarpał za łańcuszek amuletu
Na moich oczach zaczął kurczyć się i rozpadać. Jego fra
stracił fason, nogi zaś rozsypały się pod nim. Z pustych oczodo
łów wypadły oczy jak dwie suszone śliwki. Kości nadgarstków
rozdarły pergaminową skórę. Głowa odskoczyła do tyłu, po
chwili cały bezgłośnie osunął się na podłogę.

Z otwartej szafki dobiegł mnie zamierający krzyk. A może to
było złudzenie?

Ale złudzeniem nie był na pewno krzyk, który usłyszeliśmy
z kuchni. Krzyk rozpaczy, cierpienia i beznadziei. W otwartych
drzwiach salonu ukazała się przerażona Nann.

— To Nat! Babciu! To Nat!

Poszliśmy z Papago Joem do kuchni. Na podłodze leżał
zmiażdżony i połamany Nat. Krwawa piana wyciekała mu z ust.
Jedna noga, ustawiona pod bardzo dziwnym kątem, sterczała
spod jego ciała. Całe ciało trzęsło się i dygotało.

Trixie, z twarzą zalaną łzami, klęczała koło niego.

— Co się stało? — pytała histerycznym głosem.

Nie mogliśmy pomóc. Nat już kiedyś umarł, a teraz, kiedy
jego duchowy mistrz odszedł, umierał po raz drugi. Zmiażdżony
przez górę betonu, połamany przez spadające belki.

Nann przeżegnała się i złożyła ręce do modlitwy.

— Czy nie można mu pomóc? — wołała Trixie. — On tak
cierpi!

Papago Joe delikatnie położył rękę na jej ramieniu.

— Bardzo mi przykro. On nie miał umrzeć. Ale nie miał też
nartwychwstać. To jest błędne koło.

Z ulicy słychać było krzyki, płacz i bieganinę. Papago Joe
pojrzał na mnie. Wiedzieliśmy, co się stało. Ludzie z odkrytymi
owami również padali. Wyjrzałem przez okno w kuchni i zo-
aczyłem parę starszych ludzi leżących twarzą do chodnika.
bok nich klęczała zrozpaczona kobieta w średnim wieku. Już
z ich pochowała; teraz musi ich pochować na nowo.

— Coś ty zrobił?! — krzyczała Mama Jones ochrypłym
osem. Co ty zrobiłeś?

— Coś ci pokażę — rzekł Papago Joe. Poprowadził nas do
.lonu i stanął nad ciałem Doktora Hambone'a. — Podejdź tu,
arry. Zobacz.

Nie śpiesząc się, podszedłem i spojrzałem. Ku mojemu zdzi-
ieniu zakurzony frak Doktora Hambone'a otulał ciało młodego
zynasto- lub czternastoletniego chłopca. Wyschnięta śniada
óra ledwie obciągała kości, mimo to twarz nosiła ślady dawnej
ody.

— Co się stało? Nic nie rozumiem — powiedziałem do
apago Joego.

— To bardzo proste — odparł Papago Joe. — Wanda nosząc
n amulet przekazała mu swoją młodość. Doktor Hambone stał
ę znów dzieckiem. Dzieckiem, które nie znało voodoo, dziec-
em, które nie miało dość siły, by utrzymać przy życiu zmarłą
uszę w ciele trupa.

W otwartych drzwiach, z twarzą szarą jak popiół, stała roz-
zęsiona Mama Jones. Papago Joe zwrócił się do niej.

— Mamo Jones, musisz zrobić jeszcze jedną rzecz.

— Nie mogę — wyszeptała. — Nie mogę.

Papago Joe wziął ją za rękę.

— Ależ tak. Możesz to zrobić. Pobłogosław to ciało zgodnie
obrządkiem voodoo. Zrób to teraz. W tym ciele uwięzione są
tki tysięcy nieszczęśliwych dusz. Możesz sprawić, że te biedne
usze osiągną upragniony spokój i zadowolenie. Pomóż im
zekroczyć Jordan, niech znajdą się tam, gdzie jest należne im
iejsce.

Mama Jones przeżegnała się.

— Dobrze. Sprawy zaszły już tak daleko, że najwyższy czas
ałożyć im kres. Zrobię to.

Papago Joe znacząco ścisnął mnie za ramię.

— O to właśnie chodzi. W ten sposób pozbędziemy się ty[ ] wszystkich czarnych duchów, na których liczy Misquamacu[ ] Zapamiętaj moje słowa, Harry. Jak tylko Mama Jones pobłogo[ ] ławi ciało, wszystkie duchy uspokoją się. Aktunowihio nie będz[ ] miał siły, żeby zniszczyć starą szopę, co dopiero mówić o drap[ ] czu chmur.

— Sprytny z ciebie chłopak, Joe — powiedziałem. — Nigd[ ] bym nie wpadł na pomysł z amuletem. Nawet gdybym myśl[ ] przez sto lat.

Znów ścisnął mnie za ramię.

— Chcesz znać prawdę? Nawet przez moment nie wierzyłe[ ] że amulet może zadziałać.

— Chyba żartujesz? Myślałem, że wszystko miałeś staranni[ ] przemyślane. A co byś zrobił, gdyby amulet zawiódł?

Wzruszył ramionami.

— Nie mam pojęcia. Może kopnąłbym go w jaja?

ROZDZIAŁ 20

O siódmej wieczorem na lotnisku Midway zjawił się Dude S.
. Miał na sobie podarte na kolanach dżinsy, kowbojskie buty
koszulkę z napisem. „Wdzięczni zmarli", a na ramieniu płócien-
ą torbę ozdobioną portretami wszystkich ludzi Smileya ze
ynnej powieści Johna Le Carre i guzikami z napisem „Nixon
a prezydenta". Był nieogolony, zmęczony i miał woskową twarz.
Vyglądał jak Jim Morrison.
Przywitaliśmy go, wzięliśmy od niego torbę i podeszliśmy do
zekającej na nas taksówki.
— Jak wyglądają sprawy w Phoenix? — spytałem.
— Powoli się uspokaja. W każdym razie ustał wiatr i domy
rzestały jeździć. Ale miasto jest nie do poznania. Ruina,
urde mol.
— W Chicago też nie lepiej. Prawie całe śródmieście leży
r gruzach.
Dude S. N. pochylając się do Papago Joego powiedział:
— Śmiertelnie mnie przestraszyłeś. Chyba zdajesz sobie
tego sprawę?
— O co ci chodzi? — spytał Papago Joe.
— O tych facetów, których przysłałeś, żeby mnie zgarnęli.
iedy wielka czarna limuzyna wyłoniła się koło przyczepy, nie
ogłem uwierzyć własnym oczom. Wysiadło z niej dwóch
paczów z przepaskami na głowach, w ciemnych okularach
w garniturach od Armaniego. Tacy ogromni i kanciaści, wy-
ądali jak te szalety z czerwonej cegły. Powiedzieli, że zabierają
nie na przejażdżkę. Pomyślałem sobie — człowieku, już jesteś

441

martwy. Naprawdę tak myślałem. Byłem pewny, że zabior mnie na pustynię i wpakują mi kulkę w ucho.

— Bardzo cię przepraszam — rzekł Papago Joe. — Ni miałem innej możliwości. Telefony nie działały i jedyne, c mogłem zrobić, to połączyć się z Jimem Szarym Wilkiem, któr ma telefon w samochodzie. Jaki miałeś lot?

— Trochę rzucało. Ale te learjety to coś wspaniałego. Sar bym chciał mieć taki.

— Jim Szary Wilk ma dwa — oznajmił Papago Joe.

— Bardzo pożyteczny przyjaciel na dzisiejsze czasy — z uważyłem.

— Jest mi winien pewną drobną przysługę — wyjaśnił Papag Joe, nie przestając strzelać palcami.

Rzuciłem okiem na Dude'a S. N., ale jego mina mówił. „Tylko mnie o nic nie pytaj". Przyszło mi do głowy, że Papag Joe ukrywa jakąś tajemnicę. Jak zresztą każdy człowiek, czy nie?

Wynajęliśmy pokój w Four Lakes Lodge, jakiś kilometr n zachód od Downer's Grove. Było to spokojne, typowe, nudn przedmieście Chicago, niczym nieodróżniające się od innycł Tak samo miało dzielnicę handlową i całe hektary betonowyc parkingów. Pomarańczowe światła reklam barwiły niebo. Indiani z Równin mogli zawsze oglądać gwiazdy.

Obiad składający się ze steków i frytek zjedliśmy w pokc ju. Dude S. N. zamówił tylko surówkę. Wczoraj postanowi że musi się uduchowić i zjednoczyć z naturą. Oznaczało t że jego system trawienny może obcować tylko z liśćmi sała ty, belgijską cykorią i z niczym innym. Moja uwaga, że pre zydent jest entuzjastą belgijskiej cykorii, nie zdołała go od straszyć.

— Jarzyny to jarzyny, a polityka to polityka, nie? Widziałe kiedyś marchew o faszystowskiej orientacji?

Papago Joe zapoznał Dude'a S. N. z naszymi planami. Chru piąc sałatę, zielony pieprz i lucernę Dude S. N. z uznaniei kiwał głową.

— Wspaniały pomysł. Wymaga stalowych nerwów. Człowie ku, zrobię wszystko, co trzeba. Możecie mi wierzyć.

Cały czas mieliśmy włączony telewizor, żeby wiedzieć, co si dzieje w Nowym Jorku. Mimo że całe miasto było zawalon porozbijanymi samochodami i stertami gruzów, po naszej wizyci

442

Mamy Jones nie zawalił się już żaden większy budynek. Iczba zmarłych i zaginionych sięgała dziesiątków tysięcy. Próbowałem połączyć się z Amelią. Niestety, linia stale była jęta, a kiedy uzyskałem coś w rodzaju połączenia, w miesz- niu Amelii nikt nie odpowiadał.

— Może zdołaliśmy osłabić moc Aktunowihio, zabierając u czarne dusze — rzekł Papago Joe — ale nie wolno nam pominać, że to wyjątkowo potężny duch. Mówię poważnie, n duch ciemności jest przepotężny. No i musimy pamiętać, że i tym wszystkim kryje się interes Misquamacusa. A on jest xrutny i podstępny i zrobi wszystko, żeby pokrzyżować nam any. Wszystko.

— Twoje słowa działają na mnie jak balsam — powiedział ude S. N. — Kiedy wyruszamy?

Spaliśmy dwie i pół godziny. Siedem minut po trzeciej czasu ntralnego usiedliśmy wokół stołu. Papago Joe uważnie dzielił sztki proszku śmierci.

— Mam nadzieję, że nie będzie upału — powiedział z na- ieją Dude S. N. — Nie chciałbym, żeby te święte szczątki psuły się w moim wnętrzu.

Pierwszy powąchał Papago Joe. Po nim Dude S. N., a na ncu ja. Siedzieliśmy wyprostowani i patrzyliśmy na siebie.

— Człowieku, to mnie nie rusza, ni cholery!

Lecz już za chwilę spojrzał na mnie szeroko otwartymi oczami wrzasnął:

— Człowieku, tu jest zupełnie ciemno! Kto zgasił to pieprzone viatło?

Papago Joe wziął go za rękę.

— Uspokój się, S. N. Nie ma powodu do obaw. Wszyscy zechodzimy to samo. Jesteśmy martwi.

— Nie chcę być martwy! — wrzasnął Dude S. N., zrywając ę na równe nogi. — Człowieku, ja to pieprzę! Nie chcę być artwy! Zmieniłem zdanie!

Schwyciłem go za rękaw i zmusiłem, żeby usiadł.

— Na miłość boską, przecież nie umarłeś naprawdę! To twój ózg doznaje halucynacji, tak jakbyś był martwy. To wszystko. ez tego nie mógłbyś wejść do Wielkiej Otchłani. Żywi ludzie e idą do nieba, czy chcą, czy nie chcą.

Zdenerwowany Dude S. N. uwolnił swój rękaw z mojego cisku.

443

— No dobrze, dobrze. Nie jestem martwy. Wszystko je
ekstra. Nie mówmy już o tym.

Prowadzeni przez Papago Joego opuściliśmy gęsiego Fo
Lakes Lodge. Przeszliśmy przez parking i doszliśmy do nędzn
wyglądającej budowy. Pomimo wylanych fundamentów spr
wiała wrażenie, jakby zatrzymano ją z braku pieniędzy. Połamar
ogrodzenie, sterczące pręty zbrojenia i rdzewiejące betoniarki -
wszystko było przerośnięte trawą i chwastami. Przez ogrodzeni
kurnika ponuro świszczał nocny wiatr.

— Właśnie ze względu na to miejsce wybrałem na nasz
kwaterę Four Lakes Lodge — oznajmił Papago Joe.

— Tu jest zimno — stwierdził Dude S. N. — Za nic n
chciałbym spędzić tutaj lata.

Weszliśmy do wykopanego w ziemi ciemnego rowu meliora
cyjnego. Ponieważ byliśmy martwi, nasze ciała dawały ledw
widoczny blask. Z trudem przekopywaliśmy skorupę ziem
zardzewiałym szpadlem. Pod nią była tylko ciemność i pustk
ciągnąca się w nieskończoność.

Dude S. N. zajrzał w tę ciemność i popatrzył na Papag
Joego, a później na mnie.

— Człowieku, tu nie ma żadnej pieprzonej drogi. To je
wieczność.

— Raz już byliśmy tam z Harrym. Obaj wróciliśmy -
spokojnie tłumaczył mu Papago Joe. — Ty też wrócisz.

— No, dalej S. N. — poklepałem go po ramieniu. — N
pewno wszystko będzie dobrze.

— Człowieku, nie mogę! — wrzasnął S. N.

Zdenerwował mnie, pierwszy raz od chwili, gdy zaspan
otworzył drzwi przyczepy. Złapałem go za ramiona i przyci
nąłem swój nos do jego nosa tak blisko, że nawet nie mogliśm
spojrzeć sobie w oczy.

— Zrobisz to, rozumiesz? — wyszeptałem mu prosto w twar
Nie masz innego, pieprzonego wyjścia.

Dude S. N. odetchnął głębokim, lekko wibrującym oddechen
— W porządku... już dobrze. Po prostu zgłupiałem. J
wszystko w porządku. Nie ma sprawy. Wszystko jest ekstr
dobra?

Pierwszy szedł Papago Joe, wspinając się (ślizgając?) i padaja
w ciemność. Następny był Dude S. N. Kurczowo trzymał mnie z
rękę i tylko słyszałem, jak co chwila wołał:

— O kuurde!

Na końcu szedłem ja, wpadając w ciemność, wpadając śmierć. Było w tym coś znajomego — coś miękkiego, ciepłego oczekującego — jakbym padał na łóżko. Może kiedy człowiek st starszy, śmierć jest właśnie taka — przyjazna i oczekująca. loże śmierć wiedziała, że wkrótce do niej dołączymy, z prochu owstałeś, w proch się obrócisz.

Byliśmy na prerii, gdzie hulał wiatr, a nad nami rozgwieżdżone lebo. Chociaż jezioro Michigan było zbyt daleko, abyśmy mogli : zobaczyć, czuliśmy łagodny powiew wiatru od wody.

— Chodźcie, zbierzmy się — powiedział Papago Joe — wezwijmy naszych przewodników, by zakończyć na zawsze :n Taniec Duchów.

Wyjął swoje pałeczki i zaczął wybijać rytm. Dude S. N. atrzył na niego oczarowany.

— Człowieku, to prawdziwa wirtuozeria. Naprawdę. Dodając ·ochę rapu, moglibyśmy z tego zrobić koncert. No wiesz, taki :ap Śmierci albo coś w tym stylu.

Spojrzałem na niego zimno, aż się wzdrygnął i powiedział:

— Przepraszam. Wybaczcie mi. Nie chciałem być nietak-owny.

— Wzywam duchy przewodników... — zawołał Papago Joe. ·roszę duchy o pomoc... Wzywam Śpiewającą Skałę, Martina ʾaizeya i jeszcze jednego ducha. Wzywam Williama Hooda, owcę upiorów.

Siedzieliśmy na prerii, słuchając szumu traw, kiedy nagle auważyliśmy dwa migoczące światełka. Małe, blade, drgające, jednak widoczne z daleka. Nie mieliśmy wątpliwości, że byli o Śpiewająca Skała i Martin. Wkrótce migoczące światełka rzemieniły się w świecące duchy — piękne, świecące duchy. ʾodeszli do nas i uścisnęliśmy się.

Duchy przeniknęły w nas.

Połączyły się z nami.

Dude S. N. popatrzył na Papago Joego, a potem na mnie.

— Nie chciałbym być wścibski — powiedział — ale ci aceci... Urwał i zmieszany rozejrzał się dokoła. — Dokąd poszli i faceci?

— Są tutaj — odpowiedział Papago Joe. — Oni są w nas. Dude S. N, zajrzał mi głęboko w oczy.

— Nic nie widzę.

445

— Wiem — odpowiedziałem. — Ale ja to czuję.
— To ekstra! — Potrząsnął głową. — To naprawdę ekstra
Czułem, jak znajdujący się we mnie Martin korzysta z moic
szarych komórek, z mojej świadomości. Zamknąłem oczy i p
wiedziałem:
— Witaj!
Moje tętnice i żyły wypełniły się ciepłem jego osobowoś
i staliśmy się jedną istotą.
— Posłuchaj — zwróciłem się do niego. — Jak to jest z tyn
widelcami? Jak one działają?
— *Czy to teraz ma jakieś znaczenie? Przecież one zginęły*
— Nic podobnego. Rozmawiałem z Amelią. Wydostała j
z aresztu śledczego. Są teraz u niej.
— *Są u niej? Na pewno? Jeżeli tak, to możesz wykończy*
Misquamacusa. Raz na zawsze.
— Na miłość boską, w jaki sposób? Nie udało mi się zabi
Misquamacusa obrzynem, a ma mi się udać dwoma widelcami
— *To bardzo proste... i logiczne. Zrobili je Celtowie w Wali*
przed wieloma wiekami.
— Wspaniale. Ale jak ich użyć?
— *Tak jak używa się różdżki lub światłowodów. Celtowi*
nauczyli się je robić od Egipcjan. Widzisz, kiedy egipscy żeglarz
jako pierwsi odkryli Nowy Świat, wszędzie było pełno demonó
i duchów. Chcąc wylądować i zbadać te tereny, musieli zapewni
sobie obronę.
— Chcesz powiedzieć, że duchy i demony tak zwyczajni
spacerowały po tych ziemiach?
— *Oczywiście. Duchy unosiły się nad ziemią, nie kryjąc się*
ponieważ była to niewinna kraina, której mieszkańcy wierzyl
w duchy. Karmili je, dając im żywność, mleko i krew bawołu
Niektóre widział jeszcze Kolumb... Mężczyzn bez głów i dzikie
psy chodzące na tylnych łapach. W tamtych czasach nawe
Aktunowihio unosił się nad ziemią pod postacią bawołu.
— Ale jak mamy posłużyć się tymi widelcami?
— *Mówiłem, że to proste. Każdy duch ma w sobie baterię*
elektryczną. Tak naprawdę to ona tworzy ducha. Jeżeli skierujes:
trzonki widelców w jego stronę, on w nie wskoczy. Potem trzeb
owinąć trzonki gumą lub innym materiałem izolacyjnym. Duc
będzie miał wtedy tylko jedną drogę wyjścia — przez zęb
widelców, przez sześć zębów. Będzie musiał więc podzielić się n

eść — *magiczną liczbę sześć* — i *aby móc znów stać się*
ałością, będzie musiał znaleźć dwa inne duchy, które przedtem
odzieliły się tak jak on.
— Trzy duchy podzielone na sześć? To znaczy sześć, sześć,
ześć.
— *Właśnie! To jest cyfra bestii. Zawsze nią była i zawsze*
ędzie. Była nią od początku świata.
Papago Joe wybierał pałeczki z orlich piór.
— Jesteśmy gotowi. Możemy ruszać — powiedział niecierp-
wie.
— A gdzie jest ten Hood czy jak mu tam? — spytał Dude
. N.
— Nie wiem — odpowiedział Papago Joe. — Jeżeli zaraz nie
rzyjdzie, będziemy musieli obejść się bez niego.
— Hej, człowieku, to zbyt niebezpieczne — protestował
)ude S.N.
— Nie zmartwiłbym się za bardzo — odparował Papago Joe.
Iie musiałbyś iść z nami. Bez ducha przewodnika nie możesz.
— Przepraszam, że się żołądkowałem — powiedział S. N.
Czekaliśmy bez końca pod atramentowym niebem, na at-
amentowej prerii, na ziemi zmarłych. Wiatr niósł woń gumo-
vych drzew i inne zapachy, których — miałem taką nadzieję —
vspółczesna Ameryka już nie pozna. Zaproponowałem Papago
oemu, żeby jeszcze raz wezwał Williama Hooda, ale on się
przeciwił. Poparł go Martin Vaizey, tkwiący we mnie. Ducha
nożna wezwać tylko raz. Jeżeli on czy ona nie zechcą od-
)owiedzieć, trzeba zrezygnować — to przywilej zmarłych.
Kiedy już prawie straciłem nadzieję, na horyzoncie pokazał
ię niewyraźny zielonkawy płomyczek. Tańcząc, zbliżał się
)owoli, coraz jaśniejszy, aż przemienił się w postać. W naszą
tronę szybkim krokiem zmierzał szczupły młodzieniec w ka-
)eluszu z szerokim rondem. Ubrany był w obszarpane skórzane
)dzienie, u pasa zwisały mu butelki i flaszeczki. Podszedł
lo nas, zatrzymał się i śmiałym wzrokiem zmierzył każdego
: nas. Miał szpiczasty nos, bystre i przenikliwe spojrzenie,
, jego broda porośnięta była jasną szczeciną. To była twarz
zczurołapa.
— Czy jesteś Williamem Hoodem? — spytałem go.
— *A jeśli jestem?*
— Ty jesteś łowcą upiorów, prawda? Musimy schwytać cień.

— *Czyj?*

— Cień Aktunowihio. Najstraszniejszy, jaki kiedykolwiek istniał.

— *Mogę go schwytać. Już raz to zrobiłem.*

— Wiem. Nad Little Big Horn.

William Hood popatrzył na mnie lodowatym wzrokiem.

— *Skąd o tym wiesz?*

— Widziałem zdjęcia, które zrobił Mark Kellogg.

Lodowate spojrzenie powoli topniało. Na ustach pojawił się nikły ślad uśmiechu.

— *Zatem jesteś człowiekiem wierzącym. Dobrze wiedzieć.*

— Czy wiesz, co się dzieje? — spytałem go. — Aktunowihio zniszczył już połowę Nowego Jorku, połowę Chicago, Phoenix Las Vegas i mnóstwo mniejszych miast.

— *Zmarłym, przyjacielu, rzadko się zdarza, by nie zwrócić uwagi na innych zmarłych. Nie mówiąc już o tych budowlach i całym tym śmietniku. Nigdy nie widziałem czegoś takiego.*

— Pomożesz nam? — spytałem. — Dude S. N. jest mniej więcej w twoim wieku i z łatwością mógłbyś się w niego wcielić Dzięki niemu poczujesz na nowo, co to znaczy żyć. Oczywiście jeżeli nauczysz go, jak złapać cień.

William Hood pomyślał chwilę i powiedział:

— *Zgoda... Nie mam nic przeciwko temu. Wiesz, że wieczność trwa bardzo długo. Wszystko, co może przerwać tę monotonię jest mile widziane.*

Papago Joe wyciągnął swoje pałeczki z orlich piór.

— Masz. Trzymaj je. Idziemy.

Kiedy Dude S. N. i William Hood schwycili pałeczki, ich kontury zaczęły się zlewać. Światło przenikało światło, cień przenikał cień. Dude S. N. spojrzał w lewo, potem w prawo, po czym obejrzał się za siebie. Uderzył się ręką w pierś i powiedział

— Kurde, Harry! On jest we mnie. On jest mną!

— Tak. On jest tobą — potwierdziłem.

Trzymając się kurczowo pałeczki, szedłem razem z Papago Joem i Dude'em S. N. oraz z duchami, które wcieliły się w nas, kiedy usłyszałem stłumiony dźwięk: *kkkkrakkkkkkk!* Znajdowaliśmy się znów w Nowym Jorku, na skale czerwonobrązowego piaskowca wyłaniającej się ponad powierzchnię. W ciemnościach

ielkiej Otchłani wokół nas były tylko skały, drzewa i karłowate
rzewy. Wśród traw widać jednak było mroczne światełko. To
yło to samo przejście, przez które Misquamacus porwał kiedyś
aren. Dokładnie pod naszymi stopami znajdował się pokój
wieście dwanaście w hotelu Belford. To było jedyne znane mi
rzejście z Wielkiej Otchłani do świata żywych. Staliśmy przez
hwilę, patrząc w dół. Z tego miejsca widzieliśmy sprężyny
óżka i część sufitu. Wspinaliśmy się jeden za drugim, a kiedy
rzyciąganie ziemskie zmieniło kierunek, znaleźliśmy się w po-
oju, w którym zmarli George Hope i Andrew Danetree, tylko
latego, że byli potomkami osadników.

Tym razem nie rozstaliśmy się z naszymi duchami przewod-
ikami. Poszli razem z nami, tkwiąc głęboko w naszych duszach.
yli w nas wszyscy trzej: Śpiewająca Skała, Martin Vaizey
William Hood, łowca upiorów.

Ostrożnie otworzyliśmy drzwi, rozglądając się dokoła.

— Spokojnie — stwierdził Dude S. N. — Nie ma żywego
ucha.

— Chwileczkę — przerwałem mu. — Gdzie masz butelkę,
którą masz złapać cień?

— Cholera! — zaklął Papago Joe. — Nie pomyślałem o tym.
Aówiłeś, zdaje się, że doktor Snow ma taką butelkę...

Na czole Dude'a S. N. pojawiła się zmarszczka, jakby wsłu-
hiwał się w to, co się dzieje w jego wnętrzu.

— W porządku... — odezwał się. — William twierdzi, że
rszystko jest w porządku. Niepotrzebna nam specjalna butelka.
Vystarczy jakakolwiek. On ma butelkę po occie, którą ukradł
restauracji w Serbii.

Spojrzałem wymownie na Papago Joego.

— Chryste Panie! Tyle było gadania o specjalnej, czarodziej-
kiej butelce, a tu, okazuje się, wystarczy byle jaka.

Lecz Papago Joe nie zwracał na mnie uwagi, zajęty swoimi
ałeczkami z orlich piór.

— Czuję ruch... olbrzymie poruszenie... Coś się dzieje w No-
rym Jorku... Coś niedobrego.

— Wykończyłeś przecież Doktora Hambone'a... i zamknąłeś
a zawsze Aktunowihio... Co się dzieje?

Papago Joe podniósł głowę, nasłuchując. Słyszałem wycie
yren, warkot helikopterów nad głową i powolny, dudniący
źwięk rozpadającego się muru. I jeszcze coś. Głuche drżenie

w piersiach, będące odbiciem drgań podłoża Manhattanu. Zar
potem trzasnęła błyskawica, posypało się szkło i doszły n
krzyki ludzi.

— Ostatnia reduta — rzekł Papago Joe.

— Ostatnia reduta? Co masz na myśli?

— Tak jak ostatnia reduta generała Custera. On zniszcz
wszystko, co będzie mógł!

— Słuchaj — powiedziałem. — Muszę zadzwonić do Am
lii... Potrzebne nam te widelce, jak najszybciej.

Nie wiem, dlaczego o tym pomyślałem. Właściwie wiem. T
Martin, za pośrednictwem mojego mózgu, podszepnął mi, c
mam zrobić.

Zbiegliśmy po schodach do holu. Przeskoczyłem kontua
recepcji i dopadłem telefonu. Podczas gdy wybierałem nume
Amelii, Papago Joe i Dude S. N. z niecierpliwością przestępowa
z nogi na nogę. Po dziesięciu próbach nareszcie uzyskałer
połączenie.

— Jeszcze sekunda! — rzuciłem w stronę Papago Joego.

Pchnęliśmy drzwi i wybiegliśmy na ulicę. Zniszczenia był
dużo większe, niż sobie mogłem wyobrazić. Niedawno pada
deszcz i ulice zasłane były stertami mokrego gruzu, poroz
bijanymi samochodami, straganami, poprzewracanymi furgonet
kami i różnego rodzaju śmieciami. Aby dotrzeć do Washingto
Square, musieliśmy wspiąć się po górze cegieł. Plac wygląda
jak Berlin po drugiej wojnie światowej. Cała okolica zarzucon
była gruzem, poskręcanym żelastwem i bestialsko połamanymi
porozdzieranymi ludzkimi ciałami.

Prócz strażackiego wozu z dziko wyjącą syreną i z migającyn
kogutem w polu widzenia nie było żadnego pojazdu. Wokół na
z budynków odpadały płaty tynku i kamieni, rozbijając się n
drodze. Z domów wypadały okna dzwoniąc, jakby to było Boż
Narodzenie.

Zanim dotarliśmy do skrzyżowania Dwudziestej Dziewiąte
Ulicy i Piątej Alei, byliśmy zupełnie wykończeni, spoceni i be
tchu. Ziemia drżała i trzęsła się, z czego wnosiliśmy, że zbliżamy
się do epicentrum. Pęknięta jezdnia zionęła przepastnym ot
worem, do którego z głuchym łoskotem wpadały zniszczon
samochody, lądując w metrze i w kanałach, a za nimi tonąc
w kłębach kurzu lawina cegieł.

Na Piątej Alei panowały egipskie ciemności, tylko gdzie

leko po zachodniej stronie migotało samotne światełko. Szliś-
y chodnikiem, ramię w ramię, jak trzej rewolwerowcy z jakie-
ś dreszczowca.

— On jest tutaj — stwierdził Papago Joe, chowając swoje
ie pałeczki. — Powinien być gdzieś tutaj.

Zbliżając się do iglicy z megalitu na Empire State Building,
baczyliśmy go, jak stał na chodniku. Właściwie nie stał, tylko
nosił się jakieś pięć, siedem centymetrów nad chodnikiem,
ataku nieprzytomnej wściekłości. To był Misquamacus, naj-
iększy spośród indiańskich czarowników. Oczy błyszczące
ściekłością przesłonił rękoma, głowę jego wieńczyła kopuła
mentarnego robactwa. Chodnik trząsł się pod jego stopami,
w pobliskim budynku pękały szyby.

Podeszliśmy do niego wszyscy trzej, twarzą w twarz, i żaden
nas nie odczuwał strachu. Jestem tego pewien, bo już raz
marliśmy i znów zmartwychwstaliśmy. Spotkaliśmy naszych
rzyjaciół, którzy też zmarli. Właściwie przynieśliśmy ich ze
obą, w naszych wnętrzach, aby byli świadkami ostatecznej
ozgrywki.

Teraz i my poznaliśmy prawdę, którą Misquamacus znał od
oczątku. Śmierć nie oznacza końca istnienia, jest to po prostu
nny rodzaj życia. Zawsze czerpał swoją siłę z naszego strachu
rzed nim, z naszego strachu przed śmiercią. Dzisiaj było inaczej.

Wlepił w nas wzrok.

— Oszukaliście czarnego człowieka, tak?

— To prawda — odpowiedział Papago Joe. — Oszukaliśmy
zarnego człowieka.

Misquamacus potrząsnął głową i na beton posypało się ro-
actwo.

— Ty... Joseph... i ty, który ukrywasz się we wnętrzu Josepha...
piewająca Skało... Wiem, co jesteście warci... szczury, tchórze,
lubieńcy białych.

— Nieprawda — rzekł Papago Joe. — Nie jesteśmy ani
zczurami, ani tchórzami, ani też niczyimi ulubieńcami. Przeko-
asz się, że przyszłość należy do nas, tak jak kiedyś należała do
iebie. Niszcząc te wszystkie miasta i mordując tych biednych
udzi... idziesz drogą donikąd. Misquamacusie, dawne czasy
minęły. Nikt już nie chce żyć tak jak dawniej. Daj temu spokój...
rzecież to tylko chwila. Rozumiesz mnie? Jedna krótka chwila
v bezmiarze czasu.

451

— Widziałem pędzącego bawołu — rzekł Misquamacu, wyciągając rękę. Oczy jego wpatrywały się w jakiś odległy punkt w czasie i przestrzeni. Po raz pierwszy było mi go żal. Ostrożnie, krok za krokiem, zbliżał się do niego Papago Joe.

— To już koniec, Misquamacusie. Skończyło się. Czeka n ciebie Wielka Otchłań. Ciemna i spokojna, po której pędz bawoły.

Podchodził coraz bliżej, jedną rękę trzymając w górze.

— To naprawdę koniec, Misquamacusie. Nie widzisz? Cza czarów przeminął na zawsze.

To była prośba o zapomnienie, jeżeli nie o wybaczenie. Bawoł są martwe, wigwamy zniszczone, a ogniska dawno wygasły.

W tej długiej, pełnej napięcia chwili prawie uwierzyłem, ż Misquamacus podda się. Ale on otworzył szeroko usta i wyda z siebie ogłuszający ryk. W tej chwili pod naszymi nogami nagł pękł chodnik. Ogromne kawały betonu wyleciały w powietrzu przewalając się wokół nas z łoskotem. Przewody elektryczn rury kanalizacyjne i najrozmaitsze kable wyrwane z ziemi koły sały się jak wypatroszone wnętrzności Manhattanu.

Papago Joe przewrócił się, wpadając po pas w piach i w po kruszony beton. Podniósł rękę, by osłonić twarz przed piaskien który go zasypywał.

— Joe! — krzyknąłem i ruszyłem w jego kierunku. Lecz o odwrócił się i wrzasnął:

— Nie, Harry! Ratuj się! Patrz!

Z wyrwanej dziury w chodniku z ogłuszającym hukiem wył niał się czarny cień. Najpierw ukazała się jedna falująca mack czarnego dymu, po niej druga. Po chwili na chodnik wydźwignęł się coś ogromnego i czarnego.

— O kurde! — zaklął Dude S. N. i upadł na kolana.

Czarny cień rósł i stawał się coraz większy, aż zdawało się, ż swoim ogromem zaćmił noc. Trudno było określić jego wyglą Widziałem świecące macki, wijące się jak węże, i jaśniejsz plamy, które mogły być twarzami. W powietrzu unosił się zapac palonych ciał, krwi i przyprawiający o mdłości słodkawy zapac śmierci.

Wreszcie z otworu wyłoniły się ręce i usiłowały uchwyc brzeg chodnika. Ręce oddzielone od ciała. Cały ten ohydr stwór, macki, czarny dym i cała reszta, dźwigał się na okalecz nej, pełzającej gmatwaninie ludzkich istot. Trzęsły się, jęcza

drżały, usiłując wypchnąć ten stwór w świat żywych. Jego
eżowate, tłuste cielsko przewalało się z boku na bok, jak
·sarz niesiony przez trędowatych w palankinie.

Wiele ludzi już umarło; za sprawą Doktora Hambone'a we-
wało ich niebo albo piekło. Ich połamane ręce walały się po
licy, a gnijące wnętrzności zwisały jak pętle. Aktunowihio
ɔstawiał za sobą oślizły, cuchnący ślad.

Bóg jeden wie, jak potężny byłby ów stwór, gdyby wszystkie
usze należące do Doktora Hambone'a mogły go wesprzeć. Pod
ym cielskiem były tysiące rąk i nóg; tysiące dusz żądnych
emsty.

— S. N.! — wrzeszczałem. — Na litość Boga! Dawaj butelkę
a cień!

S. N. rozglądał się w popłochu.

— Nie mamy butelek, Harry! Nie mamy żadnych butelek!
Przerażony Papago Joe nie przestawał krzyczeć.

Widziałem mnóstwo butelek walających się na Piątej Alei.
Nagle zabłysło światełko i w barze naprzeciwko zobaczyłem
tojącą na stole butelkę z ketchupem.

— Tam! — krzyknąłem.

Dude S. N. jednym susem skoczył na drugą stronę ulicy. Bar
ył zamknięty. Słyszałem, jak szarpał klamkę.

— Och, pieprzyć! — usłyszałem i zobaczyłem, jak chwycił
ɔotężny kawał betonu i walnął nim w wystawę. Biegnąc z powrotem, potrząsał wściekle butelką, wylewając ketchup na ulicę.

Niestety, na uratowanie Papago Joego było już za późno.
Misquamacus chciał mieć Papago Joego, tak samo jak przedtem
:hciał mieć Śpiewającą Skałę. Według niego obaj byli zdrajcami.
Zdradzili Indian, ich bogów i ich dziedzictwo.

— Nepouz-had! Nepouz-had! — strasznym głosem zawołał
Misquamacus i w tej chwili z dymu wyrwały się potworne
lrapieżne szpony i zatopiły swoje ostrze w twarzy Papago Joego.

— Nie! — Zrozpaczony odwróciłem się do Dude'a S. N., ale
ɔn był zbyt zajęty wylewaniem ketchupu z butelki.

Niemal wytwornym, przyprawiającym o mdłości gestem stwór
:anurzył pazury w nozdrzach Joego. Widziałem, jak w jego
10sie znikają czarne chitynowe paluchy. Oczy Joego rozżarzyły
ię przerażeniem i bólem.

Przez jedną szaloną chwilę miałem nadzieję, że uda mi się go
uratować. Ale szpony właśnie poderwały się do góry, jednym

szarpnięciem zrywając całą twarz Joego, czemu towarzysz odgłos rozdzierania płótna. Pozbawiona oczu i ociekająca krw czaszka Papago Joego nie przestawała krzyczeć.

Szpony odrzuciły twarz Papago Joego jak zakrwawioną mas z lateksu. Teraz nieustępliwie kierowały się w stronę rozwarty w krzyku ust. Widziałem, jak podobna do robaka macka sto niowo i nieubłaganie znika w gardle Papago Joego. Zwymiot wałem żółcią i niestrawionym jeszcze śniadaniem.

Dude S. N. z pustą butelką po ketchupie w ręku obszedł mn dokoła, krzycząc coś, czego nie rozumiałem. Dobiegły mn jakieś powtarzające się dźwięki:

— Ulwau! Almoj! Almena!

Czarna chmura zakotłowała się i wzburzyła, a pod nią do rzałem plątaninę ludzkich członków, falujących jak kończyn stonogi.

W ostatnim wściekłym geście stwór wyrwał szpony z gardł Papago Joego, wyciągając pulsujące jeszcze płuca, skrwawion serce, miękki, sflaczały żołądek i całą resztę — stos wnętrzność wątrobę, trzustkę i nerki. Wszystko to, tętniące ostatnimi sekun dami życia Papago Joego, ześliznęło się w piach i kamienie.

Nieustraszony Dude S. N. wciąż zbliżał się do potwor machając butelką po ketchupie i krzycząc:

— Almoj! Almoj!

— S. N. — wrzeszczałem. — Na miłość boską, uważaj!

Schylił się i podszedł bliżej. W tej chwili trzy czy czter macki wystrzeliły w jego stronę i owinęły mu się wokół kostel Próbował je strząsnąć i uwolnić się. Jedna owinęła się wok lewej nogi i posuwała się coraz wyżej.

— Almoj! — zawołał. — Almoj!

— S. N.! Uważaj! — Zdrętwiałem z przerażenia, przyp mniawszy sobie, co spotkało starego Rheinera w hotelu Be ford. — S. N. Uciekaj!

S. N. nie ustawał w próbach złapania do butelki dymn substancji Aktunowihio. Kolejna macka owinęła się wok ciała S. N., zdzierając mu koszulę z pleców. Walczył zacieklε jednak macki rozdzierały mu skórę, a z końców palców tryska mu krew.

Gorączkowo rozglądałem się za czymś, co mogłoby posłuży jako broń. Zobaczyłem drąg z rusztowania, niestety przywalon był zniszczonym samochodem i nie miałem siły go wyciągną

Właśnie wtedy nad okrutnie rozdartym ciałem Papago Joego zbłysło słabe światełko. Przyjrzałem się uważniej i zdałem bie sprawę, że wyłania się z niego niewyraźny kształt Śpiewacej Skały.

Głos Martina Vaizeya w mojej głowie mówił:

— *Słoneczny proszek... mówi, żebyś użył słonecznego proszku. ktunowihio jest cieniem... nie znosi światła.*

Na chodniku, obok zakrwawionej ręki Papago Joego, walały ę jego pałeczki z orlich piór i kości. Spojrzałem na Dude'a . N. Prawie zupełnie omotany przez macki cienia, walczył krzyczał.

— Odpieprz się ode mnie, ty przeklęta ośmiornico! Almoj! lmoj!

Grzebałem w rzeczach Papago Joego, aż znalazłem małą rebkę z niewyprawionej skóry, zawierającą słoneczny proszek. zarpnąłem konopny sznurek, którym była przewiązana. W środ- u była garść czegoś, co wyglądało jak błękitnawa sól.

Odwróciłem się w stronę mglistego zarysu sylwetki Śpiewają- ej Skały.

— Co mam z tym zrobić? — spytałem w rozpaczy.

Zdawało mi się, że usłyszałem jego szept.

— *Rzucaj...*

Podbiegłem do Dude'a S. N. i rzuciłem proszek w najciem- iejsze miejsce kłębiącej się masy Aktunowihio.

Usłyszałem dźwięki podobne do skwierczenia i trzaskania zostałem oślepiony niewiarygodnie jasnym, białym światłem.

Światło przybrało kształt totemu; było tak jasne, że niepodobna yło nań patrzeć. Nie przestawało strzelać i skwierczeć, jak ajerwerki w czasie pokazów święta Czwartego Lipca — im łużej się paliły, tym światło było jaśniejsze.

Aktunowihio wydał z siebie dźwięk, który nie da się porównać niczym, co kiedykolwiek w życiu słyszałem, i którego nie hciałbym usłyszeć nigdy więcej. Było to jak pisk robaka, którego toś wyciąga z gardła porośniętego ostrą szczeciną. Ciemne nacki, cofając się przed światłem, ześlizgiwały się i uwalniały ogi S. N.

Zaraz potem dojrzałem w cielsku Aktunowihio blade przebły- ki światła. Coś, co wyglądało jak czerwone, jarzące się oczy, coś jak karykaturalna postać pochylonego bawołu. W ostatnim łomyku słonecznego proszku cień bawołu zarysował się wyraź-

455

niej. Nie będę opisywać tego, co zobaczyłem, bo chcę wyrzuc
to z pamięci. Było tam wszystko, co sprawia, że noc nas przeraż
Misquamacus przeraził mnie już nieraz, ale nic nie przerazi
mnie tak jak ten cień Bawołu — prawie do utraty zmysłów.

Na tę czarną kłębiącą się zjawę niepodobna było spojrz
inaczej, jak przysłoniwszy twarz palcami, tak że tylko oczy międ
nimi wyglądały.

Dude S. N. obrócił się wkoło, a potem cofnął. Nagle zobacz
przy swojej nodze jedną skurczoną mackę. Przydeptał ją obcase
i przytrzymał. Nachylił butelkę po ketchupie i okręcając mack
wokół szyjki, usiłował wcisnąć jej czubek do środka.

— S. N. — zawołałem. — Na miłość boską, uważaj! T
może zabić!

— To kaszka z mlekiem, człowieku — odpowiedział S. N
Z przejęcia wysunął koniec języka przez zaciśnięte zęby, a gc
cień prawie całkiem wypełnił butelkę, bez wahania przykrył j
nakrętką i mocno zakręcił.

— Ekstra! — zawołał triumfalnie. — Wszystko ekstra!

Podrzucił butelkę i złapał ją, po czym odtańczył na chodnik
dziki taniec.

Z ciemności wyłonił się Misquamacus z twarzą wykrzywion
wściekłością.

— Co ty zrobiłeś? Coś zrobił? Twoja krew pokryje niebo o
bieguna do bieguna.

Tymczasem Aktunowihio, najstraszliwszy bóg cienia, w jakim
potwornym zamęcie miotał się i rozpadał. Nie będąc całością
nie miał szans na przeżycie w świecie światła, w świecie żywych
Skręcał się i wił w cierpieniach jak ślimak rzucony na rozgrzan
płytę.

Zwijał swoje macki i grzmiał, i ryczał. Przypominał nurka
któremu rozerwał się kombinezon antyciśnieniowy. Ciemność
kurczyła się i zamierała. Nagle ten kłąb cienia, macek i poszar
panych ludzkich członków opadł na chodnik i znikł, zostawiają
po sobie strumień kurzu i betonowego gruzu.

Dude S. N. podszedł do mnie, trzymając w ręku butelk
wypełnioną cieniem.

— Widziałeś? — zapiał. — Widziałeś?

— Jak tego dokonałeś? — spytałem.

— Człowieku, to jest jak łowienie pstrągów. Podnosisz butelk
i wmawiasz mu, że tam jest cała wieczność, a ten cholerny

upi cień nie potrafi oprzeć się pokusie sprawdzenia i przekonuje się, że tam nie ma wieczności. Zawsze dają się nabrać a ten numer. Tak przynajmniej twierdzi William Hood. Miły cet, szkoda, że obcy.

Popatrzył na mnie z uśmiechem, który jednak zgasł nagle, dy S. N. zobaczył za moimi plecami krwawe szczątki Papago ɔego.

— Będę go opłakiwać później, na osobności, dobrze? — dezwał się Dude S. N. wyzywająco.

Poszukałem wzrokiem Misquamacusa. Czarownik wciąż unoił się nad chodnikiem. Czerń jego postaci była tak gęsta, że ydawało, iż lada chwila wybuchnie.

— Myślisz, że i tym razem uda ci się mnie pokonać — dezwał się chrapliwym głosem. — Myślisz, że to mój koniec. le ja, przyjacielu, w tej oto ręce zabiorę ze sobą twoje serce. abiorę twoje serce i zakopię je głęboko, w najciemniejszym akątku Wielkiej Otchłani.

Opuszczał się powoli w moją stronę. Jego szaty miękko zeleściły na wietrze. Twarz wyglądała jak pierwotna, prymitywa maska. Bóg zniszczenia. Bóg cierpienia. Cofnąłem się kilka roków, lecz on dalej płynął ku mnie, stopami prawie dotykając licy.

Dude S. N. próbował złapać go za rękaw, ale Misquamacus nie patrząc na niego wyciągnął rękę i powalił S. N. na kupę gruzu. S. N. podniósł się, lecz on znów go uderzył i S. N. potoczył się głową prosto na rozwalony pontiac. Starając się podźwignąć, złapał się samochodu, lecz zabrakło mu sił i upadł na kolana.

Misquamacus złapał mnie za koszulę. Rękoma jak naszyjnikiem z końskiego włosia objął moje gardło i przycisnął mi grdykę, tak że nie mogłem mówić. Zionął prosto w moją twarz, a w jego oddechu był odór śmierci i zgnilizny, zapach ciał palonych na stosach, zapach dni, które już nie wrócą.

— Ty — powiedział — ty jesteś uosobieniem wszystkich najgorszych cech białego człowieka.

Nie mogłem mówić. Miałem zbyt ściśnięte gardło.

— Jesteś już martwy — powiedział.

Są takie chwile w życiu człowieka, kiedy ma świadomość śmierci. Dla mnie to była właśnie taka chwila. Wbrew temu, co się mówi, życie nie stanęło mi przed oczami w ułamku sekundy. Nie myślałem o niczym, tylko o tym, że nie mogę oddychać.

Misquamacus naciskał moje gardło coraz mocniej. Co prawd
mógł je bez trudu złamać jednym skrętem, ale on chciał s
nacieszyć moim umieraniem i prawdę mówiąc, po tym, co n
zrobiłem, nie mogłem mieć do niego pretensji.

Nagle, kiedy czerwone iskierki tańczyły mi już przed oczam
poczułem, jak jakaś delikatna ręka chwyta moją prawą rękę, pote
lewą i wciska w moje dłonie dwa zimne, metalowe przedmiot

Amelia. Przyszła i odnalazła mnie.

Amelia. Przyniosła mi widelce.

Jak przez mgłę słyszałem Misquamacusa.

— Zanim umrzesz, braciszku, wyjmę ci serce, żebyś móg
zobaczyć je na własne oczy.

Nie przychodziła mi na myśl żadna dowcipna odpowiedź. N
mogłem mówić.

Rozłożyłem szeroko ramiona, napiąłem mięśnie i z całej sił
wbiłem trzonki widelców w boki Misquamacusa.

Przez jakieś dziesięć sekund zdawało mi się, że sztuczka ni
zadziałała. Patrzyłem na niego, a on patrzył na mnie. Nagl
złapały go konwulsje, z twarzy strzelały iskry, a z głowy spadał
spalone robaki. Niebieski prąd przeszył na wylot jego ciał
i dotarł do widelców, które dymiły jak naładowane baterie.

Krzyk, jaki wydarł się z otwartych ust Misquamacusa, z pew
nością słychać było w piekle.

Na moich oczach Misquamacus zaczął się rozpadać. Jak n
przyśpieszonym filmie odpadały ręce, twarz i cała reszta. Zamias
niego stała teraz przede mną Karen. Blada jak płótno, z szerok
otwartymi oczami, w szoku, od którego omal nie postradał
zmysłów. Ale kto by nie postradał, gdyby opętał go indiańsk
czarownik?

Wciąż trzymając tak widelce, cofnąłem się o krok. Wskute
przeżytego szoku ścięgna moich nadgarstków złapał kurcz i ni
wiedziałem, jak długo uda mi się utrzymać widelce.

— *Wszystko w porządku* — usłyszałem głos Martina w mojej
głowie. — *Musisz je teraz odłożyć. On już nie ucieknie. Złapałeś
go w pułapkę, i to na zawsze.*

Ostrożnie odłożyłem widelce na chodnik, patrząc, jak trzeszczą
i dymią. Karen podeszła i przytuliła się do mnie mocno. Zaraz
za nią nadeszła Amelia i utykający Dude S. N.

— Amelia! — wyszeptałem, zataczając się z wyczerpania.
Gardło miałem wciąż obolałe.

— Harry!

— Amelio, jestem ci bardzo wdzięczny. Do końca życia będę
voim dłużnikiem.

Amelia potrząsnęła głową.

— Niczego od ciebie nie oczekuję, Harry, i nigdy nie oczeki-
ałam.

— Co zamierzasz teraz robić? — spytałem.

Uśmiechnęła się blado.

— Zamierzam wziąć twojego przyjaciela do domu i opatrzyć
?go rany. A ty co masz zamiar robić?

— Jeszcze nie wiem. Właśnie się zastanawiam.

W tej chwili Dude S. N. krzyknął:

— Patrz!

Z początku nie wiedziałem, o co chodzi, ale on znów zawołał:

— Patrz!

Nad poszarpanym ciałem Papago Joego stał Śpiewająca Skała.
Mimo że jego postać była niewyraźna i chwiejna, widziałem
dokładnie rękę podniesioną w geście zwycięstwa, a może pożegnania.

Za nim stało w szeregu wielu młodych ludzi w wyblakłych
wojskowych mundurach, rękawicach i wysokich butach. Twarze
mieli białe jak niezapisane karty historii.

Staliśmy słuchając, jak wymieniają swoje nazwiska. Był to
apel, który przywracał im cześć. Apel ludzi, którzy pomszczeni
po latach, będą mogli spocząć w pokoju. Przy dźwiękach płonących budynków i podmuchach wiatru ich głosy były ledwie
słyszalne, lecz ja wiedziałem, kim oni są. To było pięć kompanii
Siódmego Pułku Kawalerii, wybitych nad Little Big Horn przez
Aktunowihio i Misquamacusa, który wezwał Aktunowihio na
pomoc.

Nie wstydzę się przyznać, że patrząc na nich, miałem łzy
w oczach.

— *Kapral Henry Dallans... Kapral A. G. K. King... Pułkownik
w stopniu porucznika W. W. Cook... Kowal P. Manning... Asystent
chirurga J. M. DeWolf... Szeregowiec F. Gardiner... Szeregowiec
F. Hammon... Szeregowiec F. Kline... Arthur Reed, cywil... Chas
Reynolds, cywil... Mark Kellog, cywil...*

Dwieście sześćdziesiąt jeden nazwisk padło tu tej nocy. Każdy,
kto podał swoje nazwisko, znikał w ciemnościach. Wkrótce
został tylko jeden mężczyzna i podał swoje nazwisko jako ostatni.

— *Generał-major George A. Custer*.

Zamknąłem oczy, a kiedy je otworzyłem, nie było już nikog
nawet Śpiewającej Skały. I nie było widać niczego opró
słabego, migocącego światełka. Na nocnym niebie słychać by
dźwięki syren. Chyba doznałem rozdwojenia jaźni, jakby
był jednocześnie tu i gdzieś indziej. Może umarłem. Sam n
wiem.

— Chodźmy — zwróciłem się do Karen. — Chodźmy zob;
czyć, czy mój dom stoi.

Rozejrzałem się i w śmieciach zobaczyłem czerwoną gumow
rękawicę z izolacją. Wziąłem ją z zamiarem wrzucenia do ni
widelców i zabrania ich do domu. Chciałem je mieć przy sobi
gdzieś gdzie mógłbym mieć na nie oko.

Gdy tylko pochyliłem się, żeby je podnieść, nastąpiło wyłado
wanie i sześć oślepiających strumieni prądu wyskoczyło z zębó
widelców i osiadło na stalowych futrynach okien Empire State

— O kurde! — skoczyłem naprzód, ale spóźniłem się o uła
mek sekundy. Iskry elektryczne równymi liniami pięły się w gór
budynku. Na wysokości piątego piętra znikły, a po chwili ukazał
się znowu. Gdy dosięgły obserwatorium na osiemdziesiątym
szóstym piętrze, było już widać tylko słabe iskierki.

Na chwilę wszyscy wstrzymali oddech. Raptem z maszt
umieszczonego na szczycie Empire State rozległ się ogłuszając
trzask. Błyskawica tym razem oderwała się od budynku i zniknęł
na niebie. Zostało nam to na wpół zrujnowane miasto, przesycon
lekkim zapachem spalenizny, na które właśnie spadły pierwsz
krople deszczu.

Ach, i oczywiście mieliśmy jeszcze siebie.

ROZDZIAŁ 21

No cóż! Jak wiadomo, naukowcy nadal tłumaczą to, co się
ydarzyło, ruchami skorupy ziemskiej oraz zmianami w atmo-
ferze, sprzyjającymi powstawaniu cyklonów. Może to i lepiej.
Gdyby wszyscy uwierzyli w istnienie duchów Indian, w potężne
ienie demony i w niezmierzone czarne jezioro pod naszymi
topami, myślę, że kraj ogarnąłby jeszcze większy chaos, niż
est obecnie.

Najważniejsze jest działanie. Trzeba pochować zmarłych,
czyścić miasta z gruzów i zbudować nowe domy, zgodnie
najlepszą pionierską tradycją.

Wszak Ameryka należy teraz do nas, a nie do cieni demonów.

Od czasu tamtych wydarzeń minęło już siedem miesięcy
wydaje mi się, że większość z tego, co zaszło, jest dla mnie
asna, choć nadal dręczą mnie pewne pytania: Co się stało
małym Samuelem? Co się dzieje z Dawidem, moim młodszym
ratem? Chciałbym wierzyć, że gdzieś w niebie — czy jak tam
to nazwie to miejsce — ci chłopcy spotkali się i zaprzyjaźnili.

Ciekaw jestem, co stało się z Trixie z Chicago. Chciałbym
iedzieć, czy Mama Jones jeszcze żyje. Próbowałem się do niej
odzwonić, ale nikt nie odpowiadał.

Kilka tygodni temu dostałem pocztówkę od Wandy z Denver.
ył na niej rysunek Myszki Minnie. Wanda i Joey mieszkają
wujostwa. Ekipa porządkowa znalazła Joeya w rozbitym
umochodzie dwa kilometry od Pritchard. Był głodny, odwod-
iony, ale ocalał.

Amelia w dalszym ciągu uczy w szkole. Dzwoniłem do niej

parę razy, ale w miarę upływu czasu coraz mniej mamy sobie do powiedzenia. Lubię Amelię, chyba nawet kochałem się w niej. Nie byłem dla niej odpowiednim mężczyzną. Oboje zdawaliśmy sobie z tego sprawę.

Dude S. N. wrócił do Apache Junction. Cybille przyszła i zabrała wszystkie swoje majtki. Dla odmiany żyje teraz z Garym. S. N., Linda i Stanley mieszkają razem w tej obtłuczonej przyczepie i sprzedają używane jeepy.

Ja w dalszym ciągu przepowiadam przyszłość. Wpadnijcie do mnie któregoś dnia, to wam powróżę z fusów po herbacie. Mam opinię wróża, którego przepowiednie się sprawdzają. Kiedy powiedziałem pani Johnowej F. Lavender: Ziemi się strzeż, co ucieka spod nóg. I co się stało? W Dzień Wszystkich Cien ziemia zapadła się pod jej mercedesem prowadzonym przez szofera. Od tamtej pory nikt już więcej jej nie widział.

W samym Manhattanie zmarło pięćdziesiąt jeden tysięcy ludzi W Chicago — siedemdziesiąt trzy tysiące. W Las Vegas zginęło dziewięć tysięcy ludzi, a w Phoenix sześć i pół tysiąca. W całym kraju zginęły ponad dwa miliony. Oko za oko.

W moim gabinecie stoi na półce butelka po ketchupie Heinza, w którą Dude S. N. złapał mackę Aktunowihio. Zaglądam do niej czasem — w środku jest ciemna jak dym z ogniska; ciemna jak Wielka Otchłań. Tylko książek nie trzymam na tej półce. Stwierdziłem, że jeśli stoją w sąsiedztwie butelki z cieniem, po tygodniu ich druk blaknie, a po miesiącu strony są zupełnie białe. Karen uważa, że ma to złowróżbne znaczenie. Dla mnie zaś jest to dowód, że Aktunowihio jest tam, gdzie chcę, żeby był.

Jeżeli chodzi o Karen — no cóż — Karen jest bardzo piękna i czuje się dobrze. Od czasu tamtych wydarzeń mieszkamy razem i nasze współżycie układa się bardzo dobrze — na ogół. Ostatnio często używamy słowa na literę „m". Rozumiecie — mówimy o małżeństwie.

Karen ma pewne wątpliwości, lecz ja uważam, że powinniśmy się pobrać możliwie jak najprędzej, zanim urodzi się dziecko.

Kiedy byłem dzieckiem, często latem jeździłem do rezerwatu. Miałem kuzynów, którzy odznaczali się przysłowiowym siódmym zmysłem — wyczuwali w powietrzu, że pod koniec dnia będzie padał deszcz. Słyszeli mowę ziemi i wysnuwali z niej różne opowieści.

Ludzie rozprawiają o Bogu i o diable, a Indianie mówią: U nas nie ma pojęcia diabła. Co to jest diabeł? Czy to jest ten facet w czerwonym fraczku, który kręci się tu ciągle? My nie mamy diabła. Diabeł przypłynął na statku Kolumba!

Robbie Robertson

KREW MANITOU

W Nowym Jorku szaleje „wampirza" epidemia. Jej ofiary podrzyna gardła innym ludziom, a następnie wypijają ich krew. Liczba morderst idzie w setki, w mieście wybucha panika. Zakażeni wirusem roznoszą g uprawiając seks z kolejnymi osobami, które same stają się nosicielam Walkę wampirom wydaje jasnowidz Harry Erskine, mający zdolnoś nawiązywania kontaktu z duchami. Pomaga mu jego duchowy przewo nik, indiański szaman Śpiewająca Skała, który przed laty stoczył pojed nek z najgroźniejszym z demonów, Misquamacusem. Okazuje się, Misquamacus powrócił – w nowej postaci. W XIX wieku pewien bizne men, z zemsty za zamordowanie rodziny przez Indian, sprowadził Ameryki wampiry z Rumunii, które przetrwały w stanie uśpienia i o rodziły się 11 września 2001 roku po ataku na World Trade Center...

STRACH MA WIELE TWARZY

Zbiór opowiadań grozy. Kilkunastoletnia dziewczynka dostrzega Anioł Stróża swego nowo narodzonego brata. Nikt nie wierzy w jej opowieść, a któregoś dnia Anioł Stróż dziewczynki zabija napastującego ją mężczyznę, pozostawiając po sobie tylko parę osmalonych piór... W wypadk samochodowym ginie dziecko; sprawca ucieka z miejsca zdarzenia. Jeg kolejne narzeczone ponoszą śmierć w wypadkach – przedtem jedna zachowują się tak, jakby wiedziały, co zdarzyło się w przeszłości... Pe wien kucharz decyduje się zrobić według przepisu z sekretnej księgi Ski Tan danie z ludzkiego mięsa – za cenę poznania księgi... Narrator snuj opowieść o dawnym przyjacielu, dla którego seks oznaczał ocieranie si o śmierć...

SFINKS

Młody waszyngtoński dyplomata Gene Keiller spotyka na przyjęciu nie zwykle atrakcyjną i seksowną, a przy tym bardzo tajemniczą kobietę Zauroczony urodą Lorie – pół Francuzki, pół Egipcjanki – pragnie po znać ją bliżej. Wydaje się, iż nad życiem dziewczyny ciąży jakieś fatum Jej zachowanie daleko odbiega od normalności. Nie zważając na te nie pokojące fakty, ani ostrzeżenia przyjaciół, Gene kontynuuje znajomość która po kilku tygodniach zostaje uwieńczona małżeństwem. Już podczas pierwszej nocy okazuje się, iż w ciele pięknej żony kryje się bestia...